MW00647139

◆ Cada vez mejor ◆

Cada vez mejor

Español para nivel intermedio

María-Paz Haro
Stanford University

María del Carmen Sigler
San José State University

Christine Bennett
St. Joseph's College Seminary

MACMILLAN PUBLISHING COMPANY

New York

Copyright © 1990 by Macmillan Publishing Company, a division of
Macmillan, Inc.

Printed in the United States of America

All rights reserved. No part of this book may be reproduced or transmitted
in any form or by any means, electronic or mechanical, including
photocopying, recording, or any information storage and retrieval system,
without permission in writing from the Publisher.

Macmillan Publishing Company
866 Third Avenue, New York, New York 10022

Collier Macmillan Canada, Inc.

Library of Congress Cataloging-in-Publication Data
Haro, María-Paz.
    Cada vez mejor / María Paz Haro, María del Carmen Sigler,
  Christine Bennett.
        p. cm.
    Includes index.
    ISBN 0-02-350230-4
    1. Spanish language — Textbooks for foreign speakers — English.
  I. Sigler, María del Carmen.   II. Bennett, Christine.   III. Title.
  PC4128.H37 1990
    468.2′421 — dc20   89-32032
                                                                CIP

Printing: 1 2 3 4 5 6 7   Year: 0 1 2 3 4 5 6

Production Supervisor: *Anne Reifsnyder*
Production Manager: *Nick Sklitsis*
Text and Cover Designer: *Patricia Smythe*
Cover Illustration: *Ruby Aranguiz,* "Plencia" (oil), (33″ × 24″)
Photo Researcher: *Rona Tuccillo*
Illustrations: *Caliber Design Planning Inc.*

ISBN 0-02-350230-4
Instructor's Edition ISBN 0-02-439947-7

The authors are indebted to the following persons and
    companies for permission to reprint material appear-
    ing in this text.

Joy Ibargüengoitia and Carina Pons, Agencia Literaria
    Carmen Balcells, S.A. for the story "Amor de Sarita y
    el profesor Rocafuerte" by Jorge Ibargüengoitia.

(continued on page xxv)

iv

◆ DEDICATION ◆

To Joaquín, Rob, Ian, Elizabeth, Leslie,
and Sean for their support and understanding.

PREFACIO

Cada vez mejor is a new textbook intended for second-year students who have had a basic but solid foundation in Spanish. It is designed to give instructors as much freedom and flexibility as possible in creating their own courses and provides a combination of features that we believe to be most effective in helping students to become proficient in Spanish; that is, to know the language well enough to use it for real-life purposes.

It has been our intent to provide in one volume all the material needed to develop the skills of listening, speaking, reading, writing, and understanding Hispanic cultures. The book's nine reading selections add to the semantic and cultural richness of the book and may eliminate the need for a supplementary reader in some courses.

Special features of the book are as follows: 1. Concise and practical grammar explanations with abundant examples, directed to improving students' accuracy. 2. Newspaper clippings, book excerpts, and authentic dialogues illustrating grammatical structures in context. 3. Cultural notes on customs, points of interest, and usage. 4. A variety of contextualized exercises to choose from. 5. Personalized questions as well as paired and small-group activities to encourage communication and give students the opportunity to express themselves freely in a nonthreatening environment. 6. Communicative situations designed to practice functions necessary to interact with others in Spanish. 7. Authentic texts written by Spanish and Spanish American authors, preceded by well-conceived prereading activities (vocabulary introduction, reading hints, focus questions, and brainstorming) and followed by questions designed to ensure comprehension and foster personal communication.

◆ ORGANIZATION ◆

Language

Cada vez mejor consists of 18 chapters and 9 readings. Each chapter is made up of three grammar sections, introduced by a presentation featuring the themes and structures of the section. The main elements in each section are as follows:

1. *Linguistic input in a cultural setting.* Each section opens with a dialogue, newspaper article, or brief literary selection that presents the new grammar topics and vocabulary. This varied and lively selection provides students with samples of authentic discourse and allows for a

smooth transition to communication, reading, and writing. The questions
that follow check comprehension, afford practice of new grammatical
structures in context, and relate the content to personal experience.
Although it is assumed that second-year students have already been
introduced to the fundamentals of grammar and vocabulary, care has been
taken not to introduce highly complex structures in the early chapters.

Because most presentations feature situations uniquely Hispanic and
offer a variety of dialectical expressions from throughout the Hispanic
world, they constitute cultural capsules encompassing many aspects of
behavior and values. The notes that follow them present historical,
linguistic, or geographical data to elucidate customs and points of interest.

2. *Grammatical explanations.* As a result of their education and
cognitive maturity, adult language learners want to know not only the rules
but the reasons for them. Consequently, we state the rules concisely and
provide clear guidelines for their application. Most of the examples that
follow them are taken from the introductory presentation of the section or
reflect its content.

3. *Exercises.* Following the grammatical explanations are many exercises
for immediate practice of the points just learned. Easier exercises
conducive to habit formation come first and can be supplemented by many
more from the Laboratory Manual. They are followed by guided exercises
that force the student to make grammatical choices; finally, there are more
creative exercises: a group of questions called **¡A conocernos!** promotes
self-expression.

4. *Communicative situations.* Each section ends with a **Situación
comunicativa,** in which students apply the structures and functions
introduced earlier to real-life situations. The instructions are given in
English in order to force students to produce the appropriate Spanish
structure and expression. Additional vocabulary is provided as needed.

5. *Actividades.* Once again, the activities have been designed to promote
self-expression—at times controlled or induced, at times spontaneous.
Fun, challenging, and motivating, they include many creative, imaginative
types of activities that provide students with opportunities to communicate
with peers and express their own meaning in a relaxed setting. A feature
of each **Actividades** is a short section that introduces students to
traditional sayings, songs, rhymes, riddles, jokes, and even some trivia for
a change of pace. These tidbits are related to the chapter's content and
illustrate a cultural view typical of the Hispanic world.

Readings

The **Lecturas** sections are organized as follows:

1. *Prereading activities.* Each reading is preceded by helpful hints
designed to aid in the development of reading skills. These are followed by

a variety of prereading activities to familiarize students beforehand with the vocabulary, author, and topic to be presented. The vocabulary list includes the basic words that students need to learn in order to read the text comfortably and then discuss its contents. Exercises immediately following the list will assist students in learning the words before they go on to the reading. A number of focus questions orient students to the themes that will appear.

2. *Readings.* After every other chapter is a reading. These were included to give students reading practice through a selection of texts that include short stories, an excerpt from a novel, and poetry. They are varied in style and present the work of both Spanish and Spanish American writers. The subject matter is wide in scope, and the vocabulary ranges from the practical to the lyrical, reflecting the background and interests of the authors. Among other things, these readings depict university life in a Latin American country, present generational conflicts in contemporary and traditional settings, describe the life of migrant workers, give a glimpse of the future, portray romantic love, explore women's issues, and trace the literary development of a major poet.

All selections are authentic and unabridged. They have not been strictly graded in difficulty; however, there is a general progression from simpler to more complex texts. All passive vocabulary is glossed in the margin, and cultural and linguistic notes are provided when appropriate.

3. *Exercises.* The **Lecturas** are followed by two kinds of questions. The first tests comprehension of the texts; the second generally provides a vehicle for discussion on a more philosophical level and for individual reaction to the text.

4. *Themes for discussion and composition.* Students are given a choice of stimulating, interesting topics for writing and discussion, all related to the themes of the reading. Care has been taken to provide a number of options in each chapter.

◆ FLEXIBILITY ◆

This book has been written by experienced classroom teachers and teacher trainers, with both teachers and students in mind. Since teaching styles and circumstances differ, we have provided a lot of material to choose from and presented it in such a way that the order can be changed to suit instructor preferences and student needs. For example, the text that precedes a grammatical explanation can be presented first, to provide comprehensible input and give students a chance to discover new grammatical points inductively, or the order may be reversed. Likewise, the exercises that appear at the end of each grammar section may be used in a different order or even interspersed with the grammatical explanations. The ¡A conocernos! questions were placed toward the end of each section because they generally combine all the grammatical points just presented; however, some instructors may wish to stimulate conversation at the beginning of the class period by using them first. Finally, each chapter can be viewed as an independent module; therefore, instructors may choose a different sequence or chapter presentation depending on the strengths and weaknesses of the particular group of students, and on their personal preferences.

◆ SUPPLEMENTARY MATERIALS ◆

The student textbook is supported by a set of recordings that emphasize listening comprehension; the cassettes may be obtained free on loan for duplication, and additional copies may be made for student use at home. A Laboratory Manual/Workbook includes writing exercises, some coordinated with the recordings and others guiding student compositions. An Instructor's Manual includes answers to all exercises in the textbook and Workbook that have predictable answers. A software program free to adopters includes cloze testing; drill and practice material in various formats with error analysis and on-line hints; and speed drills or games intended to help students develop instant recognition of particular forms and modes, such as gender or the subjunctive.

◆ ACKNOWLEDGMENTS ◆

The authors would like to acknowledge the following reviewers of the manuscript, whose comments and suggestions were helpful in the preparation of this book: Diana Álvarez of the University of Kansas, Rodney Baden of the University of Washington, Catherine G. Bellver of the University of Nevada, Hilda B. Dunn of the University of Kentucky, Nina Galvin of the University of Massachusetts, Lynn Carbón Gorell of Pennsylvania State University, Herlinda Hernández of Indiana University of Pennsylvania, Veronica LoCoco of the University of Santa Clara, Guido Podestá of the University of Santa Clara, Gloria Velásquez Treviño of California Polytechnic State University, and Sharon Keefe Ugalde of Southwest Texas State University.

The authors also wish to acknowledge the contribution of Karen Davy and Nancy Perry, and the editorial and production staffs at Macmillan, especially Anne Reifsnyder. Special thanks are also due to Francisco Márques of Stanford University for his work on the glossary; to Veronica LoCoco at the University of Santa Clara, who wrote the accompanying workbook; and to Ruby Aranguiz for her painting, which appears on the cover of the book.

Finally, the authors would like to thank their many friends and colleagues who provided advice and support along the way.

M.P.H.
M.C.S.
C.H.B.

CONTENIDO

Funciones lingüísticas

Aconsejar hacer algo / Expresión de necesidad y obligación / Preguntar si alguien
ha hecho algo / Narrar en el pasado

Actividades

Funciones lingüísticas

Aconsejar y pedir que se haga algo / Expresión de esperanza, deseo, necesidad y
obligación / Mandar, convencer y persuadir / Preguntar con cortesía

Actividades

Funciones lingüísticas

Expresión de creencia e incredulidad / Expresión de duda, posibilidad y
  probabilidad / Expresión de esperanza, deseo, necesidad, intención y obligación /
  Expresión de lástima y miedo / Negación

Actividades

—————————————————— Capítulo 10 ——————————————————

Funciones lingüísticas

Explicar intenciones, propósitos y causas / Expresión de posesión y origen /
  Expresión de situación, duración y movimiento / Inclusión y exclusión

Actividades

—————————————————— Capítulo 11 ——————————————————

Funciones lingüísticas

Corrección / Expresión de posibilidad y condición / Expresión de tiempo, lugar y
  cantidad / Hacer hipótesis y suponer

Actividades

Capítulo 14

Gramática

Contextos

Funciones lingüísticas

Explicación y aclaración / Expresión de descontento / Expresión de estados
   emocionales / Negación

Actividades

Capítulo 15

Gramática

Contextos

Funciones lingüísticas

Contar y calcular / Dar direcciones / Dar y pedir información sobre el tiempo /
   Expresión de cantidad

Actividades

——————————— **Capítulo 16** ———————————

——————————— **Capítulo 17** ———————————

Capítulo 18

Gramática

  I. Los artículos; El artículo definido

  II. Omisión del artículo definido; El
      lo neutro; Otros usos del **lo**

 III. El artículo indefinido: Formas,
      usos y omisión

Contextos

Funciones lingüísticas

Brindar / Enumerar / Explicar, especificar y definir / Expresión de opiniones /
  Expresión de preferencias

Actividades

MAR DEL CARIBE

Barranquilla
Cartagena
Maracaibo
Mérida
Caracas
Medellín
Bogotá
Cali
COLOMBIA
GUYANA
SURINAM
GUAYANA FRANCESA
VENEZUELA
Río Orinoco
ECUADOR
ECUADOR
Quito
Guayaquil
Iquitos
Manaus
Río Amazonas
Belém
PERÚ
Lima
Cuzco
BOLIVIA
La Paz
Brasilia
Arequipa
Arica
Sucre
BRASIL
Iquique
TRÓPICO DE CAPRICORNIO
Antofagasta
PARAGUAY
Asunción
São Paulo
Río de Janeiro
Santos
Tucumán
CHILE
Córdoba
Valparaíso
Mendoza
Rosario
URUGUAY
Montevideo
Santiago
Buenos Aires
Concepción
ARGENTINA
La Plata
Río de la Plata
Bahía Blanca
Puerto Montt
Bariloche
OCÉANO PACÍFICO
OCÉANO ATLÁNTICO
ANDES
Estrecho de Magallanes
Islas Malvinas
Punta Arenas
TIERRA DEL FUEGO
Cabo de Hornos

América del Sur

0   600   1200
Kilómetros

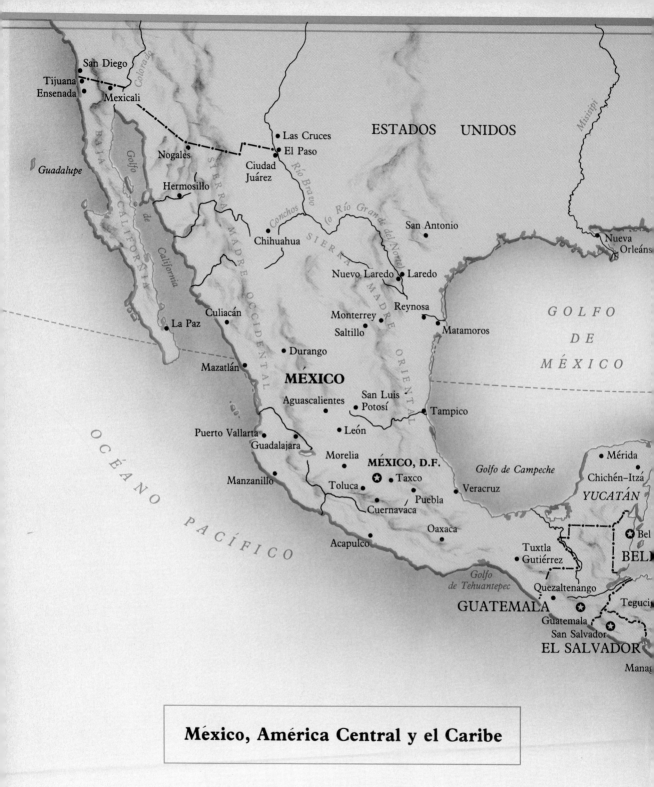

ESTADOS   UNIDOS

San Diego

Tijuana
Ensenada
Mexicali

Guadalupe

Nogales

Las Cruces
El Paso

Hermosillo

Ciudad
Juárez

BAJA

SIERRA

MADRE

OCCIDENTAL

Golfo

de

California

Colorado

Río Bravo

Conchos

(o Río Grande del Norte)

SIERRA

Chihuahua

San Antonio

Nueva
Orleáns

Misisipí

Nuevo Laredo   Laredo

Reynosa

Monterrey

MADRE

GOLFO

La Paz

Culiacán

Saltillo

Matamoros

DE

MÉXICO

Durango

ORIENTAL

Mazatlán

MÉXICO

Aguascalientes

San Luis
Potosí

Tampico

Puerto Vallarta

León

Guadalajara

Morelia

MÉXICO, D.F.

Golfo de Campeche

Mérida

Chichén–Itzá

OCÉANO

Manzanillo

Toluca

Taxco

Veracruz

YUCATÁN

Bel

Cuernavaca

Puebla

BEL

Acapulco

Oaxaca

PACÍFICO

Tuxtla
Gutiérrez

Golfo
de Tehuantepec

Quezaltenango

Tegucig

GUATEMALA

Guatemala
San Salvador

EL SALVADOR

Manag

México, América Central y el Caribe

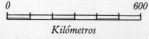

0   600

Kilómetros

OCÉANO ATLÁNTICO

San Agustín

Miami

TRÓPICO DE CÁNCER

La Habana • Matanzas
• Cienfuegos
CUBA • Camagüey
Isla de   Guantánamo
Pinos   Santiago
          de Cuba
JAMAICA   HAITÍ
          Puerto Príncipe
Kingston   Antillas
          Mayores

REPÚBLICA
DOMINICANA
Santiago
          San Juan   Islas
Santo   Ponce   Vírgenes   Antigua
Domingo   PUERTO   Guadalupe
          RICO
                    Antillas   Dominica
                    Menores   Martinica
                            Santa Lucía
                                Barbados
MAR   DEL   CARIBE   San
                            Vincente
                            Granada

HONDURAS

NICARAGUA

Aruba Curaçao
          Bonaire   Margarita   Puerto de   TOBAGO
                            España
Barranquilla   TRINIDAD
Cartagena   Maracaibo   Caracas
an José Puerto
      Limón   Portobello
      Colón   Panamá
COSTA   PANAMÁ   Mérida
RICA   Golfo   VENEZUELA
          de
          Panamá   GUYANA
El Canal de
Panamá   Medellín
          COLOMBIA
                                BRASIL

Fernando Vizcaíno Casas for his selections of *De «camisa vieja» a chaqueta nueva (Crónica de una evolución ideológica)* published by Editorial Planeta, Barcelona.

María Elena Quiroga de Cunill for the story "Silvina y Montt" by Horacio Quiroga.

Carina Pons, Agencia Literaria Carmen Balcells, S.A. for fragments of "Muchos somos" from *Estravagario,* "Walking Around," "Explico algunas cosas" from *España en el corazón,* and "Oda a la celbolla" from *Odas elementales* by Pablo Neruda from *Obras completas* published by Editorial Losada.

Fernando Alegría for his selection from "Pablo Neruda y el aguilucho."

Fondo de Cultura Económica for the story "No oyes ladrar los perros" by Juan Rulfo from *El llano en llamas,* 8a. edición.

Enrique Anderson-Imbert for his story "Cassette" from *Narraciones completas* (V. III) published by Ediciones Corregidor, Buenos Aires.

Francisco Jiménez for his story "Cajas de carton."

Ana María Matute and Carina Pons, Agencia Literaria Carmen Balcells, S.A. for the story "Pecado de omisión" from *Cuentos de la Artámila* © Ana María Matute, 1961. Used with permission.

Rosario Ferré for her story "La muñeca menor" from *Papeles de Pandora* published by Joaquín Mortiz, México.

Carlos Mendo for the articles "Varios ovnis avistados en la zona," "ETA asesina a un general y su familia," and "Pocos cambios en la semana" from *El País.* © *El País.*

Daniel Alonía for the text of his song "El cóndor pasa."

Comisión Nacional Quinto Centenario del Descubrimiento de América for the selections of "La fuerza de la historia; 'Día de la Reina Isabel', en Texas" by Eduardo E. Kahane from *América 92,* N. 6, 1985.

Velvet Records, Inc. for the text of the song "Te cuento" by María de la A. and Carlos Eduardo. © 1974.

Camilo José Cela and Carina Pons, Agencia Literaria Carmen Balcells, S.A. for the selection of the novel *La familia de Pascual Duarte* by Camilo José Cela. © Camilo José Cela, 1942.

Isabel Magaña Schevill for the "Índice de verbos" from *Manual of Basic Spanish Constructions.*

REALIA CREDITS

Page 126: From *The World of Quino* by Joaquín S. Lavado. Copyright © 1986 by Joaquín S. Lavado. Reprinted by permission of Henry Holt and Company, Inc.

Page 166: From *Panorama* Magazine.

Page 176: Courtesy of Dieresis, S.A.

Pages 207 and 276: From *Quizz semanal* published by Ediciones Pleyades, S.A.

Pages 317–319: From Edición Condorito N° 197, Editorial Tucumán and SERVI EDIT.

PHOTO CREDITS

Page 2: Stuart Cohen/Comstock.
Page 5: AP/Wide World Photos.
Page 6: Stuart Cohen/Comstock.
Page 9: Hugh Rogers/Monkmeyer.
Page 10: Beryl Goldberg.
Page 25: Mark Antman/The Image Works.
Page 26: Stuart Cohen/Comstock.
Page 28: Hugh Rogers/Monkmeyer.
Page 46: Patrick Aventurier/Gamma Liaison.
Page 48: Patrick Aventurier/Gamma Liaison.
Page 56: Robert Frerck/Odyssey Productions.
Page 64: Argentina Tourist Information Office.
Page 69: Peter Menzel.
Page 70: Stuart Cohen/Comstock.
Page 75: Paul Pougnet/Photo Researchers.
Page 92: Beryl Goldberg.
Page 96: Peter Menzel.
Page 101: Russell Dian/Monkmeyer.
Page 102: Peter Menzel.
Page 110: Stan Goldblatt/Photo Researchers.
Page 117: Hugh Rogers/Monkmeyer.
Page 118: Jane Scherr/Jeroboam.
Page 124: Paul Conklin/Monkmeyer.
Page 142: Malcolm Linton/Gamma Liaison.
Page 149: Macmillan Publishing Company.
Page 156: AP/Wide World Photos.
Page 160: Beryl Goldberg.
Page 161: Stuart Cohen/Comstock.
Page 171: Beryl Goldberg.
Page 188: Peter Menzel.
Page 193: Stuart Cohen/Comstock.
Page 195: Courtesy of The Hispanic Society of America, New York.

Page 210: AP/Wide World Photos.
Page 218: Robert Frerck/Odyssey Productions.
Page 222: Peter Menzel.
Page 223: George Holton/Photo Researchers.
Page 240: AP/Wide World Photos.
Page 245: Mark Antman/The Image Works.
Page 258: Peter Menzel.
Page 263: Mark Antman/The Image Works.
Page 270: Carl Frank/Photo Researchers.
Page 284: Jane Latta/Photo Researchers.
Page 289: Peter Menzel.
Page 290: Stuart Cohen/Comstock.
Page 294: Stuart Cohen/Comstock.
Page 298: Peter Menzel.
Page 302: Beryl Goldberg.
Page 308: Carl Frank/Photo Researchers.
Page 332: *Above,* Beryl Goldberg; *below,* Luis Villota/Monkmeyer.

Page 339: Irene Vandermolen/Rue/Monkmeyer.
Page 344: Peace Corps/Honduras/Bartlett.
Page 348: Hugh Rogers/Monkmeyer.
Page 355: Peace Corps/Ecuador/Freeman.
Page 356: T. Campion/Gamma Liaison.
Page 376: Susan Meiselas/Magnum.
Page 383: *Above,* Mimi Forsyth/Monkmeyer; *below,* Eric Kroll/Taurus Photos.
Page 387: Beryl Goldberg.
Page 390: Peter Menzel.
Page 392: Peter Menzel.
Page 398: Ulrike Welsch/Photo Researchers.
Page 400: Peter Menzel.
Page 405: Parisport/Sygma.
Page 408: AP/Wide World Photos.

◆ Cada vez mejor ◆

CAPÍTULO 1

Gramática
El verbo **ser**
El verbo **estar**
Ser y **estar** con adjetivos
Funciones lingüísticas
Dar y pedir información: Autopresentación,
   identificación y ubicación de
   personas y objetos
Descripción de gente
Expresión de estados de salud
Expresión de estados emocionales
Actividades

I. El verbo **ser**

A. Domingo en Madrid

Es domingo. Héctor y Marta, que son de Toledo, pasan el día en Madrid.

HÉCTOR   Mira. La última película de Carlos Saura es en el Rialto.

MARTA   Sí, pero la cola ya es enorme y yo soy impaciente.

HÉCTOR   La otra sesión es demasiado tarde.

MARTA   Es preferible ir a otro sitio, entonces. ¿Por qué no vamos a La Casona? Es el
        bar de tu amigo Pepe y las copas son baratas.

HÉCTOR   ¡Vale!

◆ La ciudad de **Toledo,** al sur de Madrid, es un maravilloso museo de historia y cultura españolas. Algunos de sus monumentos más conocidos son la iglesia del Cristo de la Luz, antes mezquita; Santa María la Blanca, antes sinagoga; y la catedral. El pintor llamado **El Greco** vivió y pintó en Toledo desde 1576 hasta su muerte en 1614.

◆ **Carlos Saura,** discípulo del gran director de cine **Luis Buñuel** (1900 – 1980), es uno de los principales directores españoles de hoy. *Cría, Bodas de sangre, Carmen* y *El amor brujo* son cuatro de las películas de Saura conocidas en los Estados Unidos. Otros directores españoles de fama internacional son **José Luis Garci,** ganador de un Oscar, y **Pedro Almodóvar.**

mira *look*   cola *line*   sesión *performance, meeting*   entonces *then, in that case*   copas *drinks*   ¡vale! *OK (Spain)*
mezquita *mosque*

La larga cola frente a este cine de Madrid muestra la popularidad de las películas norteamericanas en el mundo hispánico.

B. Preguntas

1. ¿Qué día de la semana es en el diálogo? ¿Qué día es hoy?   2. ¿De quién es la película de que hablan Marta y Héctor? ¿Dónde es?   3. ¿Por qué van ellos a La Casona?   4. ¿Va Ud. a un bar los domingos? ¿Es preferible hacer otra cosa? ¿Qué?

C. Formas del verbo *ser*

	PRESENTE	PRETÉRITO	IMPERFECTO	FUTURO
yo	soy	fui	era	seré
tú	eres	fuiste	eras	serás
Ud., él, ella	es	fue	era	será
nosotros/as	somos	fuimos	éramos	seremos
vosotros/as	sois	fuisteis	erais	seréis
Uds., ellos/as	son	fueron	eran	serán

...edicinas que en los Estados Unidos no se pueden comprar sin receta médica, se ...ácilmente en las farmacias hispánicas, como en ésta de Caracas, Venezuela.

Preguntas

¿Dónde queda la farmacia? 2. ¿Por qué está pálido Toni? 3. ¿Por qué anda preocu-do? 4. ¿Quién está esperando a la cigüeña? 5. Todo el mundo debe tener hijos. ¿Está Ud. de ...uerdo?

Formas del verbo estar

	PRESENTE	PRETÉRITO	IMPERFECTO	FUTURO
yo	estoy	estuve	estaba	estaré
tú	estás	estuviste	estabas	estarás
él, ella	está	estuvo	estaba	estará
...tros/as	estamos	estuvimos	estábamos	estaremos
...tros/as	estáis	estuvisteis	estabais	estaréis
...llos/as	están	estuvieron	estaban	estarán

D. Usos del verbo ser

Use **ser** for the following:

1) To link the subject to a noun for the purpose of defining it or identifying its occupation, nationality, or political or religious affiliation.

La Casona es un bar.	*La Casona is a bar.*
Héctor y Marta son españoles.	*Héctor and Marta are Spaniards.*
Su abuela era republicana.	*Their grandmother was a Republican.*

2) To indicate where an event takes place.

La película es en el Rialto.	*The film is at the Rialto.*

3) To express clock time, day, or date.

Hoy es domingo.	*Today is Sunday.*
Son las cinco de la tarde.	*It's 5:00 P.M.*

4) With adjectives to express qualities or characteristics that distinguish the subject from others of the same class.

Yo soy impaciente.	*I'm impatient* (compared to other people).
Las copas son baratas allí.	*Drinks are cheap there* (compared to drinks elsewhere).

5) In impersonal expressions.

Es preferible ir a otro sitio.	*It's better to go somewhere else.*

6) With the past participle to form the passive.

La película fue dirigida por Carlos Saura.	*The film was directed by Carlos Saura.*

E. Las expresiones ser de y ser para

1) Use **ser de** to indicate the origin of a person or thing, what something is made of, or possession *(belongs to).*

Este vino es de la Rioja.	*This wine is from the Rioja* (region of Spain).
Esta copa es de plata.	*This cup is silver.*
Ese bar es de mi amigo Pepe.	*That bar belongs to my friend Pepe.*

2) Use **ser para** to indicate destination, purpose, or goal.

Los domingos no son para estudiar.	*Sundays aren't for studying.*
La primera sesión será para los reyes.	*The first performance will be for the king and queen.*

F. Verbos usados en lugar de ser

1) You can use **resultar** *(to turn out, to be)* instead of **ser** to emphasize the idea of result or outcome.

Resulta que no hay entradas para esa película.   *It turns out there are no tickets for that movie.*

2) You can use **pasar, suceder, ocurrir,** or **tener lugar** (all meaning *to occur, to happen, to take place*) instead of **ser** to state that an event takes place.

El accidente { tuvo lugar / ocurrió / sucedió } en la madrugada.   *The accident happened at dawn.*

EJERCICIOS

PRÁCTICA

A. Complete el siguiente diálogo con las formas apropiadas del verbo **ser.**

PILAR   ¿Quién —(1)— esa señora?
TOÑO   —(2)— la profesora Peña-Lara. —(3)— especialista en lingüística.
PILAR   ¿Tú —(4)— estudiante en su clase?
TOÑO   Sí, —(5)— muy interesante. Las próximas sesiones —(6)— el miércoles y el viernes.

B. Traduzca las siguientes oraciones, usando el verbo **ser.**

1. Pedro Almodóvar and Carlos Saura are film directors.   2. They're from Spain.   3. The line for Saura's film is long.   4. A film of Almodóvar's is at the Rex.   5. It's very interesting.   6. The first performance is at 4:30 P.M.

C. Forme oraciones con estas palabras y frases.

El eclipse		difícil para mí.
La boda	resultar	en la Facultad de Letras.
Los conciertos en la plaza	pasar	durante los carnavales.
La clase de cálculo	suceder	aburrido.
Muchos accidentes	ocurrir	en la catedral.
Algunas fiestas	tener lugar	muy divertido.
Las conferencias		en verano.

¡A CONOCERNOS!

A. Conteste estas preguntas. ¡Es permitido mentir!

1. ¿De dónde es Ud.?   ¿Y su familia?   2. ¿Es Ud. soltero/a o casado/a?   3. ¿Cómo es Ud. físicamente?   4. ¿Cuándo es su cumpleaños?   5. ¿A qué hora son el almuerzo y la cena en su residencia?   6. ¿De qué son su camisa (blusa) y sus pantalones (falda)?   7. ¿De quién es la casa donde vive su familia?   8. ¿Es difícil dialogar con sus padres?   9. ¿Era divertida su vida en la escuela secundaria?   10. ¿Qué hora será al terminar la clase?   11. ¿Fue miércoles el primer día de clase?   12. ¿Fueron difíciles estas preguntas?

B. Ahora hágale unas preguntas similares a un compañero o a una compañera.

El director de cin... ra (a la izquierda... esposa Marisa, ... el actor Ricardo... tro Samuel Gol... ocasión es un t... por su brillant... cinematográfi...

SITUACIÓN COMUNICATIVA

Introduce yourself to the class. Say who you are, where you're from, and what your... Embroider the facts as much as you wish!

II. El verbo estar

A. Esperando a la cigüeña

Antonio Fernández está buscando unas medicinas en la farmaci... avenida Bolívar en Caracas, Venezuela. Allí encuentra a su ami...

CELSO   Pero, Toni, estás tan pálido. ¿Qué te pasa?
ANTONIO   Pues, la verdad es que estoy nervioso. Elvira está e... algo preocupado por el futuro...
CELSO   ¿Qué dices, chico? ¡Felicitaciones! Pero, ¿por qué...
ANTONIO   Bueno, es que la vida está muy cara.
CELSO   Todo irá bien, Toni, todo irá bien.

◆ **Simón Bolívar** nació en Caracas en 1783. Al mando de las fuerzas que luchaban por la independencia de España, Bolívar logró liberar gran parte de Suramérica en 1824. Fundó **la Gran Colombia,** una nueva nación, pero ésta quedó dividida en Ecuador, Colombia y Venezuela tres meses antes de su muerte en 1830.

◆ **Caracas,** capi... metrópolis moder... dad se deriva en... de petróleo. El C... famoso ejemplo... tónico.

cigüeña *stork*   queda *is located*   ¡felicitaciones! *congratulations!*   todo irá bie... leading   luchaban *were fighting*   logró liberar *succeeded in liberating*   quedó...

D. Usos del verbo *estar*

Use **estar** for the following:

1) To indicate location.

Antonio y Celso están en la farmacia.	*Antonio and Celso are at the drugstore.*
La casa está al lado de la escuela.	*The house is next to the school.*

2) To indicate the condition or state of a subject, as compared to itself at other times, or compared to how it should be.

Antonio está nervioso y pálido.	*Antonio is nervous and pale* (today).
Mis abuelos están muertos.	*My grandparents are dead* (once they were alive).
Las calles están sucias.	*The streets are dirty* (they should be cleaner).

3) With present participles to form the progressive tenses.

Antonio está buscando una medicina.	*Antonio is looking for a medicine.*

4) With past participles to describe a state of being or a resultant condition.

La ventana está cerrada.	*The window is closed.*
La esposa de Antonio está embarazada.	*Antonio's wife is pregnant.*

5) With standard phrases to formulate idiomatic expressions.

estar a (diez cuadras) (de)	*to be (ten blocks) away (from)*
estar a favor de	*to be in favor of*
estar con ganas de	*to feel like doing*
estar de acuerdo	*to agree*
estar de buen (mal) humor	*to be in a good (bad) mood*
estar de moda	*to be in fashion*
estar de vacaciones	*to be on vacation*
estar en contra de	*to be against*
estar en las nubes	*to be daydreaming*
estar loco por	*to be crazy about*
estar metido en	*to be involved in*
estar para	*to be about to*

No estoy de acuerdo con tus ideas.	*I don't agree with your ideas.*
Los estudiantes siempre están con ganas de divertirse.	*Students always feel like having fun.*
La familia Goldemberg estaba de vacaciones.	*The Goldemberg family was on vacation.*

E. Verbos usados en lugar de *estar*

1) You can use **andar** or **ir** instead of **estar** in casual conversation about general states of being or health.

estar	—¿Cómo estás?	*How are you?*
	—Estoy bien, gracias.	*I'm fine, thanks.*
	—¿Cómo está la familia?	*How's your family?*
ir	—¿Cómo te va?	*How's it going?*
	—Me va bien, gracias.	*Just fine, thanks.*
andar	—¿Cómo anda (va) la familia?	*How's your family getting along?*

2) You can use **encontrarse** or **sentirse** to talk about temporary physical or mental conditions.

Elvira no { está / se encuentra } bien.   *Elvira's not feeling well.*

Toni { está / se siente } preocupado.   *Toni's worried.*

3) You can use **encontrarse** to specify the location of persons or things; use nonreflexive **quedar** for the location of things only.

La farmacia { está / queda } en la avenida Bolívar.   *The drugstore is on Bolívar Avenue.*

Mi mamá { está / se encuentra } en casa.   *My mom is home.*

¿Sabes dónde { está / se encuentra } el parque?   *Do you know where the park is?*

EJERCICIOS

PRÁCTICA

A. Pepe está triste. Sus amigos están preocupados por él. Complete Ud. el siguiente diálogo con las formas apropiadas de *estar*.

PACA Pepe no —(1)— muy bien, ¿verdad?

LUIS No, pero yo —(2)— seguro de que —(3)— de mal humor porque él —(4)— de vacaciones y su novia —(5)— en Oaxaca, no aquí con él.

PACA ¿Dónde —(6)— ese lugar?

LUIS Oaxaca —(7)— al sur de México.

PACA ¿Y la novia —(8)— allí todo el verano?

LUIS No sé. Ella —(9)— trabajando con un famoso arqueólogo en las ruinas de Monte Albán. Pero los amigos y yo —(10)— tratando de distraer al pobre Pepe.

B. ¡Lógico! Basándose en la situación, complete cada oración con una expresión apropiada con **estar**.

MODELO: No tengo carta de mi novia; por eso **estoy de mal humor.**

1. ¿Por qué me llamas tan tarde? _____ acostarme.
2. Julio Iglesias es muy popular; sus canciones _____ este año.
3. Hace mucho calor; todos _____ ir a la playa.
4. La clase resulta divertida si el profesor _____.
5. Miro todos los partidos de fútbol en la televisión; _____ ese deporte.
6. Tere y Chacho no se divorcian porque la iglesia no _____.
7. No quiero ir al cine; _____ veinte cuadras de aquí.

C. ¿Qué tal? Con un compañero o una compañera haga un nuevo diálogo usando **andar, encontrarse, ir, quedar** y **sentirse** en lugar de **estar**.

A   ¡Hola! ¿Cómo estás?
B   Pues, no muy bien.
A   ¿Por qué estás tan deprimido, chico?
B   Bueno, las relaciones entre mi novia y yo están mal.
A   ¡Qué lástima!
B   Además, estoy un poco solo porque mi mejor amigo se acaba de ir a un pueblo que está lejos de aquí.

Los edificios modernos de Caracas son testigos callados del crecimiento incesante del volumen de tráfico en las grandes capitales.

D. **Encuesta** *(Opinion Poll).* Ud. quiere saber cómo piensa la gente. Pregúnteles a tres personas lo siguiente, y después informe a la clase.

1. ¿Pro o contra?   la segregación racial, el divorcio, las drogas, la pena de muerte
2. ¿De acuerdo con..., o no?   la ayuda militar a Honduras, el servicio militar obligatorio, los viajes espaciales, los experimentos científicos con animales
3. ¿Aficionado/a a..., o no?   la política, los deportes, el teatro, los estudios
4. ¿Loco/a por..., o no?   el cine, la televisión, la música moderna, tu novio/a

¡A CONOCERNOS!

A. Conteste estas preguntas.

1. ¿Cómo está Ud. hoy?   2. ¿Está Ud. cansado/a?   3. ¿Por qué está Ud. de buen (mal) humor hoy?   4. ¿Cómo andan sus clases este trimestre (semestre)?   5. ¿Dónde queda la biblioteca de la universidad?   6. ¿Cómo está la comida en su residencia este trimestre?   7. ¿Cómo se encuentra su familia?   8. ¿Están Ud. y sus padres siempre de acuerdo?

B. Ahora hágale unas preguntas similares a un compañero o a una compañera.

SITUACIÓN COMUNICATIVA

Imagínese la siguiente situación y represéntela con un compañero o una compañera.

TOURIST   Explain to a police officer that you are on vacation very far from home and that you don't feel well. Ask where a doctor's office (**consultorio**) is.
OFFICER   Say that the office is near the plaza, but it's closed because the doctor is at the hospital.
TOURIST   Ask where the hospital is.
OFFICER   Say the hospital is ten blocks from the plaza.

Estos puertorriqueños buscan empleo en la ciudad de Nueva York.

III. Ser y estar con adjetivos

A. Entrevista en la Editorial Séneca

La señorita Parra, jefa de personal de la Editorial Séneca de Miami, está entrevistando a Felipe Linares, un joven cubano que busca trabajo. Ella, que es cubana también, está muy amable con Felipe.

SRTA. PARRA	Buenos días, señor Linares. Veo que Ud. es cubano, licenciado en filosofía... ¿Por qué está Ud. interesado en este puesto?
FELIPE	Creo que es interesante; su editorial es conocida en toda Hispanoamérica.
SRTA. PARRA	El trabajo no es fácil. Es necesario estar de viaje mucho tiempo.
FELIPE	Está bien. Soy dinámico y estoy listo para empezar. ¿Cuándo deciden si estoy contratado?

◆ Tiendas, editoriales y otras instituciones hispánicas tienen con frecuencia nombres de romanos famosos. España fue por siete siglos una importante provincia del Imperio Romano, llamada Hispania; los emperadores Trajano, Adriano y Nerva nacieron en Hispania. **Lucio Anneo Séneca**, natural de Córdoba, fue maestro del joven emperador Nerón y uno de los mejores dramaturgos y filósofos de la época. Es recordado por su filosofía estoica y su creencia en la existencia de Dios, la inmortalidad del hombre y la importancia de la conciencia individual.

entrevista *interview*   **editorial** *publishing house*   **licenciado** *person with an M.A. or professional degree*
puesto *job*   **contratado** *hired*   **nacieron** *were born*   **natural** *native*

B. Preguntas

1. ¿Qué está buscando Felipe?   2. ¿Por qué está interesado en este puesto?   3. ¿Es fácil el trabajo en la Editorial Séneca? ¿Por qué?   4. ¿Es Felipe un buen candidato? ¿Por qué?   5. ¿Es bueno trabajar en una editorial? ¿Por qué?

C. Usos de ser y estar con adjetivos

Both **ser** and **estar** can be used before adjectives. The choice of verb depends in part upon the meaning of the adjective itself and also upon the meaning intended by the speaker. Compare the following:

ser	estar
Beto es guapo.	Beto está guapo hoy.
Beto's handsome.	*Beto looks handsome today.*
Son perezosos.	Están perezosos porque hace calor.
They're lazy (people).	*They feel lazy because it's hot.*
Es enfermo.	Estoy enfermo desde hace días.
He's a sick man (chronically).	*I've been sick for days.*

D. *Adjetivos con significados diferentes con* **ser** *y* **estar**

A few adjectives have markedly different meanings depending on whether they are used with **ser** or **estar**.

Adjective	With ser	With estar
aburrido	*boring*	*bored*
bueno	*good-natured*	*well, in good health*
divertido	*amusing, fun*	*amused*
listo	*smart, clever*	*ready*
malo	*mean*	*sick, in poor health*
nuevo	*brand-new*	*in good condition*
rico	*rich, wealthy*	*delicious*
seguro	*sure, reliable*	*sure, assured, confident*
verde	*green*	*unripe*

Claro que estaba aburrido. La conferencia era aburrida.

Of course I was bored. The lecture was boring.

Felipe es listo y siempre está listo para trabajar.

Felipe is a clever person and is always ready to work.

Mi coche no es nuevo, pero está muy nuevo.

My car isn't brand-new, but it's in very good condition.

═══ EJERCICIOS ═══

PRÁCTICA

A. **Mis amigos.** Carlos y María Cristina están mirando unas fotografías. Carlos explica quiénes son sus amigos. Complete la narración con las formas apropiadas de **ser** o **estar**.

Roberto —(1)— de Nicaragua pero ahora —(2)— residente permanente en los Estados Unidos. Él —(3)— muy contento desde que vive aquí, pero a veces —(4)— triste porque su familia —(5)— en Managua todavía. Roberto —(6)— un muchacho bueno, estudioso y responsable. Él y yo —(7)— estudiando química juntos.

Francisca —(8)— de El Salvador. Ella —(9)— casada con Roberto. Los dos —(10)— algo preocupados porque Francisca —(11)— esperando un hijo y Roberto todavía —(12)— estudiando medicina. Los dos —(13)— buenos católicos y —(14)— de acuerdo en que —(15)— necesario tener el hijo. Bueno, yo —(16)— seguro de que va a —(17)— una niña.

Mis otros amigos —(18)— solteros. David —(19)— jugador de baloncesto pero también —(20)— buen estudiante. Su padre —(21)— abogado. Él —(22)— muy conocido en Tegucigalpa, Honduras. Ahora —(23)— de vacaciones en Florida.

B. **Ser o estar,** ése es el problema. Haga Ud. un comentario después de cada oración, usando la forma apropiada de **ser** o **estar** con el adjetivo entre paréntesis.

MODELO: (rica)   Hoy prepara la comida mi madre.   **Está rica.**

1. (verdes)   No comemos estas frutas.
2. (listos)   Resulta difícil competir con mis compañeros.
3. (divertida)   Él nunca está aburrido con su novia.
4. (mala)   Marisa tiene dolor de cabeza.
5. (encantado/a)   Este trimestre todas mis clases son excelentes.
6. (rico)   Eduardo tiene mucho dinero.
7. (nuevo)   Me gusta tu coche.
8. (seguro)   Posiblemente va a México este verano.
9. (buena)   Clara-María es amable y simpática.
10. (listos)   ¡Vamos al cine! Es tarde.

¡A CONOCERNOS!

A. Conteste estas preguntas.

1. ¿Es guapo/a su compañero/a de cuarto? ¿Es listo/a?   2. ¿Quién de la clase está muy guapo/a hoy?   3. ¿Está su compañero/a siempre listo/a para hacerle un favor? ¿Y Ud.?   4. ¿Son divertidas o aburridas sus clases? ¿Está Ud. aburrido/a en alguna?   5. ¿Está enfermo algún compañero esta semana?   6. ¿Cómo es su coche? ¿En qué condiciones está?   7. ¿Cómo es la comida que prepara su madre? Y la comida de su residencia, ¿es buena?

B. Ahora hágale unas preguntas similares a un compañero o a una compañera.

SITUACIÓN COMUNICATIVA

Describe your best friend. Include the following.

◆ appearance and personality
◆ origin, religion, and social background
◆ current activities? where? parents' occupations? career plans?

Vocabulario útil

alto	*tall*	amable	*kind*
bajo	*short*	antipático	*unpleasant, unfriendly*
delgado	*thin*	encantador	*charming*
gordo	*fat*	extrovertido	*extroverted*
moreno	*dark-haired, brunette*	reservado	*reserved*
pelirrojo	*redheaded*	tímido	*shy*
rubio	*blond(e)*		
ateo	*atheist*	mahometano	*Muslim*
budista	*Buddhist*	mormón	*Mormon*
católico	*Catholic*	protestante	*Protestant*
judío	*Jewish*		

ACTIVIDADES

EN PAREJAS

¿Es Ud. una persona observadora? Observe con su pareja el siguiente dibujo y diga su edad. Después identifique los rasgos *(features)* y la ropa. ¿Están de acuerdo?

Para dar una opinión personal	
Creo que...	*I think, I believe . . .*
Pienso que...	*I think, I believe . . .*
En mi opinión...	*In my opinion . . .*
Me parece que...	*It seems to me . . .*
Para mí...	*For me, in my opinion . . .*

EN GRUPITOS

A. Adivinen quién soy. La clase se divide en grupitos de cuatro a seis. Cada estudiante imagina que es un personaje famoso (por ejemplo, Séneca, Moctezuma, Picasso, Marilyn Monroe, Michael Jackson). Para adivinar quién es, los otros le hacen preguntas como éstas:

1. ¿Es un personaje contemporáneo, o está muerto?
2. Si está muerto, ¿es del siglo *XX*?

3. ¿Es mujer u hombre?
4. ¿Es una persona real o un personaje de ficción, del cine o de la televisión?
5. ¿Es norteamericano, hispanoamericano, africano...?
6. ¿Es actor, escritor, pintor...?
7. ¿Es alto, rubio, flaco...?
8. ¿Es soltero, casado, divorciado...?

B. Adivinen dónde estoy. Ahora, cada estudiante imagina que está en algún lugar. Los miembros de su grupo deben localizarlo. Pueden hacerle preguntas como éstas:

1. ¿Estás en esta ciudad? ¿En este estado?
2. ¿Estás en el extranjero? ¿En Europa, América, Asia...?
3. ¿Estás en el norte? ¿En el centro? ¿En el sur?
4. ¿Estás en un lugar turístico?
5. ¿Estás en un centro universitario?
6. ¿Estás cerca o lejos del mar?
7. ¿Estás en una isla? ¿En una península?
8. ¿Estás en un lugar elevado?

C. Un poco de geografía. La clase se divide en dos grupos: centroamericanos y suramericanos. Alternativamente, se hacen preguntas como las de los ejemplos. A ver cuál es el grupo que sabe más. Cada respuesta correcta es igual a un punto.

CENTROAMERICANO/A
    ¿Dónde está Panamá?
SURAMERICANO/A
    Panamá está al este de Costa Rica y al oeste de Colombia.
    ¿Cuáles son dos ciudades importantes del Perú?
CENTROAMERICANO/A
    Son Lima y Arequipa.
    ¿Cuál es la capital de Guatemala?

DE TODO UN POCO

Refranes[1]

La lengua española es muy rica en refranes. A ver si Ud. adivina el equivalente inglés de los refranes españoles.

1. Ver es creer.
2. No es oro todo lo que reluce.
3. El silencio es oro.
4. La experiencia es la madre de la ciencia.
5. Obras son amores y no buenas razones.

Equivalencias: *1. Seeing is believing.* *2. All that glitters is not gold.* *3. Silence is golden.* *4. Necessity is the mother of invention.* *5. Actions speak louder than words.*

[1]*Proverbs*

Acertijo[2]

¿Por qué está deprimido?

Porque SE-EN-CU-ENTRA-SOL-O.

Chiste[3]

Un psiquiatra dibuja un triángulo y le pregunta al paciente:

—¿Qué es esto?
—Es una cama con una mujer desnuda —responde él.
El psiquiatra dibuja un rectángulo y le hace la misma pregunta.
—Pues, otra cama con otra mujer desnuda —dice él.
El psiquiatra dibuja un triángulo y un rectángulo.
—Son dos mujeres desnudas en la cama.
—Bueno, parece indudable —explica el médico — que usted es un psicópata sexual.
—¿Está usted bromeando, doctor? ¿Quién es el que ha dibujado todas esas cosas?

[2]Riddle
[3]Joke

Gramática
El presente de indicativo
El futuro
El condicional

Funciones lingüísticas
Expresión de duda
Expresión de intenciones
Expresión de probabilidad
Predecir

Actividades

I. El presente de indicativo

A. Terremoto en San José

La señora Soler llama a su hija Clara desde Santa Fe, Nuevo México. Acaba de escuchar las noticias sobre un ligero terremoto en San José, California.

MADRE   ¿Me oyes, hija? ¿Continúan los temblores todavía? ¿Puedes oírme?

CLARA   Sí, mamá, todo está bien. Pero la lámpara del comedor casi se cae...

MADRE   ¡Ay, Clarita! Siempre pienso que vivir ahí es demasiado peligroso.

CLARA   No es para tanto, mamá. Hay peligros en todas partes, y yo sigo contenta aquí porque tengo buenos amigos en el barrio.

◆ La cadena montañosa que corre de Norte a Suramérica sufre de vez en cuando tremendos **terremotos** en un lugar u otro de la misma. La gente consciente de esta realidad se preocupa, naturalmente, aun por los pequeños temblores.

◆ **San José**, California, está situada cerca de la falla de San Andrés. La ciudad fue fundada por exploradores españoles en 1777, y su misión franciscana, San José de Guadalupe, fue fundada en 1797. En 1846, California pasó a ser territorio de los Estados Unidos; de 1849 a 1851, San José fue primero la capital del territorio y más tarde del Estado. Hoy es una de las ciudades que más rápidamente están creciendo en los Estados Unidos, y tiene una gran población hispánica (el 21 por ciento).

◆ Un **barrio** en los Estados Unidos es un vecindario en que la mayor parte de la gente es de origen hispánico.

---

terremoto *earthquake*   **ligero** *light*   **comedor** *dining room*   **casi se cae** *almost fell down*   **no es para tanto** *it's no big deal*   **peligros** *dangers*   **se preocupa** *worries*   **falla de San Andrés** *San Andreas fault*   **están creciendo** *are growing*

B. *Preguntas*

1. ¿Qué acaba de escuchar la señora Soler? 2. ¿Qué pasa si hay más temblores? 3. ¿Qué piensa la madre de Clara? 4. ¿Por qué sigue contenta Clara donde vive? 5. ¿Hay terremotos donde Ud. vive?

C. *Tiempos y formas de verbos: Concepto*

When you look up a verb in a Spanish dictionary, the form you find listed is the infinitive. Spanish infinitives have a stem, which conveys the basic meaning of the word, plus an ending: **-ar**, **-er**, or **-ir**.

hablar *to talk*   **comer** *to eat*   **vivir** *to live*

Spanish verbs have several conjugations, or sets of forms, which speakers select to place the action they are talking about in a particular time frame and perspective. Each set of forms repeats the stem and adds a pattern of endings.[1]

The present indicative is used to mention actions without specifying whether they are present, future, or even past. The context in which a present tense form is used establishes the time frame of the action described.

Spanish present tense forms have various translations or equivalents in English, owing to the complexities of the English verbal system. Notice that **trabajo** has three equivalents *(I'm working, I work, do I work)* in these sentences.

¿Un puesto? Ya trabajo.   *A job? I'm already working.*
Gano bastante porque trabajo mucho.   *I earn enough because I work hard.*
¿Trabajo mucho? ¡Ya lo creo!   *Do I work hard? You'd better believe it![2]*

D. *El presente de indicativo de los verbos regulares*

The present indicative of a regular verb is formed by adding a set of endings to its stem. The set used depends on whether the verb's infinitive ends in **-ar**, **-er**, or **-ir**.

Group:	-ar	-er	-ir
Infinitive:	**hablar**	**comer**	**vivir**
	to talk	*to eat*	*to live*
Stem:	**habl-**	**com-**	**viv-**

---

[1]Endings help indicate a verb's tense (present, past, and so on) and mood (indicative or subjunctive). They also help identify the verb's subject by specifying its person (first, second, or third) and number (singular or plural).

[2]The words *do* and *am* in these English sentences are "helping verbs," which help indicate tense. They are never translated word for word into Spanish.

Conjugated forms:

			SINGULAR		
1		yo	hablo	como	vivo
2		tú	hablas	comes	vives
3		Ud., él, ella	habla	come	vive

			PLURAL		
1		nosotros/as	hablamos	comemos	vivimos
2		vosotros/as	habláis	coméis	vivís
3		Uds., ellos/as	hablan	comen	viven

Here are a few common regular verbs.

-ar		**-er**		**-ir**	
caminar	*to walk*	aprender	*to learn*	abrir	*to open*
comprar	*to buy*	beber	*to drink*	escribir	*to write*
estudiar	*to study*	comprender	*to understand*	existir	*to exist*
tomar	*to take; to drink*	creer	*to believe*	ocurrir	*to happen*
trabajar	*to work*	vender	*to sell*	recibir	*to receive*

E. *El presente de verbos con cambio de raíz*

Many important Spanish verbs show stem variations in the present tense. They change a stem vowel **e** to **ie, o** to **ue,** or **e** to **i** when the vowel is stressed. This happens in four of the six forms.

1) Verbs that change **e** to **ie:**

pensar *to think*	**entender** *to understand*	**preferir** *to prefer*
pienso	entiendo	prefiero
piensas	entiendes	prefieres
piensa	entiende	prefiere
pensamos	entendemos	preferimos
pensáis	entendéis	preferís
piensan	entienden	prefieren

Other important e-to-ie stem-changing verbs are as follows:

comenzar	*to begin*	perder	*to lose*
empezar	*to begin*	querer	*to love; to want*
nevar	*to snow*	divertirse	*to have fun*
encender	*to light*	sentir	*to feel*

2) Verbs that change **o** to **ue:**

recordar *to remember*	**volver** *to come back*	**dormir** *to sleep*
recuerdo	vuelvo	duermo
recuerdas	vuelves	duermes
recuerda	vuelve	duerme
recordamos	volvemos	dormimos
recordáis	volvéis	dormís
recuerdan	vuelven	duermen

Other **o-to-ue** stem-changing verbs are as follows:

acordarse	*to remember*	llover	*to rain*
almorzar	*to have lunch*	mover	*to move*
aprobar	*to approve*	oler³	*to smell*
mostrar	*to show*	poder	*to be able*
rogar	*to beg*	resolver	*to solve*
soñar	*to dream*		

3) Verbs that change **e** to **i:**

pedir *to ask for, to request*

pido
pides
pide
pedimos
pedís
piden

Other **e-to-i** stem-changing verbs are as follows:

competir	*to compete*	reír	*to laugh*
despedir	*to say good-bye*	repetir	*to repeat*
elegir	*to choose, to elect*	seguir	*to follow; to continue*
freír	*to fry*	servir	*to serve*
medir	*to measure*	vestir	*to dress; to wear*

4) **Jugar** is the only Spanish verb that changes **u** to **ue.**

jugar *to play*

juego
juegas
juega
jugamos
jugáis
juegan

---

³The present tense conjugation of **oler** is **huelo, hueles, huele, olemos, oléis, huelen.**

F. *El presente de otros verbos irregulares*

1) Most Spanish verbs preserve the basic sound of the infinitive stem in all conjugations. To do so, certain verbs must add a consonant in some forms.

> **a.** Verbs ending in **-cer** and **-cir** add **z** before **c** when the ending begins with **o**, as in the first-person singular.
>
> **conocer** *to know, to be acquainted with*
> conozco, conoces,...

Here are some other **-cer** and **-cir** verbs.

agradecer	*to thank*	conducir	*to drive*
obedecer	*to obey*	deducir	*to deduct*
ofrecer	*to offer*	producir	*to produce*
parecer	*to seem*	traducir	*to translate*

> **b.** Several verbs add a **g** after the stem in the first-person singular.
>
> | | | |
> |---|---|---|
> | **poner** *to put* | **salir** *to go out* | **valer** *to be worth, to cost* |
> | pongo, pones,... | salgo, sales,... | valgo, vales,... |
> | **tener** *to have* | **traer** *to bring* | **oír** *to hear* |
> | tengo, tienes,... | traigo, traes,... | oigo, oyes,... |

Hacer *(to do, to make)* and **decir** *(to say)* change the **c** in their stem to **g**.

hago, haces,...   digo, dices,...

Compound verbs such as **componer** (to compose) and **deshacer** (to undo) follow the same pattern.

> **c.** Verbs ending in **-uir** add **y** to their stem, producing a pattern of changes like that of the stem-changing verbs.

construir *to build*

construyo, construyes, construye, construimos, construís, construyen

Other verbs in this category are **huir** *(to run away)*, **contribuir** *(to contribute)*, and **destruir** *(to destroy)*.

2) Some verbs have an irregularity in the first-person singular only, the rest of the conjugation being regular.

caber *to fit*	**saber** *to know*	**dar** *to give*
quepo, cabes,...	**sé**, sabes,...	**doy**, das,...

3) Some common verbs have more than one irregularity in the present tense.

decir *to say*	haber *to have*	ir *to go*
digo	he	voy
dices	has	vas
dice	ha[4]	va
decimos	hemos	vamos
decís	habéis	vais
dicen	han	van

oír *to hear*	tener *to have*	venir *to come*
oigo	tengo	vengo
oyes	tienes	vienes
oye	tiene	viene
oímos	tenemos	venimos
oís	tenéis	venís
oyen	tienen	vienen

G. *Usos idiomáticos del presente*

1) The present tense is frequently used in Spanish in place of the future tense to express a future action with more vivacity and confidence. This is done in one of two ways.

a. Use a present tense form of the main verb with a time element that specifies futurity.

Termino mis estudios en junio.	*I'll finish my studies in June.*
Vengo mañana.	*I'm coming tomorrow.*

b. Use a present tense form of **ir + a** with the infinitive of the main verb. This form has almost replaced the use of the future tense in normal speech.

Voy a trabajar todo el fin de semana.	*I'm going to work all weekend long.*
Van a venir aquí el martes.	*They'll be coming here on Tuesday.*

2) The present tense is used with the expressions **casi** and **por poco** to express an action that almost happened.

La casa de los vecinos casi se cae.	*The neighbors' house almost fell down.*
Por poco me roban la cámara en la plaza.	*They almost stole my camera in the square.*

3) The present tense of **acabar + de** with an infinitive can be used to express an action that has just happened.

La señora Soler acaba de escuchar las noticias.	*Mrs. Soler has just listened to the news.*

---

[4]When used impersonally, the third-person singular form of **haber** is hay; the form has no subject external to itself, and means either *there is* or *there are.*

EJERCICIOS

PRÁCTICA

A. **Compañeros de trabajo.** Complete el diálogo con el presente de un verbo apropiado. Ud. puede escoger entre éstos: **conducir, empezar, llover, nevar, querer, saber, salir, tener, venir.**

RAQUEL ¿Cómo —(1)— al trabajo?

VÍCTOR Pues, casi siempre —(2)— mi coche pero a veces —(3)— en autobús.

RAQUEL ¿Y a qué hora —(4)— a trabajar?

VÍCTOR —(5)— que estar aquí a las ocho.

RAQUEL ¿Tan temprano? Julio y yo —(6)— a las diez. ¿Por qué —(7)— tú que estar a las ocho?

VÍCTOR No —(8)—. El jefe lo —(9)— así.

RAQUEL ¡Pobrecito! ¿A qué hora —(10)— de casa?

VÍCTOR —(11)— a las siete. Pero si —(12)— o —(13)—, —(14)— que salir más temprano todavía.

B. **Una carta de Miami.** Rita no comprende bien el inglés, así que no puede leer la carta de su prima. ¿Puede Ud. ayudarla?

> My dear cousin Rita,
>
> How is everything? We're all busy, but happy. You know, my boyfriend John has just returned from Caracas. We almost broke (**romper**) off our relationship, but it's all right now. We've just rented an apartment near the beach, and we'll be moving (**mudarse**) there next month. Oh! I almost forgot to tell you something important. We're getting married in June. Can you come to the wedding? Will you write soon?
>
> Love,
> Joanne

¡A CONOCERNOS!

A. Conteste estas preguntas.

1. ¿Dónde vive Ud.? 2. ¿Qué piensa hacer esta tarde? 3. ¿Qué prefiere hacer los fines de semana? 4. ¿Va al cine este fin de semana? 5. ¿Conoce a mucha gente en esta ciudad? 6. ¿Recuerda los teléfonos de algunos amigos? 7. ¿Qué cursos sigue este trimestre? 8. ¿Trae siempre sus libros a clase? 9. ¿Me entiende si hablo rápidamente? 10. ¿Repite muchas veces los mismos errores? 11. ¿Traduce Ud. bien del inglés al español? 12. ¿Qué clase de coche conduce? 13. ¿Obedece normalmente a sus padres? 14. ¿Sueña en blanco y negro o en colores? 15. ¿Qué flores huelen bien?

B. Ahora hágale unas preguntas similares a un compañero o a una compañera.

SITUACIÓN COMUNICATIVA

Imagínese la siguiente situación y represéntela con un compañero o una compañera.

CRITIC   You are an international restaurant critic. Explain to a famous Spanish chef that you are having lunch at his or her restaurant that afternoon and that you want to ask some questions.

CHEF   Say that you compete in international contests (**concursos**) and that you know a Venezuelan chef who knows the critic.

CRITIC   Ask if he or she knows Jordi Bonet from Barcelona. Then ask the following: Do the Spaniards fry their eggs in olive oil? Do Spaniards serve the salad before or after a meal? Is Spain producing a lot of chefs nowadays?

CHEF   Answer the critic's questions. Invent answers if you have to.

II. El futuro

A. *¿Qué será de mí?*

La profesora Dorotea Orozco, eminente parapsicóloga de Guayaquil, responderá a todas las preguntas de nuestros lectores.

- ¿Seré la novia de Manuel? ¿Me casaré con él? ¿Habrá felicidad para mi padre?
  TRISTE —No. No. Sí.

- ¿Me casaré con Julia? ¿Con otra? ¿La conozco? ¿Seré feliz? ¿Tendré hijos? ¿Tendré una buena posición económica? CURIOSO —No. Sí. No. Sí. Sí. No.

- ¿Mi hermano volverá con su mujer? ¿Las cosas irán mejor para ellos? PREOCUPADA —No. No.

- ¿Mejorará mi salud? ¿Mis hijos estudiarán? ¿Veremos paz en el mundo? SEÑOR X —Sí. No. Nunca.

◆ Los periódicos y revistas del mundo hispánico incluyen tantos horóscopos y columnas de consejos y predicciones como los de los Estados Unidos.

◆ En los países hispánicos, se llama **novios** a una pareja que salen juntos pensando en casarse.

lectores *readers*   mejorará *will improve*   salud *health*   paz *peace*

¿Qué destino nos espera? se preguntan estas amigas en un parque de diversiones de San Sebastián, España.

B. Preguntas

1. ¿Se casará con Manuel la señorita Triste?   2. ¿Tendrá hijos el señor Curioso?   3. ¿Mejorarán las cosas para el hermano de la señorita Preocupada?   4. ¿Veremos paz en el mundo?   5. ¿Le escribirá Ud. a un parapsicólogo/a?   6. ¿Qué cree Ud. que le responderá?

C. El tiempo futuro: Concepto y usos

The future tense may be used for an action or event occurring in the future.

¿Seré maestro? ¿Seré feliz?	*Will I be a teacher? Will I be happy?*
Muchos dicen que la situación económica no mejorará.	*Many say the economic situation won't improve.*

The future tense is now most frequently used to express conjecture, probability, or doubt about the present.

¿No estarás enamorada, eh?	*You aren't in love, eh?*
El gatito tendrá unos dos meses.	*The kitten is probably two months old.*
—¿Qué hora será? —Serán las once y media.	*I wonder what time it is. It's probably eleven-thirty.*

As explained earlier, using a present tense form of the verb or **ir + a** with the infinitive has generally displaced the future tense in sentences that express intent to act.

Salgo Voy a salir } con Gilberto esta tarde.	*I'm going out with Gilberto tonight.*

Dos jóvenes paseando por Madrid.

D. El futuro de los verbos regulares

The future tense is formed by adding the following endings to the infinitive: -é, -ás, -á, -emos, -éis, -án. The endings are the same for all verbs. Except for -emos, all the endings have a written accent.

hablar	comer	vivir
hablaré	comeré	viviré
hablarás	comerás	vivirás
hablará	comerá	vivirá
hablaremos	comeremos	viviremos
hablaréis	comeréis	viviréis
hablarán	comerán	vivirán

E. El futuro de los verbos irregulares

1) Five irregular verbs omit the vowel of the infinitive ending before adding the future endings.

caber	haber	poder	querer	saber
cabré	habré	podré	querré	sabré
cabrás	habrás	podrás	querrás	sabrás
cabrá	habrá	podrá	querrá	sabrá
cabremos	habremos	podremos	querremos	sabremos
cabréis	habréis	podréis	querréis	sabréis
cabrán	habrán	podrán	querrán	sabrán

2) Five other verbs replace the vowel of the infinitive with a **d.**

poner	tener	salir	valer	venir
pondré	tendré	saldré	valdré	vendré
pondrás	tendrás	saldrás	valdrás	vendrás
pondrá	tendrá	saldrá	valdrá	vendrá
pondremos	tendremos	saldremos	valdremos	vendremos
pondréis	tendréis	saldréis	valdréis	vendréis
pondrán	tendrán	saldrán	valdrán	vendrán

3) Two others have completely irregular stems.

hacer	decir
haré	diré
harás	dirás
hará	dirá
haremos	diremos
haréis	diréis
harán	dirán

EJERCICIOS

PRÁCTICA

A. Cada oveja con su pareja. Cada una de estas afirmaciones corresponde a una de las preguntas que siguen. ¿Sabe Ud. a cuál?

1. En el cine Colón dan una película de Almodóvar y en el Bolívar hay una de Saura.
2. Pienso viajar a Guayaquil.
3. No conozco a ese señor que está llamando a la puerta.
4. Estoy mirando el mapa y no encuentro el parque Chapultepec.
5. El papá de Emilia parece muy joven.
6. Dicen que en el año 2000 nadie fumará cigarrillos en los Estados Unidos.
7. Somos novios desde hace cinco años.
8. Estoy esperando la llamada de un amigo.

    a. ¿Quién será?   e. Será lejos de aquí, ¿verdad?
    b. ¿Cuántos años tendrá?   f. ¿Dónde estará?
    c. ¿Cuándo nos vamos a casar?   g. ¿Cuál será mejor?
    d. ¿Será posible?   h. ¿Me llamará?

B. ¿Dónde estará Tito? Como Tito no llega, su mamá llama a todos sus amigos. Conteste las preguntas con el futuro. Luego, traduzca las respuestas al inglés.

    MODELO: Tadeo, ¿está contigo Tito? (No... con Marisol)
              No, señora, estará con Marisol.

1. ¿Tienes el teléfono de Marisol? (No, pero... Elena)
2. Elena, ¿me das el teléfono de Marisol? (Claro)
3. ¿Me llamas si ves a Tito? (Por supuesto)
4. ¿Tú y tu familia van a estar en casa toda la tarde? (Sí)
5. Marisol, ¿sabes dónde está mi hijo? (No, pero Luis...)
6. Luis, ¿puedes decirme dónde está Tito? (No, pero Roberto y Beatriz...)

C. **Me pregunto, me pregunto...** Traduzca lo siguiente al español.

1. Mary and Rose aren't in class today. I wonder where they are. 2. This package is for Rose. What could it be? 3. Here's Charlie. I wonder if he knows where the girls are? 4. And if he knows, will he tell us?

¡A CONOCERNOS!

A. Conteste estas preguntas.

1. ¿A qué hora saldrá Ud. de casa mañana? 2. ¿Adónde irá? 3. ¿Dónde almorzará? 4. ¿Con quién vendrá Ud. a la próxima fiesta? 5. ¿Qué traerá a la fiesta? 6. ¿Quién comprará el vino y la cerveza? 7. ¿Cuántas personas habrá en la fiesta? 8. ¿Dónde venderán discos de música hispana? 9. ¿Qué harán Ud. y su familia el domingo próximo? 10. ¿Vivirá Ud. aquí dentro de unos diez años? 11. ¿Cuánto costará un boleto para Acapulco? 12. ¿Cuántos años tendrá su profesor/a? 13. ¿Cuándo será el próximo examen? 14. ¿Cuántos estudiantes obtendrán una «A» en este curso? 15. ¿Cuándo sabrá Ud. bien los verbos?

B. Ahora hágale unas preguntas similares a un compañero o a una compañera.

Desde esta terminal de la Ciudad de México salen los trenes del metro, los colectivos, los taxis y los autobuses. Miles de personas pasan por aquí cada día, viajando de sus casas en las afueras al trabajo en el centro.

SITUACIÓN COMUNICATIVA

Imagínese la siguiente situación y represéntela con un compañero o una compañera.

CUSTOMER	Explain to a fortune-teller that you are a (supply an occupation) and that you'll be working here (where?) for six months. You want to know what will happen to you.
FORTUNE-TELLER	Say that he or she must be American, from (where?).
CUSTOMER	Confirm or deny the fortune-teller's guess. Then ask the following: Will I learn Spanish well? Will I meet anyone interesting? Will I do my job well? Will I be successful? Will I . . . ?
FORTUNE-TELLER	Answer your customer's questions.

adivino/a *fortune-teller*   **tener éxito** *to be successful*

III. El condicional

A. ¿Me harías un favor?

Son las seis menos cuarto en una oficina de la Zona Rosa, en México, D.F.

DIEGO	Oye, Agustín, ¿no podrías llevarme a casa?
AGUSTÍN	Ahorita no puedo; le dije al jefe que terminaría el inventario hoy.
DIEGO	Entonces, ¿me prestarías lana para una pesera?
AGUSTÍN	Hombre, no vives lejos. ¿No te sería más fácil ir a pie?
DIEGO	Sí, pero me llevaría más de 30 minutos. Y un buen cuate panameño me dijo que me llamaría a las seis en punto y yo debería...
AGUSTÍN	¡Ándale, pues! Te doy un aventón.

◆ Una **pesera** es una camioneta VW verde oscuro u otro vehículo particular que sigue una ruta marcada por el Paseo de la Reforma, una de las principales avenidas de la Ciudad de México, y que recoge pasajeros que comparten el recorrido y pagan un modesto precio fijo. Se llaman así porque al principio los viajeros pagaban un peso.

◆ Los hispanos valoran mucho la **amistad** y por eso le hacen un favor a un amigo siempre que pueden.

ahorita *right now*   **prestarías** *would you lend*   **me llevaría** *it would take me*   **recoge** *picks up*   **comparten** *share*   **recorrido** *route*   **precio fijo** *fixed price*
   Mexicanismos: **lana** *money*   **cuate** *friend*   **¡ándale, pues!** *OK, then*   **te doy un aventón** *I'll take you, I'll give you a ride*

CADA VEZ MEJOR

B. Preguntas

1. ¿Qué le pregunta Diego a Agustín?   2. ¿Qué le pide y para qué?   3. ¿Qué le dijo Agustín al jefe?   4. ¿Cuánto tiempo le llevaría ir a casa a Diego?   5. ¿Por qué debería estar en casa a las seis en punto?   6. ¿Le daría Ud. un aventón también?

C. El tiempo condicional: Concepto y usos

1) You can use the conditional tense to speculate about future actions.

¿Qué harías con un millón de pesetas?   *What would you do with a million pesetas?*
¿Se casaría Ud. con una persona de otra   *Would you marry a person of a different*
  raza?   *race?*

2) The conditional may be used to refer to a future action viewed from the perspective of a moment in the past.

Me dijo que me llamaría.   *She told me that she would call me.*

Note: Owing to regional differences and fine points of usage in English, *would, could,* and *should* are all sometimes used to translate the Spanish conditional.
    Juraría que oigo a Julia. *I could (would) swear I hear Julia.*
    Dijo que volvería el día siguiente. *He said he should (would) return the following day.*
Use whichever English equivalent strikes your fancy. In translating from English to Spanish, however, be careful!
- English *would* sometimes refers to past habitual action. Translate this with the Spanish imperfect, not the conditional: *Whenever Marta needed him, he would help her.* Siempre que Marta lo necesitaba, la **ayudaba.**
- English *should* usually refers to the advisability of an action. Translate this with a form of **deber,** not the conditional: *According to my parents, I should get home by 3:00.* Según mis padres, **debo** llegar a casa a las **tres.**
- English *could* usually refers to an actual ability to do something. Translate this with a form of **poder,** not the conditional of the main verb: *I could hunt at the farm but never did.* **Podía** ir de caza en la finca pero nunca lo hice. *I could go hunting tomorrow (if I were to decide to do so).* **Podría** ir de caza mañana.

3) The conditional is often used to express conjecture, probability, or doubt about past events.

—¿Dónde estarían?   *"I wonder where they were?"*
—Llegarían tarde.   *"They probably arrived late."*

4) The conditional may also be used to indicate deference and politeness in questions.

¿Me prestarías dinero para un taxi?   *Would you lend me money for a cab?*

5) The future and conditional tenses are related.

	FUTURE	CONDITIONAL
Expresses an action anticipated *from the present.*		*. . . from the past.*
Conjecture, probability, or doubt *in the present.*		*. . . in the past.*

D. El condicional de los verbos regulares

Form the conditional tense of regular verbs by adding the following endings to the infinitive: **-ía, -ías, -ía, -íamos, -íais, -ían.** The endings are the same for all verbs. All have written accents.

hablar	comer	vivir
hablaría	comería	viviría
hablarías	comerías	vivirías
hablaría	comería	viviría
hablaríamos	comeríamos	viviríamos
hablaríais	comeríais	viviríais
hablarían	comerían	vivirían

E. El condicional de los verbos irregulares

Verbs that have irregular stems in the future have the same irregular stems in the conditional. The conditional endings are the same for all verbs.

1) Five irregular verbs omit the vowel of the infinitive ending before adding the conditional endings.

caber cabría, cabrías,...	**querer** querría, querrías,...
haber habría, habrías,...	**saber** sabría, sabrías,...
poder podría, podrías,...	

2) Five other verbs replace the vowel of the infinitive ending with a **d.**

poner pondría, pondrías,...	**valer** valdría, valdrías,...
salir saldría, saldrías,...	**venir** vendría, vendrías,...
tener tendría, tendrías,...	

3) Two others have completely irregular stems.

hacer haría, harías,...	**decir** diría, dirías,...

EJERCICIOS

PRÁCTICA

A. Jacinto se preocupa demasiado. Elija a un compañero o a una compañera. Uno de Uds. será Jacinto, que acaba de mudarse y está muy nervioso; el otro será el nuevo vecino. Jacinto debe usar el condicional y el vecino **ir + a** con infinitivo.

MODELO: (llegar)
        JACINTO   Los plomeros me dijeron que **llegarían** temprano hoy.
        VECINO   Y **van a llegar** ahorita.

1. (llamar)
  J.   Amalia me dijo que me ____ a las cinco.
  V.   Y lo ____ ahorita.
2. (caber)
  J.   Mi esposa estaba segura de que el piano ____ en la sala.
  V.   Y ____, ¿no ve Ud.?
3. (venir)
  J.   Mi hermano me dijo que ____ a ayudarme.
  V.   Pues, seguramente ____ pronto.
4. (salir)
  J.   En el pronóstico del tiempo dijeron que ____ el sol esta tarde.
  V.   Pues, no ____ hoy. Pero, ¿qué importa?
5. (tener)
  J.   El dueño me aseguró que nosotros los inquilinos ____ agua caliente.
  V.   Y ya pronto la ____. Ud. verá.
6. (hacer)
  J.   Ud. dijo que me ____ un café.
  V.   Ah, sí. ____ café para los dos. Vengo ahora.
7. (pasar)
  J.   Ay, no vinieron los plomeros. ¿Qué les ____ a esos muchachos?
  V.   No se preocupe. No le ____ nada a nadie.
8. (poder)
  J.   ¿____ Ud. y su esposa cenar con nosotros esta noche?
  V.   Mire Ud., Ud. no ____ cocinar hoy. Todavía no hay corriente eléctrica en este apartamento.

B. ¿Qué harían ese día? Los abuelos de Toño llevan cincuenta años de casados. Están tratando de recordar qué hicieron el día de su primer aniversario de boda. Para ayudarlos a recordarlo, insinúeles posibilidades usando el condicional de los verbos siguientes: **ir, cenar, escuchar, estar, hacer, leer, oír, salir, visitar.**

MODELO: misa   **Oirían** misa en la catedral. ¿No fue así?

1. a unos amigos
2. a su restaurante preferido
3. la radio
4. a dar un paseo
5. los poemas de Rubén Darío
6. una fiesta para sus amigos
7. a bailar en la ciudad
8. en casa

C. Cambiemos el mundo. Con un compañero o una compañera, describa un mundo ideal.

MODELO: **Trabajaríamos** cuatro días con tres días de descanso. El año escolar **sería** de seis meses.

¡A CONOCERNOS!

A. Conteste estas preguntas.

1. ¿Qué desearía hacer este fin de semana? 2. ¿Qué película querría Ud. ver este fin de semana? 3. ¿Qué preferiría Ud. almorzar hoy? 4. ¿Cómo le pediría un favor a alguien? 5. ¿Qué ropa se pondría para la boda de un amigo o de un pariente? 6. ¿Cuánto dinero daría este país el año pasado a los países en vías de desarrollo? 7. ¿Qué haría Ud. con cien dólares? 8. ¿A Ud. le gustaría viajar por la América del Sur? ¿Adónde iría?

B. Ahora hágale unas preguntas similares a un compañero o a una compañera.

SITUACIÓN COMUNICATIVA

Imagínese la siguiente situación y represéntela con un compañero o una compañera.

JOURNALIST   You are interviewing a politician who is running for governor of your state. Ask what kind of governor he or she would be.

POLITICIAN   Say that you would be hardworking and honest.

JOURNALIST   Ask the following: Would he or she lower or raise taxes? Help the poor? Support or oppose the death penalty? Would he or she . . . ?

POLITICIAN   Answer the journalist's questions.

periodista *journalist* **político** *politician* **presentarse como candidato/a** *run for office* **trabajador** *hardworking* **reducir** *to lower* **aumentar** *to raise* **impuestos** *taxes* **apoyar** *to support* **oponerse a** *to oppose* **pena de muerte** *death penalty*

ACTIVIDADES

PARA TODOS

A. La rueda de la fortuna. Imagínense Uds. que son adivinos. Hagan tres predicciones generales: (1) para el mundo, (2) para la ciudad donde está su universidad y (3) para su universidad. Díganselas a la clase.

B. Ahora, háganle tres predicciones personales al estudiante o a la estudiante que está a su derecha.

MODELO: **Este año te tocará la lotería...**

C. Algunos de Uds. habrán tenido experiencias con adivinos de verdad. ¿Podrían contárselas a la clase?

MODELO: **Una gitana me dijo que me casaría este año...**

EN GRUPITOS

El tiempo. La clase se divide en grupitos de cuatro a seis estudiantes. Lean el siguiente pronóstico del tiempo para Europa. ¿Pueden Uds. preparar el pronóstico de la próxima semana para su región geográfica? Al terminar, un meteorólogo de cada grupito dará el reporte del tiempo a la clase. ¿Estuvieron de acuerdo todos?

EL TIEMPO

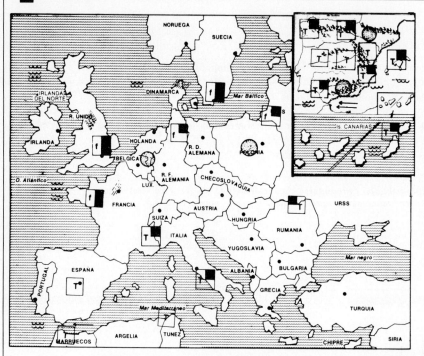

TEMPERATURAS		MÁX.	MÍN.
Amsterdam	Q	10	4
Ángeles, Los *			
Atenas	A	23	16
Barcelona	A	21	10
Beirut	c	26	20
Bonn	f	13	1
Bruselas	f	12	4
Buenos Aires *	P	20	17
Cairo, El	C	27	18
Caracas *	Q	29	18
Copenhague	f	12	2
Estocolmo	f	8	3
Francfort	f	12	5
Ginebra	f	13	8
Lisboa	A	22	12
Londres	Q	13	7
Madrid	A	20	6
México *	Q	24	12
Miami *	Q	28	25
Moscú	f	13	10
Nueva York *	P	17	14
Oslo	f	7	−1
París	Q	12	7
Rabat	A	22	16
R. de Janeiro *	A	31	19
Roma	A	21	15
Tokio *	Q	20	16
Viena	f	11	8
Zurich	Q	11	7

A, agradable / **c,** mucho calor / **c,** calor / **D,** despejado / **F,** mucho frío / **f,** frío /**H,** heladas / **N,** nevadas / **P,** lluvioso / **Q,** cubierto / **s,** tormentas / **T,** templado / **v,** vientos fuertes.
* Datos del día 28.

Pocos cambios en la semana

BENITO R. MALLOL

La semana que nos ocupa será, climatológicamente, poco variada. El lunes se establecerá un potente anticiclón sobre los países del Este, anticiclón que originará buen tiempo en la mayor parte del continente. Un frente frío afectará tan sólo a las islas Británicas y Escandinavia, donde se esperan algunas precipitaciones. También habrá nieblas matinales en la URSS y Centroeuropa.

El martes no se producirán grandes cambios. Los vientos del Sur originarán unas temperaturas bastante suaves para estas fechas en la mitad occidental de Europa.

El miércoles, una borrasca se establecerá sobre el norte de las islas Británicas, afectando también a Escandinavia, no produciéndose cambios significativos en el resto.

El jueves se formará una pequeña depresión sobre la península balcánica, esperándose algunas precipitaciones al sur de los países del Este.

El viernes empeorará sobre las islas Británicas, Escandinavia, Holanda y norte de la URSS, manteniéndose anticiclónico en Centroeuropa. También hay que esperar un tiempo algo revuelto al noroeste de la Península Ibérica.

No se producirán grandes cambios hasta el domingo, en que hay que esperar un empeoramiento sobre Italia.

DE TODO UN POCO

¿Querrán Uds. cantar?

Casi todos Uds. conocerán por lo menos la música de las siguientes canciones: «Guantanamera» y «El condor pasa». (Y si no, podrán escucharlas en las cintas magnéticas en el laboratorio de lenguas.)

«Guantanamera», una canción cubana, está basada en el libro de poemas *Versos sencillos* de José Martí, apóstol y mártir de la liberación de Cuba del dominio español. Tal como se canta hoy, la canción incluye tres estrofas de Martí y un estribillo *(refrain)* de autor contemporáneo que canta el coro. Este estribillo parece ser una guajira (canción campesina) de la región de Guantánamo donde hay una base militar norteamericana.

«GUANTANAMERA»

Guantanamera, guajira guantanamera
Guantanamera, guajira guantanamera

Yo soy un hombre sincero
de donde crece la palma; (repetir)
y antes de morirme, quiero
echar mis versos del alma.

Guantanamera...

Mi verso es de un verde claro
y de un carmín[1] encendido; (repetir)   *crimson color*
mi verso es un ciervo[1] herido   *deer*
que busca en el monte amparo[1].   *refuge*

Guantanamera...

Con los pobres de la tierra
quiero yo mi suerte echar[1]; (repetir)   mi... *to throw in my lot*
el arroyo[1] de la sierra   *mountain stream*
me complace[1] más que el mar.   *pleases me*

Guantanamera...

«El cóndor pasa» es un pasacalle o marcha popular del peruano Daniel Alonía, aunque su versión más conocida en los Estados Unidos es la de Simon y Garfunkel. La letra de la canción está inspirada en un antiguo huayno o canción quechua de los tiempos de la conquista española.

«EL CONDOR PASA»

El amor como un cóndor bajará,
mi corazón golpeará[1],   *will strike*
después se irá.
La luna en el desierto brillará,
tu vendrás,
solamente un beso me dejarás[1].   *will leave me*

¿Quién sabe mañana dónde irás,
qué harás, qué pensarás?
Yo sé que nunca volverás,
mas[1] pienso que no viviré.   *but*
¿Cómo podré?

La angustia y el dolor me dejarás,
mi corazón sufrirá y morirá.
El amor como un cóndor volará,
partirá,
y nunca más regresará[1].   *will come back*

Adivinanzas[5]

Una señora muy colorada
que siempre está en casa
y siempre está mojada[1].   *wet*

(la lengua)

Tengo lomo[1] y no soy caballo;   *back*
tengo hojas y no soy árbol;
tengo tapas[1] y no soy mesa.   *covers*

(el libro)

El burro la lleva a cuestas[1];   *on its back*
metida está en el baúl;
yo no la tengo jamás
y siempre la tienes tú.

(la letra «u»)

[5]Riddles

LECTURA I

«Amor de Sarita y el profesor Rocafuerte»
Jorge Ibargüengoitia

◆ READING HINTS ◆

Predicting Content

Several features of the reading sections of this book can be helpful to you. Use them in the following ways to familiarize yourself with the readings' content before you actually start to read.

1. Do all the vocabulary exercises before reading, so that new words will be familiar to you.
2. Read the introduction to the text; its purpose is to help you understand the reading.
3. Note the title of the reading. It usually orients you to the topic and sometimes to the writer's attitude toward it.
4. Skim the glosses in the margin of the text.
5. Read the comprehension questions at the end of the story to get an idea of what you should look for in the text.

◆ PREPARACIÓN PARA LA LECTURA ◆

Vocabulario

SUSTANTIVOS

la ausencia   *absence*
el conocimiento   *knowledge*
la desdicha   *misfortune*
la fila   *row*
la ignorancia   *ignorance*
la imprudencia   *imprudence, indiscretion*
la lágrima   *tear*
el/la oyente   *student auditing a class*
el perico   *parakeet*
el sollozo   *sob*
el sueldo   *salary*

ADJETIVOS

amargado/a   *embittered, soured*
aterrado/a   *terrified*
desagradable   *unpleasant*
emaciado/a   *extremely thin*
extrañado/a   *surprised*
tierno/a   *tender, soft*
vacío/a   *empty*

VERBOS	EXPRESIONES ÚTILES
apartarse de *to move away, to shun (somebody)*	de memoria *by heart*
	ser mal educado/a *to have bad manners*
compadecerse de *to feel sorry for*	tener cuentas pendientes *to have bills outstanding*
expulsar *to expel*	
proseguir *to continue, to carry on*	
respirar *to breathe*	
sollozar *to sob*	
vivir de *to live on or upon, to live by (source of income)*	

Expresiones con el verbo **dar**

dar lástima *to inspire pity, to make someone feel pity*

(A ella) le dan lástima los animales enfermos.	*She pities sick animals. (literally, Sick animals make her feel pity.)*

darse cuenta de *to realize, to become aware of*

Me doy cuenta de que estoy equivocada.	*I realize that I am mistaken.*

EJERCICIOS

A. Busque en la lista de vocabulario un antónimo (una palabra de significado opuesto) de cada una de las palabras que siguen.

1. agradable
2. dicha
3. duro
4. lleno
5. presencia
6. conocimiento
7. prudencia
8. obeso

B. Complete cada oración con la palabra o expresión más apropiada de la lista a mano derecha. Haga todos los cambios necesarios.

1. Teresa parece un ____ porque siempre sabe la lección ____.
2. Si llegamos tarde al cine, tendremos que sentarnos en la primera ____.
3. Alicia viene a clase, pero no tiene que estudiar para los exámenes porque es ____.
4. Nos quedamos tristes al ver las ____ y oír los ____ de la muchacha.
5. En las grandes ciudades la gente ____ aire contaminado.
6. Aunque gana un ____ mínimo no tiene problemas porque ____ el dinero de sus padres.
7. Se siente muy ____ porque lo van a ____ de la universidad y piensa que sus amigos se van a ____ de él.
8. Carlos está ____ porque esta noche va a conocer a los padres de su novia.

fila
aterrado
de memoria
vivir de
amargado
perico
respirar
apartarse de
sollozos
oyente
lágrimas
expulsar
sueldo

C. Escoja de la lista de vocabulario las palabras o expresiones adecuadas para decir de otra manera las mismas ideas expresadas en las palabras subrayadas. Haga todos los cambios necesarios.

1. Nos compadecemos de las víctimas del huracán.
2. Esa chica tiene muy malos modales *(manners)*.
3. El profesor continúa con su explicación.
4. Ahora comprendo que es muy tarde para cambiar de carrera.
5. Estamos muy sorprendidos de verte aquí tan temprano.
6. Cuando su madre lo deja solo, el pequeño comienza a llorar.
7. No me gusta deberles dinero a mis amigos.

◆ INTRODUCCIÓN AL TEMA ◆

Jorge Ibargüengoitia, nacido en Guanajuato en 1928 y fallecido en 1983, es un conocido dramaturgo mexicano. Es autor de numerosas comedias, cuentos y artículos periodísticos.

En el cuento que sigue, Ibargüengoitia presenta a un profesor que, después de insultar a la última alumna que le queda, consigue quedarse sin ningún discípulo.

Prepárese para la lectura discutiendo brevemente con sus compañeros los siguientes temas:
1. ¿Por qué no querrá tener alumnos este profesor? Haga una lista de posibles razones.
2. ¿Cómo será este profesor? ¿Cómo tratará a los estudiantes?

Amor de Sarita y el professor Rocafuerte

La universidad del lugar fue en otro tiempo una escuela jesuítica, de manera que tiene amplios corredores[1], arquerías de cantera[1], etcétera.

Una tarde el profesor Rocafuerte cruza el patio con paso[1] solemne, llevando un libro bajo el brazo. Es un hombre de treinta y cinco años, buen mozo[1], emaciado por los sueldos de hambre, encorvado[1] por la mujer y los tres hijos, amargado por la indiferencia del público hacia sus conocimientos. Es poeta y vive de la gramática. Los alumnos se apartan para no tener que saludarle, porque todos tienen cuentas pendientes con él. Cruza luego corredores desiertos, hasta llegar a un gran salón. Una vez en él, sube al estrado[1] y toma asiento. El salón está completamente vacío. Rocafuerte saca una lista del bolsillo, sin levantar los ojos, y empieza a leer: Acevedo, Arrieta, Arroyo, etcétera. Una joven —Sarita— entra en el salón, y caminando sigilosamente[1], llega hasta la primera fila antes de que el maestro diga «Gutiérrez» al que ella responde «Presente». El profesor detiene la lectura y con gran seriedad la mira un momento, sin ninguna expresión, y luego continúa enumerando Hernández, etcétera.

Cuando la lista ha terminado, el profesor la guarda[1] en su bolsillo, abre el libro y al levantar los ojos se encuentra con dos alumnas que han entrado y están en la última fila. Extrañado, les pregunta quiénes son ellas, ellas responden: «Oyentes».

—¿Oyentes de qué?

—De la clase.

wide corridors / series of stone arches
step, walk
good-looking
bent

dais, raised platform

silently, secretly

la... puts it away

—¿De cuál clase?

—De la que usted va a dar.

—No voy a dar ninguna clase mientras estén ustedes aquí. Fuera[1]. *Get out!*

Las dos muchachas abandonan el salón. Cuando han salido, el profesor se vuelve a Sarita, que se mueve inquieta en su banca[1], y le pregunta: *bench*

—¿Por qué se sienta tan cerca de mí?

Sarita está muy confusa y no acierta a responder[1]. *no... fails to answer*

—Hágame el favor de pasar a la segunda fila.

Sarita obedece con lágrimas en los ojos. Rocafuerte prosigue:

—Dígame de qué hablamos en la clase pasada.

Ella responde: —Del verbo placer[1]. *to please, to gratify*

El profesor Rocafuerte mira alternativamente el techo del salón, los muros[1] *walls* y la ventana; pero nunca a la alumna, que repite textualmente:

—Placer. Por la especial irregularidad de este verbo en los tiempos y personas que toma los radicales[1] pleg plug, verbigracia[1] y plegue o plega y plugo, *roots, verb stems / for instance* por haberse usado[1] más generalmente con estas formas como imperso- *por... because it was used* nal...

La interrumpe un golpe que da el profesor sobre la mesa. Ella lo mira aterrada.

—¿Por qué tiene que aprender las cosas de memoria, como un perico? —Sarita llora—. ¿Por qué llora, señorita Gutiérrez?

Sarita contesta entre sollozos: —Me siento mal.

—Abra la ventana entonces, no quiero que se desmaye[1] en clase. *que... that you faint (subjunctive)*

Sarita va a la ventana y la abre mientras Rocafuerte comenta:

—Me parece una imprudencia tremenda venir a clase sintiéndose mal —Sarita regresa a su lugar—. ¿Ya se siente mejor? —Sarita contesta con un gesto afirmativo—. Prosiga usted —Sarita trata de ordenar sus pensamientos en silencio, inútilmente—. ¿Ya ve usted el resultado desastroso de aprender las cosas de memoria? ¿Ya ve a qué la lleva ese prurito de concretarse[1] a lo *prurito... desire to limit yourself* que el libro dice? ¿Cuántas veces le he dicho que la Gramática de la Acade-mia[2] es una colección de estupideces? ¿Si el libro es lo único importante, para qué demonios[1] viene a clase? ¿Para qué esforzarme yo preparándola? ¿Para *para... why the devil* qué hablo yo dos horas cada semana? ¿Cree usted que no es insultante para un maestro eso que hace usted? ¿No le parece una falta[1] de consideración? *lack* ¿Por qué llora, señorita Gutiérrez?... Conteste.

—Me siento mal.

—Cierre la ventana, entonces. —Sarita cierra la ventana y regresa a su lugar—. Y luego, esta constitución plañidera[1] que tiene usted. Suénese[1] — *plaintive nature / Blow your nose* Sarita obedece—. ¿Cree usted que es agradable para un hombre estar viéndo-la llorar? —Sarita contesta con un gesto negativo—. ¿Por qué, entonces, señorita Gutiérrez, ha llorado usted exactamente sesenta y dos veces durante las últimas diez clases? —Silencio—. Conteste.

—Es que no puedo remediarlo.

—¿Es que no tiene dominio sobre sus músculos lacrimales[1]? *tear duct muscles*

—No sé.

—¿Cómo que no sabe?

—No lo sé, maestro.

—Pues es que no lo tiene. Haga ejercicios todas las mañanas ante un espejo: llore usted, pare de llorar; llore usted, pare de llorar; llore usted, es muy sencillo.

—Está bien, maestro.

—Lo importante es que no venga usted a mi clase con la falta de dominio sobre su fisiología que la caracteriza. —Pausa. El profesor Rocafuerte medita—. También es posible, señorita Gutiérrez, que todo provenga de un desorden nervioso. ¿Es usted histérica?

—No sé, maestro.

—¿Pero cómo que no lo sabe? No es posible que alguien viva en tal ignorancia de su personalidad. Consulte usted a un psiquiatra.

—¿Por qué?, si me siento perfectamente.

—¿Se siente perfectamente? Pues es la peor anomalía que puede haber. Está usted loca. O bien, vive usted en la más absoluta ignorancia del mundo que nos rodea; ¿cómo sentirse perfectamente dentro de tanta miseria? ¿No ve usted las injusticias enormes que se cometen todos los días? ¿No se da cuenta de la imbecilidad de que están plagados los periódicos? Además, miente usted —Sarita lo mira sobrecogida[1]—. ¿Cómo se atreve a decirme que se siente *overcome* perfectamente si en mi clase, que no son más que dos horas semanales, ha llorado sesenta y dos veces en un solo mes? —La mira en silencio un momento. Le ha nacido una sospecha—. ¿O es que sólo en mi clase llora? —Pausa. Con voz de trueno[1]—. ¡Conteste! —Ella, cubriéndose la boca con las manos, *thunder* hace un gesto afirmativo—. ¿Y por qué, se puede saber? ¡Con un demonio! ¿Por qué viene usted a atormentarme? ¿Por qué llora en mi clase?

Sarita contesta por fin:

—Porque me da usted mucha lástima.

Silencio. Rocafuerte la mira perplejo.

—¿Y usted, una histérica, una loca, una ignorante, se compadece de mí? —Sarita responde con un gesto afirmativo. Rocafuerte respira hondamente[1], *deeply* tratando de dominarse—. Mire, Sara, hágame el favor de abrir la ventana.

Sara va a la ventana, la abre y regresa a su lugar. Rocafuerte, inquieto, pasea la mirada por el salón, se frota las manos[1] y prosigue: *se... rubs his hands*

—Gracias. Hablábamos antier[1] de los verbos irregulares, o mejor dicho, de *day before yesterday* aquellos verbos cuyas irregularidades son especiales, tales como[1] andar, *tales... such as* asir[1], caber[1], caer, dar, decir, erguir[1], estar, haber, hacer, oír y placer. ¿Por *to grab / to have room / to* qué le doy lástima, Sarita? *erect*

—Porque es usted tan tierno...

Con voz de trueno Rocafuerte dice:

—¿Tierno yo?

—Sí, y porque sufre mucho.

El profesor queda asombrado.

—¿Sufrir? ¡Qué poco conocimiento de la vida! Me da usted risa; jo, jo, jo. ¡Lo que es la adolescencia! ¡Qué tontería! Eso demuestra que no tiene usted la más remota idea de lo que es el sufrimiento, ni la felicidad, ni nada. Es usted peor que ignorante, es casi imbécil. Continúo: estudiaremos en la clase de hoy, las irregularidades especiales de los verbos poder, poner, pudrir, o podrir[1]... ¿Y por qué, se puede saber, cree usted que yo sufro?

pudrir... to rot

—Porque todos sus alumnos se han ido de clase.

—Pero, imbécil, ¿no se ha dado usted cuenta de que no se han ido ellos, sino que yo he ido expulsándolos uno por uno, porque no puedo transigir[1] con la ignorancia, con la pereza y con la abulia[1] y con cuarenta oligofrénicos[1] mirándome durante una hora? Y de cualquier manera, aunque se hubieran ido motu propio[1], ¿cree usted que me hacen falta[1]? ¿Cree usted que la ausencia de esas personas es bastante para causar la infelicidad de un hombre como yo?

tolerate
lack of willpower / dimwits
se... they had left on their own
me... I need them

—Y también me da mucho pesar que no le publiquen sus poemas.

—Pero muchacha estúpida, ¿no se da cuenta de que ser ignorado por este mundo platitudinesco[1] es el mejor galardón[1] para un poeta? Preocupación me daría el tener cabida[1] en esas revistas que produce la cultura de petate[1] a la que tengo la desdicha de pertenecer; me llenaría de terror si me eligieran kiembro de Número de la Academia de la Lengua y si me dieran el premio Nobel comprendería que había llegado al anquilosamiento[1] final. Estoy encantado de ser oscuro, libre y alegre... Prosigo: estudiaremos en primer lugar las irregularidades del verbo pudrir, o podrir...

trite, given to platitudes / prize, reward / room / cultura... worthless culture

stagnation

—Y también me da usted lástima porque... —No me interrumpa, caramba —Da un puñetazo[1] en la mesa. Hay un silencio. Se aclara la garganta—. Prosigo... ¿Por qué más le doy lástima?

blow with the fist

—Porque le falta amor.

Rocafuerte se desfigura[1] de ira.

becomes disfigured

—¿Y usted qué sabe lo que es el amor? ¿Usted, virgen inviolada; santucha[1], adolescente, hija de María[3]? ¿Cómo se atreve a decirme eso, mal educada? Cursi[1]. Con un cerebro lleno de tules[1] color de rosa. ¿Cómo se atreve, ñoña, a decirle semejante cosa a un hombre que es todo plenitud? ¡Lárguese[1] de mi clase inmediatamente! —Sarita solloza y va saliendo de la clase con sus libros en la mano—. No quiero volver a verla en todos los días de mi vida. Me da usted náusea. Me irrita. Me enferma. No vuelva nunca. Nunca. Nunca.

sanctimonious
Pretentious / tulle (lightweight cloth) Get out!

Sarita ha salido de clase. El profesor Rocafuerte, con las manos sobre sus rodillas[1], respira hondamente en actitud heroica.

knees

Notas

1. placer Although it is not used with great frequency in spoken Spanish, **placer** finds its way into grammar books because it presents many irregularities. For instance, in the present indicative and present subjunctive it uses the forms **plazco, places, place, placemos, placéis, placen; plazca, plazcas,...** In the preterit and the imperfect subjunctive, there are parallel forms, a regular conjugation (**plací,...; placiera,...**) and an irregular one (**plugo,...; plugiera** or

plugiese,...). This last form is considered archaic and only used in literary Spanish, as is the form **plega** for the third-person singular of the present subjunctive.

2. *Gramática de la Academia*   Grammar published by the Real Academia de la Lengua Española, considered by many to be the final authority on Spanish grammar.

3. hija de María   The term alludes to a member of an association of young Catholic women. Because the association teaches and upholds Catholic morality and encourages its members to be chaste and pious, the term has become associated in some people's minds with piety and old-fashioned values.

COMPRENSIÓN DE LA LECTURA

Conteste las siguientes preguntas.

1. ¿Quién es el profesor Rocafuerte? ¿Cómo es? ¿Por qué se apartan de él los estudiantes?
2. ¿Cuántos alumnos hay en el salón cuando llega el profesor? ¿Qué es lo primero que hace el profesor? ¿Quién entra mientras él lee la lista?
3. ¿Quiénes entran más tarde? ¿Por qué abandonan el salón?
4. ¿Dónde se sienta Sarita al principio de la clase? ¿Por qué se cambia de lugar?
5. ¿Qué ha aprendido Sarita en las clases de Rocafuerte? ¿Cómo estudia ella?
6. ¿Cuántas veces ha llorado Sarita en la clase del profesor Rocafuerte? ¿Por qué llora solamente en esa clase?
7. ¿Por qué se compadece ella del profesor? ¿Cómo responde el profesor cuando la alumna le dice que él le da lástima?
8. ¿Qué hace Sarita después de que el profesor la insulta? ¿Cómo concluye el episodio?

INTERPRETACIÓN DE LA LECTURA

Conteste las siguientes preguntas.

1. ¿Qué significa el nombre «Rocafuerte»? ¿Por qué le da el autor este nombre a su personaje?
2. ¿Qué relación hay entre los dos personajes? ¿Cómo interpreta Ud. el título? ¿Cree Ud. que Sarita está enamorada del profesor? Explique su respuesta.
3. ¿Qué imagen tiene Sarita del profesor? ¿Qué imagen tiene él de sí mismo? ¿Quién tiene razón y por qué?
4. El profesor la critica a Sarita porque ella estudia de memoria. ¿Qué opina Ud. de los métodos de enseñanza del profesor?
5. ¿Es justa la manera en que el profesor trata a Sarita? ¿Por qué razón la ataca y la insulta?
6. ¿A qué otras personas e instituciones ataca el profesor? ¿Por qué lo hace?
7. ¿Por qué expulsa el profesor a todos sus alumnos? ¿Cómo interpreta Ud. el último párrafo de la lectura?
8. ¿Cómo describiría Ud. esta historia? ¿Por qué podríamos decir que es cómica? ¿Por qué podríamos decir que es trágica?

REPASO GRAMATICAL

A. Busque ejemplos en la lectura del uso del verbo **dar** en construcciones idiomáticas.

B. Aquí hay una lista de expresiones con **dar.** Note que pueden traducirse al inglés de dos maneras:

| dar { | hambre
lástima
miedo
náusea
pereza
risa
sed
sueño
vergüenza | *to cause,*
to inspire | *hunger*
pity
fear
nausea
laziness
laughter
thirst
sleep
shame | *to   make*
(someone) | *hungry*
sorry
afraid
sick
lazy
amused
thirsty
sleepy
ashamed |

Complete las siguientes oraciones usando una de las expresiones anotadas. Haga todos los cambios necesarios, y recuerde que debe usar pronombres para indicar el complemento indirecto.

MODELO: A mí el olor a pan fresco siempre ____.
                  A mí el olor a pan fresco siempre me da hambre.

1. Juan toma cerveza porque los tacos ____.
2. A nosotros ____ pensar en los millones de niños que pasan hambre en el mundo.
3. A mi nieta ____ los leones del zoológico.
4. En el circo, a los chicos ____ cuando el payaso se cae.
5. Esa profesora es tan aburrida que a mí ____ de sólo pensar en sus clases.
6. A algunas personas los olores desagradables ____.
7. Si ____ escribir, llámame por teléfono.
8. A la familia ____ tener un hijo en la cárcel.

TEMAS DE DISCUSIÓN O DE COMPOSICIÓN

Profesores y alumnos

◆ RETRATO DE UN PROFESOR IDEAL   El profesor Rocafuerte es un ejemplo perfecto de un mal profesor: no tiene vocación, odia su profesión, enseña mal y no respeta a sus alumnos. Hay, sin embargo, otro tipo de profesores. ¿Qué cualidades tienen éstos? Describa a un maestro ideal.

◆ RETRATO DE UN ALUMNO IDEAL   Imagínese ahora que Ud. es maestro/a y que puede inventar un alumno perfecto. ¿Cómo es ese alumno? ¿Qué cualidades tiene?

◆ EDUCACIÓN EN CRISIS   Casi todos los días los periódicos hacen referencia a una «crisis en el sistema educativo» de los Estados Unidos. ¿Cree Ud. que el sistema está en crisis? ¿Qué problemas hay? ¿Cómo podrían resolverse?

Un poco de teatro

◆ REPRESENTACIÓN   Imagínese que el cuento que hemos leído es el guión *(script)* de una obra teatral. Con un compañero o una compañera, represente el «drama» de Sarita y el profesor Rocafuerte.

◆ INNOVACIÓN   Imagínese una escena diferente u otra relación entre Sarita y el profesor y escriba el diálogo correspondiente.

◆ CREACIÓN   Reúnase con sus compañeros y, en colaboración con ellos, escriba el guión de una comedia breve sobre la vida estudiantil.

CAPÍTULO 3

Gramática
El pretérito
El imperfecto
El pretérito o el imperfecto
Funciones lingüísticas
Descripción en el pasado
Expresión de sentimientos en el pasado
Narración de acciones habituales en el pasado
Narración en el pasado
Actividades

I. El pretérito

A. *Volvió el terrorismo*

La siguiente noticia apareció en el diario español *El País*.

El general de brigada Rafael Garrido Gil, gobernador militar de Guipúzcoa, resultó muerto el sábado 26, junto a su esposa y uno de sus hijos, en un atentado cometido en el centro de San Sebastián, que produjo heridas a 14 personas más. Fuentes policiales responsabilizaron al *comando Guipúzcoa,* de ETA Militar, de la acción terrorista. La propia organización terrorista reivindicó horas más tarde la autoría del atentado. El mismo día se celebraron dos manifestaciones en el País Vasco. Una, en Vitoria, en la que el PNV* y otras fuerzas políticas reclamaron la liberación del industrial Lucio Aguinagalde, actualmente secuestrado por ETA. A la misma hora, la coalición de izquierda radical Herri Batasuna, considerada el brazo político de ETA, y sus simpatizantes se manifestaron por las calles de Bilbao exigiendo la negociación del Gobierno central con ETA.

◆ **San Sebastián,** capital de Guipúzcoa, en el País Vasco, es una de las ciudades más elegantes y cosmopolitas de España. Fue por muchos años el lugar de veraneo de los miembros del gobierno y hoy día es la sede del Festival Internacional de Cine cada verano.

*PNV son las siglas del Partido Nacionalista Vasco.

◆ El **regionalismo** es un fenómeno básico en la cultura española, y en los últimos veinte años ha llegado a un nivel violento e intransigente en el País Vasco (o Euskadi, en la lengua regional). Algunos vascos organizaron en 1959 Euskadi ta Azcatasuna (ETA), que en castellano significa «tierra y libertad vascas» y que se convirtió en una organización muy radical. Sus métodos: secuestros, atracos y asesinatos. Su sofisticación militar es sorprendente. En los últimos tiempos el gobierno español se mostró dispuesto a dialogar con ETA si ellos dejaban de atacar.

atentado *attack* **produjo heridas** *injured* **reivindicó** *claimed* **manifestaciones** *demonstrations* **reclamaron** *demanded* **secuestrado** *kidnapped* **sede** *site* **atraco** *holdup*

En el País Vasco, España, unos separatistas protestan contra unas acciones recientes del gobierno central.

B. Preguntas

1. ¿Dónde fue el atentado?   2. ¿Quiénes murieron?   3. ¿Hubo heridos?   4. ¿Quiénes fueron los autores del atentado?   5. ¿Qué reclamaron los vascos en las manifestaciones de Vitoria y Bilbao?   6. ¿Sabe Ud. qué es la ETA?   7. ¿En qué otros países hay terrorismo? ¿Qué incidentes hubo allí este año?

C. El pretérito: Concepto

Several verb tenses in Spanish may be used to express the past: your choice depends on how you view the action. The two principal tenses are the preterit and the imperfect. In general, use the preterit for actions that took place and came to an end at a particular moment in the past. Use the imperfect for actions or conditions that you perceive as having gone on over time in the past, perhaps as background to other actions.

D. El pretérito de los verbos regulares

To form the preterit of a regular -ar verb, add the endings -é, -aste, -ó, -amos, -asteis, -aron to the stem. Regular -er and -ir verbs add the endings -í, -iste, -ió, -imos, -isteis, -ieron to the stem.

llamar	beber	asistir
llamé	bebí	asistí
llamaste	bebiste	asististe
llamó	bebió	asistió
llamamos	bebimos	asistimos
llamasteis	bebisteis	asististeis
llamaron	bebieron	asistieron

E. El pretérito de los verbos con cambio de raíz

1) -Ar and -er stem-changing verbs have no stem change in the preterit.
2) -Ir stem-changing verbs have a change in the third-person singular and plural.

pedir (e→i)	morir (o→u)
pedí	morí
pediste	moriste
pidió	murió
pedimos	morimos
pedisteis	moristeis
pidieron	murieron

En Bilbao, los separatistas asisten al entierro de uno de sus líderes recientemente asesinado.

F. El pretérito de otros verbos irregulares

1) Verbs ending in **-car, -gar,** and **-zar** have a spelling change in the preterit when the first-person singular ending **-é** is added: **c** to **qu, g** to **gu,** and **z** to **c.**

buscar (c→qu)	llegar (g→gu)	empezar (z→c)
busqué,	llegué,	empecé,
buscaste,...	llegaste,...	empezaste,...

2) In **-er** and **-ir** verbs an unstressed **i** between two vowels becomes **y.**

caer	oír
caí	oí
caíste	oíste
cayó	oyó
caímos	oímos
caísteis	oísteis
cayeron	oyeron

Stem-changing verbs such as **reír** and **sonreír** do not change **i** to **y,** however.

3) **Dar** in the preterit takes the **-er** endings — but without the accent marks — rather than the **-ar** endings. The third-person singular of **hacer** — **hizo** — is spelled with a **z**. **Ir** and **ser** have the same irregular forms in the preterit.

dar	hacer	ir / ser
di	hice	fui
diste	hiciste	fuiste
dio	hizo	fue
dimos	hicimos	fuimos
disteis	hicisteis	fuisteis
dieron	hicieron	fueron

4) A number of verbs have irregular preterit stems and take a special set of endings, none of which has a written accent mark.[1]

Infinitive	Preterit stem	Preterit endings
andar	anduv-	-e
estar	estuv-	-iste
tener	tuv-	-o
poder	pud-	-imos
poner	pus-	-isteis
saber	sup-	-ieron
querer	quis-	

5) The preterit forms of **decir, traducir,** and **traer** are also irregular in both stem and endings. Note that the **i** of the ending is dropped in the third-person plural of these verbs.

decir	traducir	traer
dije	traduje	traje
dijiste	tradujiste	trajiste
dijo	tradujo	trajo
dijimos	tradujimos	trajimos
dijisteis	tradujisteis	trajisteis
dijeron	tradujeron	trajeron

Similar verbs are **atraer, distraer, conducir, deducir,** and **producir.**

G. Usos del pretérito

1) Use the preterit to report, in an objective manner, actions or events that began and were completed in the past.

Ayer hubo un tiroteo en la calle Arizmendi.   *There was a shoot-out on Arizmendi Street yesterday.*

2) Use the preterit to report repeated actions or events when you view the series as completed.

Cuando estuvo en la ciudad, visitó a su familia.   *When he was in town, he visited his family.*

Se vieron varias veces.   *They saw each other several times.*

---

[1]**haber** in the preterit is only used in the third-person singular and is irregular: **haber→hubo.**

3) Verbs that refer to momentary actions or that indicate a sudden change are often used in the preterit.

La mujer del policía se quedó viuda.   *The policeman's wife was left a widow.*
Nací en Santa Mónica en 1968.   *I was born in Santa Monica in 1968.*

═══ EJERCICIOS ═══

PRÁCTICA

A. Noticias de Buenos Aires. Complete esta tarjeta postal que Jorge le mandó a su familia cuando visitaba a su abuela en Buenos Aires. Use la forma correcta del pretérito de los verbos en la clave.

¡Hola, querida familia!

    Anoche —(1)— que asistir con Abuelita a una cena de gala. Después de la cena, —(2)— la temporada de ópera aquí en Buenos Aires. —(3)— la ópera *Carmen*, que me —(4)—. La decoración y el vestuario —(5)— magníficos. Montserrat Caballé y Plácido Domingo —(6)— maravillosamente. Todo el mundo —(7)— tanto que los artistas —(8)— que salir a saludar repetidas veces. —(9)— un gran éxito. Y ¿a que no adivinan a quién —(10)— yo? Pues, ¡a la princesa Carolina de Mónaco!

    —(11)— su carta ayer. Me —(12)— mucho.

                         Abrazos,
                         Jorge

Clave:	1. tener	4. encantar	7. aplaudir	10. ver
	2. inaugurarse	5. ser	8. tener	11. recibir
	3. presentarse	6. cantar	9. ser	12. gustar

B. ¿Qué pasó anoche? Parece que Clara y Eduardo se pelearon anoche. Clara habla de las consecuencias del desacuerdo y Eduardo le termina las oraciones, usando el pretérito y expresiones tales como: **Ya sé; es verdad; tienes razón; no me lo tienes que decir.**

MODELO: Siempre te digo la verdad, pero anoche...
              Ya sé. Anoche no me dijiste la verdad.

1. Generalmente duermes bien, pero anoche...
2. Todos los días leemos el periódico juntos, pero esta mañana...
3. Los muchachos nunca salen para la escuela sin desayunarse, pero hoy...
4. Nunca vienes tarde a casa, pero anoche...
5. Tú sabes que nunca me río de ti, pero anoche...
6. Tu jefe nunca te llama a casa, pero ayer por la tarde...
7. De costumbre no conduces el auto a la oficina, pero ayer...
8. Pues, Eduardo, en esta casa casi siempre hay paz y felicidad, pero anoche...
9. ¡Uf, basta ya! ¿Me perdonas? Ah, yo sé que ya me...

¡A CONOCERNOS!

A. Conteste estas preguntas.

1. ¿Dónde nació Ud.? 2. ¿En qué año empezó Ud. a estudiar en esta universidad? 3. ¿Cómo llegó la primera vez (en coche, en avión,...)? 4. ¿Llegó Ud. a tiempo a su primera clase el lunes? 5. ¿Cuántas horas estudió Ud. anoche para esta clase? 6. ¿A qué hora se levantó Ud. hoy? ¿A qué hora se acostó anoche? 7. ¿Hubo mucha gente en la cafetería esta mañana? 8. ¿Qué tiempo hizo ayer? 9. ¿Vio Ud. alguna película u obra de teatro la semana pasada? ¿Le gustó? ¿Cómo acabó (terminó)? ¿Bien? ¿Mal? ¿Por qué? 10. ¿Tuvo Ud. que levantarse temprano el domingo pasado? 11. ¿Tradujo Ud. alguna vez una carta del inglés al español? 12. ¿Le pidió un(a) amigo/a alguna vez un favor muy difícil? ¿Qué le pidió? ¿Qué hizo Ud.?

B. Ahora hágale unas preguntas similares a un compañero o a una compañera.

SITUACIÓN COMUNICATIVA

Imagínese la siguiente situación y represéntela con un compañero o una compañera.

ASPIRING WRITER In a dream, you meet your favorite Spanish writer, Benito Pérez Galdós. Ask him where he was born and where he spent most of his life.

GALDÓS Explain that you were born in the Canary Islands, but that you left your land (tierra) when you went to Madrid to study law. Say that you spent the rest of your life in Madrid.

WRITER Ask him how many works he produced.

GALDÓS Say that you produced more than a hundred, that you continued writing until you died in 1920.

WRITER Now continue asking more questions about his past or his books.

II. El imperfecto

A. «La mujer maravilla»

Este anuncio se oyó en una emisora de Nueva York que sirve a la comunidad hispana del nordeste de los Estados Unidos.

Me sentía siempre cansada y nerviosa. En el trabajo mi jefa me volvía loca y en casa perdía fácilmente la paciencia. Veía a mis propios niños como monstruos que querían devorarme. La vida era insoportable. Un día una amiga y yo charlábamos por teléfono y ella me habló de las vitaminas «La mujer maravilla». Hoy, gracias a las vitaminas,... ¡soy una mujer maravilla!

◆ Aproximadamente un quinto de los 20 millones de hispánicos que viven en los Estados Unidos residen en el nordeste del país, en una zona que abarca centros urbanos e industriales tales como Washington, Boston y Nueva York. Debido a la presencia de tantos hispanohablantes, en esta región hay **emisoras de radio** (como WADO), **canales de televisión** (41 y 47, por ejemplo) y **periódicos** *(El Diario/La Prensa* y *Noticias del Mundo)* en español.

◆ Como la industria publicitaria en los Estados Unidos ha identificado a la comunidad hispánica como un mercado cada vez más importante, el número de **avisos comerciales** en las emisoras y periódicos en español ha aumentado muchísimo en los últimos años.

mujer maravilla *wonder woman*   **jefa** *(female) boss*   **insoportable** *unbearable*   **quinto** *fifth*   **abarca** *covers*   **emisoras de radio** *radio stations*   **canales** *channels*   **publicitaria** *advertising*   **avisos** *advertisements*

B. *Preguntas*

1. ¿Cómo se sentía la mujer del anuncio?   2. ¿Por qué era insoportable la vida para ella?   3. ¿De qué le hablaron?   4. ¿Cómo pudo cambiar?   5. ¿Qué piensa Ud. de las vitaminas?   6. ¿Veía Ud. el programa de televisión *«Wonder Woman»?*

C. *El imperfecto: Concepto*

The imperfect tense describes actions and conditions that you perceive as ongoing in the past. For example, use the imperfect for actions that were customary or habitual occurrences — almost features of the landscape — rather than particular events that came to an end. Verbs in the imperfect are often translated into English by using the phrase *used to* or a past progressive.

Yo visitaba a Juan todos los años.   *I used to visit Juan every year.*
Entonces yo vivía en Arequipa.   *I was living in Arequipa then.*

D. *Formas del imperfecto*

1) To form the imperfect of an -ar verb, add the endings -aba, -abas, -aba, -ábamos, -abais, -aban to the stem. To form the imperfect of an -er or -ir verb, add the endings -ía, -ías, -ía, -íamos, -íais, -ían to the stem.

estudiar	beber	escribir
estudiaba	bebía	escribía
estudiabas	bebías	escribías
estudiaba	bebía	escribía
estudiábamos	bebíamos	escribíamos
estudiabais	bebíais	escribíais
estudiaban	bebían	escribían

2) Only three verbs are irregular in the imperfect: **ir, ser,** and **ver.**

ir	ser	ver
iba	era	veía
ibas	eras	veías
iba	era	veía
íbamos	éramos	veíamos
ibais	erais	veíais
iban	eran	veían

E. Usos del imperfecto

Use the imperfect in the following instances:

1) To express past actions that were customary or repeated. Usually the repetition is made clear by context or by using an adverbial expression such as **generalmente, cada año,** or **todos los días.**

Antes de casarme, yo iba todos los años a la Costa Brava.	*Before I got married, I used to go to the Costa Brava every year.*
Siempre me quedaba en un parador elegante.	*I would always stay in an elegant parador.*[2]

2) To describe actions that were in progress in the past.

Un día mi amiga y yo charlábamos por teléfono...	*One day my friend and I were chatting on the phone . . .*

3) To describe two or more past actions that occurred simultaneously.

Mientras oía la música, tenía ganas de bailar.	*While I was listening to the music I felt like dancing.*

4) To report indirect discourse in the past.

Mi amigo me preguntó lo que me pasaba.	*My friend asked me what was wrong with me.*

5) To give the time of day, the date, or the age of people or things in the past.

Eran las tres de la mañana.	*It was 3:00 A.M.*
Tenía cinco años.	*She was five years old.*

6) To describe past physical, mental, or emotional states as ongoing conditions. Thus, Spanish verbs like **poder, creer, sentirse, saber, pensar, querer,** and expressions with **tener (tener frío/calor/miedo)** are often in the imperfect.

Me sentía siempre cansada y nerviosa.	*I always felt tired and nervous.*
Veía a mis propios niños como monstruos.	*I saw (perceived) my own children as monstruos.*

---

[2]Note that in this example the habitual action is expressed with the word *would.*

EJERCICIOS

PRÁCTICA

A. El abuelo Lucho. Mariana describió a su abuelo de la siguiente manera. Complete la descripción con la forma correcta del imperfecto de los verbos en la clave.

El abuelo Lucho —(1)— un hombre fuerte y jovial aunque ya —(2)— ochenta años. Su pelo —(3)— blanco y a veces le —(4)— sobre la frente, lo cual le —(5)— un aire rebelde a pesar de su edad. —(6)— siempre una bata de lana *(woolen robe)* y unas zapatillas de paño *(felt slippers)* cuando —(7)— en casa. —(8)— los pies por los pasillos porque sus piernas ya —(9)— a flaquear *(to weaken)*. Pero siempre —(10)— una sonrisa cariñosa en sus labios.

Clave:	1. ser	4. caer	7. estar	10. tener
	2. tener	5. dar	8. arrastrar	
	3. ser	6. llevar	9. comenzar	

B. ¡Cómo cambiaron las cosas! Imagínese que Ud. es una persona madura que recuerda su juventud. Compare su vida presente con sus recuerdos y escriba un párrafo divertido para leérselo a la clase.

MODELO: **Soy millonario** **Soy millonario, pero cuando era joven yo era muy pobre.**

1. Vivo en una casa muy grande y lujosa. 2. Tengo un automóvil muy veloz. 3. Siempre compro ropa cara y elegante. 4. Puedo comprar obras de arte y libros valiosos. 5. Conozco a muchas personas importantes. 6. Trabajo muchas horas al día. 7. Nunca me divierto. 8. Mis amigos no son fieles. 9. Tengo muchas preocupaciones. 10. Nunca estoy contento.

C. ¿Qué hacía su compañero? Invente una descripción de lo que hacía alguien cuando Ud. llegó (a casa, a clase, al trabajo, a la residencia).

MODELO: Cuando yo llegué a mi residencia, mi compañero de cuarto estaba muy ocupado; escribía una composición y buscaba muchas palabras en el diccionario...

D. Recuerdos de Oviedo. Traduzca la siguiente narración al español.
1. I lived in Oviedo when I was a child. 2. There was a little old lady who used to visit the park across from our house. 3. She would arrive at about noon, open a little package, and feed the birds. 4. Afterwards **(luego)**, she would sit down on a bench **(banco)** and watch us while we were playing on the swings **(columpios)**. 5. She would always smile and talk to us. 6. I still remember her fondly **(con simpatía).**

¡A CONOCERNOS!

A. Conteste estas preguntas sobre su vida cuando Ud. estaba en la escuela secundaria.
1. ¿Sabía hablar español? 2. ¿Llegaba puntualmente a sus clases? 3. ¿Cómo eran sus maestros? 4. ¿Jugaba a algún deporte? 5. ¿Tenía novio/a? 6. ¿Se divertía los fines de semana? ¿Qué hacía? 7. ¿Dónde vivían Ud. y su familia? 8. ¿Discutía a menudo con su familia? 9. ¿Quería asistir a esta universidad, o pensaba asistir a otra? 10. ¿Creía que los estudios universitarios iban a ser fáciles?

B. Ahora hágale unas preguntas similares a un compañero o a una compañera.

SITUACIÓN COMUNICATIVA

Imagínese la siguiente situación y represéntela con un compañero o una compañera.

GRANDCHILD	Your grandparents from Peru are visiting you. Tell them you want to know what life was like fifty years ago.
GRANDPARENT	Explain that life was very slow in those days.
GRANDCHILD	Ask where they lived and what their house was like.
GRANDPARENT	Say that you lived in a small house in the mountains. There was no electricity and you didn't have running water.
GRANDCHILD	Ask how they lived without water, how they bathed and washed dishes and clothes.
GRANDPARENT	Say there was a small river near the house.
GRANDCHILD	Ask if they went to town often.
GRANDPARENT	Explain that every Saturday the family would walk three miles to town, where you would buy the things you needed for the week.

Carry on the conversation for as long as possible.

en aquel entonces *in those days*   **agua corriente** *running water*   **al pueblo** *to town*

III. El pretérito o el imperfecto

A. *Show espectacular en el Club Tropicoro*

El artículo siguiente apareció en *El Nuevo Día,* periódico de San Juan, Puerto Rico.

> Llegamos al Club Tropicoro con la idea de disfrutar de las canciones de Gilberto Monroig. La sala estaba muy concurrida. El cuarteto «Suspiros de España» deleitaba a los presentes con varias melodías bailables.
>
> Eran las once cuando hizo su aparición Santitos Colón. Comenzó con un bolero. Había que estar allí para apreciar cómo este señor hacía gala de sus habilidades vocales, razón por la que no extrañamos a Gilberto Monroig. Supimos después que Monroig estaba malo de la garganta.
>
> Santitos Colón consiguió sus mejores aplausos cuando interpretó la guaracha «Llegaste tarde». Mientras cantaba, los espectadores dejaban de bailar para mirarlo.

◆ La zona metropolitana de San Juan, que cubre un área de 300 millas cuadradas y sirve de hogar a más de un millón de personas, está compuesta de varias ciudades y comunidades. Una red de carreteras unifica la metrópolis, vinculando el centro financiero de Hato Rey con los distritos de la costa y los barrios antiguos. En estos barrios, los edificios coloniales y las plazas rodeadas de iglesias reflejan las raíces españolas del viejo San Juan.

◆ El San Juan Hotel es uno de varios hoteles de lujo que se encuentran en la sección de Isla Verde. En el Club Tropicoro aparecen los principales artistas de América Latina, Europa y los Estados Unidos. Santitos Colón y Gilberto Monroig, que son puertorriqueños, han logrado hacerse famosos en todo el mundo hispánico.

disfrutar de *to enjoy* **concurrida** *crowded* **deleitaba** *delighted* **hacía gala de** *took pride in* **no extrañamos** *we didn't miss* **estaba malo de la garganta** *had a sore throat* **guaracha** *tropical song and dance* **millas cuadradas** *square miles* **red de carreteras** *freeway network* **vinculando** *linking* **de lujo** *luxury* **artistas** *entertainers*

Desde la antigua fortaleza de El Morro se ofrece una vista impresionante del crecimiento reciente de la capital de Puerto Rico, San Juan.

B. Preguntas

1. ¿Para qué fueron al Club Tropicoro?   2. ¿Había mucha gente en la sala?   3. ¿A qué hora comenzó a cantar Santitos Colón?   4. ¿Por qué no bailaba la gente mientras él cantaba?   5. ¿Por qué no cantó Monroig?   6. ¿Estuvo Ud. alguna vez en un club hispánico?   7. ¿Conoce Ud. a algún cantante hispánico? ¿A quién?

C. El pretérito o el imperfecto: Dos aspectos del pasado

The following chart summarizes the uses of the preterit and the imperfect. In many instances, the only reason for choosing one rather than the other is the point of view of the speaker.

PRETÉRITO	IMPERFECTO
1) To speak of an action that came to an end, a speaker uses the **preterit**. In the following example, the preterit reports an action completed or accomplished within a given period of time.	To focus on the duration or continuation of an action or on the fact that it was in progress, a speaker uses the **imperfect**. In the following example, the imperfect describes an action that was going on at a given checkpoint in the past.
Estuvimos en el Perú en el verano de 1975. *We were in Peru the summer of 1975.*	En 1975 vivíamos allí. *In 1975 we were living there.*

2) The preterit is used to give a straightforward, objective report of past actions — to narrate incidents that took place, without special concern for their relevance to the present.

Velázquez nació en Sevilla en 1599.

Velázquez was born in Seville in 1599.

The imperfect describes past actions subjectively, as if one were there witnessing them. The imperfect is also often used in literary contexts to create a poetic atmosphere.

En la populosa ciudad de Sevilla nacía en 1599 uno de nuestros pintores más insignes, Velázquez...
In 1599, in the populous city of Seville, one of our most renowned painters, Velázquez, was being born . . .

3) The preterit and the imperfect are often used in the same sentence: the imperfect for an action that was going on, or that established a background condition, the preterit for a sudden happening or interruption.

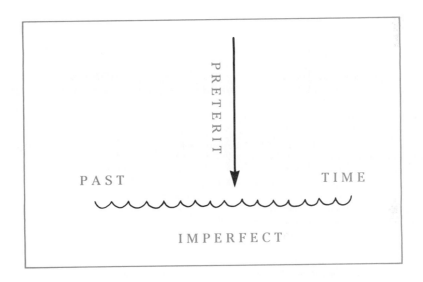

El cuarteto tocaba «Se va» cuando entramos al club.
El pianista se puso triste mientras tocaba.

The quartet was playing «Se va» when we entered the club.
The piano player became sad while he was playing.

D. *Verbos con connotaciones diferentes en el pretérito y el imperfecto*

Several verbs in Spanish have somewhat different meanings in the preterit than in the imperfect. Among them are **conocer, haber, poder, querer, saber,** and **tener.** Generally, the preterit indicates that an action was or was not carried out, while the imperfect indicates that a state or process, ability, desire, and so on, existed.

Infinitive	Preterit	Imperfect
conocer	**conocí** I met, I became acquainted with	**conocía** I knew, I was acquainted with
haber (3rd-person singular only)	**hubo** there was/were (meaning there occurred)	**había** there was/were
poder	**pude** I could, I was able to (and did)	**podía** I could, I was able to (I had the ability to, but didn't necessarily do it)
no poder	**no pude** (I tried but) I could not, I failed	**no podía** I was not able to (I did not have the ability to)
querer	**quise** I tried to; I insisted	**quería** I desired to, I wanted to
no querer	**no quise** I refused, I would not do it (I did not)	**no quería** I did not want to (but didn't necessarily refuse)
saber	**supe** I learned, I found out	**sabía** I knew, I was aware
tener	**tuve** I got, I received	**tenía** I had in my possession
tener que	**tuve que** I had to (and did)	**tenía que** I had to (I was supposed to but didn't necessarily do it)

A él lo conocimos en la fiesta, pero ya conocíamos a su familia.

We met him at the party, but we already knew his family.

Quise asistir a tu boda, pero no pude.

I wanted to attend your wedding, but I couldn't.

Quería dejar a su novio, pero no podía.

She wanted to leave her boyfriend, but she wasn't able to.

No sabía que era un hombre casado, pero cuando lo supe me dolió mucho.

I didn't know that he was a married man, but when I found out I was very hurt.

Marcos tuvo que pagar el préstamo enseguida.

Marcos had to pay his loan at once.

Tenían que devolverme el dinero, pero no lo hicieron.

They were supposed to give me my money back, but they didn't.

EJERCICIOS

PRÁCTICA

A. Hoy no es como ayer. Todos cambiamos, ¿no es cierto? Complete las oraciones para describir los cambios experimentados por las siguientes personas. Use el pretérito o el imperfecto.

MODELO: Mi hermano trabaja ahora en el centro, pero antes **trabajaba** en el pueblo. ¿Sabes que el pobre **trabajó** quince horas seguidas ayer?

1. Ahora toco el piano, pero antes _____ el violín. Toco bien el piano porque practico mucho. Cuando _____ el violín nunca _____, y por eso _____ muy mal. Esta mañana _____ mi composición preferida, «Iberia», de Isaac Albéniz.

2. Este año el tenista ecuatoriano Andrés Gómez juega en muchos torneos, pero el año pasado _____ muy poco. Ahora gana bastante a menudo, pero al principio casi nunca _____. De hecho, el domingo pasado _____ un torneo importante en Buenos Aires.

3. Estamos de dieta porque ya no podemos comer nada bueno sin engordarnos. Antes _____ comer cualquier cosa. ¿En qué consiste la dieta? Pues, ayer no _____ nada más que ensalada y pollo asado.

4. ¿Ya no te gusta ir al cine? Ayer vi una película que me _____ mucho. Antes te _____ las películas románticas, pero ahora parece que no te gusta nada.

B. ¡Qué exagerado! Las parejas de novios discuten muchas veces. Durante una pelea, Isabel trata de corregir las exageraciones de Armando.

MODELO: ARMANDO   Yo siempre pagaba las entradas del cine.
            ISABEL   ¡Qué exagerado! Sólo pagaste una vez.

1. Siempre íbamos adónde tú querías.
2. Tú sólo querías ir al cine.
3. Estábamos continuamente en casa de tus padres.
4. Tu teléfono siempre estaba ocupado.
5. Todos los domingos salías con otros amigos.
6. Siempre que yo hablaba, tú me interrumpías.
7. Siempre te ponías seria al escuchar mis chistes.
8. Siempre te molestaban mis críticas.

C. Un encuentro emocionante. Esta mañana se encontraron Pablo y Miriam en la iglesia. Complete el diálogo con el pretérito o el imperfecto de los verbos en la clave.

PABLO   ¿Sabes? Ayer —(1)— a mi hermanastro *(half brother)*. Ya nos —(2)— por fotos, pero los dos —(3)— conocernos personalmente.

MIRIAM   Pues, yo ni —(4)— que —(5)— un hermanastro. ¿Cuándo —(6)— a México?

PABLO   Al mediodía. Yo no lo —(7)— hasta las diez, y entonces no —(8)— encontrar un taxi. Por fin —(9)— uno y —(10)— volando al aeropuerto.

MIRIAM   Cuando —(11)— a tu hermanastro, ¿lo —(12)— enseguida?

PABLO   Él —(13)— del avión cuando yo —(14)— en la sala de espera. ¡—(15)— igual a mi mamá!

Clave:
1. conocer	5. tener	9. pasar	13. salir
2. conocer	6. llegar	10. ir	14. entrar
3. querer	7. saber	11. ver	15. ser
4. saber	8. poder	12. reconocer	

D. Tormenta de verano. Cambie la narración siguiente al pasado.

1. Es una tarde de verano.   **2.** Hace un calor bochornoso *(stifling),* típico del trópico.   **3.** Un velero *(sail boat)* se acerca lentamente a la playa donde los turistas se asolean.   **4.** De repente se oye un trueno, y al momento empiezan a caer gruesas gotas de lluvia.   **5.** La gente corre apresuradamente a refugiarse en el hotel, que se llena de pronto.   **6.** Unos turistas van al bar y otros van a comprar recuerdos mientras esperan el fin de la tormenta, que, como todas las de verano, dura poco tiempo.   **7.** El fuerte sol del trópico vuelve a brillar, y los turistas salen a la playa a disfrutar de nuevo.

¡A CONOCERNOS!

A. Conteste estas preguntas.

1. ¿Tuvo Ud. alguna vez la oportunidad de viajar al extranjero? ¿Adónde fue? ¿Le gustó la experiencia?   **2.** ¿Tenía que presentar hoy una composición (un reporte, etcétera)?   **3.** ¿Conocía Ud. a algún estudiante de esta clase antes? ¿Cuándo lo/la conoció?   **4.** ¿De quién era la última carta que recibió Ud.?   **5.** ¿Quiso hacer algo ayer pero no pudo? ¿Qué fue?   **6.** ¿Lo/La llamó alguien anoche? ¿Qué hacía Ud. cuando sonó el teléfono? ¿Qué quería la persona que llamó?   **7.** ¿Qué edad tenía Ud. cuando se enamoró por primera vez? ¿Sabía la persona que Ud. la quería?   **8.** ¿Tiene Ud. un coche? ¿Cuántos años tenía cuando lo consiguió?

B. Ahora hágale unas preguntas similares a un compañero o a una compañera.

SITUACIÓN COMUNICATIVA

Imagínese la siguiente situación y represéntela con un compañero o una compañera.

COMMISSIONER You are the head of the Lottery Commission. You are talking to the winner of **el gordo,** the first prize. Ask what he or she was doing when he/she learned he or she was the winner.

WINNER Explain that you were taking a nap when the phone rang. It was your spouse. You didn't want to believe it at first, and he/she had to convince you that . . . Continue telling about the conversation you had with your spouse.

ACTIVIDADES

PARA TODOS

Historia circular. Entre todos Uds. van a contar una historia de algo que pudo sucederle a cualquiera de Uds. Comience así: «Ayer, cuando estaba en el centro,...» Aquí tiene algunas sugerencias. Quizás presenció un accidente, un incendio, una manifestación, un atraco a un banco, un desfile de carnaval,... Su profesor o profesora va a escribir la historia en la pizarra. ¿Resultó interesante?

EN GRUPITOS

A.   Ayer en la tele. La clase se divide en grupitos de cuatro a seis estudiantes. Cuénteles a los demás lo que vio en la tele. Quizás fue una telenovela, un documental del mundo animal, un debate político, un programa musical, una película antigua, un programa para amas de casa,...

B. Cosas que pasaron. Ahora dígales a sus colegas algunas de estas cosas:

◆ lo que le contó a Ud. un buen amigo

◆ lo que quería hacer pero no pudo el verano pasado

◆ lo que no podía hacer cuando vivía con sus padres

◆ lo que pensaba mientras escuchaba una conferencia aburrida

◆ lo que soñó anoche

DE TODO UN POCO

¿Sabía Ud. que...

- Argentina viene de la palabra latina «argentum», o plata?
- Bolivia viene del nombre de Simón Bolívar?
- Colombia viene de Cristóbal Colón?
- Costa Rica fue llamada así porque Colón creyó que había muchos tesoros allí?
- Cuba viene del nombre Cubanacán, un poblado indígena que Colón encontró en la isla?
- Chile viene de la palabra indígena «chilli», el final de la tierra?

Trabalenguas[3]

¿Quién es capaz de recitarlos?

Tres tristes tigres
tomaban trigo[1]   *wheat*
en un trigal[1].   *wheat field*
—————

Buscaba el bosque Francisco,
un vasco bizco[1], muy brusco,   *cross-eyed*
y al verlo le dijo un chusco[1]:   *joker*
¿Busca el bosque, vasco bizco?
—————

Compró Paco pocas copas
y, como pocas copas compró,
pocas copas Paco pagó.

Chiste

—Pues, yo me hice millonario vendiendo palomas mensajeras
  (carrier pigeons).
—Y ¿cuántas vendió Ud.?
—Sólo una, pero siempre volvía.

[3]Tongue Twisters

CAPÍTULO 4

Gramática

Sustantivos

Los plurales de sustantivos

Funciones del sustantivo;   Uso de la **a** con
   los complementos directos e indirectos;
   Nominalización

Funciones lingüísticas

Expresión de deseo y necesidad

Expresión de preocupación

Sugerir actividades

Actividades

I. Sustantivos

A. *Una temporada inolvidable*

Las Leñas: Lo mejor del otro lado de los Andes

En Mendoza, en plena cordillera de los Andes, se eleva la máxima cumbre del ski en la Argentina: el valle de Las Leñas.

Un centro espectacular que, en sólo cuatro años, se ubicó entre los mejores del hemisferio sur.

En su gigantesca infraestructura hotelera se destaca el nuevo y lujoso hotel Piscis. Con piscina climatizada, *suites* con hidromasaje y estufa a leña, casino y sala para shows y espectáculos internacionales. Nuevos medios de elevación y más servicios amplían el área esquiable a 3.300 hectáreas con 57 kilómetros de pistas. Todo lo que los esquiadores necesitan para practicar el deporte al máximo nivel, y un mundo de actividades diferentes para pasar una temporada inolvidable.

Si usted está acostumbrado a lo mejor, este invierno Las Leñas lo espera del otro lado de Los Andes.

Consulte a su agente de viajes o a

Ahumada 254, 4° piso, Of. 401. Fonos: 699-1578 ó 698-7862
6988043-723393, Santiago de Chile

¿Se le antoja esquiar en julio? Pues, visite Las Leñas, cerca de Mendoza, en la Argentina, y goce de unas condiciones magníficas para esquiar, con alojamiento moderno y lujoso en los hoteles y apartamentos cercanos.

◆ Cuando el sol del verano derrite la nieve en el hemisferio norte, los argentinos y los chilenos, junto con aficionados de todas partes del mundo, esquían en los Andes. El paisaje es espectacular y los hoteles son nuevos (los precios están altos, pero no tanto como en Europa). Si Ud. tiene bastante dinero para viajar, un centro de esquiar en Chile o Argentina sería el lugar ideal para practicar español durante el verano próximo.

◆ La cordillera de los Andes sirve de límite entre Argentina y Chile. La frontera comienza en la zona árida del norte y continúa por miles de kilómetros hasta terminar en la isla de Tierra del Fuego en el extremo sur del continente. En algunas partes es difícil determinar la línea demarcatoria, y esto ha dado lugar a conflictos y tensiones pero, por lo general, las dos naciones permanecen en paz. En 1817, el General José de San Martín, al frente de las tropas argentinas, cruzó la cordillera de los Andes y derrotó a los españoles asegurando, de este modo, la independencia de Chile. En tiempos modernos, y como resultado del espíritu nacionalista fomentado por gobiernos totalitarios en uno o ambos países, las disputas por cuestiones limítrofes se han intensificado ocasionalmente. Sin embargo, en los últimos años ha surgido un nuevo espíritu de cooperación regional, evidenciado en la construcción de proyectos como Las Leñas.

estufa a leña *wood-burning stove* en plena *in the midst of (the)* cordillera *mountain range* cumbre *peak* se ubicó *was placed* infraestructura hotelera *hotel development* medios de elevación *ski lifts* temporada *season* derrite *melts* línea demarcatoria *border* ha dado lugar *has created* permanecen *remain* fomentado *fostered* limítrofes *of borders* ha surgido *has arisen*

B. Preguntas

1. ¿Cuál es el mejor centro para esquiar en los Andes?   2. ¿Dónde se encuentra?   3. ¿Por qué es lujoso el hotel Piscis?   4. ¿Qué se puede hacer en el hotel?   5. ¿Le gustaría a Ud. esquiar en las pistas de Las Leñas? ¿Por qué?

C. Género de los sustantivos

Spanish nouns each have an assigned gender classification, masculine or feminine. Learning the gender of nouns is easier if you keep the following rules of thumb in mind.

1) *Persons and animals* have natural gender. Your problem is merely to come up with the correct word, or word ending. Gender is usually no problem: you already know it.

  a. Regardless of word endings, nouns for male beings are masculine; nouns for female beings are feminine.[1]

el estudiante	*student* (m)	la estudiante	*student* (f)
el joven	*young man*	la joven	*young woman*
el modelo	*model* (m)	la modelo	*model* (f)
el testigo	*witness* (m)	la testigo	*witness* (f)
el indígena	*native* (m)	la indígena	*native* (f)
el poeta	*poet* (m)	la poeta	*poet* (f)
el adolescente	*adolescent* (m)	la adolescente	*adolescent* (f)
el doctor	*doctor* (m)	la doctora	*doctor* (f)
el jefe	*chief, boss* (m)	la jefa	*chief, boss* (f)

  b. Nouns ending in **-ista** have just one form for both genders. Nouns of professions or occupations belong to this group.

el/la artista	*artist*	el/la especialista	*specialist*
el/la dentista	*dentist*	el/la oculista	*oculist*
el/la periodista	*journalist*	el/la pianista	*pianist*

  c. Different words distinguish the male and female counterparts of a small number of very familiar pairings. For example:

el hombre	*man*	la mujer	*woman*
el macho	*male*	la hembra	*female*
el padre	*father*	la madre	*mother*
el caballo	*horse* (m or f)	la yegua	*mare*
el toro; el buey	*bull; ox*	la vaca	*cow*

[1]**La persona, la gente, la víctima** and **el ángel** are four common exceptions; no matter whom these words refer to, their gender doesn't change. Adjectives sometimes reflect the grammatical gender of the noun and sometimes the natural gender of the subject:

Miguel fue una persona recta.   *Miguel was an upright person.*

But most nouns that denote a person or animal simply change their endings to reflect the natural gender of the individual.

Nouns that end in **-o** or **-e** for the masculine typically change to **-a** for the feminine.

el abuelo	*grandfather*	la abuela	*grandmother*
el gerente	*manager* (m)	la gerenta	*manager* (f)
el monje	*monk*	la monja	*nun*
el muchacho	*boy*	la muchacha	*girl*
el perro	*dog* (m)	la perra	*dog* (f)

Nouns that end in **-l, -n, -r, -s,** or **-z** for the masculine typically add **-a** for the feminine.

el autor	*author* (m)	la autora	*author* (f)
el león	*lion*	la leona	*lioness*
el marqués	*marquis*	la marquesa	*marquise*
el portugués	*Portuguese* (m)	la portuguesa	*Portuguese* (f)

2) *Things and ideas* don't have natural gender. To refer to one, a language learner has a double problem: to come up with the correct word and the correct grammatical gender. The following rules of thumb may help you guess or remember the gender of a new word.

a. Often the ending of the noun is an indication of its gender.

Nouns that end in **-o** are usually masculine, in **-a**, feminine.

el camino	*way, road*	la carretera	*highway, road*
el comunismo	*communism*	la democracia	*democracy*
el piano	*piano*	la guitarra	*guitar*
el retrato	*portrait*	la fotografía	*photograph*
el seno	*breast, bosom*	la barba	*beard*

Exceptions: Nouns that have been shortened retain their original gender, regardless of the ending of the short form: **la foto (la fotografía)**. Also, nouns of Greek origin ending in **-ma, -pa,** or **-ta** are usually masculine.

el clima	*climate*	el planeta	*planet*
el cometa	*comet*	el poema	*poem*
el dogma	*dogma*	el problema	*problem*
el drama	*drama*	el programa	*program*
el idioma	*language*	el sistema	*system*
el mapa	*map*	el tema	*theme, subject*

Some outright exceptions to the o/a rule must simply be memorized.

el día   *day*   la mano   *hand*

Nouns that end in **-d; -ción, -gión, -sión, -xión; -esis,**[2] **-etis, -itis;** and **-umbre** are feminine.

la ciudad   *city*   la conexión   *connection*

---

[2]**El parentesis** is an exception.

la pared	*wall*	la tesis	*thesis*
la salud	*health*	la diéresis	*diaeresis (¨)*
la lección	*lesson*	la diabetis	*diabetes*
la región	*region*	la artritis	*arthritis*
la obsesión	*obsession*	la muchedumbre	*crowd*

b. The letters of the alphabet are feminine.

la be	*b*	la zeta	*z*

c. Names of the days of the week; languages; and geographical features — oceans, seas, rivers, lakes, mountains, and so on — are masculine.

el lunes	*Monday*	el Amazonas	*the Amazon*
el sábado	*Saturday*	los Andes	*the Andes*
el azteca	*Aztec*	el lago Atitlán	*Lake Atitlán*
el quechua	*Quechuan*	el Atlántico	*the Atlantic*
el español	*Spanish*	el Caribe	*the Caribbean*
el inglés	*English*	el delta del Nilo	*the delta of the Nile*

Exception:

la sierra	*mountain chain*
la Sierra Madre oriental	*the eastern Sierra Madre mountains*

3) Certain nouns are masculine or feminine, depending on their meaning.

el capital	*capital (money)*	la capital	*capital city*
el cometa	*comet*	la cometa	*kite*
el cuento	*story*	la cuenta	*bill, check*
el cura	*priest*	la cura	*healing, cure*
el derecho	*right; law*	la derecha	*right side*
el frente	*front*	la frente	*forehead*
el guía	*guide (person)*	la guía	*guidebook*
el modo	*way, manner*	la moda	*fashion*
el policía	*policeman*	la policía	*police (force); policewoman*
el puerto	*harbor, port*	la puerta	*door*

4) Usually the article with a noun is a clue to the noun's gender. However, when an article *immediately* precedes a singular feminine noun beginning with stressed **a-** or **ha-**, **el** or **un** is used instead of **la** or **una**. (No such change is made before adjectives, unless they are nominalized, that is, used as nouns.)

el agua	*water*	las aguas	*waters*
un águila	*eagle*	unas águilas	*eagles*
el ama de casa	*housewife*	la amada ama de casa	*beloved housewife*
el área	*area*	las áreas	*areas*
el arte	*art*	las artes	*arts*
el hambre	*hunger*	tengo mucha hambre	*I'm very hungry*
el hacha	*ax*	las hachas	*axes*

EJERCICIOS

PRÁCTICA

A. **¿Y los artículos?** Sea Ud. corrector o correctora de pruebas *(proofreader)*. Añada los artículos definidos en estos titulares *(headlines)*.

1. Ahora ____ mujer tiene ____ derecho de divorciarse en España.
2. Dicen que ____ clima está cambiando en ____ planeta.
3. El Rey Juan Carlos celebra ____ cumpleaños con ____ familia real.
4. ____ doctor Lorente y ____ cura de Santa María se ponen de acuerdo.
5. En ____ provincias muchas mujeres siguen ____ moda de ____ falda corta.
6. ____ policía fue herido en ____ frente.
7. ____ águila voló sobre las calles de la capital.
8. En ____ área de Lima ____ agua está contaminada.

B. **¿Lo ayudamos al gringo?** Siga Ud. de corrector(a) de pruebas. El periódico va a publicar unos artículos escritos por un periodista norteamericano que no sabe cómo se dicen las palabras entre paréntesis. ¿Puede Ud. ayudarlo?

1. Lo que más nos gustó fue ____. *(the actress)*
2. Parece que ____ más grave del mundo es ____. *(the problem, hunger)*
3. Me encantó ____ que sacó mi tío en ____. *(the photo, the Amazon)*
4. ____ de ____ es ____ del Siglo de Oro. *(the subject, the thesis, the drama)*
5. ____ es demasiado largo. *(the program)*
6. ____ ocurrió un accidente fatal en ____ de Arecibo. *(on Saturday, the road)*

C. **Confusión de palabras.** Use la forma correcta de uno de los siguientes sustantivos. A veces puede usar el mismo sustantivo con diferente género en la misma oración. A veces hay que usar artículos también. Los sustantivos: amo, capital, derecho, guía, modelo, problema, programa.

1. ¿Qué le pasa a Efraín? Pues, ____ de Efraín es que no puede pagar ____ de estudios que desea seguir.
2. Si quieres llegar rápido a la facultad de ____, dobla a ____ en la próxima calle.
3. ____ que aparece en el anuncio para ____ de coche que quiero comprar es la hermana de Emilio.
4. ____ que me dio ____ no sirve para nada. No tiene la información que necesito sobre las ruinas de Tikal.
5. Quisiéramos abrir un negocio en ____, pero no tenemos ____.
6. Después de que un perro mordió a ____ de casa, la señora herida atacó a ____ del perro con un paraguas.

¡A CONOCERNOS!

A. **Conteste estas preguntas.**

1. ¿Cómo es el clima de la región en que vive Ud.? 2. ¿Cómo se llama el lago (o el río o mar) más cercano? 3. ¿Qué piensa hacer el resto del día de hoy? 4. ¿Cuál es el tema del último ensayo que escribió? 5. Para Ud., ¿cuál es el problema mayor de los estudiantes de hoy día? 6. ¿Cuál cree Ud. que es el derecho más básico del ser humano? 7. ¿Cuál es la virtud que más aprecia Ud. en un(a) amigo/a? 8. ¿Cree Ud. que habrá una presidenta de los Estados Unidos? ¿Cuáles son algunas de las mujeres que ocupan puestos políticos importantes?

B. Ahora hágale unas preguntas similares a un compañero o a una compañera.

SITUACIÓN COMUNICATIVA

Imagínese la siguiente situación y represéntela con un compañero o una compañera.

One of you is a travel agent, the other a customer interested in a special tour package to Guatemala. Do some research, if necessary, and discuss the following:

◆ where Guatemala is
◆ what the capital is
◆ what kind of climate the country has
◆ what language the people speak and what the official language is
◆ what kind of political system exists there and who the country's leader is
◆ what major economic and political problems the country is facing

Now discuss the details of the tour.

enfrentar, confrontar *to face*   **la gira** *tour package*   **agente de viajes** *travel agent*   **líder** *leader*

El Palacio de Bellas Artes, teatro que don Porfirio Díaz mandó construir a principios del siglo XX para impresionar al mundo, todavía impresiona por su grandeza arquitectónica.

II. Los plurales de sustantivos

A. Antes del ensayo en Bellas Artes

Dos bailarinas del Ballet Folklórico de México platican antes del ensayo final en Bellas Artes.

MARÍA-JESÚS   ¡Ay, Dios mío! Hace meses que preparo estos pasos pero todavía me pongo nerviosa como una muchacha de quince años...

LUPITA   Y yo también. A estas alturas, como profesionales, no deberíamos ser así.

MARÍA-JESÚS   Por las dudas, voy a rezar tres avemarías y tres padrenuestros al Señor de los Milagros.

LUPITA   ¡Cuántas veces los recé yo!

◆ **El Ballet Folklórico de México** fue fundado en 1939. Presenta programas de música y danza tradicional. Aunque los miembros del Ballet Folklórico viajan por todo el mundo, todos los años aparecen en el Teatro de Bellas Artes en la ciudad de México.

◆ En los países hispánicos se acostumbra dar a los niños **nombres** tales como Jesús, María o José en honor de Jesús, la Virgen o los santos. La gente, a menudo, usa el nombre de Dios en exclamaciones y expresiones y esta práctica no se considera incorrecta. Los artistas, los toreros y otras figuras públicas rezan en público y se encomiendan a la Virgen o a un santo de su devoción.

◆ **El Señor de los Milagros** es venerado en San Juan de las Colchas en el estado de Michoacán. Las festividades en su honor duran varios días y el Ballet Folklórico siempre representa la danza de los viejitos.

ensayo *rehearsal*   **platican** *are chatting*   **pasos** *steps*   **a estas alturas** *at this point in time*   **por las dudas** *just in case*   **recé** *I prayed*   **se encomiendan** *entrust themselves*   **duran** *last*

B. *Preguntas*

1. ¿Dónde es el ensayo final del Ballet Folklórico?   2. Según Lupita, ¿deberían ponerse nerviosas?   3. ¿Qué reza María-Jesús?   4. ¿Reza Ud. antes de hacer algo importante?

C. *El plural de los sustantivos*

The following general rules should help you form the plural of Spanish nouns.

1) For most nouns ending in a vowel in the singular, add **-s.**

abuelo	*grandfather*	abuelos	*grandparents*
arte	*art*	artes	*arts*
café	*coffee*	cafés	*coffees; cafés*
estudiante	*student*	estudiantes	*students*
sofá	*couch*	sofás	*couches*
turista	*tourist*	turistas	*tourists*

A few nouns ending in a stressed **-í** or **-ú** add either **-s** or **-es.**

rubí	*ruby*	rubís/rubíes	*rubies*
hindú	*hindu*	hindús/hindúes	*hindus*
tabú	*taboo*	tabús/tabúes	*taboos*

2) For nouns whose singular form ends in a consonant, add **-es.**

ciudad	*city*	ciudades	*cities*
flor	*flower*	flores	*flowers*
mes	*month*	meses	*months*

  a. The addition of **-es** sometimes requires the addition or deletion of an accent to keep the stress on the same syllable as in the singular form.

examen	*exam*	exámenes	*exams*
joven	*young person*	jóvenes	*young people*
inglés	*English*	ingleses	*English people*

  b. All words ending in **-ción** drop the accent in the plural.

nación	*nation*	naciones	*nations*

3) For nouns ending in **-z,** change the **z** to **c** before adding **-es.**

actriz	*actress*	actrices	*actresses*
lápiz	*pencil*	lápices	*pencils*
pez	*fish*	peces	*fish*

D. *El plural de los sustantivos compuestos*

1) To form the plural of a noun that is made up of two nouns or an adjective plus a noun, usually change only the second element.

el antepasado	*ancestor*	los antepasados
el avemaría	*Hail Mary*	los avemarías
el padrenuestro	*Our Father*	los padrenuestros
el pelirrojo	*redhead*	los pelirrojos
el sordomudo	*deaf-mute*	los sordomudos

When two nouns are joined by **de,** simply make the first noun plural.

el traje de baño	*swimming suit*	los trajes de baño
el fin de semana	*weekend*	los fines de semana

2) The plural of a noun made up of a verb plus a noun is the same as the singular.

el abrelatas	*can opener*	los abrelatas
el lavaplatos	*dishwasher*	los lavaplatos
el paraguas	*umbrella*	los paraguas
el rompecabezas	*puzzle*	los rompecabezas
el sacacorchos	*corkscrew*	los sacacorchos
el sacapuntas	*pencil sharpener*	los sacapuntas
el tocadiscos	*record player*	los tocadiscos

E. Sustantivos invariables

1) Some nouns have the same form in the singular and in the plural.
  a. Days of the week.

el lunes	*Monday*	los lunes	*Mondays*

  b. Nouns of Greek origin ending in **-sis**.

el análisis	*analysis*	los análisis	*analyses*
el oasis	*oasis*	los oasis	*oases*
la tesis	*thesis*	las tesis	*theses*

  a. Family names, both Spanish and foreign.

la familia García	*the García family*	los García	*the Garcías*
el señor Lara	*Mr. Lara*	los Lara	*the Laras*
John Kennedy	*John Kennedy*	los Kennedy	*the Kennedys*

2) Collective nouns, although plural in meaning, are grammatically singular and therefore require a singular verb.

el ejército	*army*	la gente }	*people*
la familia	*family*	el pueblo	
		la muchedumbre	*crowd*

3) A few nouns are normally used in the plural.

los celos	*jealousy*	las afueras	*outskirts*
las joyas	*jewelry*	las gafas	*spectacles*
los muebles	*furniture*	las vacaciones	*vacation*

4) Idiomatic phrases sometimes specify the plural form of a noun: in the context of the idiom, the noun never changes to singular.

a estas alturas	*at this point in time*
a estas horas	*at this (unusual, late) hour*
a fines de	*at the end of*
a principios de	*at the beginning of*
de vacaciones	*on vacation*

EJERCICIOS

PRÁCTICA

A. Don Aurelio, el generoso. Doña Chelo está en una tienda por departamentos con su esposo. Cuando ella dice que va a comprarles algo a los nietos, él quiere comprar más de uno.

MODELO: Voy a comprarle una flor de seda a Margarita.
¡Qué va! Vamos a comprarle cinco flores de seda.

1. Quiero comprarle un lápiz rojo a Ramón.
2. Voy a comprarle un pez a Ana María.
3. Vamos a comprarle un traje de baño a Susana.
4. Pepito quiere un paraguas nuevo. Voy a comprarle uno.
5. Danny quiere un rompecabezas interesante. Vamos a buscarle uno.
6. Juanita me pidió un reloj. Vamos a ver si le compramos uno.

B. Un poco de traducción. Traduzca el párrafo siguiente al español.

1. At the end of July, the Guzmans are going on vacation.   2. Their ancestors are from the Mediterranean.   3. They are going to visit some relatives who live on the outskirts of Málaga, Spain, in the region of Andalucia.

¡A CONOCERNOS!

A. Conteste estas preguntas.

1. ¿Hace calor aquí solamente en el mes de junio?   2. ¿Hay más de un sofá en la sala de su casa?   3. En su casa, ¿hay más de un tocadiscos? ¿De quiénes son?   4. ¿Tiene Ud. un solo abuelo? ¿Una sola abuela?   5. ¿Toman los americanos un solo café al día? ¿Cuántos toma Ud.?   6. ¿Conoce Ud. una persona hindú? ¿Conoce más de una?   7. ¿Tiene la mayoría de la gente algún tabú?   8. ¿Reza Ud. un avemaría antes de un examen?   9. ¿Hay un pelirrojo en su clase de español? ¿Hay más de uno? ¿Quiénes son?   10. ¿Cuántos lápices y sacapuntas trae Ud. a clase?

B. Ahora hágale unas preguntas similares a un compañero o a una compañera.

SITUACIÓN COMUNICATIVA

Imagínese la siguiente situación y represéntela con un compañero o una compañera.

CUSTOMER	Say you want a gift for your sister who lives in Florida; ask for a bathing suit.
SALESPERSON	Say you don't have any bathing suits, but you have beautiful sunglasses.
CUSTOMER	Say you want an umbrella for your aunt.
SALESPERSON	Say you don't have umbrellas, but you have very practical corkscrews.
CUSTOMER	Say you want a pencil sharpener for your nephew.
SALESPERSON	Say you sold all the pencil sharpeners, but you have some interesting puzzles.
CUSTOMER	Decide among the available items and buy a few.

gafas de sol *sunglasses*   **útil** *practical*

III. Funciones del sustantivo;   Uso de la a con los complementos directos e indirectos;   Nominalización

A. *Gomera, refugio hippie*

Lo siguiente es un extracto de un artículo de la revista madrileña *Cambio 16.*

La isla de Gomera, en el archipiélago canario, es uno de los últimos santuarios de los nuevos *undergrounds* europeos. He aquí la historia de Carolina, una nueva *hippie* de los ochenta y habitante de Gomera.

Carolina nació en Valencia. Tiene dieciocho años y se fue de su casa a los quince. Lo único que le preocupa es «no ser como mis viejos: trabajar, dormir y criar». Aunque dice que quiere a sus padres, Carolina vino a Gomera porque quería vivir una vida diferente. Buscaba otros jóvenes con la misma filosofía sobre la vida. Carolina no tiene dinero pero sí tiene amigos. La joven se mantiene de lo que le dan sus compañeros.

◆ **Cambio 16** es una importante revista semanal publicada en Madrid. De tendencia liberal, fue fundada poco después de la muerte de Franco en el período de transición de la dictadura a la democracia.

◆ **Las islas Canarias,** un archipiélago de siete islas principales y seis islas menores, forman parte de España. Debido a su situación geográfica, en el Atlántico 115 kilómetros al oeste de Marruecos, y a su clima benigno, las islas tradicionalmente han sido un importante centro turístico. En años recientes, han atraído a «*hippies*» además de turistas.

◆ **La isla de Gomera,** que tiene una superficie de sólo 378 kilómetros cuadrados, es montañosa, pero sus campos y huertas son fértiles. Los habitantes de Gomera todavía se comunican de montaña a montaña por medio de un lenguaje silbado.

criar *to breed*   **aunque** *although*   **se mantiene** *supports herself*   **huertas** *orchards*   **silbado** *whistled*

B. *Preguntas*

1. ¿Qué le preocupa a Carolina?   2. ¿Por qué fue a Gomera?   3. ¿Cómo se mantiene ella?   4. ¿Conoce Ud. a algunos *«hippies»?* ¿Cuál es su filosofía de la vida? ¿Piensa Ud. igual?   5. ¿Sabe Ud. dónde está el archipiélago canario?   6. Además de los habitantes de la Gomera, ¿quiénes se comunican silbando?

Tenerife, capital de las islas Canarias, presenta una combinación de lo tradicional y lo moderno.

C. Funciones del sustantivo

Nouns function in various ways within a sentence: as subjects, predicates, objects, and objects of prepositions.

SUBJECT   PREDICATE

Carolina y Manolo   son   amigos.
Carolina and Manolo are friends.

SUBJECT   DIRECT OBJECT   INDIRECT OBJECT

Carolina   le da   la dirección   a Manolo.
Carolina gives the address to Manolo.

SUBJECT   DIRECT OBJECT   OBJECT OF PREPOSITION

Carolina recibirá   cartas   de Manolo.
Carolina will receive letters from Manolo.

D. Uso de la *a* personal con el complemento directo

1) The **complemento directo** or direct object of the verb is the person or object directly receiving the action of the verb. It answers the question *what?* or *whom?*

Sus compañeros llevaron comida para la fiesta.	*Her friends brought food for the party.*
Sus compañeros llamaron a Carolina.	*Her friends called Carolina.*

In the first example, what was brought? **¿Qué llevaron?** The answer is food **(comida)** which is the direct object. In the second example, what or whom was called? **¿Qué o a quién llamaron?** The answer is Carolina. Because Carolina is a person, her name is preceded by **a**, whereas in the first example, **comida**, a thing, is not preceded by **a**.

2) Before the names of animals, **a** is sometimes used, sometimes not. Use it when the animal is thought of as a reasoning creature, or when someone is emotionally attached to it.

La tía Julia acariciaba al gato y tarareaba una canción de cuna.	*Aunt Julia would caress the cat and hum a lullaby.*
El encargado alimenta al mono todos los días.	*The attendant feeds the monkey every day.*
Mata ese mosquito.	*Kill that mosquito.*

The personal **a** is not used before the names of cities or countries (it used to be, however, so you may still see it).

Visitaré Sevilla pronto.	*I'll visit Seville soon.*
Vimos Colombia en televisión.	*We saw Colombia on TV.*

3) In a few instances the personal **a** is not used before a direct object that denotes a person.

When the person denoted is "indefinite" — just a type of person, not a particular individual — no **a** is used. The presence of an indefinite article is often a clue: don't use **a** before **un, una,** and so forth, unless the direct object refers to a specific person.

Buscaron una secretaria bilingüe.	*They sought a bilingual secretary (not a specific person; no* **a***).*
Buscaron a una secretaria que conocían ya.	*They sought a secretary they already knew (specific person; use* **a***).*

The **a** is omitted after the verb **tener** when it means *to have.*

Los Osuna tienen siete hijos.	*The Osunas have seven children.*
Tengo una hermana en la Argentina.	*I have a sister in Argentina.*

However, when **tener** means *to hold, to keep,* or *to place,* the personal **a** is used.

La madre tiene a su hijo en los brazos.	*The mother is holding her child in her arms.*
Tenemos a mi madre en el hospital.	*We have placed my mother in the hospital.*

E. Uso de *a* con el complemento indirecto

The indirect object in a sentence tells who or what benefits from (or suffers) the action of the verb. In Spanish the preposition **a** always precedes an indirect object noun. Study the following examples.

Ricardo les hace favores a sus compañeros.   *Ricardo does favors for his classmates.*

What gets done, the favors or the classmates? The favors get done: they are the direct object. Who benefits from the favors? The classmates benefit: they are the indirect object.

El minero les daba golpes a los burros.   *The miner beat the donkeys.*

What gets given, the beatings or the donkeys? The beatings: direct object. What suffers from the action? The donkeys: indirect object.

Manolo le escribirá (una carta) a Carolina.   *Manolo will write to Carolina.*

Does Carolina *benefit* by the writing? Yes, so Carolina is the indirect object. Does she *get written?* Not really; she gets written *to.* A letter or postcard is what directly gets written; Carolina is just the indirect object.

El profesor le donó su biblioteca a la   *The professor gave the university his library.*
universidad.
Ana le alabó a Ramos a sus padres.   *Ana praised Ramos to his parents.*

F. El sustantivo usado como adjetivo

Although in English the modifying noun directly precedes the modified noun, in Spanish the pattern is different:
modified noun + preposition + modifying noun

cheque de viajero	*traveler's check*
número de teléfono	*telephone number*
estrella de cine	*movie star*
viaje en tren	*train trip*
copa para vino	*wineglass*

G. Nominalización

Nominalization means that other kinds of words are used as nouns.

1) An adjective is nominalized when the noun it modifies is deleted to avoid repetition.

La muchacha rubia es española, y **la**   *The blonde girl is Spanish, and the brunette*
morena es uruguaya.   *is Uruguayan.*
A Lola le gustan las rosas rojas, pero yo   *Lola likes red roses, but I prefer white ones.*
prefiero **las blancas.**

2) Infinitives are commonly used as nouns, with or without the definite article.

(El) correr es bueno para la salud.   *Running is good for your health.*
(El) fumar demasiado no es aconsejable.   *Smoking too much is not advisable.*

3) In many cases nominalization has caused whole expressions to be accepted as nouns.

Siempre hay que pensar en **el mañana**.   *One always has to think of the future.*
No deberíamos preocuparnos **del qué dirán**.   *We shouldn't worry about what people will say.*

═══ EJERCICIOS ═══

PRÁCTICA

A. **¿Directo o indirecto?** Decida Ud. si los sustantivos subrayados son complementos directos o indirectos.

1. A veces comemos enchiladas y tomamos cerveza mexicana.
2. Como veo a los amigos en la cafetería todas las mañanas, nunca llamo a nadie por teléfono.
3. Si no entiendes los complementos indirectos, tendrás que preguntarle al profesor.
4. Alicia es muy joven para tener tantos sobrinos.
5. Verás unos pueblos interesantes en la película española *El Nido*. Tambien verás a la actriz Ana Torrent.
6. Vimos unos muchachos en la puerta del cine.
7. ¿Le diste las gracias al señor Román?
8. ¿Por qué no le dieron la leche al gatito?
9. ¿Mimas u odias a los animales?
10. La gitana *(gypsy)* tenía a su nieto en los brazos.

B. **¡A que ya saben usar la a!** Complete cada situación con **a, al** o **el**. A veces no hay que añadir nada.

1. La pobre Nela no tiene _____ padres ni hermanos. Desde que se casó sueña con el día cuando tenga _____ su bebé en los brazos.
2. Este insecticida mata _____ las moscas y _____ las cucarachas. Y si se toma también mata _____ la gente.
3. Si Uds. buscan _____ un buen arquitecto, ¿por qué no llaman _____ señor que diseñó la casa de la familia León?
4. Anoche conocí _____ un tipo muy interesante en la discoteca. Me dijo que conocía _____ todos los países de Suramérica.
5. Los muchachos contestan _____ teléfono, pero nunca le contestan _____ su padre.

C. **¿Por qué te preocupas?** Gabriela se inquieta siempre por el estado de su propia vida y del mundo. Cuando su novio le pregunta por qué se preocupa, siempre le da respuestas muy largas. Ayúdela a evitar la repetición.

MODELO: Me preocupo por la salud de mi madre y por la salud de mi padre.
          Me preocupo por la salud de mi madre y por la de mi padre.

1. Me preocupo por el problema del desempleo y por el problema de la deuda nacional.
2. Me preocupo por las guerras en Centroamérica y por las guerras en el Medio Oriente.
3. Me preocupo por los precios altos de la vivienda y por los precios altos de la comida.
4. Me preocupo por la contaminación del aire y por la contaminación del agua.

¡A CONOCERNOS!

A. Conteste estas preguntas.

1. ¿Tiene Ud. algún pariente en el extranjero *(abroad)?* **2.** ¿Visitó Ud. alguna ciudad de su estado últimamente? **3.** ¿Dónde tiene Ud. amigos? **4.** ¿A Ud. le gusta llamar a los amigos por teléfono? ¿Los llama por el día o por la noche? **5.** ¿Tiene perro o gato? Si tiene animal en casa, ¿quién lo alimenta? **6.** ¿Conoce Ud. la capital del estado donde vive? ¿La conoce bien? **7.** ¿Es importante para Ud. el mañana? ¿Por qué? **8.** ¿Les preocupa el qué dirán a los jóvenes? **9.** ¿Cuáles actividades son buenas para la salud? ¿Cuáles son malas? **10.** ¿A Ud. le interesa la historia de los Estados Unidos? ¿Y la de otros países?

B. Ahora hágale unas preguntas similares a un compañero o a una compañera.

SITUACIÓN COMUNICATIVA

Imagínese la siguiente situación y represéntela con un compañero o una compañera.

NATIVE	You are a resident of the island of Gomera. You have a small farm and you work very hard. You are not happy about the recent "invasion" of hippies from other parts of Europe. Ask one of them why he or she left his or her country to come to Gomera.
HIPPIE	Explain that you left your family when you were eighteen. Say that you love your family and you love your country. But you don't like the political system in your country.
NATIVE	Ask why he or she doesn't try to change the system.
HIPPIE	Say that changing the system is very difficult, and that changing the people who make up that system is impossible.

natural del lugar *native*   **granja** *farm*   **componer** *to make up*

ACTIVIDADES

PARA TODOS

A. Ahí va la pelota. Su profesor(a) comienza el juego tirándole una pelotita de goma a un(a) estudiante mientras le dice un sustantivo sin artículo. La persona que recibe la pelota debe decir **el** o **la**, o, si es posible, **el** y **la**. Si la respuesta no es correcta, su profesor(a) dice «no» y la persona le devuelve la pelota. Si la respuesta es correcta, esa persona le tira la pelota a otra. Y así, hasta que su profesor(a) pare el juego.

B. Ofertas de empleo. Miren bien los anuncios de empleo que siguen. Luego, contesten las siguientes preguntas:

1. ¿Qué ofertas son específicamente para hombres? ¿Cuáles para mujeres? ¿Cuáles para ambos sexos?
2. ¿Cuál es la edad que prefieren las empresas?
3. ¿Cuáles son los lugares de trabajo?

4. ¿Para qué empleos se necesita saber lenguas?

5. ¿Para qué trabajos es deseable o imprescindible la buena presencia?

6. ¿Qué empresas requieren disposición para viajar?

7. ¿Cuáles ofrecen mejores contratos?

8. ¿Serían iguales las ofertas de empleo en los Estados Unidos? ¿Por qué sí o por qué no?

DE TODO UN POCO

OFERTAS DE EMPLEO

Waleska

Amiga, ¿Quieres tener mayores ingresos?

Decídete a entrar en el gran mundo de las Revendedoras, vende entre tus amigas, familia y compañeros de trabajo y triplica tus ingresos.

Tenemos los modelos exclusivos en linos, sedas, jeans, algodones italianos, desde las tallas 6 a la 18

SUPER-CREDITO INMEDIATO PARA TODO EL PAIS

EXHIBICION Y VENTAS AL MAYOR:
Coliseo a Salvador de León, Edif. Almacenes del Centro, 3er. piso (Frente a la estación del Metro La Hoyada)
Telfs.: 541.14.35 - 541.13.32, Caracas.

GRUPO EMPRESARIAL DE PRIMER ORDEN
PRECISA

JOVEN LICENCIADO EN DERECHO

PARA RESPONSABLE ADMINISTRATIVO EN SU OFICINA PRINCIPAL EN SALAMANCA

SE OFRECE:
- Incorporación inmediata en nómina con remuneración e incentivos adecuados.
- Todas las posibilidades de promoción en grupo empresarial primero en su sector de servicios del país.

SE REQUIERE:
- Libre del servicio militar.
- Edad 23 a 29 años.

SE VALORA:
- Cierta experiencia en tareas administrativo-informáticas.

Interesados envíen curriculum al Apartado 41, a la atención del Sr. Del Pino.

Ref. JLD.

EN GRUPITOS

A. Me gustaría solicitar el trabajo de... Ahora divídanse en grupitos de cuatro estudiantes. Cada uno deberá decirles a los demás qué empleo (de entre los anuncios) solicitaría y por qué (no).

B. La profesión secreta. En grupitos de cuatro a seis estudiantes, prepararán la descripción de una profesión secreta; es decir, que los otros grupitos no sepan. Los otros grupos tienen que adivinar qué profesión es.

IMPORTANTE EMPRESA FARMACEUTICA, SOLICITA:

MEDICO

Para Asistente de la Dirección Médica

REQUISITOS:
— Titulado
— 25 a 30 años de edad
— Sexo masculino
— 80% inglés técnico

OFRECEMOS:
★ Ingresos según aptitudes
★ Plan de automóvil a futuro

Presentarse en **ANDRES BELLO No. 45-20,** Chapultepec-Polanco el lunes 15-6-87 de 12:00 a 17:00 horas; martes 16, de 8:30 a 17:00 horas. Presentarse con la señora **RAMIREZ.** (Llevar foto reciente y curriculum vitae).

SOFT, BIBLIOTECA DE PROGRAMAS PARA SU OFICINA DE MADRID

NECESITA

DOS ARQUITECTOS O FORMACION AFIN

ULTIMAS PROMOCIONES

NO IMPRESCINDIBLE TITULO ALGUNO

SE REQUIERE:

- Carnet de conducir y coche propio.
- Dominio del francés o del inglés.
- Don de gentes y sentido comercial.
- Buena capacidad de dibujo.
- Dedicación completa.
- Disposición para viajar.

SE OFRECE:

- Buen ambiente de trabajo.
- Buena remuneración.
- Formación en tecnología punta.

Interesados enviar currículum vitae y carta en que se exponga idoneidad para esos cargos, con fotografía buena y reciente al **Apartado 10.048 de Madrid, antes del 24-10-87**

Absoluta discreción. SOFT responderá a todas las solicitudes

EMPRESA DE AMBITO NACIONAL PERTENECIENTE A IMPORTANTE HOLDING PRECISA

VENDEDORES

AMBOS SEXOS

con ambición

PARA VENTA DE SERVICIOS A ESTAMENTOS OFICIALES Y GRANDES Y PEQUEÑAS EMPRESAS

NO ES IMPRESCINDIBLE, pero se valorará la experiencia en la venta de servicios, en cualquier sector

Se ofrece:
- Fuerte apoyo de la dirección.
- Ingresos fijos más incentivos muy atractivos.

Es deseable:
- Buena presencia.
- Dinamismo.
- Capacidad comercial.
- Preferible dedicación plena.

Interesados telefonear de 9,30 a 14 al **teléfono 404 47 31**. Señor Castilla, para concertar entrevista

EMPRESA DE AMBITO NACIONAL DE PAQUETERIA Y GENEROS DE PUNTO PRECISA

CAJERA

SE REQUIERE:

- Conocimientos administrativos.
- Conocimientos informáticos a nivel de usuario.
- Edad de 20 a 30 años.

Interesadas, enviar currículum vitae y teléfono de contacto a **FICSA, calle Imperial, número 1. Madrid**

LECTURA II

De «camisa vieja» a chaqueta nueva (Crónica de una evolución ideológica) (Fragmento)
Fernando Vizcaíno Casas

◆ READING HINTS ◆

Guessing the Meaning of Words from Context

When you begin to read extensively in a foreign language, you may be tempted to turn immediately to the dictionary every time an unfamiliar word appears. But stopping to look up so many words can be very frustrating. To avoid unnecessary discouragement and keep your reading flowing more smoothly, try the following tactics.

1. Learn to recognize cognates. If a word in Spanish looks similar to a word in English or another language you are familiar with, assume initially that the meaning is similar or related. This tactic has its pitfalls, but it is a reliable first step. For example:

   sumergido = *submerged*
   sospechar = *to suspect*
   inservible = *unservable: useless, serving no purpose*

2. Learn to recognize members of word families. If a verb looks similar to an adjective whose meaning you already know, it is pretty safe to deduce the verb's meaning by association. For example, if you know **arrugado** means *wrinkled,* it is logical to deduce that **arrugar** means *to wrinkle.* Likewise, if **tibio** means *tepid* or *slightly warm,* then **entibiar** probably means *to make slightly warm.*

3. Use the context to infer meaning.

   a. Sometimes a definition, paraphrase, or explanation is included in the same sentence or elsewhere in the same paragraph. See the following examples taken from the celebrated Peruvian author Mario Vargas Llosa's *El hablador.*

      ◆ What is the meaning of **viracochas**?

      No hay río o quebrada en toda la selva donde los serranos y los viracochas —así nos llaman a los blancos— no ahorren tiempo pescando al por mayor con dinamita.

      The author tells us with "**así nos llaman a los blancos**" that **viracochas** is the name given to the whites or Europeans.

      ◆ What is the **Kamabiría** in the following sentence?

      Bajo el suelo que pisaban oían correr, espeso, al Kamabiría, río de los muertos.

      The **Kamabiría** is defined for us as **ríó de los muertos**, or *river of the dead.*

b. Sometimes you can guess meaning from the evidence given. What is the meaning of **aculturación?**

◆ Al igual que otras tribus, los machiguengas se hallaban en pleno proceso de aculturación: la Biblia, escuelas bilingües, un líder evangelista, la propiedad privada, el valor del dinero, el comercio, sin duda ropas occidentales...

Since **aculturación** is a cognate, it is an easy translation; however, the list of examples of the ways in which the tribe appears to have adopted a new way of life gives a more exact meaning to the translation.

◆ What is the meaning of **diáfana** in the following passage?

Era una mañana diáfana, en la que, desde el aire, se podía seguir con pulcritud todos los meandros del Ucayali, primero y, luego, del Urubamba — sus islotes, sus lanchas tartamudas... sus canoas, sus caños, sus pongos, sus afluentes — y las diminutas aldeas que... abrían un claro de cabañas y de tierra rojiza en la interminable llanura verde.

Although the cognate *diaphanous,* meaning *transparent,* exists in English, it is not likely to come immediately to mind, so some real guessing is in order. Because the morning is **diáfana,** it is possible to see a long procession of objects on and along the rivers below, so it would be reasonable to deduce from the evidence that **diáfana** means *clear.*

◆ PREPARACIÓN PARA LA LECTURA ◆

Vocabulario

SUSTANTIVOS

el cuarto   *room*
el despacho   *office*
la escala   *stop (during a flight), port of call*
la escalera   *stair, staircase*
la habitación   *room*
el humo   *smoke*
el/la intérprete   *translator, interpreter*
la tarima   *wooden platform*

VERBOS

aflojar   *to loosen*
apetecer   *to like, to feel like having, to take one's fancy (uses same construction as gustar)*
arreglar   *to fix (something), to settle*
arreglarse   *to fix (oneself) up, to get dressed*
castigar   *to punish*
comprobar   *to verify, to ascertain*
emplear   *to hire, to employ*
emplearse   *to get a job*
encerrarse   *to shut oneself in*
enterarse   *to find out, to become aware of*
golpear   *to knock, to strike*
poner (el tocadiscos, el televisor)   *to turn on*
quitarse   *to remove, to take off*

ADJETIVOS

descalzo/a   *barefooted*
enloquecido/a   *gone mad*
mono/a   *cute*
suelto/a   *loose, hanging free*

EXPRESIONES ÚTILES

arreglar (las) cuentas   *to settle matters*
a todo (volumen)   *at full (volume)*
de improviso   *suddenly*

═══ *EJERCICIOS* ═══

A. Escriba oraciones combinando las palabras que siguen.

> MODELO: campesino — sembrar — maíz
>   El campesino siembra maíz.

   1. intérprete — traducir — idioma
   2. barco — hacer escala — país
   3. profesor — leer — despacho
   4. adolescente — encerrarse — habitación
   5. juez — castigar — criminal
   6. madre — arreglar cuentas — niño
   7. visitante — golpear — puerta
   8. turista — subir — escalera
   9. investigador — comprobar — tesis
  10. anciano — poner el radio — a todo volumen

B. Escoja la forma correcta de uno de los siguientes verbos para completar las oraciones: **quitarse, aflojarse, apetecer, arreglar, poner, emplearse, enterarse.**

   1. Después de comer, el hombre _____ el cinturón.
   2. A mí no _____ fumar cigarros.
   3. La viuda decidió _____ de sirvienta.
   4. El mecánico _____ el automóvil de Pedro.
   5. La dama _____ los guantes y los _____ sobre la mesa.
   6. Nosotros _____ de la noticia al día siguiente.

C. Complete la historia con palabras tomadas de la siguiente lista: **cuarto, de improviso, descalzo, enloquecido, humo, mono, suelto, tarima.** Haga todos los cambios necesarios.

   El —(1)— era pequeño y oscuro. El aire olía a —(2)— porque todos fumaban. A medianoche la puerta se abrió —(3)— y entró una muchacha rubia. Era muy —(4)— y llevaba el cabello largo y —(5)—. Estaba vestida con mucha elegancia pero tenía los pies —(6)—. Después de entrar, fue directamente hacia la —(7)— donde estaban los músicos y se puso a bailar como —(8)—.

D. Observe la siguiente lista de palabras. Encuentre una palabra relacionada con cada una de ellas en la lista principal de vocabulario.

golpe	soltar	castigo	arreglo
flojo	habitar	ahumado	loco
desarreglado	enloquecer	empleo	deshabitado
empleado	apetito	interpretar	

◆ INTRODUCCIÓN AL TEMA ◆

Después de la muerte del General Francisco Franco, la sociedad española experimentó una extraordinaria transformación: de la censura al «destape» *(opening up, uncorking)* y del franquismo al socialismo. Esta transformación es el tema de la novela *De «camisa vieja» a chaqueta nueva (Crónica de una evolución ideológica),* novela que tuvo un extraordinario éxito y batió todos los récords *(broke all the records)* de venta. En ella el autor, el abogado madrileño Fernando Vizcaíno Casas, describe con humor e ironía la vida pública y privada de Manolo Vivar de Alba, un ex-franquista que se ha convertido a la democracia.

Los primeros falangistas fueron conocidos como «camisas viejas» por ser los primeros en llevar la camisa azul uniforme de la Falange[1]. El título de esta novela combina una referencia a la «camisa vieja» del protagonista y a la expresión «cambiar de camisa» que implica un cambio de ideas.

Prepárese para la lectura discutiendo brevemente con sus compañeros los siguientes temas:

1. ¿Qué sabe Ud. acerca de la sociedad española actual? ¿Qué semejanzas o diferencias hay con la sociedad norteamericana?

2. En este pasaje de la novela vemos cómo el protagonista, Manolo Vivar de Alba, enfrenta y resuelve una crisis doméstica creada por su hija adolescente. Haga una lista de las posibles causas del conflicto entre los padres y la hija.

De «camisa vieja» a chaqueta nueva (Crónica de una evolución ideológica)

Trabajaba en su despacho de *Imporgasa,* cuando sonó el teléfono directo y reservado[1]. Le[1] llamaba Carmiña, con la voz alterada, con una excitación nada frecuente en ella.   *private, unlisted*

—¡Manolo, Manolo! Tienes que venir en seguida; he de hablarte[1] urgentemente...   *he... I have to talk to you*

—¿Pero qué pasa?

—La niña... la niña, que dice que se va de casa...

—¿Qué estupidez es ésa? ¡Si aún no tiene dieciocho años! Dale un sopapo[1] y ya le arreglaré yo las cuentas a la hora de cenar...   *Dale... Give her a slap in the face*

—¡No, por Dios, Manolo, créeme que hay que hablar con ella! Se ha encerrado en el cuarto, ha puesto a todo volumen el tocadiscos y a mí me parece, incluso, que está fumando hachís[1] o alguna porquería[1] de ésas, por el olor que sale de su habitación.   *hashish / rubbish*

—Voy ahora mismo...

Nunca como aquel día lamentó tanto vivir en Somosaguas[2]; a media tarde, la circulación[1] por el centro de Madrid era endiablada[1] y tardó casi media hora en cruzar la Gran Vía[3]. Ya en la Casa de Campo[4], el mecánico[1] aceleró cuanto pudo y, por fin, llegaron al chalé[1].   *traffic circulation / devilish*   *driver*   *chalet*

Carmiña se le abrazó[1] llorando.   *se... embraced him*

—No sé qué le pasa a la niña... Está como enloquecida... Intenta tú hablar con ella...

Manolo fue hacia la escalera.

—Oye... —se detuvo para escuchar a Carmiña—. Por favor, ten calma...; no te dejes llevar por los nervios... Y sobre todo, no se te ocurra pegarle[1]...   *no... don't you think about hitting her*
Sin hacer comentario alguno, Manolo reinició la subida[1]. Se paró unos segundos frente a la puerta de la habitación de su hija; pasó una mano por el poco cabello que le iba quedando[1]; se aflojó, sin saber realmente por qué, la corbata. Y llamó[1] con los nudillos[1], al tiempo que decía: *climb*   *that he had left*   *knocked / knuckles*

—Nena[1]... soy papá.   *Kid*

Silencio. Insistió:

---

[1]La Falange era un partido político que ayudó a Franco durante la Guerra Civil (1936–1939).

—Por favor, hija. ¿No crees que debemos hablar?

Silencio. Volvió a golpear con los nudillos la puerta, algo más fuerte que antes, aunque no tanto como hubiese deseado[1]:

—¡Vamos, hija, no seas boba[1]! Si sólo quiero que dialoguemos un poco...

Se abrió la puerta de improviso y Carmencita apareció frente a su padre, vestida con un quimono corto azul y con el pelo suelto. Estaba verdaderamente guapa (pensó Manolo) y, desde luego, aparentaba más edad de la que tenía.

—Hola, padre... —saludó sin mayor entusiasmo.

—¿Puedo pasar?

—Pues claro...

Entró, cerrando la puerta con cuidado.

—Dame un beso ¿no?

—Encantada, oye...

Le besó en la mejilla[1] con una absoluta frialdad. La habitación estaba cargada de humo, aunque a Manolo solamente le olió a Celtas[5] puros y simples. Sobre las paredes colgaban los posters que había comprado la niña durante sus últimas vacaciones en Londres; posters que reproducían las conocidas efigies del Che Guevara, de Mao Tse-Tung, de Marlon Brando. Había asimismo[1] unas fotografías en color, de regular tamaño[1], que representaban a dos mujeres desnudas, tiernamente enlazadas[1] sobre un diván y a punto de darse un beso[1].

Manolo se sentó en la cama; su hija (que iba descalza) lo hizo en el suelo.

—Bueno, vamos a ver, nena, ¿qué te pasa con mamá? —comenzó con voz suave, procurando la máxima dulzura[1].

—Que tu mujer es una antigua[1], padre. Y le echa en seguida cuento al tema[1]....

—¿A qué tema?... —se aventuró[1] a preguntar Manolo.

—Al del empleo. ¡Ah, es que tú no lo sabes! Claro, como apenas te veo... Voy a emplearme.

—Me parece muy bien. Ahora comprobarás lo útil que te resulta el inglés que has aprendido en tus veranos de Londres...

—No, si en realidad los idiomas no hacen falta para lo que voy a hacer. Se trata de trabajar por las noches en El Cerebro[6], como *gogo-girl*. Igual no sabes tampoco lo que es eso...

El gesto del padre fue elocuente; no, no lo sabía.

—Pues consiste en bailar sobre una especie de tarima, que está iluminada... al mismo tiempo que la gente ¿comprendes? y como en plan mono, de exhibición; es que yo bailo pop colosalmente, aunque vosotros tampoco os habéis enterado. ¡Ah, bueno! Y me pagarán tres verdes[1] por semana. No está mal, ¿eh?

¿Qué decir? ¿Cómo reaccionar? Tardó unos segundos[1] en ordenar sus ideas; tanto, que su hija le preguntó, mientras le ofrecía un cigarro (efectivamente) un Celta:

would have wished (subjunctive)
no... don't be silly

cheek

also / size

embracing / a... about to kiss each other

sweetness

old-fashioned / le... exaggerates the matter

dared

three green ones (sl. reference to money)

Tardó... *It took him a few seconds*

—¿Te has quedado mudo[1], padre?   *mute*

—No, hija, no; pero es que... no sé cómo decírtelo. Antes que nada, quiero que comprendas que yo procuro[1] ser un hombre de mi tiempo y creo que   *try* puedes dar fe[1] de que siempre os he tratado a tu hermano y a ti como un   *dar... testify* amigo; no sé, intentando despojar[1] mi relación con vosotros de todo autori-   *divest* tarismo...

—Ay, no te enrolles[1]...! ¿Vendrás a verme debutar? Creo que será el   *no... don't start with your* martes.   *speech*

—¿El martes? El martes me voy a Estocolmo. Por cierto... —le vino una idea salvadora, genial—. Por cierto, que yo pensaba que me acompañaras tú[1],   *que... that you would come* que tienes tantas ganas de conocer los países nórdicos... Me ayudarías como   *with me* intérprete y, cuando yo volviese[1], podrías quedarte allí una o dos semanas,   *cuando... when I came back* haciendo el recorrido de los fiordos[1] y todo eso. A la vuelta hay una escala en   *recorrido... fiord tour* Copenhague. ¿No te apetecía mucho conocer Copenhague?

A la chica le había hecho impacto la propuesta[1] paterna. O sea que, sin   *proposal* aparentar (eso sí) la menor emoción, dijo:

—Oye, es mono el plan. Después de todo, los del Cerebro tienen chicas a montones[1] para sustituirme. Me iré contigo...   *heaps of*

Manolo optó por quitarse del todo la corbata, cuyo nudo[1] había ido aflo-   *knot* jando progresivamente durante el diálogo.

—Ya verás qué bien lo pasamos, nena...

—Contigo, lo dificulto, majo[1]. Pero conste[1] que me has prometido dejarme   *lo... I doubt it, dear / let it go* luego quince días a mi aire[1]...   *on record*
                                                                                          a... on my own

—Claro, claro. Bueno, pues arréglate un poco y baja a ver a mamá, que está muy preocupada.

Apenas estuvo en el salón, se sirvió un whisky. Carmiña estaba en su habitación; pero llegó en seguida, al oírle.

—¿Qué? —preguntó con ansia.

—Nada, mujer. Todo está arreglado.

—¿De verdad?

—De verdad. Se viene conmigo a Estocolmo, como intérprete...

—Pero cuando volváis...

—Ella se quedará algunos días más por allí... Tengo amigos que la cuida-   *dancing (pejorative)* rán, no te preocupes. Y esa locura del bailoteo[1] se le pasará con la distan- cia.

—¡Dios lo quiera!

—Tómate una copa de algo; la necesitas...

Carmiña se sirvió un gin-tonic; se sentó en el sillón, cerró los ojos.

—¿Por qué, Señor[1], por qué? ¿Por qué este castigo? —dijo, como pensan-   *Lord* do en voz alta.

.

Notas

1. Note that **le** is used because the author, setting, and characters are Spanish.

2. Madrid suburb
3. major street in Madrid
4. Madrid park
5. cheap brand of Spanish cigarette
6. Madrid's most fashionable disco

COMPRENSIÓN DE LA LECTURA

Conteste las siguientes preguntas.

1. ¿Dónde estaba Manolo cuando sonó el teléfono? ¿Quién lo llamaba?
2. ¿Por qué estaba preocupada Carmiña?
3. ¿Qué le dijo Carmiña a su marido cuando lo vio?
4. ¿Cómo recibió Carmencita a su padre? ¿Cómo estaba vestida?
5. ¿Cómo estaba decorado el cuarto de Carmencita?
6. ¿En qué consistía el empleo de Carmencita? ¿Le hacían falta los idiomas para lo que iba a hacer?
7. ¿Qué le propuso el padre a Carmencita? ¿Qué le pareció la propuesta a ella?
8. ¿Qué le informó Manolo a su esposa?

INTERPRETACIÓN DE LA LECTURA

Conteste las siguientes preguntas.

1. ¿Le parece a Ud. que la preocupación de Carmiña era justificada? ¿Por qué?
2. ¿Cree Ud. que le encantaron a Manolo los posters que había colgado Carmencita? ¿Por qué?
3. ¿Por qué le disgustaba al padre el empleo de su hija?
4. ¿Le gustaría emplearse de *gogo-girl*? ¿Qué dirían sus padres y sus amigos?
5. ¿Le parece a Ud. que Manolo actuó inteligentemente? ¿Cómo resolvería Ud. un problema similar?
6. ¿Cómo era la relación entre los miembros de esta familia? ¿Diría que era normal, rara, típica, absurda? Explique su respuesta.
7. ¿Qué personaje le gustó más? ¿Por qué?

REPASO GRAMATICAL

Busque ejemplos en la lectura del uso del pretérito y del imperfecto. Señale ejemplos del uso del pretérito para (1) relatar acciones que ocurrieron y se completaron en el pasado, (2) indicar que una acción comenzó o terminó en el pasado. Señale ejemplos del uso del imperfecto para (1) narrar acciones en progreso en el pasado, (2) describir un estado físico o mental y (3) describir escenas en el pasado. Busque ejemplos del pretérito e imperfecto para narrar acciones simultáneas.

TEMAS DE DISCUSIÓN O DE COMPOSICIÓN

La familia

◆ FAMILIAS DE AYER Y DE HOY   Discuta con sus compañeros el estado actual de la institución de la familia. Compare la familia moderna con la del pasado y hable de los cambios que ha habido recientemente.

◆ FAMILIAS DE AQUÍ Y DE ALLÁ   Hable con sus compañeros de las características de la familia hispana tradicional. Compare la familia de Manolo Vivar de Alba con esa familia tradicional y con su propia familia.

Siguiendo con la novela...

◆ MANOLO, CARMIÑA Y CARMENCITA Imagínese que es uno de los tres personajes de la
selección y que está conversando con un amigo.
Cuéntele el problema que tuvo ayer, déle una
versión resumida de los sucesos y presente su
punto de vista. Ud. puede ser Manolo y comenzar su narración «Ayer estaba en mi despacho
cuando... ». Si decide ser Carmiña, puede empezar diciendo «Ayer tuve una pelea con mi hija
porque... ». O si prefiere ser Carmencita, puede
quejarse de sus padres: «Ayer la antigua de mi
madre... ».

◆ UNA ESPAÑOLA EN ESCANDINAVIA ¿Cómo
continuaría Ud. la novela? Díganos ahora qué
hicieron Manolo y Carmencita en Estocolmo y
qué hizo ella después de que se quedó sola. A
ver, siga con la narración: «Capítulo 10: Aventuras de Carmencita en los países nórdicos».

CAPÍTULO 5

Gramática
Los pronombres personales: Sujeto
Complemento directo; **Lo** neutro
Complemento indirecto; Los
  complementos directo e indirecto en la
  misma oración

Funciones lingüísticas
Declinar una oferta o invitación
Disculparse y pedir perdón
Expresión de acuerdo y de desacuerdo
Expresión de compasión y lástima
Expresión de disgusto y enojo
Ofrecimiento para hacer algo

Actividades

I. Los pronombres personales: Sujeto

A. *Discutiendo de política*

En Buenos Aires, Pablo, un español, participa en una discusión con sus amigos Ernesto,
un argentino, y Nieves, una chilena.

NIEVES   Pero Ernesto, Uds. fueron los agresores. ¿Quién invadió las Falklands?
         ¡Ustedes!

ERNESTO Che, vos no entendés. Las Malvinas son territorio argentino hace varios
         siglos...

NIEVES   Sí, sí, pero los ingleses viven allá. ¿Qué dices tú, Pablo?

PABLO   Pues, yo creo que vosotros, como hispanoamericanos, debéis razonar como
         hispanoamericanos y no como argentinos, chilenos o venezolanos. Hay que
         estar unidos.

ERNESTO Eso, che. La unión hace la fuerza. Sólo ella nos puede ayudar.

◆ Las islas Malvinas, también conocidas como las Falklands, se hallan a unas 300 millas al este de la costa sur de la Argentina. El hecho de ser reclamadas por Gran Bretaña y la Argentina llevó a estos países a una corta guerra en 1982. La Argentina perdió la guerra y esto precipitó la caída de su dictadura militar en 1983.

◆ Hablar de política es uno de los pasatiempos de los hispanoamericanos educados y puede provocar discusiones acaloradas. Como tradicionalmente ha habido mucha rivalidad entre Chile y la Argentina por cuestión de fronteras, Nieves aprovecha esta discusión para mortificar a Ernesto, llamando Falklands a las Malvinas.

varios *several* siglos *centuries* razonar *to reason* La unión hace la fuerza. *United we stand, divided we fall.* fuerza *strength* acaloradas *heated* mortificar *to needle*

Modismos y giros rioplatenses: che *hey!, friend* vos no entendés *you don't understand*

B. Preguntas

1. ¿Cuál es el tema de la discusión? 2. ¿De qué nacionalidad son los habitantes de las islas? 3. Según Pablo, ¿cómo deben razonar sus amigos? ¿Está Ud. de acuerdo con Pablo? 4. ¿Ha oído o leído Ud. algo sobre este conflicto?

C. Los pronombres personales: Sujeto

Personal pronouns take the place of nouns. When the noun replaced functions as the subject of the sentence, choose a pronoun to replace it from the following set, called subject pronouns.

SINGULAR		PLURAL	
yo	*I*	nosotros, nosotras	*we*
tú, usted, vos	*you*	ustedes, vosotros, vosotras	*you*
él, ella	*he, she*	ellos, ellas	*they*

1) The singular subject pronouns **él, ella,** and all the plural forms except **ustedes** show gender, masculine or feminine. Use **nosotros, vosotros,** or **ellos** to refer to two or more males or a mixed group of males and females. Use **nosotras, vosotras,** or **ellas** to refer to two or more females.

—Ana María, ¿han visto Ud. y su hija algo de Montevideo?	*"Ana María, have you and your daughter seen something of Montevideo?"*
—Sí, salimos **nosotras** ayer.	*"Yes, we* (females) *went out yesterday."*
—¿Y mañana?	*"And tomorrow?"*
—**Nosotros** partimos con mi padre para Misiones.	*"We* (male and females) *leave for Misiones with my father."*

2) Tú o usted

a. Tú, the familiar singular form, has always been used in speaking to family members, friends, and children. In recent decades, the **tú** form of address has gained a lot of ground; it now is widely used among people who feel linked together on some other basis; for example, a shared background, age, education, profession, job, or political affiliation. It corresponds to being on a first-name basis in English.

¿No vienes tú, madre?	*Aren't you coming, Mother?*
Tú te llamas Rita, ¿no?	*Your name is Rita, isn't it?*

b. The **usted** form (normally abbreviated in written Spanish as **Ud.** or **Vd.**) is used in more formal situations, such as with older people, acquaintances, strangers, and persons of a different social status (superiors or subordinates).

Don Marcos, ¿cuánto tiempo hace que Ud. conoce a mis padres?	*Don Marcos, how long have you known my parents?*
Gertrudis, ¿quiere Ud. traernos el pan, por favor?	*Gertrudis, will you please bring us the bread?*

Forms of address change with circumstances. Relatives or friends who address each other as **tú** may use the respectful **usted** on formal occasions such as a court hearing, an oral examination, etc. Emotional fluctuations may be reflected in forms of address as well.

3) Vos o tú: Vos was an equivalent form of **tú** until the seventeenth century; **tú** has prevailed since then, in all of Spain and most of Spanish America. However, **vos** has been preserved in Argentina, Uruguay, Honduras, Costa Rica, Guatemala, and other areas of the New World where it is normally used instead of **tú**. Special verbal forms correspond to **vos** as well. For example, in the present indicative one hears **vos comprás, vos vendés, vos vivís.**

Che, vos no entendés.	*You don't understand, my friend.*

4) Vosotros o ustedes

    a. In Spain, **vosotros/as** is the plural form of **tú**. It is used to address two or more people with whom **tú** would be used.

Creo que sí. ¿Qué pensáis vosotros, chicos?	*I think so. What do you guys think?*

    b. In all parts of the Spanish-speaking world, **ustedes** (abbreviated in writing as **Uds.** or **Vds.**) is the plural form of **usted.** Use it to address two or more people, at least one of whom you would address individually as **usted.**

Buenos días, Sra. Alonso. Hola Quique.	*Good morning, Mrs. Alonso. Hi, Quique.*
¿Adónde van Uds.?	*Where are you going?*

    c. In Spanish America, **vosotros/as** is not used. Use **ustedes** as the plural counterpart of **tú, usted,** and **vos.**

¿Qué piensan Uds., muchachos?	*What do you guys think?*

D. Pronombres usados como sujeto

The ending of a Spanish verb usually gives sufficient indication of the subject. Therefore, Spanish speakers many times omit the subject pronoun altogether. In general, use subject pronouns in Spanish only when there is a special reason for doing so. Some of those reasons are as follows:

    a. For emphasis or contrast.

Ellos destruyeron los documentos. Yo no.	*They destroyed the documents. Not me.*
¡Yo también quiero ir con Uds.!	*I want to go with you, too!*
Tú hablas bien pero ellos no.	*You speak well, but they don't.*

    b. For courtesy.

¿Tendría Ud. la bondad de firmarme esto?	*Would you please sign this for me?*
Pasen Uds., por favor.	*Come in, please.*

    c. For clarification, particularly with verbs in the imperfect, conditional, or subjunctive, where the verb endings are the same in the first- and third-person singular.

Él miraba y ella callaba.	*He looked on and she kept quiet.*
Yo miraba y callaba.	*I looked on and kept quiet.*
Es importante que lo haga yo (Ud., él, ella).	*It's important that I (you, he, she) do it.*

    d. With the verb **ser**, to ask for or state identification.

—¿Es Ud. Pedro?	*"Are you Pedro?"*
—Sí, soy yo.	*"Yes, I am."*
(En la puerta:)	*(At the door:)*
—¿Quién es?	*"Who is it?"*
—Somos nosotros.	*"It's us."*

===== *EJERCICIOS* =====

PRÁCTICA

¿Quién es? Pati, una chica colombiana, está estudiando en Madrid. Reside con doña Amalia, quien le alquila una habitación. Complete la conversación con pronombres si son necesarios.

AMALIA	Llaman a la puerta. ¿Me haces —(1)— el favor de abrir? —(2)— tengo las manos sucias.
PATI	Ya —(3)— voy, doña Amalia. ¿Esperaba —(4)— a alguien en particular?
AMALIA	Pues, —(5)— sé que no será mi hija. —(6)— está muy ocupada con su propia vida para visitar a su mamá. Pero puede ser mi Federico... Sí, será —(7)—.
PATI	*(En la puerta:)* ¿Quién es?
ISABEL	Somos —(8)—, Isabel y Juan Antonio.
PATI	¿Es —(9)— la hija de doña Amalia?
ISABEL	Sí, soy —(10)—. Y —(11)—, ¿quién es?
PATI	—(12)— me llamo Pati. —(13)— soy estudiante. —(14)— vivo aquí desde octubre.
AMALIA	¡Ah, Isabel! Eres —(15)—. ¿Cómo estás —(16)—, guapa? —(17)— veo que os conocéis —(18)—.

¡A CONOCERNOS!

A. Conteste estas preguntas.

1. ¿Quién de Uds. vive con otra(s) persona(s)?   **2.** ¿Quién estudia más, su compañero/a de cuarto (casa, apartamento) o Ud.?   **3.** ¿Quién saca mejores calificaciones, él/ella o Ud.?   **4.** ¿Quiénes se divierten más en las fiestas, los muchachos o las muchachas?   **5.** En su opinión, ¿quiénes son más idealistas, los hombres o las mujeres?   **6.** ¿Quiénes cree Ud. que gastan más dinero, los hombres o las mujeres?   **7.** ¿Quiénes deben preparar la comida y hacer las compras, los maridos o las mujeres?

B. Ahora hágale unas preguntas similares a un compañero o a una compañera.

SITUACIÓN COMUNICATIVA

Imagínese la siguiente situación y represéntela con tres compañeros.

TOURIST 1	You are sitting at an outdoor café in Valencia, Spain, waiting for a friend.
WAITER	Ask the tourist what he or she would like to drink.
TOURIST 1	Say that you want a cold beer. Tell the waiter that you are waiting for a friend.
TOURIST 2	Greet your friend and explain why you're late.
TOURIST 1	Ask your friend what he or she wants to do.
TOURIST 2	As you look at a map of the city, say that you don't know where you two should go.
VALENCIAN	You are sitting at the next table. Greet the two tourists. Tell them that you can see that they are new to Valencia and that you would like to be their guide.
TOURIST 1	Express your appreciation, but explain that you and your friend would prefer to explore the city on your own.
WAITER	As you give TOURIST 1 his or her beer, find out what TOURIST 2 wants.
TOURIST 2	Order something to eat or drink.

II. Complemento directo;   Lo neutro

A. ¡Lo siento!

En Montevideo, el señor Galván descubre los problemas financieros de su fábrica de
zapatos hablando con la señorita Barreno, del Banco de la República.

SR. GALVÁN   Claro, claro... vendí los zapatos. Pero los vendí muy caros. No quería
guardarlos en el almacén. Es que no esperaba otra devaluación.

SRTA. BARRENO   Debería Ud. haber hablado con nosotros antes de hacer esa
transacción. Fue un error fatal.

SR. GALVÁN   Señorita, la compañía era mi vida. Ahora tendré que declararme en
bancarrota.

SRTA. BARRENO   El banco no podrá continuar financiándola, ¿comprende Ud.? Tenemos
que preocuparnos por la estabilidad financiera. ¡Lo siento!

◆ **Montevideo** es la capital de Uruguay, la
república hispánica más pequeña de Suramérica. Nación próspera y democrática por
muchos años, Uruguay era un modelo para
sus vecinos cuando en 1973 una aguda crisis económica dio lugar a una dictadura militar que duró hasta 1985. Durante aquel
período el peso uruguayo se devaluó varias
veces, llevando a muchas industrias a la bancarrota.

financieros *financial*   fábrica *factory*   guardarlos *keep them*   almacén *warehouse*   declararme en bancarrota *to
declare bankruptcy*

Montevideo, capital de Uruguay.

B. Preguntas

1. ¿Qué descubre el Sr. Galván?   **2.** ¿Qué hizo él? ¿Por qué?   **3.** ¿Con quién debería haber hablado él?   **4.** ¿Por qué no podrá el banco seguir financiando la compañía?   **5.** ¿Qué haría Ud. en el lugar de la Srta. Barreno?

C. Pronombres usados como complemento: Concepto general

When you want to replace a noun with a pronoun, and the noun is functioning as an object instead of the subject, you have to choose your pronoun from a different set of forms. The following chart shows the Spanish object pronouns. Few words are involved, because many are repeated in the several sets.

SUBJECT AND PREP. OBJECT	SPECIAL PREP. OBJECT	DIRECT OBJECT	INDIRECT OBJECT	REFLEXIVE AND (IN PLURAL) RECIPROCAL
yo	mí, conmigo	me		
tú	ti, contigo	te		
usted (m) él ella usted (f)	sí[1] consigo	lo[2] la	le,	se
nosotros/as		nos		
vosotros/as		os		
ustedes (m, m + f) ellos ellas ustedes (f)	sí[1] consigo	los[2] las	les,	se

[1]Sí referring to Ud., Uds. does not combine with con; say con Ud., *with you(rself),* or con Uds., *with you(rselves).*

[2]In some parts of Spain, the masculine direct object forms are le and les, not lo and los, especially when the pronouns refer to persons rather than things. In this textbook, the more widely used lo and los are practiced.

To select the right object pronouns from any set, use the same criteria (person, number, gender, social relationships) as for subject pronouns. For example, if you are talking to a friend you address with **tú** forms, use **ti** or **te** as required when an object in your sentence refers to your friend.

Tú eres mi hermana, ¿no? Pues, **te** doy este vestido. Es para **ti**. Llévatelo. Vamos, voy **contigo**.	*You're my sister, right? Well, I'm giving you this dress. It's for you. Take it with you. Come on, I'm going with you.*

If you address the person as **Ud.**, use the object pronouns that correspond to **Ud.** (study the chart).

¿Es **Ud.** el capitán, señor? Pues, he de darle un despacho. Es para **Ud.** Lléveselo **Ud.** No puedo ir con **Ud.**	*Are you the captain, Sir? Well, I have to give you a dispatch. It's for you. Take it with you. I can't go with you.*

Each set of object pronouns will be reviewed separately in this chapter and the next. You may want to return to this general chart from time to time, however, to remind yourself how the sets of forms differ from or resemble each other.

D. *Pronombres usados como complemento directo*

1) You can replace a direct object noun with a direct object pronoun.

Lee las cartas. Las lee.	*She reads the letters. She reads them.*

2) The most widely used direct object pronoun forms are as follows:

me	nos
te	os
lo, la	los, las

Unlike the subject pronouns, third-person object pronouns can refer to things as well as people.

Lupe vio a su amigo. Lo vio.	*Lupe saw her friend. She saw him.*
Lupe vio a su amiga. La vio.	*Lupe saw her friend. She saw her.*
Lupe vio a sus amigos. Los vio.	*Lupe saw her friends. She saw them.*
Lupe vio a sus amigas. Las vio.	*Lupe saw her friends. She saw them.*
Lupe vio el coche. Lo vio.	*Lupe saw the car. She saw it.*
Sra. Alonso, Lupe la vio ayer.	*Mrs. Alonso, Lupe saw you yesterday.*

3) The position of a direct object pronoun in your sentence depends on the construction of the sentence, particularly of the verb.

    a. Place a direct object pronoun directly before a conjugated verb in a simple sentence.

No lo creo.	*I don't believe it.*
Los vendí muy caros.	*I sold them for a very good price.*

b. You can attach a direct object pronoun to an infinitive or present participle, or place it before an associated conjugated verb.

Tendré que declararme en bancarrota. Me tendré que declarar en bancarrota.	} *I'll have to declare bankruptcy.*
El banco no podrá continuar financiándola. El banco no la podrá continuar financiando.	} *The bank won't be able to continue financing it.*

c. Attach a direct object pronoun to an affirmative command. Usually you will have to add a written accent to the stem vowel of the command to show that it is still stressed, despite the addition of another syllable.

Bésame mucho.	*Kiss me a lot.*
¡Olvídalo!	*Forget him!*

But one-syllable commands are an exception, even losing any accent they may have had.

Sra. Alonso, **dé** dos pesos a su marido. **Dele** dos.	*Mrs. Alonso, give two pesos to your husband. Give him two.*
Dame dos, Quique. **Dime** la verdad. **Ponte** el abrigo.	*Give me two, Quique. Tell me the truth. Put on your coat.*

d. Place a direct object pronoun before a negative command.

No la compres. Es cara.	*Don't buy it. It's expensive.*
No lo recuerdes.	*Don't remember him.*

E. *Lo neutro*

You can use **lo** to refer to a concept previously expressed. Since concepts don't have gender, **lo** used this way is called neuter **lo**. Sometimes it is translated as *it, that,* or *so.* In other contexts, English uses no word at all where Spanish uses **lo**, so **lo** is not translated.

No puedo darle el préstamo. **Lo** siento (lo = que no puedo darle el préstamo).	*I can't give you the loan. I'm sorry (about it).*
—¿Llegamos tarde? —No **lo** creo.	*"Are we late?"* *"I don't think so."*

EJERCICIOS

PRÁCTICA

A. Sí, claro... Rosario y Fermín son una pareja que siempre está de acuerdo. Represente a Fermín y póngase de acuerdo con Rosario.

> MODELO: R: Siempre consideras mis consejos.
> F: **Sí, claro, siempre los considero.**

1. Tenemos que hacer reformas en la casa.
2. Hoy vamos a comer tomates y lechuga de la huerta.
3. Visitaremos a mis padres el domingo.
4. Iremos a ver el partido del sábado.
5. Ya vimos la película que van a dar esta noche en el canal 5.
6. No pude llamar a tus hermanos ayer.
7. No quiero comprar el sofá rojo que vimos anoche.
8. Estás fumando tu último cigarrillo.

B. **Sí, pero...** Antonio y Elena también son novios, pero son muy diferentes. Nunca piensan igual. Represente a Elena y exprese su desacuerdo.

MODELO: A: Yo hablo bien el español.
          E: **Sí, pero yo no lo hablo.**

1. Yo hago mis ejercicios todos los días.
2. Como carne una vez a la semana.
3. Compraré todos los regalos de Navidad en Galerías Preciados.
4. Pienso ver las dos nuevas películas mexicanas este fin de semana.
5. Vi todos los partidos de tenis el domingo.
6. Perdí el autobús esta mañana.
7. Mandé el cheque de la renta ayer por la tarde.
8. Quería mucho a la profesora que teníamos en el tercer año.

C. **¿Por qué no me dejan en paz?** La pobre Berta está de vacaciones, pero su familia no la deja descansar. Represente a Berta y complete la conversación.

HERMANO   Hola, Berta. ¿Berta? ¿No nos vas a saludar?
  BERTA   No, no —(1)—.
   MAMÁ   Berta, ¿me vas a escuchar?
  BERTA   Sí, mamá, —(2)—.
   PAPÁ   Ya vimos esta película. ¿La estás viendo de nuevo?
  BERTA   Sí, papá, —(3)—.
HERMANA   Ibas a pintar el patio, Berta. ¿Lo piensas hacer hoy?
  BERTA   Sí, —(4)—.
   MAMÁ   Y la pintura, ¿cuándo la vas a comprar?
  BERTA   —(5)—.
HERMANO   Querías pedirles ayuda a algunos amigos, ¿Los piensas llamar?
  BERTA   —(6)—.
   PAPÁ   Ya llamaste a tus amigos. ¿Qué te dijeron? Te van a ayudar, ¿verdad?
  BERTA   No, ellos no —(7)—. Uds. son los que —(8)—.

¡A CONOCERNOS!

A. Conteste estas preguntas.

1. ¿Cuándo empezó Ud. a estudiar español?   2. ¿Terminó Ud. el último examen? Si no, ¿por qué no lo pudo terminar?   3. ¿Baila Ud. salsa?   4. ¿Lo/La llama alguien a Ud. todos los días? ¿Quién es?   5. Cuando Ud. y los amigos van al cine, ¿quién compra las entradas?   6. ¿Qué hace Ud. si ve a un amigo por la calle?   7. ¿Qué le dice Ud. a una persona si Ud. no la puede ayudar?   8. ¿Entiende Ud. los pronombres de complemento directo? ¿Sabe Ud. usar los pronombres?   9. ¿Quién prepara la comida en su casa? ¿Y quién hace la limpieza?   10. ¿Leyó Ud. el periódico esta mañana? ¿Conoce Ud. las revistas hispanas *Semana* y *Hola*? ¿Las lee Ud.? ¿Sabe Ud. dónde comprarlas?

B. Ahora hágale unas preguntas similares a un compañero o a una compañera.

SITUACIÓN COMUNICATIVA

Imagínese la siguiente situación y represéntela con un compañero o una compañera.

En el estadio Centenario de Montevideo, Uruguay, los dos equipos más populares del país juegan un partido de fútbol.

SOCCER FAN 1   You're watching the match. Ask your friend who he or she thinks will win the match.

SOCCER FAN 2   Say the **Nacional** team will win it without a doubt.

SOCCER FAN 1   Say that you doubt it.

SOCCER FAN 2   Point out a beer vendor and say you're going to call him because you're thirsty.

SOCCER FAN 1   Tell your friend to ask for two beers and you'll pay for them.

SOCCER FAN 2   Wow, your team just made an incredible play. Ask your friend whether he or she saw it. Say that now he or she must know that the **Nacionales** are going to win.

SOCCER FAN 1   Answer that yes, you saw it, but that your team is going to beat them. You know it! Continue the conversation, indicating who wins.

aficionado/a al fútbol *soccer fan*   **jugada** *play*   **vencer, derrotar** *to beat*

III. Complemento indirecto;   Los complementos directo e indirecto en la misma oración

A. ¡Me lo prometiste!

Pedro intentaba comunicarse con su novia todo el día. Finalmente consiguió hablar con ella.

NORA   Sí, sí, recibí los recados que me dejaste. Estuve ocupada ayudándole a mamá a buscar un cerrajero por toda Cartagena. Mi hermanito nos perdió las llaves de casa y ahora hay que cambiar todas las cerraduras. Nos da miedo estar aquí en casa.

PEDRO   Y ¿cuándo se las van a poner?

NORA   Pues, por fin encontramos un cerrajero y prometió venir a ponérnoslas esta noche, a las ocho. Tuvimos que pagarle de antemano. No podré verte esta noche.

PEDRO   ¿Qué me dices? Pero, ¡me lo prometiste!

Vista panorámica de Cartagena, Colombia, que muestra los restos de la fortaleza española y los edificios de la ciudad moderna al fondo.

◆ **Cartagena,** Colombia, fue fundada en 1533 por los conquistadores españoles y llegó a convertirse en un activo puerto comercial y en la fortaleza española más importante del Caribe. Las murallas que rodean la ciudad fueron construidas por los españoles para protegerla contra los frecuentes ataques de los piratas franceses e ingleses. Hoy día Cartagena es un centro turístico de interés histórico.

◆ **El crimen** y los robos están aumentando en muchas ciudades antes tranquilas y pacíficas, debido al desempleo, la pobreza y las drogas.

consiguió *managed* **recados** *messages* **cerrajero** *locksmith* **cerraduras** *locks* **por fin** *at last* **de antemano** *in advance* **fortaleza** *military outpost*

B. Preguntas

1. ¿Recibió Nora los recados que le dejó su novio?   2. ¿Por qué estuvo ocupada?   3. ¿Qué le daba miedo?   4. ¿Por qué no podrá ver a Pedro?   5. ¿Tendría Ud. este problema en los Estados Unidos?

C. *Pronombres usados como complemento indirecto*

1) You can replace an indirect object noun with an indirect object pronoun.

¿Anita? **Le** dieron el recado esta mañana.	*Anita? They gave her the message this morning.*
Me contaron una historia interesantísima.	*They told me a very interesting story.*
El cerrajero **les** puso las cerraduras.	*The locksmith installed the locks for them.*
Mi hermanito **nos** perdió las llaves de casa.	*My little brother lost our house keys (on us).*
Le quitaron el bolso en el autobús.	*They stole her purse (from her) in the bus.*

2) Except for the third-person forms (singular and plural), the indirect object pronouns are the same as the direct object pronouns.

me	nos
te	os
le (se)	les (se)

Indirect object pronouns do not reflect gender. **Le** and **les** can refer to animals and things as well as people.

¿Mis padres? **Les** pagué la deuda.	*My parents? I paid off my debt (to them).*
Sra. Mendoza, **le** agradezco mucho el favor.	*Mrs. Mendoza, I thank you very much for the favor.*
¿Los perros? **Les** pusieron la correa.	*The dogs? They put the leashes on them.*
¿Tu coche? ¿**Le** cambiaste la llanta?	*Your car? Did you change the tire (on it)?*

3) Indirect object pronouns follow the same rules for placement as do direct object pronouns. Attaching one to a verb form may require the addition or removal of a written accent, as with direct object pronouns. They are placed as follows:

  a. Before a conjugated verb.

¿**Te** hablo en español o en inglés?	*Do I speak to you in Spanish or English?*
No **les** traigo un refresco.	*I'm not bringing you a soft drink.*

  b. Attached to an infinitive or present participle, or before an associated conjugated verb.

Voy a traer**les** un refresco. **Les** voy a traer un refresco.	} *I'm going to bring you a soft drink.*
Siguió escribiéndo**le** por mucho tiempo. **Le** siguió escribiendo por mucho tiempo.	} *He continued writing to her for a long time.*

  c. Attached to affirmative commands.

Devuélva**me** el disco, por favor.	*Please give me back my record.*
¿Las puertas? Póngan**les** nuevas cerraduras.	*The doors? Put new locks on them.*

  d. Before negative commands.

No **le** cuentes el secreto a Josefina.	*Don't tell Josefina the secret.*
No **nos** manden el dinero por correo.	*Don't send us the money by mail.*

4) Indirect object pronouns are included in the sentence even when the indirect object noun is expressed.

Le dieron el recado **a Anita.**	*They gave Anita the message.*
Les pagué la deuda **a mis padres.**	*I paid off the debt to my parents.*
Les pusieron la correa **a los perros.**	*They put the leashes on the dogs.*
¿Le cambiaste la llanta **al coche?**	*Did you change the tire on the car?*
Póngales nuevas cerraduras **a las puertas.**	*Put new locks on the doors.*

D. *Los complementos directo e indirecto en la misma oración: Posición y cambios*

When you use an indirect and a direct object pronoun in the same sentence, always place the indirect object pronoun immediately before the direct object pronoun.

1) Place the two object pronouns before a conjugated form of the verb.

¡Me lo prometiste!	*You promised (it to) me!*
¿No te lo dieron?	*Didn't they give it to you?*
Me los están preparando.	*They're preparing them for me.*

2) Attach the two to an affirmative command, an infinitive, or a present participle.

Cómpramelo mañana, por favor.	*Buy it for me tomorrow, please.*
Vendrán a ponérnoslas más tarde.	*They will come to install them for us later.*
¿Los impuestos? Están preparándomelos hoy.	*The income tax forms? They're preparing them for me today.*

3) If you use **le** or **les** in conjunction with **lo, la, los,** or **las,** replace the **le** or **les** with **se** (don't have two *L*-pronouns in a row!). If this necessary substitution causes any ambiguity, you can clear it up by adding a prepositional phrase with a specific pronoun, name, or noun.

			él.
			ella.
			ellos.
			ellas.
Los abuelos se lo regalaron...	a		Ud.
The grandparents gave it . . .	*to*		Uds.
			Jaime.
			la universidad.
			sus hijas.
			Ana María y María Socorro.

EJERCICIOS

PRÁCTICA

A. Ya lo hice, señor. El jefe de Paula la tiene loca; se preocupa por todo. Represente a Paula y contéstele al jefe según el modelo.

MODELO: Tenemos que mandar el reporte. (al presidente)
          Ya le mandé el reporte al presidente.

1. Tenemos que escribir las cartas. (a los vendedores)
2. Hay que pagar la renta. (al dueño)
3. Tienes que preguntar sobre la conferencia de mañana. (a mí)
4. Debes hablar sobre los procedimientos de la oficina. (a los otros secretarios)
5. No puedes mentir sobre el trabajo que haces. (a mí)
6. Los clientes tienen que pagar pronto. (a nosotros)

B. Rebeldía en Bogotá. Una señora bogotana habla con su sirvienta. Haga Ud. el papel de sirvienta y dígale que «no» al ama de casa.

MODELO: ¿Le envió Ud. el paquete a mi hijo?
          No, señora, no se lo envié.

1. ¿Le sirvió Ud. el desayuno a mi pobre marido esta mañana?
2. ¿Le buscó Ud. al señor los pantalones en la sastrería?
3. ¿Nos preparó Ud. la cena para esta noche?
4. ¿Me trajo mi tío los regalos que me había prometido?
5. ¿Me limpió Ud. el patio?
6. ¿Nos entregó las cortinas la lavandería?
7. ¿Mi marido le dio a Ud. el boleto de tren?
8. ¿Les compró Ud. los helados a los niños?
9. ¿Me dejó Ud. el dinero en la mesa del comedor?
10. ¿No me dijo Ud. que quería trabajar aquí?

C. Un poco de traducción. Nora y Cecilia se escribieron; una tenía buenas noticias pero la otra no tenía más que malas noticias. ¿Puede Ud. traducir las dos cartas?

Dear Nora,

   Last week my grandfather wrote to me and offered me $1,000. Can you believe it? I wrote to him right away and said, ''Sure, send it to me!'' When I received it, I paid the landlord this month's rent and next month's rent. So things are going well for me. Write to me soon.

Dear Cecilia,

   Last week my wallet was stolen[3] at the movies. Then my brother lost the house keys (on us) and the locksmith had to come and change all the locks for us. Things are going badly for us. Write to us soon.

---

[3]Literally, *they stole my wallet from me.*

¡A CONOCERNOS!

A. Conteste estas preguntas.

1. ¿Le cortaron a Ud. el pelo este mes?   2. ¿Le deben a Ud. dinero sus amigos?   3. ¿Le pagaron a Ud. sus padres la matrícula?   4. ¿Le quitaron alguna vez la cartera? ¿Dónde estaba Ud. cuando se la quitaron?   5. ¿Le piden a Ud. muchos favores sus amigos?   6. ¿Cree Ud. que su novio/a siempre le dice la verdad? ¿Y los amigos?   7. ¿Le pagó a Ud. alguna vez la entrada del cine un(a) amigo/a?   8. ¿Le prestó a Ud. alguna vez el auto o la bici un(a) amigo/a?   9. ¿Le devuelven los libros que Ud. les presta a los compañeros?

B. Ahora hágale unas preguntas similares a un compañero o a una compañera.

SITUACIÓN COMUNICATIVA

Imagínese la siguiente situación y represéntela con un compañero o una compañera.

CUSTOMER	Tell the salesperson that you want to buy a computer.
SALESPERSON	Say that you have several models and that you'd love to show them to him or her.
CUSTOMER	Explain that your boss has told you a lot about computers, but that you are a little afraid of them.
SALESPERSON	Point out a good computer and say that you recommend it to him or her.
CUSTOMER	Tell the salesperson that you appreciate it, but that you have to talk to your boss before buying anything. Ask the salesperson what kinds of things you can do with the model he recommends.

APERTURA

DE UN DEPÓSITO
VENTA DE MUEBLES

TRAIGA SUS MUEBLES
Y OBJETOS USADOS

SE LOS VENDEMOS

Antonio, 35. Tel. 733 38 04

ACTIVIDADES

PARA TODOS

A ver si lo adivinan. Cada estudiante debe traer a clase un objeto secreto y los demás deben adivinarlo. Para eso, la clase puede hacerle preguntas como las siguientes a cada estudiante.

◆ ¿Quién se lo dio?
◆ ¿Dónde lo compró?
◆ ¿Para qué lo usa?

◆ ¿Dónde lo pone o lo guarda? ¿Puede ponérselo?
◆ ¿Dónde lo lleva? ¿Cuándo?
◆ ¿Se le puede regalar a una muchacha? ¿A un muchacho?
◆ ¿Cómo puede romperlo?
◆ ¿Por qué nos lo trajo?

EN PAREJAS

Cada pareja representará las siguientes situaciones. Las expresiones de los cuadros pueden ser útiles.

Para expresar compasión o lástima

Discúlpeme Ud.	*I'm so sorry!*
Lo siento mucho.	*I'm very sorry.*
Oye, perdona.	*Listen, I'm sorry.*
¡Qué lástima!	*What a pity!*
¡Qué pena!	*What a pity!*
¡Qué mala suerte!	*What bad luck!*
¡Qué mala pata!	*What bad luck!*

Para expresar disgusto o enojo

¡Caray!	*Darn!*
¡Caramba!	*Shoot!*
Esto no puede ser.	*This can't be.*
Me molesta que...	*It bothers me that . . .*

Lo siento mucho.

OFICINISTA 1 Pídale excusas a su colega por mancharle el vestido con el café.

OFICINISTA 2 Exprese su disgusto. Pídale dinero para llevarlo a la tintorería *(cleaners)*.

OFICINISTA 1 Exprese compasión de nuevo. Dígale que no tiene el dinero ahora, pero que se lo dará mañana.

OFICINISTA 2 Pregúntele si prefiere que le lleve la ropa a limpiar.

Discúlpeme Ud., pero...

CLIENTE Convenza al cajero de un supermercado de que Ud. le ha dado un billete de 5.000 pesos.

CAJERO Dígale que Ud. está seguro de que le dio un billete de 1.000 pesos.

CLIENTE Exprese su enojo. Pídale el cambio y dígale que si no se lo da, va a llamar al gerente.

Oye, perdona.

MANUELA   Exprese su disgusto. Pídale los apuntes de clase a su
           compañero. Dígale que Ud. también tomó notas, pero que las
           perdió.

FERNANDO   Exprese su compasión, pero dígale que no le gusta prestarlos
           porque pueden perdérselos.

MANUELA   Prométale que no se los va a perder y que va a devolvérselos
           mañana mismo.

DE TODO UN POCO

Chistes

Conversación telefónica
— ¡Dígame!
— Por favor, ¿don Cristóbal Colón?
— No está; salió con la Niña.

Mala suerte
— Aquel pobre hombre verdaderamente tenía mala suerte...
— Y ¿por qué?
— Lo acusaron de bígamo, llegó la policía para aprehenderlo y encima le pusieron un par de esposas
(handcuffs).

CAPÍTULO 6

Gramática
El verbo **gustar;**   Otros verbos que
  funcionan como **gustar**
Pronombres usados como complemento de
  preposición
Los pronombres reflexivos y recíprocos
Funciones lingüísticas
Aceptar y declinar una invitación
Expresión de gusto y de falta de gusto
Hacer una cita
Invitar a otros a hacer algo
Actividades

I. El verbo **gustar;**   Otros verbos que funcionan como **gustar**

A. *A Bárbara le fascinó Ibiza*

En Ibiza, islas Baleares, Bárbara se despide de sus amigos, los Bonín. Son las tres de la tarde, hora del almuerzo.

SRA. BONÍN Pasa, Bárbara. ¿No quieres comer con nosotros? Este gazpacho te gustará. ¿Una cervecita?

BÁRBARA Me encantaría, pero sólo me quedan unos minutos antes de irme al aeropuerto.

SRA. BONÍN Bueno, pero en fin, ¿qué te pareció nuestra isla?

BÁRBARA ¡Divina! No me importaría huir del ruido de Nueva York y quedarme aquí para siempre.

◆ La isla de **Ibiza,** perteneciente al archipiélago Balear en el Mediterráneo, es famosa por la belleza de sus playas y su clima delicioso que han atraído a muchos artistas, actores y actrices de cine, hippies, etcétera. Su capital, llamada también Ibiza, fue fundada por los cartagineses en el año 654 antes de Cristo.

◆ El **gazpacho** es una sopa fría que se hace con pan, tomate u otras verduras, ajo, sal, aceite y vinagre. Se sirve sobre todo durante los meses de verano.

◆ Los españoles almuerzan y cenan más tarde que otros hispánicos. En verano, como la gente pasa muchas horas en la playa, se almuerza más o menos a las tres de la tarde y luego se duerme la siesta.

---

se despide *is saying good-bye* **almuerzo** *lunch* **me quedan** *I have left* **¿qué te pareció?** *what did you think of?* **no me importaría** *I wouldn't mind* **quedarme** *staying* **cartagineses** *Carthaginians* **ajo** *garlic*

La entrada del puerto de Ibiza, bella y popular isla del Mediterráneo.

B. Preguntas

1. ¿A qué hora almuerzan los Bonín?   2. ¿A qué invitó la Sra. Bonín a Bárbara?   3. ¿Qué le pareció Ibiza a ella?   4. ¿Qué le parece a Ud. la costumbre de almorzar y cenar tarde?   5. ¿Adónde le gustaría a Ud. vivir?

C. El verbo gustar: Concepto

We go through life saying what we like and don't like. To tackle this conversational task in Spanish, use the verb **gustar**. Literally meaning *to please, to be pleasing,* **gustar** functions differently than *to like,* its English equivalent.

SPANISH		ENGLISH	
indirect object	*subject*	*subject*	*direct object*
Le gustan	las islas.	*She likes*	*the islands.*

In the example, the Spanish sentence reads literally "The islands please her." The word that tells what pleases (**las islas**) is the subject of **gustar**. The word that indicates to whom the subject is pleasing (**le**), is the indirect object of **gustar**.

D. Usos del verbo *gustar*

1) Gustar is used in the singular when its subject (what pleases) is singular, and in the plural when its subject is plural.

Este gazpacho les gustará.   *They will like this gazpacho*
                                               (singular).

Me gustaron las islas Baleares.   *I liked the Balearic Islands*
                                               (plural).

2) You can use a prepositional phrase with **a** plus a name, a noun, or a prepositional pronoun to clarify the meaning of a third-person object pronoun, or for emphasis or contrast.

¿A Bárbara le gustaría probar el gazpacho?   *Would Bárbara like to taste the gazpacho?*
A ellas les gustan las playas de España.   *They like Spain's beaches.*

3) If the subject of **gustar** is an infinitive, the third-person singular is used.

Nos gustaría ir a California.   *We'd like to go to California.*

E. Otros verbos que funcionan como *gustar*

The following verbs function just as **gustar** does.

aburrir *to bore*
Me aburren las personas charlatanas.   *Talkative people bore me.*

apetecer *to feel like* (doing or having
   something), *to crave*

¿Te apetece un helado?   *Do you feel like having an ice cream?*

doler *to hurt*
Me duele un poco el estómago.   *My stomach is hurting a little.*

encantar *to delight*
Me encantaría probar el gazpacho.   *I'd be delighted to taste the gazpacho.*

fascinar *to fascinate*
Le fascinaron las ruinas de Machu Picchu.   *The ruins of Machu Picchu fascinated her.*

fastidiar *to bother, to annoy*
¿Les fastidia la lluvia?   *Does the rain bother you?*

hacer daño *to hurt, to ache*
Le hacían daño los zapatos nuevos.   *Her new shoes were hurting her.*

hacer falta *to need, to lack*
¿Te hace falta dinero para pagar las   *Do you need money to pay the bills?*
   cuentas?

interesar *to interest*
Me interesa mucho la política.
Me interesan más los deportes que la
política.

I'm very interested in politics.
Sports interest me more than politics.

importar *to matter, to mind*
A Bárbara no le importaría quedarse en
Ibiza.
¿Te importa el humo?

Barbara wouldn't mind staying in Ibiza.

Do you mind the smoke?

molestar *to bother, to annoy*
Nos molesta su falta de educación.

His lack of manners bothers us.

parecer *to seem*
¿Te parecen bien estas fotografías?

Do these pictures seem OK to you?

preocupar *to worry*
Le preocupan los malos estudiantes.

Poor students worry her.

quedar *to have (something) left over*
Solamente me queda un cheque en el
talonario.

I have only one check left in my checkbook.

sobrar *to have extra, to have more than
enough*
Nos sobra un bote de pintura.

We have an extra can of paint.

sorprender *to surprise*
Le sorprendió el número de turistas.

The number of tourists surprised her.

tocar *to be one's turn*
Ahora les toca (el turno).

Now it's your turn.

EJERCICIOS

PRÁCTICA

A. **Hablando de gustos.** Germán opina sobre los gustos de sus amigos. Usando un verbo sinónimo, póngase Ud. de acuerdo con él.

MODELO: A Felipe le molesta el humo. **Es cierto. Le fastidia.**

1. A Lily le gustan los helados de frutas.
2. A Carlos le molestan las personas maleducadas.
3. A Peter y a Mark les encantan las fiestas hispanas.
4. A Martín le fascinan las películas de ciencia ficción.
5. A Loreta le fastidia caminar mucho porque le hacen daño los pies.

B. ¡Qué va! Ahora los amigos opinan sobre Germán. Represente a Germán y, usando un verbo de significado opuesto, dígales que no tienen razón.

MODELO: Te gusta fumar. ¡Qué va! Me disgusta.

1. Te fastidia practicar en el laboratorio.
2. Te interesan las novelas románticas.
3. Te molesta vivir en una residencia universitaria.
4. Te divierte mirar telenovelas.
5. Te duelen los buenos masajes.

C. ¿Qué le parece? Complete los diálogos con un verbo apropiado.

A   ¿Qué le —(1)— las playas de Chile?

B   Ay, me —(2)—. Me —(3)— nadar en el mar, pero el agua está muy fría para mí. No me —(4)— bañarme aquí.

A   ¿Sabes? Tuvimos que pagar la cuenta con tarjeta de crédito porque nos —(5)— solamente diez australes (moneda de la Argentina).

B   Pero estoy seguro de que al camarero no le —(6)—, ¿verdad?

A   Chago dice que le —(7)— las personas que hablan sobre política.

B   Sí, lo sé. Pero ¿qué te —(8)—? Es porque a Chago sólo le —(9)— sus propios problemas. No le —(10)— los problemas de los demás.

A   Buenas tardes, señores. ¿Qué les —(11)—?

B   A mí me —(12)— los churros que sirven aquí.

A   Muy bien. ¿Y Ud., señor? Ahora le —(13)— a Ud. pedir. ¿Qué le traigo?

C   Pues, no quiero comer churros. No me —(14)— las frituras. Y además me —(15)— perder peso. Me —(16)— un jugo de naranja.

D. Un poco de traducción. ¿Puede Ud. traducir este párrafo para un crítico de cine que no sabe español?

1. The number of young people at the theater surprised me.   2. My children say that war films don't interest them at all.   3. But they need to see a good war movie like this one.   4. The book bored me, but the film had a lot of action.   5. My ears were hurting a little when I left the theater, but I didn't mind.

¡A CONOCERNOS!

A. Conteste estas preguntas.

1. ¿Qué le interesa más a Ud., la lengua o la cultura de los países hispanos?   2. ¿Qué les interesa más a la mayoría de sus amigos, el fútbol o el béisbol?   3. ¿Qué le preocupa en este momento? ¿Les preocupa a sus amigos lo mismo?   4. ¿Le duele a Ud. algo hoy?   5. ¿Qué le encantaría a una persona pobre?   6. ¿Qué les sobra a las personas gordas?   7. ¿Qué les hace falta a las personas ancianas de este país?   8. ¿Cuáles son tres cosas que les preocupan a muchos norteamericanos?   9. ¿Qué les molesta a muchas personas?   10. ¿Qué les encanta a los niños?   11. ¿Qué le apetece a Ud. hacer hoy?   12. ¿Qué les apetecen más a la mayoría de los niños, los dulces o las frutas?   13. ¿A veces le sobra a Ud. dinero a fines del mes?   14. ¿Cuánto dinero le queda a Ud. en la cuenta del banco después de comprar los libros cada trimestre?   15. ¿Le parece raro a Ud. usar un pronombre con su profesor(a) y otro con sus amigos y compañeros de clase?

B. Ahora hágale unas preguntas similares a un compañero o a una compañera.

SITUACIÓN COMUNICATIVA

Imagínese la siguiente situación y represéntela con un compañero o una compañera.

ADVISOR   You are talking to a student about his or her plans for the next four years. Help the student choose a major by asking (a) what kinds of things he or she is interested in, (b) what kinds of courses he or she liked in high school, and (c) what bores him or her.

STUDENT   Answer the advisor's questions.

consejero/a *advisor*   **especialidad, campo de estudios** *major*

II. Pronombres usados como complemento de preposición

A. Así es la vida

Los dos párrafos que siguen aparecieron en la página de consultas del periódico porteño *Río Negro*.

Señora Luz:

Soy viudo desde hace cinco años. Mi hija divorciada y sus dos niños viven conmigo. Mi madre vive cerca de casa; la visito mucho y ella depende mucho de mí. A veces siento que todo el mundo necesita de mí. Mi aspiración es estar solo. ¿Tiene Ud. algún consejo para mí?

Viudo Víctor

Amigo Viudo:

Tú sientes que todos dependen de ti. Una pregunta que debes hacerte a ti mismo es si realmente es así. Si tu madre vive sola, no depende de ti. Si tu hija divorciada tiene un buen trabajo, para mí tampoco depende de ti. Lo siento, pero no tengo ningún consejo para ti.

página de consultas *advice column*   **porteño** *from Buenos Aires*   **consejo** *advice*

B. Preguntas

1. ¿Cuánto tiempo hace que Víctor es viudo?   2. ¿Quiénes viven con él?   3. ¿Dónde vive la madre de él?   4. ¿Por qué no tiene la señora Luz ningún consejo para él?   5. Según Ud., ¿quién tiene razón, él o ella?   6. ¿Depende Ud. de alguien o alguien depende de Ud.? ¿De quién? ¿Quién?

C. Pronombres usados como complemento de preposición

1) The subject pronouns also serve as objects of prepositions, except that following most prepositions, **yo** and **tú** are replaced by the prepositional object forms **mí** and **ti**.[1]

Llegué antes de Ud.	*I arrived before you.*
Entre nosotras, ¿qué piensas hacer?	*Among ourselves, what are you planning on doing?*
Para mí, exageras mucho.	*In my opinion, you exaggerate a lot.*
La verdad es que nadie depende de ti.	*The truth is that no one is dependent on you.*

The pronouns **mí** and **ti** combine with **con** in the special forms **conmigo** and **contigo**.

¿Por qué vive tu hija **contigo**?	*Why does your daughter live with you?*
Pues, vive **conmigo** porque es divorciada.	*Well, she lives with me because she's divorced.*

After the prepositions **como, entre, excepto, incluso, menos, salvo,** and **según,** yo and tú are used instead of mí and ti.

Todos menos yo salen mañana.	*Everybody but me leaves tomorrow.*
Según tú, ¿había rencor entre él y yo?	*According to you, was there bitterness between him and me?*

2) The special form **sí** is used when third-person pronouns in prepositional phrases have a reflexive or reciprocal sense *(-self, -selves)*.

Cantaba para **sí**.	*She sang to herself.*
Discutían entre **sí**.	*They argued among themselves.*

The **sí** form also combines with **con**. When **sí** refers to Ud., it doesn't combine with **con**; say **con Ud.** instead.

Llevó las cartas **consigo**.	*She took the letters with her.*

3) The subject pronouns refer to people only, not things. As prepositional objects, the same forms can refer to things.

¿Te gusta la pulsera? Quédate con ella.	*Do you like the bracelet? You may keep it.*
Es un poema inolvidable; siempre me acordaré de él.	*It's an unforgettable poem; I'll always remember it.*

[1]A written accent is placed on **mí** to distinguish it from the possessive pronoun mi. No accent mark is needed on **ti**.

EJERCICIOS

PRÁCTICA

A. Encantada. Chris invita a Tachita, una estudiante hondureña, a casa de sus padres. Complete Ud. el diálogo con las preposiciones y pronombres correspondientes.

CHRIS   ¿Quisieras venir a casa —(1)— *(with me)* esta tarde, Tachita?

TACHITA   Pues, sí, me gustaría mucho ir, pero no puedo salir —(2)— *(with you)* hoy. Tengo que trabajar esta noche.

CHRIS   ¡Qué lástima! Queríamos invitarte a pasar el fin de semana —(3)— *(with us)*.

TACHITA   De veras, sería un placer estar —(4)— *(with you, pl.)* y conocer San Francisco, pero...

CHRIS   Bueno, tengo una idea. Mi hermana va mañana en tren. Puedes ir —(5)— *(with her)*.

TACHITA   Encantada, Chris.

B. Cada oveja con su pareja. A ver cuántas oraciones puede Ud. formar.

No dejaron ningún recado	cerca de	yo/mí
No diría nada	contra	tú/ti
El perro corrió	en	él
Caminando junto al lago, se cayó	entre... y...	ella
Trajimos estas flores	excepto	Ud.
Encontré el hotel porque el autobús paró	hacia	nosotros/as
Esto es un secreto	para	ellos/as
		Uds.

C. La política, tema eterno. Dos amigos hablan de política. ¿Puede Ud. traducir su conversación?

ANDRÉS   Between you and me, these politicians aren't doing a very good job.

LUIS   I agree. I think the President doesn't have many good advisors around him.

ANDRÉS   Look, according to him, nuclear arms are good for the country. But there's a demonstration **(manifestación)** this evening. I'm planning to go. Do you want to come with me?

LUIS   I can't go with you, but I'll meet you there.

¡A CONOCERNOS!

A. Conteste estas preguntas.

1. ¿Va Ud. al cine a menudo? ¿Con quién va?   2. ¿Vive algún amigo cerca de Ud.?   3. ¿Quién quiere ir conmigo a un buen restaurante cubano?   4. ¿Compraron sus padres un coche para Ud. cuando recibió la licencia de manejar?   5. ¿Qué hay detrás de Ud.? ¿Quién está sentado detrás de Ud. en esta clase?   6. ¿Qué hay delante de Ud.? ¿Hay alguien sentado delante de Ud.?   7. ¿Somos todos estudiantes en esta clase?   8. ¿Trabaja alguien con Ud. en el laboratorio de lenguas?   9. A mucha gente le gusta jugar al tenis. ¿Y a Ud.?   10. Para Ud., ¿cuál es el deporte más interesante? ¿Y el/la mejor cantante de este país?

B. Ahora hágale unas preguntas similares a un compañero o a una compañera.

En un salón de belleza, en Caracas.

SITUACIÓN COMUNICATIVA

Imagínese la siguiente situación y represéntela con un compañero o una compañera.

RECEPTIONIST	You are the receptionist at **Peluquería Preciosa.**
CUSTOMER	Call and tell the receptionist that you want an appointment for a haircut for yourself and a friend.
RECEPTIONIST	Find out at what time the customer wants the appointments. Ask if he or she is interested in a manicure or a perm.
CUSTOMER	Tell the receptionist that you would like a manicure. Explain that the friend who is coming with you will be in a big hurry.
RECEPTIONIST	Find out what the friend will need.

cita *appointment*   **corte de pelo** *haircut*   **manicura** *manicure*   **permanente** *perm*

III. Los pronombres reflexivos y recíprocos

A. *Leonor se metió en política*

Leonor, una mexicano-americana, le explica la razón de su carrera política a su amiga Dolores.

LEONOR   Me metí en política porque creo que nuestro pueblo debe integrarse por completo en la vida nacional.

DOLORES   ¿Nunca te arrepentiste de no casarte? Yo no sé qué haría sin mi marido y mis hijos. Me dedico completamente a ellos. ¡Nos queremos tanto!

LEONOR   Bien, Dolores. Yo me comprometí a mejorar la vida de los chicanos. Me levanto a las seis de la mañana y me acuesto a las dos de la madrugada. ¡Ni modo!

DOLORES   Debemos vernos más a menudo, Leonor. Así podremos entendernos mejor.

◆ Más de 12 millones de norteamericanos son de ascendencia mexicana. Generalmente se les conoce como **mexicano-americanos**, pero muchos prefieren llamarse **chicanos**, palabra derivada de la azteca «meshica».

◆ Algunos hombres hispanos han obtenido puestos importantes en el gobierno de los Estados Unidos, pero las mujeres hispanas apenas están comenzando a jugar un papel activo en política.

me metí *I got involved* **¿nunca te arrepentiste?** *did you ever regret?* **me dedico** *I devote myself* **me comprometí** *I committed myself* **dos de la madrugada** *2 A.M.* **¡Ni modo!** *That's the way it has to be!* **apenas** *just barely*

Protestando contra los altos precios frente a un supermercado Lucky en los Estados Unidos.

B. Preguntas

1. ¿Por qué se metió Leonor en política?   2. ¿A qué se comprometió ella?   3. ¿Cuál es su horario de trabajo?   4. ¿A qué se dedica Dolores? ¿Por qué?   5. ¿Se metería Ud. en política? ¿Por qué?

C. Los verbos reflexivos: Concepto

In a genuine reflexive verb construction, an object pronoun and the verb's subject both denote the same person or thing. The action of the verb "reflects back" directly or indirectly on the subject. The English equivalents of the Spanish reflexive pronouns are the -self, -selves pronouns.

Los niños se visten.	*The children dress themselves.*
Ana se compró un avión.	*Ana bought herself a plane.*

To indicate that the reflexive use of a verb is meant, word lists and dictionaries often show the infinitive with **se** attached (**divertirse:** *to enjoy oneself*).

D. Los pronombres reflexivos: Formas

SINGULAR

PLURAL

me *myself*

nos   *ourselves*

te   *yourself* (informal)

os   *yourselves* (informal)

se ⎰ *himself*
⎱ *herself*
⎱ *yourself* (formal)
⎰ *itself*

se ⎰ *yourselves* (formal)
⎱ *themselves*

Except for the third-person **se** (singular and plural), reflexive pronouns have the same forms as direct and indirect object pronouns.

E. Posición de los pronombres reflexivos

1) Like the direct and indirect object pronouns, reflexive pronouns precede a conjugated form of the verb.

Leonor se metió en política.	*Leonor got herself involved in politics.*
Me dedico a mi familia.	*I'm dedicating myself to my family.*

2) Reflexive pronouns follow and are attached to infinitives and present participles.

Nuestro pueblo debe integrarse en la vida nacional.	*Our people must become part of national life.*
Esta semana están levantándose muy temprano.	*This week they are getting up very early.*

3) In a sentence with both a reflexive and a direct object pronoun, the reflexive pronoun precedes the direct object pronoun.

Se lavan las manos.   *They wash their hands.*
Se las lavan.   *They wash them.*

F. *Verbos transitivos usados como verbos reflexivos*

A verb used with a direct object is said to be *transitive.* A verb used without a direct object is said to be *intransitive.* Some verbs can be used either way; some one way only. (A third category can be used only with a reflexive pronoun.)

1) Almost every verb that can be used transitively (with a direct object) can be used reflexively.

Corté la cuerda.   *I cut the rope.*
Me corté.   *I cut myself.*

2) Used reflexively in certain contexts, many of these transitive verbs add the concept *to get* or *to be, to become* to their basic meaning.

TRANSITIVE		REFLEXIVE	
alegrar	*to make happy*	alegrarse (de)	*to be or become glad*
casar	*to marry*	casarse	*to get married*
comprometer	*to endanger, to jeopardize*	comprometerse	*to get involved, to commit oneself, to get engaged*
emocionar	*to move*	emocionarse	*to be or become moved*
encontrar	*to find*	encontrarse	*to meet, to run into*
enojar	*to anger*	enojarse	*to get mad, to get angry*
equivocar	*to mislead*	equivocarse	*to be mistaken, to be wrong*
hacer	*to make; to do*	hacerse	*to become* (with profession, occupation)
mejorar	*to improve*	mejorarse	*to get better*
poner	*to put; to make*	ponerse + *adj*	*to become + adj*
preocupar	*to worry*	preocuparse (de, por)	*to be or become worried*

Nos casará un viejo amigo de la familia.   *An old friend of the family will marry us.*
Nos casaremos en la iglesia parroquial.   *We will get married in the parish church.*

3) Other verbs change their meaning completely when used reflexively.

acordar	*to agree upon*	acordarse de	*to remember*
acostar	*to put* (someone) *to bed*	acostarse	*to go to bed*
despertar	*to wake* (someone)	despertarse	*to wake up, to awaken*
dormir	*to sleep; to put* (someone) *to sleep*	dormirse	*to fall asleep*
enamorar	*to court, win the heart of*	enamorarse	*to fall in love with*
fijar	*to fix*	fijarse	*to notice*
levantar	*to raise, to lift*	levantarse	*to get up*
meter	*to put; to insert*	meterse en	*to get involved in*
parar	*to stop*	pararse	*to stand up, to get up*
poner	*to put on* (someone else)	ponerse	*to put on, to wear*
probar	*to probe; to taste; to try*	probarse	*to try on*
quedar	*to arrange* (meeting, time, place); *to suit; to have left*	quedarse	*to stay, to remain*
quitar	*to take off; to take away* (from someone)	quitarse	*to take off* (clothing); *to take* (one's life)
sentir	*to feel (to experience), to regret*	sentirse	*to feel sad, happy, sick*

Acordaron finalmente el cese de fuego.	*They finally agreed upon a cease-fire.*
No se acordó de cobrar el cheque.	*He didn't remember to cash the check.*
El autobús para en la próxima esquina.	*The bus stops at the next corner.*
Todos se pararon al ver entrar a la reina.	*They all stood up when the queen entered.*
¿Has probado este flan?	*Have you tasted this flan?*
¿Ya te probaste el traje nuevo?	*Did you try on your new suit?*

G. *Verbos usados sólo como verbos reflexivos*

Some verbs in Spanish are never used transitively, but only reflexively. Often their equivalents in English are nonreflexive.

arrepentirse de *to repent, regret*

¿Nunca te arrepentiste del paso que has dado?	*Did you ever regret taking that step?*

atreverse a *to dare*

La niña no se atreve a entrar en el agua.	*The girl doesn't dare enter the water.*

darse cuenta de *to realize*

Me di cuenta de que era tarde.	*I realized it was late.*

portarse *to behave*

¿Te portarás bien en la escuela, Juanito?	*Will you behave (yourself) in school, Juanito?*

quejarse (de) *to complain (about)*

No te quejes de todo. Tienes mucha suerte.	*Don't complain. You're very lucky.*

H. Usos especiales de los pronombres reflexivos

In various contexts, the choice between reflexive pronouns and indirect object pronouns is based on fairly subtle nuances.

El arquitecto **les** construyó una casa **a los García.**	*The architect built the Garcías a house.*
El arquitecto **se** construyó una casa.	*He built himself a house.*

The indirect object in these constructions shows who or what benefits or suffers from the action of the verb (**los García, el arquitecto**). When the indirect object is the same person or thing as the subject, a reflexive pronoun is used instead of an indirect object pronoun. (The difference is apparent in the third person only, because in the other persons the pronouns are identical.)

1) In colloquial speech, reflexive pronouns are often used to suggest an increased interest, emotional involvement, responsibility, or participation in an action by the subject.

El perro murió de heridas graves.	*The dog died of grave injuries* (not his fault).
Se murió el perro.	*The dog (up and) died* (wonder why he did that).
¿No bebiste más que veinte cervezas este año?	*You only drank twenty beers this year?*
¡Te bebiste veinte cervezas!	*You downed* (drank yourself) *twenty beers!*

2) Reflexive constructions are used as alternatives to the passive voice and, with the help of indirect object pronouns, to express unplanned actions. These constructions are examined at length in Chapter 16.

Se habla español.	*Spanish is spoken.*
Se me olvidaron las llaves.	*I forgot the keys.*

I. Pronombres recíprocos

The reflexive pronouns **nos, os,** and **se** may be used with the corresponding first-, second-, or third-person plural verb form to express a reciprocal action. This construction is equivalent to the English *each other, one another.*

Debemos vernos más a menudo.	*We should see each other more often.*
Dolores y su familia se quieren mucho.	*Dolores and her family love each other very much.*

═══════ EJERCICIOS ═══════

PRÁCTICA

A. **Una carta de Alice.** Alice, que es de Des Moines, le escribió a su amigo mexicano en español, pero se le olvidaron los pronombres reflexivos. ¿Puede Ud. añadirlos?

Hola, Pablo:

No —(1)— atrevía a escribirte en español porque todavía —(2)— equivoco mucho, pero decidí hacerlo para practicar. Algunos estudiantes —(3)— preocupan mucho por los errores; por eso no —(4)— atreven a escribir en español. Muchos amigos míos —(5)— quejan de la clase de español porque empieza a las ocho y —(6)— tienen que levantar temprano para llegar a tiempo. Pero yo sigo contenta aquí en la universidad, aunque la semana pasada —(7)— puse enferma (¡Sería la comida de la cafetería!). Mi compañera de cuarto —(8)— portó muy bien conmigo; ella —(9)— quedó conmigo todo el día. Mi mamá y yo —(10)— hablamos dos veces por teléfono ayer. Me dijo que mi hermana Irma tiene novio, pero mami cree que no —(11)— casará con él. Bueno, escríbeme pronto para decirme si —(12)— diviertes allá en México. —(13)— despido de ti. Hasta otro día. Un abrazo de Alice

B. **En otras palabras.** Las siguientes oraciones pueden decirse de otra manera. ¿Puede Ud. hacerlo según el modelo?

MODELO: Yo alegro a mis abuelos cuando voy a verlos.
           Mis abuelos se alegran cuando los visito.

1. Los niños enojan a sus padres cuando no quieren acostarse.
2. La radio de Tulio despierta a los vecinos todos los días.
3. En la iglesia del Sagrado Corazón casan a más de cien parejas al año.
4. Encontré a Fernando en la esquina.
5. Los problemas políticos de Centroamérica les preocupan a los líderes norteamericanos y europeos.

C. **Un poco de traducción.** Traduzca cada diálogo.

1. A I don't remember what we agreed on.
   B That's because you didn't sleep enough last night and you fell asleep while we were talking to each other.

2. A Luisa has no money left over after paying her tuition, does she?
   B No. I think she has to stay here and work during Christmas.

3. A Gosh, they drank up all the **sangría.**
   B That's OK. Have a beer with us.

4. A Why are you trying on a size 8 dress? You know you wear a size 10.
   B I want to prove to myself that I'm thin.

5. A The kids aren't feeling well? I'm sorry. Someone should put them to bed.
   B Nobody ever notices us kids. We're going to bed right now. We weren't having any fun anyway.

¡A CONOCERNOS!

A. Conteste estas preguntas.

1. ¿A qué hora se levanta y se acuesta Ud.? 2. ¿Se duerme rápidamente o se siente preocupado/a? 3. ¿Cómo se divierten Ud. y sus amigos los fines de semana? 4. ¿Cuántas veces por semana se lava Ud. el pelo? ¿Cuántas veces al año se lo corta? 5. ¿Qué ropa se pone cuando hace frío y qué se quita cuando tiene calor? 6. ¿De qué se quejan muchos estudiantes universitarios? 7. ¿Con quién se enfada Ud. a menudo? 8. ¿De qué se olvidó hoy? 9. ¿Se arrepiente Ud. de algo que hizo en el pasado? 10. ¿Piensa Ud. casarse antes de terminar sus estudios? 11. ¿Se escriben Ud. y sus amigos a menudo? 12. ¿Se ven Ud. y sus amigos de la secundaria? 13. ¿Nos comprendemos Uds. y yo cuando nos comunicamos en español?

B. Ahora hágale unas preguntas similares a un compañero o a una compañera.

SITUACIÓN COMUNICATIVA

Imagínese la siguiente situación y represéntela con un compañero o una compañera.

CUSTOMER   Tell a salesperson at a department store that you bought an item of clothing during your lunch break and didn't have enough time left to try it on in the store.

SALESPERSON   Tell the customer that you remember when he or she bought the item. Say that you thought the item suited him or her perfectly.

CUSTOMER   Explain that when you got home and put on the item, you realized that you had made a mistake. The item didn't fit you properly.

SALESPERSON   Say you are very sorry, but you can't return the customer's money. Point to the sign that says the store doesn't give cash refunds and ask the customer why he or she didn't notice the sign when he or she bought the item. Ask the customer if an exchange would be all right. Let the customer take it from there.

hora del almuerzo *lunch break*   **devolver el dinero** *to give cash refunds*

Un centro comercial lujoso de la Ciudad de México.

ACTIVIDADES

PARA TODOS

Es bueno reírse un poco... ¿Quién de Uds. puede describir en forma más divertida lo que hace (o no hace) cada mañana antes de venir a clase? Por ejemplo: **Me levanto a las** siete pero no me despierto hasta las diez; no me pongo los zapatos, pero me lavo muy bien los pies... El siguiente cuadro puede servirles de guía.

despertarse *to wake up*	afeitarse *to shave*
levantarse *to get up*	peinarse *to comb one's hair*
lavarse *to wash oneself*	vestirse *to dress*
ducharse *to take a shower*	abrocharse *to button up*
bañarse *to take a bath*	ponerse *to put on*
secarse *to dry oneself*	desayunarse *to have breakfast*
maquillarse *to put on makeup*	irse *to leave*

EN GRUPITOS

A. Sobre gustos no hay nada escrito. En grupitos de cuatro a seis, cada estudiante debe explicarles a los demás lo siguiente. Los demás pueden responder con **a mí también** *(me too)* o **a mí tampoco** *(me neither)*.

1. lo que le gusta (no le gusta) de la vida de estudiante
2. lo que le preocupa sobre su presente (o futuro)
3. lo que le interesa más en este momento
4. lo que le molesta de su mejor amigo/a
5. lo que le falta para ser completamente feliz
6. lo que le fastidia de los políticos
7. lo que le encantaría hacer este fin de semana
8. lo que le fascinó en su último viaje

B. ¿Qué les parece la idea de...

casarse joven?
quedarse soltero/a?
hacerse cura o monja?
meterse en política?
besarse en público?
hacerse una operación estética?
quitarse la ropa en las playas?
escribirse con amigos de la infancia?
enamorarse de una persona de otra raza o cultura?

Las siguientes expresiones pueden ser útiles.

Para reaccionar ante otras opiniones

De acuerdo.	*I agree.*
Es verdad.	*That's true.*
Tienes razón.	*You're right.*
Eso es.	*Of course.*
Claro que sí (no).	*Of course (not).*
Depende de...	*It depends on . . .*
¿Por qué dices eso?	*Why do you say that?*
¿Cómo puedes decir eso?	*How can you say that?*
¡Qué tontería!	*Nonsense!*

C. El humor de Quino.

Miren Uds. la siguiente tira cómica *(comic strip)* y prepárense a explicarla. Su profesor(a) seleccionará un humorista de cada grupo. ¿La interpretaron todos igual?

El nombre Quino es el apodo que recibió de niño el dibujante humorista *(cartoonist)* Joaquín Lavado, nacido en Mendoza, Argentina, en 1932 y creador de «Mafalda», el mayor éxito en tiras cómicas de todo el mundo hispánico durante nueve años. Quino ha ganado importantes premios como la *Palma d'Oro* en Italia y el *Grand Prix de l'Humeur* en Francia, siendo además nombrado «el mejor humorista del año» en Montreal, Canadá, en 1982.

Vocabulario útil

armamento	*arms*	fabricar	*to build*
bomba	*bomb*	destruir	*to destroy*
cohete	*rocket, missile*	explotar	*to explode*
misil	*missile*	despedirse	*to say good-bye*

DE TODO UN POCO

Villancicos[2]

«Villancico infantil» (de Castilla)

Nochebuena,
Nochebuena,
hoy se cena
buen turrón,
din dan don.
Dan din dan,
campanica
que repica
con afán,
dan din dan.
Campanica
chiquitica,
tú nos dices
que en Belén
ha nacido
nuestro bien.

«A la ru ru ru» (de México)

A la ru ru ru, Niño chiquito,
duérmase ya mi Jesusito.
Del elefante hasta el mosquito
guarden silencio, no le hagan ruido.
A la ru ru ru...
Noche venturosa, noche de alegría,
bendita la dulce, divina María.
A la ru ru ru...
Coros celestiales con su dulce acento
canten la ventura de este Nacimiento.
A la ru ru ru...

[2]Christmas carols

LECTURA III

«Silvina y Montt»
Horacio Quiroga

◆ READING HINTS ◆

Guessing the Meaning of Words by Recognizing Word Functions

Very often you can infer the meaning of a word from its function in a sentence. At the least, you will be able to pick out the key words of the sentence, usually the verbs and nouns.

In order to recognize word functions, follow these steps.

1. Identify the verb and establish whether it is in the past, present, or future.
2. Determine what the subject of the verb is by matching up the verb ending with logical noun or pronoun subjects in the sentence.
3. Recognize nouns (a) by looking for words that follow articles, and (b) by recognizing the endings that usually mark nouns in Spanish: **-tad, -ción, -dad, -tud,** and so on.
4. Identify adjectives by their agreement in number and gender with a noun or pronoun, and also by their position: usually after the words they modify.
5. Identify adverbs ending in **-mente.**
6. Identify prepositional phrases that tell where, when, or how something is done (**por la mañana, con los animales**).
7. Identify prepositional phrases beginning with a followed by a person: they probably clarify an indirect object pronoun that comes immediately before the verb. For example, *Le* explicaron **las instrucciones** *a Teofilo* **antes de dejarlo a solas con la nueva máquina.**
8. Don't always rely on word order to find your subject, verb, and object. Look instead for the clues mentioned here. Even in a nonsense sentence such as the following, you can still make educated guesses about who is doing what to whom and when: **En la mandiroma del yoro a Don Dudareño le han sabucido alrojosamente un lebrejo los salbadrejos randarados.**

◆ PREPARACIÓN PARA LA LECTURA ◆

Vocabulario

SUSTANTIVOS

la arruga   *wrinkle*
la bocina   *auto horn*
el/la boletero/a   *ticket seller*
el callo   *corn, callus*
el camarote   *berth, sleeping car*
el compromiso   *engagement*
la criatura   *child*
el envío   *shipment, remittance*
el/la guarda   *ticket collector, conductor*
el lustro   *five-year period*
el peón/la peona   *farm hand, unskilled laborer*
el pliegue   *fold*
el pretendiente   *suitor*

ADJETIVOS

curtido/a   *weatherbeaten*
quebrantado/a   *broken, crushed*
raleado/a   *thinning, sparse*

VERBOS

arrodillarse   *to kneel*
arrugar   *to wrinkle*
disfrazar   *to disguise*
enviar   *to send, to ship*
rehusar   *to refuse, to decline*
reprochar   *to reproach*

EXPRESIONES ÚTILES

a hurtadillas   *on the sly, stealthily*
al cabo de (tiempo)   *after (period of time), after the lapse of (period of time)*
en resumidas cuentas   *after all, in short, to sum it up*
volver en sí   *to come to, to recover consciousness*

EJERCICIOS

A. Busque en la lista de vocabulario el sustantivo que corresponde a cada definición.

1. el hombre que recoge los boletos en un tren
2. persona que vende boletos
3. admirador que le hace la corte a una chica
4. lugar en un tren donde se puede dormir
5. pliegues en la piel producidos por los años o las preocupaciones
6. promesa de contraer matrimonio
7. período de cinco años
8. parte de un automóvil que se usa para comunicarse con otras personas
9. niño o niña

B. **Palabras emparentadas.** Escriba un verbo y un adjetivo emparentados con cada sustantivo.

MODELO: emoción **emocionar, emocionado**

1. envío   4. disfraz
2. arruga   5. quebranto
3. rodilla   6. reproche

C. **Retrato de un gaucho viejo.** Lea la siguiente descripción y complétela con la forma correcta de las palabras que siguen: **curtido, callo, peón, rehusar, arruga, raleado, lustro.**

En el campo, cerca de la casa de mis abuelos, hay un ranchito donde vive un gaucho viejo. Don Lucio, como se llama el gaucho, tiene el pelo —(1)—, la piel —(2)— por el sol, la cara cubierta de —(3)— y las manos llenas de —(4)—. Ha trabajado de —(5)— por muchos —(6)— y aunque sus patrones le dicen que, a su edad, debe trabajar menos y descansar más, él —(7)— hacerlo.

D. **Un cuento de hadas.** Complete cada oración con la expresión más apropiada de éstas: **a hurtadillas, en resumidas cuentas, al cabo de, volver en sí.**

Había una vez una princesa que estaba prisionera en una torre. Un joven que estaba enamorado de ella decidió rescatarla. Es una historia larga pero, —(1)—, lo que pasó es que una noche, el joven entró en la torre —(2)— y puso una droga en el vino que bebían los soldados. Con su ayuda la princesa se escapó y cuando los soldados —(3)—, la princesa ya estaba muy lejos de la torre. Por supuesto, la princesa se enamoró del joven. —(4)— un tiempo, se casaron y fueron muy felices.

◆ INTRODUCCIÓN AL TEMA ◆

Horacio Quiroga (1878–1937), nacido en Uruguay y criado en la Argentina, es uno de los principales cuentistas rioplatenses e hispanoamericanos de principios de siglo. Sobresalió en la narración de historias crueles, en las que describe la fuerza bárbara de la naturaleza y la violencia del hombre: *El crimen del otro* (1904), *Cuentos de amor, de locura y de muerte* (1917), *Cuentos de la selva* (1918), *El salvaje* (1920), *Anaconda* (1921), *El desierto* (1924), *La gallina degollada y otros cuentos* (1925), *Los desterrados* (1926) y *Más allá* (1935).

El siguiente cuento, sin embargo, narra la historia triste de un amor frustrado. Los protagonistas, Silvina y Montt, se conocen cuando ella tiene ocho años y él treinta. Montt, amigo de la familia de Silvina, visita la casa a menudo y entre la niña y el visitante nace una gran amistad. Cuando se vuelven a ver, diez años más tarde, Silvina se ha transformado en una bella mujer y entre ellos surge un sentimiento diferente. Aunque el amor es mutuo y ambos creen que están predestinados a amarse, Silvina y Montt no llegan a ser felices.

La historia, aunque ficción, contiene elementos autobiográficos. Quiroga, como Montt, se enamoró de mujeres mucho más jóvenes que él. Su primera esposa había sido alumna suya y la segunda, treinta años menor que él, era amiga de su hija. Quiroga, como su personaje, era un hombre culto que pasó muchos años en la selva en contacto —y en lucha— con la naturaleza. Quiroga, como Montt, invirtió su herencia en una plantación de algodón *(cotton)* en el Chaco, pero sus esfuerzos culminaron en fracaso.

Prepárese para leer el cuento discutiendo brevemente con sus compañeros los siguientes temas.

1. ¿Cree Ud. que hay personas que nacen para amarse? ¿Existe la predestinación en cuestiones de amor?

2. En una relación amorosa, ¿qué importancia tiene la diferencia de edad?

«Silvina y Montt»

El error de Montt, hombre ya de cuarenta años, consistió en figurarse[1] que, por haber tenido en sus rodillas a una bella criatura de ocho, podía, al encontrarla dos lustros después, perder en honor de ella uno solo de los suyos. *imagining*

Cuarenta años bien cumplidos. Con un cuerpo joven y vigoroso, pero el cabello raleado y la piel curtida por el sol del Norte. Ella, en cambio, la pequeña Silvina, que por diván[1] prefiriera las rodillas de su gran amigo Montt, tenía ahora diez y ocho años. Y Montt, después de una vida entera pasada sin verla, se hallaba otra vez ante ella, en la misma suntuosa[1] sala que le era familiar y que le recordaba su juventud. *couch / luxurious*

Lejos, en la eternidad todo aquello... De nuevo la sala conocidísima. Pero ahora estaba cortado[1] por sus muchos años de campo y su traje rural, oprimiendo apenas con sus manos, endurecidas[1] de callos, aquellas dos francas y bellísimas manos que se tendían a él. *abashed / hardened*

—¿Cómo la encuentra, Montt? —le preguntaba la madre—. ¿Sospecharía volver a ver así a su amiguita?

—¡Por Dios, mamá! No estoy tan cambiada —se rió Silvina. Y volviéndose a Montt:

—¿Verdad?

Montt sonrió a su vez, negando con la cabeza. «Atrozmente[1] cambiada... para mí», se dijo, mirando sobre el brazo del sofá su mano quebrada y con altas venas, que ya no podía más extender del todo por el abuso de las herramientas[1]. *atrociously, enormously / tools*

Y mientras hablaba con aquella hermosa criatura cuyas piernas, cruzadas bajo una falda corta, mareaban[1] al hombre que volvía del desierto, Montt evocó[1] las incesantes *matinées*[1] y noches de fiesta en aquella misma casa, cuando Silvina evolucionaba[1] en el *buffet* para subir hasta las rodillas de Montt, con un *marron glacé*[1] que mordía lentamente, sin apartar sus ojos de él. *made him dizzy / remembered / went around and around / confection made of chestnuts*

Nunca, sin duda, fuera un hombre objeto de tal predilección de parte de una criatura. Si en la casa era sabido que, a la par de las hermanas mayores, Montt distinguía a[1] la pequeña Silvina, para ésta, en cambio, de todos los *fracs* circunstantes[1] no había sino las solapas[1] del de Montt. De modo que cuando Montt no bailaba, se lo hallaba con seguridad entretenido con Silvina. *showed special regard for / fracs... tails (full-dress coats) / present / lapels*

—¡Pero Montt! —deteníanse sus amigas al pasar—. ¿No le da vergüenza abandonarnos así por Silvina? ¿Qué va a ser de usted cuando ella sea grande?

—Lo que seré más tarde, lo ignoro —respondía tranquilo Montt—. Pero por ahora somos muy felices.

«El amigo de Silvina»: tal era el nombre que en la casa se prodigaba[1] habitualmente a Montt. La madre, aparte del real afecto que sentía por él, estaba halagada[1] de que un muchacho de las dotes intelectuales[1] de Montt se entretuviera con su hija menor, que en resumidas cuentas tenía apenas ocho años. Y Montt, por su lado, se sentía ganado por el afecto de la criatura que *was given / flattered / intellectual gifts*

alzaba[1] a él y fijaba en los suyos, sin pestañear[1], sus inmensos ojos verdes. *raised / blinking*
Su amistad fue muy breve, sin embargo, pues Montt sólo estaba de paso[1] en *was stopping over briefly*
aquella ciudad del noroeste, que le servía de estación entre Buenos Aires y
una propiedad en país salvaje[1], que iba a trabajar. *wild country (probably the Chaco region)[2]*

—Cada vez que pase para Buenos Aires, Montt —decíale la madre, con-
movida—, no deje de venir a vernos. Ya sabe que en esta casa lo queremos
como a un amigo de muchos años, y que tendremos una verdadera alegría al
volverlo a ver. Y por lo menos —agregó riendo— venga por Silvina.

Montt, pues, cansado de una vida urbana para la cual no había sido hecho,
había trabajado nueve o diez años con un amor y fidelidad tales a su rudo
quehacer[1], que, al cabo de ese tiempo, del muchacho de antes no quedaba *work, chores*
sino un hombre de gesto grave, negligente de ropa y la frente quebrada por
largos pliegues.

Ése era Montt. Y allá había vuelto, robado por el hermano de Silvina al
mismo tren que lo llevaba a Buenos Aires.

Silvina... ¡Sí, se acordaba de ella! Pero lo que el muchacho de treinta años
vio como bellísima promesa, era ahora una divina criatura de diez y ocho años
—o de ocho siempre, si bien se mira— para el hombre quemado al aire libre,
que ya había traspasado los cuarenta.

—Sabemos que pasó por aquí dos o tres veces —reprochábale la madre—
sin que se haya acordado de nosotros. Ha sido muy ingrato, Montt, sabiendo
cuánto lo queremos.

—Es cierto —respondía Montt—, y no me lo perdono... Pero estaba tan
ocupado...

—Una vez lo vimos en Buenos Aires —dijo Silvina—, y usted también nos
vio. Iba muy bien acompañado. Montt recordó entonces que había saludado
un día a la madre y a Silvina en momentos en que cruzaba la calle con su
novia.

—En efecto —repuso—, no iba solo...

—¿Su novia, Montt? —inquirió, afectuosa, la madre.

—Sí, señora.

Pasó un momento.

—¿Se casó? —le preguntó Silvina, mirándolo.

—No —repuso Montt brevemente, y por un largo instante los pliegues de
su frente se acentuaron.

Mas las horas pasaban, y Montt sentía que del fondo del jardín, de toda la
casa, remontaba[1] hasta su alma, hasta su misma frente quebrada por las *rose*
fatigas, un hálito[1] de primavera. ¿Podría un hombre que había vivido lo que *breath, gentle breeze*
él, volver por una sola noche a ser el mismo para aquella adorable criatura de
medias traslúcidas[1] que lo observaba con imperturbable[1] interés? *transparent / unwavering*

—¿Helados, Montt? ¿No se atreve? —insistía la madre—. ¿Nada?
Entonces una copita de licor. ¡Silvina! Incomódate[1], por favor. *make yourself useful*

Antes de que Montt pudiera rehusar, Silvina salía. Y la madre:

—¿Tampoco, Montt? Es que usted no sabe una cosa: Silvina es quien lo ha
hecho. ¿Se atreve a negarse ahora?

—Aún así... —sonrió Montt, con una sonrisa cuyo frío él solo sintió en su alma.

«Aunque sea una broma... es demasiado dolorosa para mí...»—pensó.

Pero no se reían de él. Y la primavera tornaba a embriagarlo con sus efluvios[1], cuando la madre se volvió hacia él:

tornaba... once again intoxicated him with its emanations

—Lo que es una lástima, Montt, es que haya perdido tanto tiempo en el campo. No ha hecho fortuna, nos dijo, ¿verdad? Y haber trabajado como usted lo ha hecho, en vano...

Pero Silvina, que desde largo rato atrás estaba muda:

—¿Cómo dices eso, mamá? —saltó, con la mejillas coloreadas y la voz jadeante[1]—. ¿Qué importa que Montt haya ganado o no dinero? ¿Qué necesidad tiene Montt de tener éxito en el campo? El verdadero trabajo de Montt es otro, por suerte... ¡No ha dejado nunca de ganar lo que él debe!... ¡Y yo me honro sobremanera[1] de ser la amiga de un hombre de su valor intelectual!... del amigo que más aprecio entre todos!

breathless

yo... I am extremely honored

—¡Pero, mi hija! ¡No lo quiero comer a Montt! ¡Dios me libre![1] ¿Acaso no sé como tú lo que él vale? ¿A qué sales con esto? Quería decir solamente que era una lástima que no hubiera seguido viviendo en Buenos Aires...

Dios... Heaven help me!

—¿Y para qué? ¿Acaso su obra no es mucho más fuerte por esto mismo?

Y volviendo a Montt, tranquila, aunque encendida[1] siempre:

flushed

—¡Perdóneme, Montt! No sabe lo que he rabiado[1] con los muchachos cada vez que decían que usted había hecho mal yéndose a trabajar como un peón al campo... ¡Porque ninguno de ellos es capaz de hacer lo mismo! Y aunque llegaran a ir... ¡no serían nunca sino peones!

lo... how angry I have been

—¡No tanto, mi hija! No seas así... Usted no se imagina, Montt, lo que nos hace pasar esta criatura con su cabeza loca. Cuando quiere algo, sale siempre con la suya[1], tarde o temprano.

sale... she always gets her way

Montt oía apenas, pues las horas pasaban velozmente y su ensueño[1] iba a concluir. De pronto sonó próxima, en la calle desierta, la bocina de un auto. Silvina saltó del asiento y corrió al visillo[1] del balcón, mientras la madre sonreía plácidamente a Montt:

dream, vision

window curtain

—Es su pretendiente de ahora... X.X. Parece muy entusiasmada... aunque con una cabeza como la suya... Silvina regresaba ya, con las mejillas de nuevo coloreadas.

—¿Era él? —le preguntó la madre

—Creo que sí —repuso brevemente la joven—. Apenas tuve tiempo de levantar el visillo.

Montt se mantuvo un momento mudo, esforzándose, con los dientes muy apretados, en impedir que en su frente aparecieran los largos pliegues de las malas horas.

—¿Cosa formal? —se volvió al fin a Silvina con una sonrisa.

—¡Psh!... —se arrellanó[1] ella, cruzándose de piernas—. Uno de tantos...[1]

settled herself comfortably

One of many

La madre miró a Montt como diciéndole: «Ya ve usted...»

Montt se levantó, por fin, cuando Silvina se quejaba de la falta de libros y revistas en las casas locales.

—Si usted lo desea —se ofreció él—, puedo mandarle desde Buenos Aires ilustraciones europeas[1]...

—¿Usted escribe en ésas?

—No.

—Entonces, mándeme las de acá.

Montt salió por fin, llevando hasta el tren, a resguardo[1] del contacto de boleteros y guardas, la sensación del largo apretón con que Silvina, muy seria, le había tendido su antebrazo desnudo.

En el camarote ordenó sus efectos y abrió la ventanilla sin darse cuenta de lo que hacía. Frente al lavabo[1] levantó la cabeza al espejo y se miró fijamente: Sí, la piel quebrada y la frente demasiado descubierta, cruzada por hondos pliegues; la prolongación de los ojos quemada por el sol, en largas patas de gallo[1] que corrían hasta las sienes; la calma particular en la expresión de quien vivió ya su vida, y cuanto indica sin perdón al hombre de cuarenta años, que debe volver la cabeza ante los sueños de una irretornable juventud[1]. «Demasiado temprano... y demasiado tarde...» —se dijo, expresando así, respecto de Silvina, la fórmula de las grandes amarguras del corazón.

En este estado de espíritu, Montt pasó el primer mes en Buenos Aires. Debía olvidarlo todo. ¿No había sentido la bocina del automóvil? ¿Y no se había visto a sí mismo en el espejo del tren? ¿Qué miserable ilusión podía alimentar? ¡Diez y ocho años apenas, ella! Un capullo de vida, para él que la había gastado en cuarenta años de lucha. Allí estaban sus quebradas manos de peón... ¡No, no!

Pero al cabo de un mes remitió[1] al interior un grueso[1] rollo de revistas, con una carta que afirmaba de nuevo el respetuoso afecto de «un viejo amigo y un amigo viejo».

Montt esperó en vano acuse de recibo[1]. Y para confirmarse en su renuncia total a su sueño de una noche de verano, efectuó dos nuevos envíos, sin carta estas veces.

Al fin obtuvo respuesta, bajo sobre cuya letra se había evidentemente querido disfrazar.

Había sido una ingrata[1] sorpresa —le decían[1]— recibir una carta escrita a máquina, como un papel comercial. Y variadas quejas respecto a la frialdad que esto suponía[1], etcétera, etc. Luego, que ella no aceptaba las últimas líneas: «Viejo amigo», sí, y Montt lo sabía bien; pero no la segunda parte. Y finalmente, que le escribía apurada y en ese papel (el papel era de contrabando[1] en una casa opulenta), por las razones que Montt «debía comprender».

Montt sólo comprendió que se sentía loco de dicha como un adolescente. ¡Silvina! ¡Ay, pues, un resto de justicia en las leyes del corazón! ¿Pero qué había hecho él, pobre diablo sin juventud ni fortuna, para merecer esa inconmensurable dicha? ¡Criatura adorada! ¡Sí, comprendía la carta escrita a hurtadillas, la oposición de la madre, su propia locura, todo, todo!

European illustrated magazines[3]

a... protected

washbasin

crows feet

unreturnable youth

sent / thick, heavy

confirmation

unpleasant / he was told

esto... this entailed

smuggled

Contestó en seguida una larga carta de expresiones contenidas[1] aún por el   *restrained*
temor de que llegara a manos ajenas, pero transparentes para Silvina. Y
reanudó con brío[1] juvenil su labor intelectual. Cuanto de nueva fe puede   *spirit, vigor*
poner un hombre maduro que aporta[1] a su tarea las grandes fuerzas de su   *brings*
pasado, lo quemó Montt ante el altar de su pequeña diosa.

Pasó un mes, y no llegaba carta. Montt tornó a escribir[1], en vano. Y pasó un   *tornó... wrote another time*
nuevo mes y otro, y otro.

Como un hombre herido que va retirando lentamente la mano de encima de
la mesa hasta que pende[1] inmóvil, Montt cesó de trabajar. Escribió finalmente   *dangles*
al interior, pidiendo disimuladamente informes, los que llegaron a su entera
satisfacción. Se le comunicaba que la niña aludida[1] había contraído compro-   *the girl in question*
miso hacía cuatro meses con el Dr. X.X.

—He aquí, pues, lo que yo *debía haber comprendido* —se dijo Montt.   *debía... should have understood*

Cuesta arrancar del corazón de un hombre maduro la ilusión de un
tiernísimo amor. Montt la arrancó, sin embargo, aunque con ella se iba su
propia vida en girones[1]. Trabajo, gloria... ¡Bah! Se sentía viejo, realmente   *shreds, tatters*
viejo... Fatigado para siempre. Lucha contra la injusticia, intelectualidad,
arte... ¡Oh, no! Estaba cansado, muy cansado... y quería volver al campo,
definitivamente y para siempre. Y con mujer, desde luego... El campo es muy
duro cuando no se tiene al lado a una mujer robusta que cuide la casa... Una
mujer madura, como le correspondía a él, y más bien fea, porque es más fácil
de hallar. Trabajadora, y viva[1] sobre todo, para no dejarse robar en las com-   *quick-witted*
pras. Sobre todo, nada joven. ¡Oh, esto sobre todo! ¿Qué más podía él pre-
tender[1]? La primera mujer de conventillo[1] lo sacaría del paso[1]... ¿Qué   *want, aspire to / tenement*
más?   *house / lo... would do, would*
    get him out of the difficulty

En breves días de fiebre halló Montt lo que deseaba, y se casó con los ojos
cerrados. Y sólo al día siguiente, como un sonámbulo que vuelve en sí, pensó
en lo que había hecho.

Allí al lado estaba su mujer, su esposa para siempre. No podía decir —ni lo
recordaba— quién era ni qué era. Pero al dejar caer la cabeza entre las
manos, como si una honda náusea se hubiera desparramado[1] sobre su vida,   *spread, scattered*
comprendió en toda su extensión lo que había hecho de sí mismo.

En estos momentos le llegaba una carta. Era de Silvina, y decía lo
siguiente:

«Montt: Soy libre. Anoche he roto con mi novio. No me atrevo a contarle lo
que me ha costado dar este paso. Mamá no me lo perdonará nunca, yo creo.
¡Pobre mamá! Pero yo no podía, Montt, quebrantar de este modo mi corazón
y mi vida entera. Yo he hecho lo que nadie podría creer para convencerme a
mí misma de que sólo sentía amistad por usted, de que eso no era otra cosa
que un recuerdo de cuando era chica. ¡Imposible! Desesperada por la lucha
en casa, acepté a X.X. ¡Pero no, no podía! Ahora que soy libre, puedo, por fin,
decirle claramente lo que usted adivinó, y que me ha hecho llorar hasta
rabiar[1] por no habérselo sabido expresar antes.   *raving*

«¿Se acuerda de la noche que vino a casa? Hoy hace seis meses y catorce días. Miles de veces me he acordado del... automóvil. ¿Recuerda? ¡Qué mal hice, Montt! Pero yo no quería todavía confesármelo a mí misma. Él me distinguía mucho (X.X.), y, lo confieso sinceramente: me gustaba. ¿Por qué? Pasé mucho tiempo sin darme cuenta... hasta que usted vino de nuevo a casa. Entre todos los muchachos que me agradaron, siempre hallé en ellos alguna cosa que recordaba a usted: o la voz, o el modo de mirar, ¡qué sé yo! Cuando lo vi de nuevo comprendí claramente. Pero aquella noche yo estaba muy nerviosa... y no quería que usted se envalentonara[1] demasiado.

grow bold, conceited

«¡Oh, Montt, perdóneme! Cuando yo volvía del balcón (el automóvil), y lo vi mudo, sin mirarme más, tuve impulsos locos de arrodillarme a su lado y besarle sus pobres manos, y acariciarle la cabeza para que no se arrugara más la frente. Y otras cosas más, Montt: como su ropa. ¿Cómo no comprendió usted, amigo de mi vida, que, aunque volviera de trabajar como un hombre en el campo, no podía ser para mí otro que ‹el amigo de Silvina›, siempre el mismo para ella?

«Esto mismo me lo he venido preguntando desde hace seis meses: ¿cómo no comprendió él, que es tan inteligente y que comprende a maravilla a sus personajes? Pero tal vez soy injusta, porque yo misma, que veía claro en mí, me esforcé en no hacérselo ver a usted. ¡Qué criatura soy, Montt, y cuánto va a tener que sufrir por mí... algún día!

«¡Oh, amigo! ¡Qué gozo podérselo escribir libre de trabas[1], dueña de hacer de mi vida lo que el destino me tenía guardado desde chica! Estoy tan convencida de esto, Montt, que en estos seis meses no he hecho otra cosa (fuera de la pobre mamá) que pensar en ‹ese día›. ¿No es cierto, Montt, usted que ha visto tan claro en los otros corazones, que en el suyo usted vio también aquella noche una ‹esperanza› para su pequeña Silvina? ¡Sí, estoy segura!

impediments

«Cuando le escribí mi carta (¡qué fastidio tener que escribirle en ese papel que me compró la sirvienta!); cuando le escribí estaba realmente resentida con usted. ¡Escribirme en esa horrible máquina, como si quisiera hacerme ver que para usted era un asuntito comercial; mandarme las ilustraciones, salir del paso, y ¡tras! Ya estaba cumplido con la frívola de Silvina. ¡Qué maldad! Pero Silvina no es frívola, aunque lo diga mamá (mamá dice ‹apasionada›), y le perdona todo... Y que tiene otra vez el deseo de pasarle despacito la mano por la frente para que no aparezcan esas arrugas feas.

«Montt: yo sabía que aquella persona con que iba usted era su novia. ¡Y sabía que no se había casado, y sabía todo lo que usted solo había hecho en el campo, y había leído todo, todo lo que usted había escrito!

«¿Ve ahora si deberá tener cuidado con su Silvina?

«¡Pero no, amigo de toda mi vida! Para usted, seré siempre la misma que quería estar a su lado cuando tenía ocho años... ¡Todo lo que puede valer algo en Silvina, su alma, su cuerpo, su vida entera (¡más no tengo!) es para usted, amigo!

«Cuando pienso en que puedo llegar a tener la felicidad de vivir al lado suyo, alegrándolo con mis locuras cuando esté triste, animándolo para que trabaje, pero allí en Buenos Aires, donde está en adelante su verdadero campo de lucha... ¡Oh, Montt! ¡Pensar que todo esto es posible para la pobre Silvina!... ¡Hacerme la chiquita al lado de un hombrón como usted, que ya ha sufrido mucho y es tan inteligente y tan bueno! Nunca, nunca más volvería una arruga fea.

«¿Se acuerda, Montt, de la noche que le descosí[1], distraída, la *boutonnière*   *unstitched, ripped* del frac? ¡Cómo quedó la pobre solapa! Ahora quisiera tener la cabeza reclinada allí mucho tiempo... ¡Siempre, Montt!

«Ya no sé más qué decirle... sino que he sido muy clara, tan clara que me avergonzaría, de no ser usted quien es... Allí solo y pensando quién sabe qué cosas de Silvina, recibirá esta carta que le lleva todo el afecto de

Silvina.

«Amor mío: te ama... y te espera
    S.»

Notas

1. To describe Silvina's family and their activities, Quiroga uses several French words *(matinées, buffet, marron glacé, fracs, boutonnière)*. During the nineteenth and early twentieth centuries, Argentina was greatly influenced by French culture, and upper-class Argentines adopted French customs and adorned their speech with French words.

2. Quiroga lived for many years in the Argentine **Chaco.** This former territory, now a province, is situated in the northeast corner of the country and borders on Paraguay. A vast tropical area of scrub forests, it has remained sparsely populated and, until recently, underdeveloped. Its principal products are **quebracho** (from which tannin is extracted) and cotton.

3. Throughout Argentine history there has been a sharp contrast, and at times friction, between Buenos Aires, the capital, and the provinces. In this story Quiroga identifies three areas: Buenos Aires, the interior, and the frontier. Buenos Aires, the cosmopolitan and dynamic metropolis, is the center of Argentine economy and culture. Silvina's hometown is typical of the interior, a traditional city where the provincial aristocracy lives in comfort and conformity but envies Buenos Aires's sophistication. Montt's settlement in the hinterland is **el país salvaje,** where adventurers and pioneers engage in a daily struggle with nature.

COMPRENSIÓN DE LA LECTURA
Conteste las siguientes preguntas.

1. ¿Cuánto tiempo había pasado Montt trabajando en el campo? ¿Qué edad tenía al volver? ¿Cómo había cambiado trabajando en el campo?
2. Y Silvina, ¿cómo había cambiado al cabo de dos lustros? ¿Qué impresión le causó a Montt?
3. ¿Qué recordó Montt al ver a Silvina? ¿Qué le gustaba hacer a Silvina cuando era niña?
4. ¿Por qué dijo la madre que Montt había perdido el tiempo en el campo? ¿Cómo reaccionó Silvina al oír el comentario de su madre?
5. ¿Qué se oyó mientras Montt conversaba con Silvina y su madre? ¿Quién era?
6. ¿Qué le prometió Montt a Silvina? ¿Qué le envió? ¿Qué recibió en respuesta? ¿Cómo interpretó Montt esta carta escrita a hurtadillas?
7. ¿Por qué escribió Montt al interior? ¿Qué se le comunicó?
8. ¿Qué decidió hacer Montt? ¿Con quién se casó?
9. ¿Qué recibió Montt al día siguiente de su casamiento? ¿Qué le decía Silvina?

INTERPRETACIÓN DE LA LECTURA
Conteste las siguientes preguntas.

1. ¿Cómo caracterizaría Ud. la relación que había entre Montt y Silvina cuando ella tenía ocho años?
2. ¿Cómo describe el narrador a los dos personajes? ¿Qué contrastes hace?
3. Al volver a encontrarse con su vieja amiguita, ¿por qué siente Montt «un hálito de primavera»?
4. ¿Qué importancia tiene el sonido de la bocina? ¿Por qué no tiene nombre el pretendiente?
5. ¿Cómo firma Montt su primera carta? ¿Por qué dice Silvina que ella sólo acepta parte de esa frase?
6. ¿Por qué debe escribir a hurtadillas Silvina? ¿Por qué se opone la madre a que le escriba a Montt?
7. ¿Por qué decide casarse Montt? ¿Cree Ud. que el matrimonio representa un antídoto o un suicidio para Montt?
8. Silvina escribe que, después de romper su compromiso, está libre para hacer lo que «el destino me tenía guardado desde chica». ¿Es irónica esta afirmación? ¿Por qué?

REPASO GRAMATICAL

A. Busque ejemplos de diferentes tiempos pasados (pretérito e imperfecto) y explique su uso en la narración.

B. Imagínese que Ud. es la madre de Silvina y que quiere que Silvina se olvide de Montt y se case con un joven de su edad. Dele cinco mandatos negativos y cinco afirmativos.

MODELO: Silvina, no le escribas a Montt. Silvina, olvídate de él.

TEMAS DE DISCUSIÓN O DE COMPOSICIÓN

◆ ANALIZANDO A LOS PERSONAJES   El vínculo *(link)* que une a los personajes es tan fuerte como inusitado. Piense en las razones por las cuales hay tal atracción y qué busca cada uno de ellos en la relación. Por ejemplo, ¿Por qué se enamora Montt de Silvina? ¿Qué cualidades le atraen a él? ¿Qué cree Ud. que representa ella para él? ¿Qué cualidades de Montt admira Silvina? ¿Son las mismas que admiraba cuando era niña? ¿Está enamorada de un hombre real o de un héroe imaginario?

El narrador no menciona para nada al padre de Silvina. ¿Cree Ud. que, en cierta manera, Montt puede ser un substituto del padre muerto o ausente? Si no, ¿qué simboliza Montt para Silvina?

◆ ACONSEJANDO A LOS PERSONAJES Imagínese que Ud. conoce personalmente a los personajes. Dígales lo que piensa de la situación en que se encuentran y aconséjelos diciéndoles lo que deben hacer.

◆ SIGUIENDO CON EL CUENTO Imagínese que Ud. es escritor y que su editor no está contento con la conclusión de la historia. Además, los lectores quieren saber qué les pasó a los personajes. Reanude la narración y cuente lo que sucedió después que Montt recibió la carta de Silvina confesándole su amor.

◆ CAMBIANDO DE PUNTO DE VISTA Imagínese que Silvina está hablando con su mejor amiga y está confiándole su problema. Resuma los sucesos desde el punto de vista de la protagonista.

CAPÍTULO 7

Gramática

El gerundio; Los tiempos progresivos;
   Otros usos del gerundio
El verbo **haber; Haber** como verbo
   principal; **Haber de** + infinitivo;
   Hay que + infinitivo; Otras expresiones
   de obligación
El participio pasado; El participio
   pasado en los tiempos compuestos

Funciones lingüísticas

Aconsejar hacer algo
Expresión de necesidad y obligación
Preguntar si alguien ha hecho algo
Narrar en el pasado

Actividades

I. El gerundio; Los tiempos progresivos; Otros usos del gerundio

A. Hora de noticias

Escuchando la emisora local, César oyó la siguiente noticia:

Ayer tarde desaparecieron de las ruinas donde se encontraban excavando
tres jóvenes universitarios de un equipo de arqueólogos. Se asegura que unos
guerrilleros los secuestraron y que probablemente escribirán al diario *Noti-
ciero Andino* pidiendo rescate. Tanto el gobernador como la policía están
dando los pasos necesarios para esclarecer la situación, y prometen seguir
investigando el paradero de los posibles rehenes.

◆ Son varios los países de Centro y Suramérica que contienen una inmensa riqueza de **centros arqueológicos pre-colombinos**, que son excavados por equipos conjuntos de arqueólogos norteamericanos y locales.

◆ Las **guerrillas** existen en Guatemala, El Salvador, Colombia y Perú. Algunos norte-americanos han desaparecido o muerto en medio de disputas locales.

secuestraron *kidnapped*   **rescate** *ransom*   **esclarecer la situación** *to determine the facts*   **paradero** *location*   **rehenes** *hostages*

142

Hombres y mujeres unidos en la lucha por la libertad.

B. Preguntas

1. ¿Qué estaban haciendo los jóvenes universitarios?   2. ¿Qué se asegura sobre su desaparición?   3. ¿Qué están tratando de hacer el gobernador y la policía?   4. ¿Qué prometen ellos?   5. ¿Cree Ud. que se debe pagar rescate para conseguir la libertad de unos rehenes? ¿Por qué (no)?

C. El gerundio: Concepto y formas

1) The "gerundio" in Spanish corresponds to the *-ing*, or present participle, form in English. To produce it, add **-ando** to the stem of **-ar** verbs and **-iendo** to the stem of the majority of **-er** and **-ir** verbs.

hablar	hablando	*speaking*
comer	comiendo	*eating*
escribir	escribiendo	*writing*

2) **-Er** and **-ir** verbs whose stems change **e** to **i** or **o** to **u** in the preterit undergo the same changes in the present participle.

dormir	durmiendo	*sleeping*		pedir	pidiendo	*asking*
sentir	sintiendo	*feeling*		reír	riendo	*laughing*
poder	pudiendo	*being able*				

3) **-Er** and **ir** verbs whose stems end in a vowel change the vowel to **y** (**-yendo**) in the present participle.

| leer | leyendo | *reading* | creer | creyendo | *believing* |
| destruir | destruyendo | *destroying* | oír | oyendo | *hearing* |

D. Los tiempos progresivos

The present participle is mainly used to form the progressive tenses with the verb **estar**. Progressive tenses are used to emphasize that an action is, was, or will be in progress at a particular moment in time.

No estoy durmiendo bien estos días.

I'm not sleeping well these days.

Lynn estaba excavando en las ruinas cuando desapareció.

Lynn was excavating in the ruins when she vanished.

E. Otros usos idiomáticos del gerundio

1) To help your listener think of an action as being in progress, you may use a present participle with a verb other than **estar**, particularly the following:

   a. verbs of *motion* and *progression* such as **andar, continuar, ir, pasar, seguir,** and **venir**

César venía andando hacia ella.

César was walking toward her.

Han prometido seguir investigando.

They've promised to continue investigating.

   b. verbs of *perception* such as **oír, escuchar, sentir,** and **ver**

La vieron trabajando en las ruinas.

They saw her while she was working in the ruins.

but: La vieron trabajar en las ruinas.

They saw her work in the ruins.

Lo oí cantando en la ducha.

I heard him singing while he was taking a shower.

but: Lo oí cantar en la ducha.

I heard him sing in the shower.

2) The present participle is also used as an adverb for the following purposes:

   a. to express the cause, manner, or result of an action

El terremoto hizo temblar la región, produciendo pánico.

The earthquake made the region shake, causing panic.

Preguntando se llega a Roma.

(By) Asking questions, one gets to Rome.

   b. to express conditions and circumstances present at the time of the action of the verb in the main clause

Lynn desapareció estando en Suramérica.

Lynn disappeared while she was in South America.

Siendo yo muy joven, nos fuimos a vivir a Guatemala.	*While I was very young, we went to live in Guatemala.*

Note: Never use **el gerundio** after a preposition; use an infinitive instead.

El pobre estudiante estaba harto de trabajar. Necesitan obtener el dinero antes de pagar el rescate.	*The poor student was tired of working.* *They need to get the money before paying the ransom.*

EJERCICIOS

PRÁCTICA

A. Se fue corriendo. Complete el siguiente cuento con el gerundio de los verbos en la clave.

Gonzalo Sifre, empleado del parque zoológico El Petencito en Guatemala, estaba —(1)— a los animales cuando un mono se escapó —(2)— aventuras. Según Sifre, estaba —(3)— con un compañero mientras trabajaban. El compañero le estaba —(4)— una broma cuando los dos se dieron cuenta de que el mono andaba —(5)— por el patio central. —(6)— algo raro, los empleados miraron hacia arriba. El monito, —(7)— a los hombres, estaba —(8)— de ellos. «Ve —(9)—», le dijo el compañero a Sifre. «Y tú, amigo, a seguir —(10)—», le contestó Sifre. Esta travesura del mono dejó a un hombre —(11)— a un árbol, —(12)— al animalito un desayuno especial.

Clave:	1. alimentar	4. hacer	7. ver	10. trabajar
	2. buscar	5. correr	8. reírse	11. trepar
	3. charlar	6. oír	9. subir	12. prometerle

B. En otras palabras. Las siguientes oraciones pueden decirse de otra manera. ¿Puede Ud. hacerlo según el modelo?

MODELO: Como no llevaba las gafas, no podía leer.
        No llevando las gafas, no podía leer.

1. Ayer vi a Jorge patinar en el parque.
2. Como estaba cerrada la tienda, no pude comprarme el vestido.
3. Si estudias más, sacarás mejores notas.
4. Como me sentía enferma, me quedé en cama.
5. Cuando estaba en Tijuana, vi mucha pobreza.
6. Como era tardísimo, no encontraron ningún restaurante abierto.
7. Mientras vivíamos en California, hubo varios temblores.
8. Si duermes en clase, no escucharás las explicaciones.
9. Mientras reinaban Fernando e Isabel, Cristóbal Colón descubrió América.
10. Cuando Moctezuma vio a Cortés, creyó que era Quetzalcóatl.

C. **Linda no lo está pasando bien.** Complete la carta de Linda usando gerundios y tiempos progresivos basados en **estar** o un verbo de movimiento o progresión (**andar, ir,** etcétera). Para verbo principal, escoja uno de éstos: **abrir, acercarse, apagar, causar, correr, escribir, esperar, hacer, leer, llover, mirar, ser, tener, ver, vivir.**

Hola, Samuel:

    Te —(1)— desde la biblioteca. Parece que paso la vida aquí —(2)— libros aburridos, —(3)— ensayos y —(4)— tareas para mis clases. Ayer hubo un accidente causado por una tormenta. Cuando salí de la residencia, —(5)— tanto que la gente —(6)— como loca. —(7)— que los relámpagos —(8)— más y más, decidí volver a mi cuarto. —(9)— la hora del almuerzo y —(10)— mucha hambre, fui primero a la cocina. Yo —(11)— una lata de sopa cuando olí humo. Pues, un relámpago había caído sobre la residencia, —(12)— un incendio. —(13)— por la ventana, vi llegar a los bomberos. Salimos todas a tiempo y nadie resultó herido pero los bomberos —(14)— el fuego durante más de tres horas. Se dañó el primer piso así que nosotras —(15)— en otra residencia hasta el mes próximo. Sigo —(16)— tu carta.

Un abrazo,
Linda

¡A CONOCERNOS!

A. Conteste estas preguntas.

1. ¿Sabe Ud. cuál es la mejor manera de aprender una lengua extranjera? 2. Siendo estudiantes, ¿cómo podemos ganar dinero? 3. ¿Qué está haciendo Ud. en este momento? Y sus compañeros de clase, ¿qué están haciendo ellos? 4. ¿Qué estará haciendo Ud. en el año 2000? 5. ¿Sabe Ud. qué andan haciendo sus amigos de la secundaria? 6. ¿En qué va Ud. interesándose aquí en la universidad? 7. ¿Seguirá Ud. practicando el español después de terminar el curso? 8. ¿Está Ud. a veces harto/a de ser estudiante? ¿Qué hace Ud. cuando está cansado/a de estudiar? 9. ¿Qué hace Ud. para descansar?

B. Ahora hágale unas preguntas similares a un compañero o a una compañera.

SITUACIÓN COMUNICATIVA

Imagínese la siguiente situación y represéntela con un compañero o una compañera.

PATIENT	Tell your doctor that you're following all his recommendations, but you're still gaining a lot of weight.
DOCTOR	Ask your patient whether he/she is continuing to exercise.
PATIENT	Say you still jog once a week.
DOCTOR	Ask your patient whether he/she is still eating five meals a day.
PATIENT	Say you know you're still eating too much.
DOCTOR	Tell your patient he/she should exercise more, eat less, and drink more water.

engordar *to gain weight*   **hacer ejercicio** *to exercise*   **correr** *to jog*

II. El verbo **haber; Haber** como verbo principal; **Haber de** + infinitivo; **Hay que** + infinitivo; Otras expresiones de obligación

«El tiempo que se pierde en España», de Azorín

En la siguiente selección de *La Ruta de Don Quijote,* Azorín escribe sobre un humorista y sociólogo inglés que por su fascinación con la actitud despreocupada de los españoles, prepara un libro titulado *El tiempo que se pierde en España.* El doctor Dekker está encantado de España. *«The best in the world!»* grita a cada momento, entusiasmado.

¿Y por qué se entusiasma de este modo el respetable doctor Dekker? «¡Ah! —dice él, —España es el país donde se espera más». Por la mañana el doctor Dekker se levanta y se dirige confiado a su lavabo; sin embargo, el ilustre miembro del Real Colegio de Cirujanos de Londres sufre un ligero desencanto: en el lavabo no hay ni una gota de agua. El doctor Dekker llama a la criada; la criada ha salido precisamente en este momento y hay que esperar de todos modos siete minutos... ¿Saben en esta casa cuándo ha de desayunarse un extranjero? Seguramente que un extranjero no se desayuna a la misma hora que un indígena; cuando el doctor Dekker demanda el chocolate, le advierten que es preciso confeccionarlo. Otra pequeña observación: en España todas las cosas hay que hacerlas cuando deben estar hechas.

◆ **Azorín** es el seudónimo de José Martínez Ruiz (1873-1967), escritor español, Académico de la Real Academia y autor teatral, que forma parte de la llamada «Generación del 98». El nombre del grupo hace referencia a 1898, año en que España perdió sus últimas colonias: Puerto Rico, Cuba y las Filipinas.

despreocupada *laid-back*   **cirujanos** *surgeons*   **ligero** *slight*   **lavabo** *washbasin*   **gota** *drop*   **criada** *maid*   **confeccionar** *to make*

B. *Preguntas*

1. ¿Qué le fascina al doctor Dekker?   2. ¿Por qué se desencanta en el lavabo?   3. ¿Por qué ha de esperar unos minutos más?   4. ¿Qué hay que hacer cuando alguien pide chocolate?   5. ¿Le gusta o le molesta a Ud. esta actitud despreocupada?   6. Se dice que en el oeste de los Estados Unidos existe también esta actitud. ¿Está Ud. de acuerdo?

C. *El verbo* **haber:** *Formas*

Haber is quite irregular in the present and preterit indicative.

Present		Preterit	
he	hemos	hube	hubimos
has	habéis	hubiste	hubisteis
ha (hay)	han	hubo	hubieron

In the imperfect, **haber** is regular: **había, habías,** etc. In the future and conditional, it has an irregular stem, to which the usual endings are attached: **habré, habría,** and so on.

D. *Haber como verbo principal*

1) Haber as an impersonal verb
   a. In the present tense, the special form **hay** means both *there is* and *there are.*

Hay una persona que pregunta por ti.	*There's a person asking for you.*
Hay muchos empleados que sólo hablan catalán.	*There are many employees who only speak Catalan.*

   b. You may use **haber** impersonally in any tense, but only in the third-person singular. The form used has no subject external to itself; the other words in the phrase are a complement, so the form does not agree in number with them.

Habrá clases para principiantes.	*There will be classes for beginners.*
Anoche había luna llena.	*Last night there was a full moon.*

   The infinitive, present participle, and past participle of **haber** are also used impersonally.

   c. Use the impersonal **haber** to ask about or confirm the existence of a type of person, thing, or activity. Use **estar** to ask about or specify the location of particular persons or things. Use **ser** to ask about or state where an event takes place.

—¿Hay alguien en la tienda?	*"Is there anybody in the shop?"*
—Sí, hay dos personas.	*"Yes, there are two people."*
—Sí, están los dueños.	*"Yes, the owners are there."*
—¿Habrá ventas?	*"Will there be any sales?"*
—Sí, siempre hay ventas allí.	*"Yes, there are always sales there."*
—La venta anual de santos será en la plaza.	*"The annual sale of religious statues will take place in the plaza."*

2) Haber de + infinitive
   You may use **haber de** + infinitive to express a personal duty or obligation that does not involve a very strong sense of compulsion.

Has de aprender la lengua del país, ¿no te parece?	*You have to learn the language of the country, don't you think?*
Habremos de salir temprano para no llegar tarde.	*We'll have to leave early so that we aren't late.*

3) Hay que + infinitive
   You can use impersonal of **haber** (**hay, hubo,** an so on) + **que** + infinitive to express more impersonal obligations and compulsion.

Me dijeron que hay que esperar.	*They told me one must wait.*
Hubo que discutir el asunto hasta que se convencieron.	*It was necessary to discuss the matter until they were convinced.*

E. Otras expresiones de obligación

1) Tener que + infinitive is perhaps the most common expression of obligation or compulsion. A conjugated form of **tener** is used.

¡Con las cosas que tengo que hacer hoy!	*With all the things I've got to do today!*
Uds. tienen que entregar seis composiciones.	*You've got to turn in six compositions.*

2) Deber + infinitive is another common expression of duty or obligation, but it doesn't convey as strong a sense of compulsion as **tener que**. Its best equivalent in English is usually *ought to* or *should*.

Deberías tener paciencia.	*You should be patient.*
Deberíamos preguntar, ¿no crees?	*We should inquire, don't you think?*

Note that the structure **deber de** + infinitive expresses probability, not obligation, and it is equivalent to *must* or *probably*.

—¿Qué hora será?	*"What time could it be?"*
—Deben de ser las cinco.	*"It's probably 5:00."*
Deben de haber decidido ya, ¿no?	*They must have decided by now, don't you think?*

EJERCICIOS

PRÁCTICA

A. **¡Qué curiosidad!** Ud. desea saber muchas cosas. Elija a alguien de la clase y pregúntele lo siguiente. Su colega debe contestar usando el verbo **haber** y luego preguntarle lo mismo a Ud.

1. ¿Qué hay en su cuarto? (Mencione por lo menos cinco cosas.)
2. ¿Qué había en el museo que Ud. visitó?
3. ¿Qué habrá en la bolsa de su colega?
4. ¿Qué hay en el centro de la ciudad donde Ud. vive?
5. ¿Qué habrá en el estadio universitario el próximo fin de semana?

B. **Si vamos a hacer este viaje...** La familia De la Guardia va a viajar por América Central. La señora De la Guardia le hace recomendaciones a la familia. Complete su discurso añadiendo expresiones de obligación apropiadas.

Antes de salir —(1)— hacer muchas cosas. Por ejemplo, —(2)— renovar los pasaportes, conseguir los visados y vacunarnos. Si es posible, Uds. —(3)— leer algunos libros sobre los países que vamos a visitar. Alguien —(4)— llamar a *Tiempo Latino* para informarles que no estaremos aquí y que no —(5)— mandarnos el periódico durante ese tiempo. —(6)— preguntarle a la vecina si nos hace el favor de recoger el correo. Y por favor, no olvidemos que —(7)— desconectar todos los aparatos eléctricos.

¡A CONOCERNOS!

A. Conteste estas preguntas.

1. ¿Qué hay que hacer para ingresar en la universidad? 2. ¿Qué hay que hacer para sacar buenas notas? 3. ¿Qué carrera hay que estudiar para ganar más dinero? 4. ¿Qué hay que comer para mantenerse en forma? 5. ¿Qué tiene Ud. que hacer hoy? ¿Qué debe hacer? ¿Qué quiere Ud. hacer? 6. Siendo niño/a, ¿qué tenía que hacer para complacer a sus padres? 7. ¿Qué cosas tiene Ud. que hacer ahora que no había que hacer cuando Ud. era más joven? 8. ¿Qué deben hacer las personas que quieren vivir por mucho tiempo? 9. ¿Qué deberíamos hacer para ser felices? 10. ¿Debe de ser hora de terminar la clase? 11. ¿Ha de ir Ud. a algún sitio después de la clase? 12. ¿Han de preparar Uds. alguna tarea para mañana?

B. Ahora hágale unas preguntas similares a un compañero o a una compañera.

SITUACIÓN COMUNICATIVA

Imagínese la siguiente situación y represéntela con un compañero o una compañera.

STUDENT You are a foreign student attending a U.S. university. You are surprised by how large the college is. Ask your guide how many students there are.

GUIDE Tell the foreign student that there are 15,000 students at the university. Explain that there must be about 2,000 foreign students.

STUDENT Say that you have to meet a friend in front of the library at noon.

GUIDE Say that there's plenty of time. Tell the student that he or she must see the university's museum before meeting his or her friend.

STUDENT Say that yes, someone had told you there was a beautiful museum at the university. Say that the students must be very proud of it.

Now prolong the conversation as much as you can.

III. El participio pasado; El participio pasado en los tiempos compuestos

A. *Día de la Reina Isabel en Texas*

Este artículo apareció en la revista *América 92,* boletín informativo de la Comisión del Quinto Centenario del Descubrimiento de América.

El Senado y la Cámara de Representantes del estado de Texas, en los Estados Unidos, han declarado el día 22 de abril, fecha del nacimiento de Isabel la Católica, «Día de la Reina Isabel».

Esta declaración no puede dejar de enmarcarse en la toma de conciencia que la aproximación del V Centenario del Descubrimiento de América—con su cúmulo de actividades históricas, culturales y políticas—imprime a ambos lados del Atlántico.

Pero tampoco debe escaparnos la significación política y cultural que tiene este evento en los Estados Unidos, en particular dentro de los estados de profunda raigambre hispánica, como lo es, entre otros, el estado de Texas.

Hace ya tiempo que los Estados Unidos han abandonado su quimera inicial de crear *una* sociedad y *un* hombre nuevos, surgidos de la alquimia de un «crisol de etnias o de culturas» (su vetusto y abandonado «melting pot»). En cambio, han optado por una sociedad basada en las diferencias y en los aportes singulares de las distintas etnias, culturas y denominaciones religiosas que lo componen.

Los considerandos de la Declaración del Senado y la Cámara de Representantes del estado de Texas son indicativos de un cambio en ese sentido. Se habla allí de Texas como de un «bastión del acervo cultural hispánico» y se ponen los viajes del descubrimiento en el umbral «de la colonización de nuestra gran nación, ligándola para siempre con España». El papel histórico de los descendientes de españoles se restablece plenamente: «Muchos hispánicos han muerto para que fuese posible el nacimiento de América y sus descendientes han contribuido inmensamente a la cultura y el lenguaje de los Estados Unidos de América.»

◆ Isabel I de Castilla y su esposo Fernando de Aragón dieron fin al dominio árabe con la reconquista de Granada, y realizaron la unidad de los reinos de España dando origen al estado moderno mientras en el resto de Europa continuaba el sistema político feudal. Convencida por Cristóbal Colón, la reina Isabel patrocinó su aventura que dio como resultado el descubrimiento de lo que hoy es América.

nacimiento *birth* **enmarcarse** *inscribe itself* **cúmulo** *accumulation* **raigambre** *tradition* **quimera** *chimera, fantastic idea* **alquimia** *alchemy, transformation* **aportes** *contributions* **considerandos** *whereas (of a resolution)* **acervo** *wealth* **umbral** *threshold*

B. Preguntas

1. ¿Por qué han declarado el 22 de abril «Día de la Reina Isabel» en Texas?   2. ¿Qué dice este artículo sobre la idea del crisol de etnias y culturas?   3. ¿Qué cambio ha habido?   4. ¿Cómo han contribuido los hispanos en los Estados Unidos?   5. ¿Había estudiado Ud. la historia del descubrimiento en la secundaria?   6. ¿Había oído Ud. esta noticia antes de leer este artículo?

> **Te cuento...**
>
> *Lo que sigue es la letra de una canción popular escrita por María de la A y Carlos Eduardo.*
>
> Te cuento que el jardín ha florecido,
> te cuento que ha llovido esta mañana;
> te cuento que te quiero y no te olvido.
> Te cuento que está abierta mi ventana;
> te cuento que he comprado un libro nuevo;
> te cuento que mi vida está cambiada.
> Te cuento que preguntan mis amigos
> y que contesto «No me pasa nada».

C. El participio pasado: Formas

1) To form a Spanish past participle, add **-ado** to the stem of regular **-ar** verbs and **-ido** to the stem of regular **-er** or **-ir** verbs.

hablar	hablado	*spoken*
comer	comido	*eaten*
vivir	vivido	*lived*

If the stem of an **-er** or **-ir** verb ends in **-a**, **-e**, or **-o**, the **-ido** ending requires a written accent.

traer	traído	*brought*
creer	creído	*believed*
oír	oído	*heard*

Past participles of verbs ending in **-uir** do not take a written accent, because a diphthong is formed.

destruir	destruido	*destroyed*

2) A number of verbs have irregular past participle forms. Among the most common are the following:

abrir	abierto	*opened*
cubrir	cubierto	*covered*
decir	dicho	*said*
escribir	escrito	*written*
hacer	hecho	*done; made*
morir	muerto	*dead*
poner	puesto	*put, placed*
resolver	resuelto	*solved*
romper	roto	*broken*
satisfacer	satisfecho	*satisfied*
volver	vuelto	*returned*

Compounds of such verbs usually follow the same pattern:

descubrir	descubierto	*discovered, uncovered*
predecir	predicho	*predicted, foreseen*
describir	descrito	*described*
deshacer	deshecho	*undone, destroyed*
componer	compuesto	*repaired; composed (of)*
descomponer	descompuesto	*broken, out of order*
devolver	devuelto	*given back, returned*

D. *El participio pasado en los tiempos perfectos*

1) To form perfect tenses in Spanish, use a form of **haber** plus a past participle.

Pretérito perfecto *(present perfect)*

he	hemos
has	habéis
ha	han

Pluscuamperfecto *(past perfect)*

había	habíamos
habías	habíais
había	habían

Futuro perfecto *(future perfect)*

habré	habremos
habrás	habréis
habrá	habrán

Condicional perfecto *(conditional perfect)*

habría	habríamos
habrías	habríais
habría	habrían

$\}$ + *past participle*

2) The past participle always ends in **-o** when used to form a perfect tense; it doesn't agree with the subject in gender or number.

¿Has hecho la tarea?	*Have you done your homework?*
No nos habían compuesto el coche todavía.	*They hadn't repaired our car yet.*
¿Habrá predicho buen tiempo el meteorólogo?	*I wonder if the weatherman has predicted fair weather.*

3) Except when **haber** is used as an infinitive, no word normally comes between a form of **haber** and the past participle in a perfect tense. Negative words and pronouns normally precede the form of **haber**.

Tú no te habías afeitado.	*You hadn't shaved.*
Tú debías haberme escrito antes.	*You should have written me before.*

E. Usos de los tiempos compuestos

1) Pretérito perfecto: Use the present perfect to report past actions or conditions that have an active bearing on the present situation.

He llegado esta mañana temprano.	*I arrived early this morning.*
No he podido hacerlo.	*I haven't been able to do it.*

Ayer, la semana pasada, and similar expressions referring to specific past times normally do not appear in clauses with the present perfect, since the present perfect implies a connection with the present.

Ya hemos leído ese cuento.	*We've already read that story.*
but: Ayer leímos ese cuento.	*We read that story yesterday.*

2) Pluscuamperfecto: Use the past perfect to make it clear that one past action took place before another (either stated or implied). If you want to specify the other past event, in most circumstances you will use the preterit or imperfect to do so.

Me habían dicho que estabas en Caracas.	*They had told me that you were in Caracas.*
Me llevaron a sitios que nunca había visto.	*They took me places that I hadn't seen before.*

3) Futuro perfecto: Use the future perfect to express a future action—that will have taken place or that may have taken place by some future time.

Para las cinco habrá terminado la reunión.	*The meeting will have finished by 5:00 P.M.*
En abril ya habrán comenzado las lluvias.	*By April the rains will have started.*

Use it also to express probability in the past: an action that *must* have taken place.

Lo habrás pasado muy bien, ¿no?	*You must have had a good time, right?*
Cristina habrá sacado muchas fotografías.	*Cristina must have taken many pictures.*

4) Condicional perfecto: Use the conditional perfect to express an action that would have taken place in the past.

Yo habría comprado ese tocadiscos.	*I would have bought that record player.*
Ellos habrían preferido un televisor.	*They would have preferred a television set.*

Use it, not the future perfect, to express a more speculative probability: an action *might* have taken place in the past.

El profesor no estaba allí. Habría salido antes.	*The professor wasn't there. He might have left earlier.*
La calle estaba mojada. Habría llovido.	*The street was wet. It probably rained.*

E. Otros usos del participio pasado

You can use the past participle in several ways other than with **haber.**

1) Use it as an adjective, making it agree in gender and number with the noun you are modifying.

Es una persona muy conocida.	*He is a very well known person.*
Los empleados no están satisfechos de su salario.	*The employees aren't satisfied with their salaries.*

2) Use it with the verb **tener** to refer to a finished state emphasizing the completion of the action. The past participle agrees in gender and number with the noun you are modifying.

La autora tiene ya diez capítulos acabados.	*The author has already got ten chapters finished.*
El profesor Espina tiene publicadas siete obras sobre energía solar.	*Professor Espina has seven books published on solar energy.*
Esta silla tiene rota una pata.	*This chair has a broken leg.*

3) Use it with **lo,** to refer to an abstract idea.

Lo dicho basta.	*What has been said is enough.*
Lo ocurrido es ciertamente triste.	*What happened is certainly sad.*

4) Use it independently, at the head of adverbial phrases. You can use such phrases instead of adverbial clauses to express various conditions: for example, *as soon as, once, when* (referring to a future action), or *after* (referring to a completed action).

Terminado el acto, el presidente salió para la Casa Rosada.	*As soon as the ceremony was over, the president left for the Casa Rosada.*
Celebrada la boda, los invitados almorzaron en el jardín.	*After the wedding was performed, the guests had lunch in the garden.*

5) Use it in contexts where English speakers expect a present participle. Where English uses a present participle to refer to a state or condition, Spanish uses a past participle. The following are common Spanish expressions:

estar acostado	*to be lying down*
estar dormido	*to be sleeping*
estar parado	*to be standing up*
estar sentado	*to be sitting*

El niño estaba sentado en la falda de su madre.	*The child was sitting on his mother's lap.*
Matilde lee el periódico acostada en la cama.	*Matilde reads the paper (while) lying in bed.*

EJERCICIOS

PRÁCTICA

A. **Un hombre de negocios.** El señor Matos está en viaje de negocios. Durante el vuelo se hace las siguientes preguntas. Complételas Ud. usando el verbo **haber** en su forma apropiada. Entonces conteste las preguntas.

1. ¿＿＿ llegado el cheque del Banco Hispanoamericano?
2. ¿＿＿ recibido el contrato que esperábamos del gobierno?
3. ¿＿＿ recordado mi secretaria llamar al señor Bonet?
4. ¿＿＿ aprovechado el tiempo los empleados de la oficina?
5. ¿＿＿ aprobado el Ayuntamiento *(city council)* mi propuesta?
6. ¿Le ＿＿ informado yo a mi familia que voy a estar fuera por más de dos semanas?

B. **Mala suerte.** Usando el tiempo compuesto apropiado, complete la historia de doña Cecilia.

El día de doña Cecilia no —(1)— muy bien. —(2)— el autobús de las ocho y parece que también va a perder el de las nueve. Cuando se despertó, se dio cuenta que no —(3)— el despertador; por eso —(4)— tarde. Nunca le —(5)— a doña Cecilia desayunar rápidamente, pero esta mañana —(6)— que hacerlo. Al salir por fin por la puerta el teléfono —(7)—; era su hija, Enriqueta, que llamaba para decirle a doña Cecilia que no le —(8)— la blusa que le —(9)— para el cumpleaños. Doña Cecilia —(10)— con su hija. Siendo Ud. Enriqueta, ¿le —(11)— Ud. la verdad a su madre? Siendo Ud. doña Cecilia, ¿—(12)— Ud. con su hija?

Clave:
1. empezar   4. levantarse   7. sonar   10. disgustarse
2. perder   5. gustar   8. servir   11. decir
3. poner   6. tener   9. mandar   12. enfadarse

C. **Hablando de Gabriela Mistral.** ¿Quisiera Ud. hablar sobre esta gran poeta chilena? Cambiando los infinitivos a participios pasados, podrá hacerlo.

¿Que si conozco a Gabriela Mistral? Pues, claro que sí. He —(1)— muchas de sus obras. Fue una gran mujer. El amor le hizo escribir sus primeros versos. —(2)— sus relaciones amorosas, —(3)— su noviazgo y —(4)— su novio, ella escribió «Sonetos de la Muerte», ganando así el primer premio de los Juegos Florales de Santiago en 1914. —(5)— sus problemas afectivos e —(6)— por José de Vasconcelos a México, Gabriela comenzó una vida de viajes y conferencias. —(7)— sus poemas en muchas lenguas y —(8)— por todo el mundo, Mistral murió en Nueva York, siendo sus restos —(9)— a su país natal, en 1957.

Clave:
1. leer   4. morir   6. invitar   8. conocer
2. cortar   5. resolver   7. imprimir   9. trasladar
3. romper

La poeta chilena Gabriela Mistral, ganadora de un Premio Nobel, habla
con Adlai Stevenson después de recibir un doctorado honorario en la
Universidad de Columbia en 1952.

D. Un poco de traducción. Un amigo norteamericano me contó lo siguiente. ¿Puede Ud. traducirlo?

1. I've seen Roberto twice this week.   **2.** He's been in the hospital since last Wednesday because he
broke his arm while playing football.   **3.** He says that he hasn't been bored and that he's kept himself
busy.   **4.** He's written several letters to friends, he's done some homework, and he's solved a few
crossword puzzles **(crucigramas)**.   **5.** His girlfriend gave him an interesting book that he hadn't read
before, and he has almost finished it.

¡A CONOCERNOS!

A. Conteste estas preguntas.

1. ¿Sabe Ud. en qué año han abierto el aeropuerto de su ciudad?   **2.** ¿Ha muerto alguna persona
conocida últimamente?   **3.** ¿Había hecho Ud. la tarea antes de venir a clase hoy? ¿Ha contestado Ud.
sinceramente?   **4.** ¿Cuál es el tema de la última composición que Ud. ha escrito?   **5.** ¿Había Ud.
estudiado español antes de empezar los estudios universitarios?   **6.** ¿Tiene Ud. escritos algunos poemas
o algún cuento?   **7.** ¿Cómo prefiere Ud. estudiar, sentado/a o acostado/a?   **8.** ¿Ha hecho Ud. algo este
año que antes decía que nunca iba a hacer? ¿Qué fue?

B. Ahora hágale unas preguntas similares a un compañero o a una compañera.

SITUACIÓN COMUNICATIVA

Imagínese la siguiente situación y represéntela con un compañero o una compañera.

TENANT   Tell the police that you have returned from a short vacation and found the door of your apartment open.

OFFICER   Ask whether the lock was broken and whether anything was missing.

TENANT   Say that your guitar was destroyed and your record player was broken, but that they and your money were there.

OFFICER   Ask if any neighbors or former (**antiguo**) boyfriends or girlfriends could have done it.

TENANT   Say that you have no idea. Say that you have told the apartment manager and have described all that you know.

Now if the officer or the tenant have any more questions, continue the conversation.

ACTIVIDADES

PARA TODOS

Pidiendo consejo. Cada estudiante debe traer a clase una cartita dirigida a la doctora Consuelo Ayuda (equivalente a la doctora norteamericana Joyce Brothers). Su profesor o profesora recogerá todas las cartas y las distribuirá a otros estudiantes. Uds. tienen que preparar su contestación en unos cinco minutos. Después, hay que leer en voz alta las cartas de consulta y las respuestas.

EJEMPLO:

Querida doctora Ayuda:

Soy estudiante de Ciencias Exactas y vivo en una residencia universitaria. Desgraciadamente, tengo que compartir mi cuarto con dos compañeros. Tengo que resolver problemas de cálculo cada noche. A esas horas la biblioteca está cerrada. Mis compañeros deberían callarse pero no lo hacen. No puedo concentrarme. ¿Qué debo hacer?

Desesperado

Querido Desesperado:

Comprendo muy bien su problema. Debe ser muy frustrante para Ud. querer concentrarse en sus estudios y no poder hacerlo. Por supuesto, hay que hablar del asunto con los compañeros. Eso lo primero. Después hay que ponerse unos tapones (*earplugs*) en los oídos. Y si nada de eso funciona, entonces debe poner ante Ud. todos los problemas que ha de resolver para el día siguiente, diciéndose: «Tengo que concentrarme en esto y no debo pensar ni escuchar otra cosa». Hay que usar siempre las mismas palabras en esta técnica de autosugestión. Estoy segura de que Ud. ha de tener éxito.

Dra. Consuelo Ayuda

EN PAREJAS

Preparando el horóscopo. Cada dos estudiantes deben escoger un signo del zodíaco que no sea el suyo. Tienen que preparar un horóscopo similar a los de Madame Rose en unos cinco minutos. Después hay que leérselo a la clase, y cada quien sabrá lo que su horóscopo le dicta.

El horóscopo de Madame Rose

ARIES	ESCORPIO
21 de marzo a 20 de abril	23 de octubre a 21 de noviembre
Tendrá que luchar por algo y hacer frente a enemistades o desacuerdos entre compañeros o superiores. Debe mantener una actitud reservada y diplomática. Aumentarán sus ingresos. Posible viaje corto.	Días propicios para iniciar nuevos estudios o actividades. Debe aprovechar una magnífica oportunidad: un acuerdo que dará resultados muy satisfactorios. Cierta tensión nerviosa que debe controlar.

DE TODO UN POCO

¿Sabía Ud. que...

- ◆ Ecuador viene de la línea ecuatorial que pasa por Quito, su capital, y divide la tierra en dos hemisferios?
- ◆ El Salvador viene de Jesucristo, Salvador del mundo?
- ◆ Guatemala viene del nombre indígena Quauhtlemallan, o sea «tierra de muchos árboles»?
- ◆ Honduras recibió este nombre porque Colón observó la gran profundidad de las aguas en esta región?
- ◆ México viene del nombre del dios azteca de la guerra, Mexitli?
- ◆ Nicaragua viene del nombre de Nícaro, un cacique indio?

Chiste

La mamá está guisando en la cocina, y la niña le pide permiso para ayudarla. «Eres muy pequeña para eso» —le dice la mamá. La niña se va llorando al salón, donde su papá está leyendo el periódico. Tratando de consolarla, éste le dice: «No llores; eres muy grande para eso».

CAPÍTULO 8

Gramática

El modo subjuntivo: Concepto;
 El presente de subjuntivo de los
 verbos regulares e irregulares
El subjuntivo en cláusulas independientes;
 El imperativo; Mandatos con **usted** y
 ustedes
Mandatos con **nosotros, tú** y **vosotros**

Funciones lingüísticas

Aconsejar y pedir que se haga algo
Expresión de esperanza, deseo,
 necesidad y obligación
Mandar, convencer y persuadir
Preguntar con cortesía

Actividades

I. El modo subjuntivo: Concepto; El presente de subjuntivo de los verbos regulares e irregulares

A. ¡Ojalá nos toque el gordo!

Doña Trini y don Simón están dando una vuelta por la Plaza Mayor de Salamanca, España. Se les acerca una mujer vendiendo lotería.

VENDEDORA ¿No me comprarían un numerito, señores? Es para Navidad. Miren qué número tan bonito. ¡Capicúa!

DOÑA TRINI A ver. Ojalá nos toque el gordo esta vez, porque con tantos nietos bien lo necesitamos.

VENDEDORA Gracias, señora. Le deseo que tenga mucha suerte. Y usted, caballero, ¿no quiere que le toque también?

DON SIMÓN Mire, no. Yo prefiero jugar a las quinielas, pensar, calcular... Si acertara, también nos haríamos millonarios.

◆ La ciudad de **Salamanca** es famosa por su universidad, fundada por el rey Alfonso IX de León en 1215. Entre sus profesores más ilustres se encuentran Fray Luis de León (1528–1591), poeta místico y lírico del Siglo de Oro, y Miguel de Unamuno (1864–1936),

poeta, novelista, dramaturgo y filósofo.

◆ La lotería nacional, organizada por el Estado, es un medio muy efectivo de recaudar fondos, porque los españoles son muy aficionados a este juego. Ricos y pobres compran lotería por lo menos para el sorteo de Navidad con la esperanza de que les toque **el gordo,** o premio especial.

entre los hombres españoles es llenar la **quiniela de fútbol,** individualmente o en grupo.

◆ Uno de los pasatiempos más populares

¡Ojalá nos toque el gordo! *I hope we win the grand prize!* **capicúa** *number that reads the same way forward and backward* **quinielas** *soccer pools* **recaudar** *to collect* **sorteo** *drawing*

Plaza Mayor de Salamanca, una ciudad tradicionalmente universitaria de España.

B. Preguntas

1. ¿Qué es un capicúa?   2. ¿Por qué lo compra doña Trini?   3. ¿Qué le desea la vendedora? 4. ¿Por qué prefiere don Simón jugar a las quinielas?   5. ¿Qué le parece a Ud. la idea de la lotería estatal?

C. El modo subjuntivo: Concepto

All verb tenses reviewed in the chapters before this belong to the indicative mood. Speakers use verbs in the indicative mood for simple statements: to ask questions and report matters without comment. On the other hand, they use verbs in the subjunctive mood to indicate statements that are subject to a reservation or personal reaction. The subjunctive mood is used far more often in Spanish than in English, and mastering it is essential for becoming fluent in Spanish.

Several tenses are used in the Spanish subjunctive. The present and imperfect are most common; the present perfect is also widely used.

Compare the following uses of the indicative and subjunctive.

INDICATIVE	SUBJUNCTIVE
Tú siempre **tienes** buena suerte.	Deseo que **tengas** buena suerte.
You're always lucky.	*I hope (that) you have good luck.*
Está lloviendo ahora.	Es posible que **llueva** esta tarde.
It's raining now.	*It's possible it may rain this afternoon.*
Me **tocará** la lotería.	¡Ojalá me **toque** la lotería!
I'll probably win the lottery.	*I hope to win the lottery!*
Llamó más temprano.	Quizás **haya llamado** más temprano.
He called earlier.	*He might have called earlier.*
Si **estudio** mucho, tengo buenas notas.	Si **estudiara** mucho, tendría buenas notas.
If (= when) I study hard, I get good grades.	*If I studied hard, I would get good grades.*

En la Puerta del Sol, centro comercial de Madrid, la gente espera los resultados de la lotería.

Compare the columns of the preceding examples. Verbs in the indicative column are used to make statements without comment. **Me tocará la lotería,** for example, is a flat statement; the speaker may be wrong, but by using an indicative tense, he or she is not inviting us to consider that. Verbs in the indicative also appear in the right-hand column: **deseo, es posible, si estudio.** They make flat statements without comment: *I hope, It's possible, If (= when) I study.*

The subjunctive verbs, on the other hand, mark the clauses in which they occur as being subject to reservation. In **me toque la lotería,** the phrase is presented as a concept—it is something that is hoped (**¡ojalá!**)—not a statement, right or wrong, that the speaker is probably going to win.

Most of the time you can express the reaction or reservation with an indicative verb in a main clause, and the concept thought about in a dependent clause after **que.** The verb in the dependent clause takes the subjunctive.

Because of its subjective, indefinite nature, the subjunctive is almost always found in a dependent clause. Sometimes, however, tags like **¡ojalá!** or **quizás** stand in for the main clause. Sometimes the main clause is suppressed altogether, but the reservation it would have expressed continues to be understood.

D. El presente de subjuntivo: Formas regulares e irregulares

1) To form the present subjunctive of regular verbs, drop the ending **-o** from the first-person singular of the present indicative. For **-ar** verbs add the endings **-e, -es, -e, -emos, -éis, -en.** For **-er** and **-ir** verbs, add the endings **-a, -as, -a, -amos, -áis, -an.**

hablar	comer	vivir
hable	coma	viva
hables	comas	vivas
hable	coma	viva
hablemos	comamos	vivamos
habléis	comáis	viváis
hablen	coman	vivan

2) Verbs that have an irregularity in the first-person singular of the present indicative have the same irregularity throughout the whole conjugation of the present subjunctive. The endings are regular, however.

INFINITIVE	FIRST-PERSON PRESENT INDICATIVE	PRESENT SUBJUNCTIVE
caber	quepo	quepa, quepas,...
conocer	conozco	conozca, conozcas,...
construir	construyo	construya, construyas,...
decir	digo	diga, digas,...
hacer	hago	haga, hagas,...
oír	oigo	oiga, oigas,...
poner	pongo	ponga, pongas,...
venir	vengo	venga, vengas,...
ver	veo	vea, veas,...

3) The following verbs are irregular in the present subjunctive:

dar: dé, des, dé, demos, deis, den
estar: esté, estés, esté, estemos, estéis, estén
haber: haya, hayas, haya, hayamos, hayáis, hayan
ir: vaya, vayas, vaya, vayamos, vayáis, vayan
saber: sepa, sepas, sepa, sepamos, sepáis, sepan
ser: sea, seas, sea, seamos, seáis, sean

4) Stem-changing **-ar** and **-er** verbs retain the same pattern of stem change they had in the indicative. Remember that the **nosotros** and **vosotros** forms do not show the stem change.

INFINITIVE	FIRST-PERSON PRESENT INDICATIVE	PRESENT SUBJUNCTIVE	
encontrar	encuentro	encuentre	encontremos
		encuentres	encontréis
		encuentre	encuentren
poder	puedo	pueda	podamos
		puedas	podáis
		pueda	puedan
pensar	pienso	piense	pensemos
		pienses	penséis
		piense	piensen
entender	entiendo	entienda	entendamos
		entiendas	entendáis
		entienda	entiendan

5) Stem-changing **-ir** verbs (e to ie, e to i, or o to ue) in the present indicative follow the same pattern in the present subjunctive, with one additional change: in the **nosotros** and **vosotros** forms the **e** of the stem is changed to **i**, and the **o** to **u**.

INFINITIVE	1ST PERSON PRESENT INDICATIVE		1ST PERSON PRESENT SUBJUNCTIVE	
	Singular	*Plural*	*Singular*	*Plural*
sentir	siento	sentimos	sienta	sintamos
morir	muero	morimos	muera	muramos
pedir	pido	pedimos	pida	pidamos

E. Usos básicos del presente de subjuntivo

The chapters that follow review when to use and when not to use the subjunctive. For now, notice that if the subjunctive is required in a dependent clause, you can often determine which tense of the subjunctive to use from the tense of the main-clause verb. If the main-clause verb's tense is in the present, present perfect, or future indicative — or is a command — the verb in the dependent clause will be in the present subjunctive.

Main Clause	Dependent Clause
INDICATIVE OR COMMAND	*SUBJUNCTIVE*

PRESENT   PRESENT SUBJUNCTIVE

Es posible   que lo acompañe a comer.
It's possible   *that I'll go and eat with you.*

PRESENT PERFECT   PRESENT SUBJUNCTIVE

Ud. me ha pedido   que lo acompañe a comer.
You have asked me   *to go and eat with you.*

FUTURE   PRESENT SUBJUNCTIVE

Me pedirá   que lo acompañe a comer.
You will ask me   *to go and eat with you.*

COMMAND   PRESENT SUBJUNCTIVE

Permítame   que lo acompañe a comer.
Let me   *go and eat with you.*

In each of these examples, the action of the verb in the dependent clause is temporally either concurrent with or subsequent to that of the verb in the main clause. When no separate main clause exists, the present subjunctive implies futurity.

¡Ojalá tengas suerte en tu examen!   *I wish you luck in your exam.*
Quizás venga mañana.   *Perhaps he'll come tomorrow.*

EJERCICIOS

PRÁCTICA

A. **¡Qué lástima que la gente sea tan chismosa!** Mientras esperaba en la carnicería, María oyó por casualidad un chisme *(gossip)* sobre sus amigos Lupe y Elías. Complételo, usando el presente de subjuntivo de los verbos en la clave.

¿Hay alguien que —(1)— a Guadalupe, la novia de Elías? Dudo que —(2)— una mujer más completa *(perfect),* pero a los padres de Elías no les gusta que su hijo —(3)— con una muchacha de otra ciudad. Temen que ella —(4)— como condición que —(5)— en su tierra, y que Elías no —(6)— bien allá. Es posible que ellos no —(7)— que a su hijo le encanta la independencia. Elías y Guadalupe quieren que su amiga Ángeles, que es arquitecta, les —(8)— una casa con piscina en Guadalajara. Pero entonces es probable que a los padres de Guadalupe les —(9)— ganas de pasar temporadas con ellos.

Clave: 1. conocer   4. poner   6. sentirse   8. construir
         2. haber   5. vivir   7. saber   9. dar
         3. casarse

B. **Más chismes.** Las siguientes oraciones forman parte de una conversación entre dos amigos de

Trinidad. Combine la frase con la exclamación, formando una sola oración con la forma apropiada del subjuntivo.

MODELO: Trinidad no puede ir al cine hoy. ¡Lo siento!
           Siento que Trinidad no pueda ir al cine hoy.

1. Ella estará terminando su tarea. Es posible.
2. Se pasa la tarde mirando telenovelas. ¡Es increíble!
3. Ella y su novio estudian para el examen. Es importante.
4. Trinidad lee muchas novelas policíacas. A sus padres no les gusta.
5. Fuma demasiado. ¡Qué lástima!
6. No quiere salir con nosotros mañana tampoco. ¡Qué raro!
7. Mañana irá con Beto a bailar en la nueva discoteca. A su madre le molesta.
8. Saldrá muy mal en las clases este trimestre. ¡Y me da pena!

C. Formen parejas y háganse las siguientes preguntas.

MODELO: ¿Traes el dinero?   **¿Y para qué quieres que traiga el dinero?**

1. ¿Duermes diez horas?   2. ¿Contestas todas mis preguntas?   3. ¿Te pones el vestido (traje) nuevo?   4. ¿Sabes las últimas noticias?   5. ¿Pides dinero prestado?   6. ¿Haces mucho ejercicio?   7. ¿Vas hoy al teatro?   8. ¿Sales mañana con Conchita?

MODELO: ¿No tiene Cuba bastante industria?
           Pues, será necesario que tenga industria.

9. ¿No conduce bien Pablo?   10. ¿No introducen métodos nuevos?   11. ¿No reducen los gastos?   12. ¿No van muchos niños a la escuela?   13. ¿No saben todas las reglas?   14. ¿No construyen suficientes casas?   15. ¿No te haces la cama cada día?   16. ¿No oyes las noticias cada noche?

MODELO: ¿Comes con tus padres?   **Sí, me han pedido que coma con ellos.**

17. ¿Vienes al laboratorio?   18. ¿Traduces el párrafo?   19. ¿Corriges los errores?   20. ¿Lees revistas científicas?   21. ¿Pones la mesa?   22. ¿Sirves el café?   23. ¿Haces la compra?   24. ¿Tomas vitaminas?

¡A CONOCERNOS!

A. Conteste estas preguntas.

1. ¿Es posible que algunos estudiantes de esta clase sepan ya el subjuntivo?   2. ¿Es bueno que Uds. hagan los ejercicios de cada lección?   3. ¿Les digo yo que oigan las cintas en el laboratorio?   4. ¿Les recomiendo yo que Uds. vean películas en español?   5. ¿Es probable que Uds. puedan ver televisión en español en su residencia?   6. ¿Les he pedido que estudien el Capítulo 18?   7. ¿Es buena idea que yo les pida sus composiciones cada semana?   8. ¿Será posible que todos estén aquí mañana?

B. Ahora hágale unas preguntas similares a un compañero o a una compañera.

SITUACIÓN COMUNICATIVA

Imagínese la siguiente situación y represéntela con un compañero o una compañera.

FATHER   You have just bought your son a car for his birthday. Say that you did it so that he comes to visit the family more often.

SON   Say you really love it and thank him for his generous present.

FATHER   Ask your son to drive carefully and to take good care of the car.

SON   Promise to do what he's asking you to do. Ask him to please pay for your insurance this year.

FATHER   Say you prefer that he find a part-time job (**trabajo de media jornada**) and pay for it himself. And wish him good luck with his new car.

II. El subjuntivo en cláusulas independientes; El imperativo; Mandatos con Ud. y Uds.

A. ¡Tranquilícese Ud.!

Las siguientes reglas aparecieron en la revista *Panorama,* de Madrid.

Reglas de oro para vivir tranquilo

1 Permítase errores y fracasos. No se ponga usted mismo bajo la tensión de tener que obtener siempre éxitos.

2 Aprenda a decir *no* cuando se le exija demasiado.

3 Adelante el despertador media hora. Las prisas son un factor desencadenante del estrés.

4 Dése masajes periódicamente. Relajan no sólo los músculos, sino también la psiquis.

5 Haga deporte. El ejercicio físico ayuda a descargar la tensión y reduce la agresividad.

6 Practique técnicas de relajación. Contraiga sus músculos, manténgalos contraídos y suéltelos.

◆ El **estrés** afecta a más de 3 millones de españoles; es decir, el 15 por ciento de los adultos. Hay 13 millones de fumadores y 3 millones de alcohólicos. Los españoles son los mayores consumidores de medicinas per cápita de toda Europa. Muchas personas solas, deprimidas, agotadas por el trabajo o sin trabajo, recurren a métodos nada aconsejables: fuman hasta por los codos, abusan de la comida, beben demasiado y consumen sedantes y estimulantes.

fracasos *failures* **éxitos** *successes* **exija** *demand (subjunctive)* **desencadenante** *that brings about* **agotadas** *exhausted* **fuman hasta por los codos** *smoke like a chimney*

B. Preguntas

1. ¿Cuáles cree Ud. que son las mayores causas del estrés? 2. ¿Qué le parecen estas reglas de oro? 3. ¿Puede Ud. modificarlas añadiendo dos o tres reglas más?

C. Uso del subjuntivo en cláusulas independientes

As we have seen, the subjunctive is primarily used in dependent clauses. There are several instances, however, in which the subjunctive is used independently.

1) It is used to express what is wished when a separate main clause with a verb of volition is understood. **Que** or **quien** may precede the verb.

¡Viva México!	*Long live Mexico!*
¡Que viva la libertad!	*Long live freedom!*
¡Que les vaya bien!	*May all go well with you!*
¡Que os divirtáis!	*Have fun!*
¡Quién pudiera ser joven otra vez!	*Oh, how I wish I could be young again!*

2) It is used to express what is seriously doubted with adverbs such as **acaso, tal vez, quizás, probablemente, posiblemente,** when those adverbs precede the verb.

Tal vez lo compre hoy (pero no lo creo).	*I may buy it today (but I doubt it).*
Quizás estuvieran allí (pero no los vi).	*They might have been there (but I didn't see them).*

3) To be polite or to soften a statement, the imperfect subjunctive is used instead of the conditional indicative, especially with **querer, haber, deber, poder,** and **valer.**

Quisiéramos ver el menú.	*We would like to see the menu.*
Ud. debiera pagarnos mejor.	*You ought to (should) pay us better.*
Ud. pudiera tener razón.	*You could be right.*

4) The subjunctive is used to convey a wishful message from one person to another. **Que** precedes the subjunctive verb, and a separate main clause with a verb of wishing or command is implied.

(Dile) Que me llame más tarde, por favor.	*Tell him to call me later, please.*
(Mándales) ¡Que apaguen ese televisor!	*Tell them to turn that TV off!*

D. Expresiones de mandato (el imperativo)

Commands can be affirmative *(Leave!)* or negative *(Don't leave!)* They are usually addressed to, or meant for, the persons one is talking to *(Hey you! Leave!),* which in Spanish means the **tú, Ud., vosotros/as,** and **Uds.** forms. But commands can also be meant for the speaker plus others *(Let's leave!):* **nosotros/as.** Or they can be indirect commands meant for outsiders *(Let her leave!):* **él, ella, ellos/as.** To express these affirmative and negative commands in Spanish, use forms of the present subjunctive, except for the affirmative **tú** and **vosotros/as** commands.

	comprar	vender	escribir
Ud.	compre	venda	escriba
Uds.	compren	vendan	escriban

Compre Ud. el libro.	*Buy the book.*
Escriban Uds. la composición.	*Write the composition.*

The negative command is formed by adding **no** before the verb.

No venda la bicicleta.	*Don't sell the bicycle.*

If a verb is irregular in the subjunctive, the irregularity is preserved in the command forms.

Busque su número de teléfono en la guía.   *Look up his telephone number in the*
                                                   directory.

Hagan su tarea y no pierdan el tiempo.   *Do your homework and don't waste time.*

E. Uso de los pronombres con mandatos formales

1) Although the pronouns Ud. and Uds. are generally omitted, you may use them after the verb to soften the command.

Pasen Uds., señoras.   *Come in, ladies.*
Siéntense Uds. aquí.   *Would you sit here, please?*

2) Reflexive and object pronouns are attached to the end of affirmative commands. Two can be attached to the same command: the reflexive or indirect object pronoun comes first, the direct object pronoun second. Attaching pronouns changes the number of syllables in the command; to show that the same syllable is stressed as before, add a written accent.

Traiga la revista. Tráigala. Tráigamela.   *Bring the magazine. Bring it. Bring it to me.*
Devuelvan los exámenes. Devuélvanlos.   *Bring back the exams. Bring them back.*
  Devuélvanmelos.   *Bring them back to me.*

3) Object pronouns precede negative commands. Again, reflexive or indirect object pronouns precede direct object pronouns.

No compres el regalo. No lo compres. No se   *Don't buy the present. Don't buy it. Don't*
  lo compres a él.   *buy it for him.*
No se quiten la chaqueta. No se la quiten.   *Don't take off your jackets. Don't take them*
                                                   off.

EJERCICIOS

PRÁCTICA

A. **La reacción del público.** Las siguientes declaraciones se hicieron en una reunión en Nueva York a la que asistió gente hispana de varias nacionalidades. ¿Qué comentario cree Ud. que haría la gente después de cada declaración?

   MODELO: El Real Madrid ganó el campeonato.   **¡Que viva el Real Madrid!**

   1. La Virgen del Pilar es nuestra patrona y nuestra madre.
   2. Puertorriqueños, nuestro país debe ser independiente.
   3. Juan Padilla será nuestro representante en el Congreso.
   4. Cristóbal y Martín del Valle salieron de la cárcel.
   5. Bienvenidos los Reyes de España a Nueva York.

B. **Siempre anhelando** *(yearning).* Inés nunca está satisfecha. Siempre quiere, siempre busca algo más. Ud. está de acuerdo. Dígaselo según el modelo, seleccionando entre **saber, poder, o tener.**

MODELO: Me gustaría bailar bien.   **¡Quién supiera bailar bien!**

1. No sé jugar al tenis, pero quiero aprender.
2. No tengo dinero para hacer las cosas que quiero.
3. Hace tiempo que busco empleo y no lo encuentro.
4. Me encantaría estar de vacaciones ahora.
5. Querría dormir más horas, pero no puedo.

C. **A veces hay que mandar.** El señor Padilla es muy amable, pero a veces así no consigue lo que quiere. Su esposa le recomienda que use mandatos. Represente el papel de la señora Padilla, cambiando las siguientes sugerencias a mandatos formales.

MODELOS: Muchachos, hay que darse prisa.   **¡Dense prisa, muchachos!**

No se puede fumar.   **¡No fume(n)!**

1. Camarero, ¿me trae la cuenta, por favor?
2. ¿Puede Ud. decirme qué hora es?
3. ¿Me avisa Ud. cuando sea la hora?
4. Uds. irán al laboratorio todos los días.
5. Uds. tienen que empezar a escribir ahora mismo.
6. Es necesario que Ud. tome esta medicina.
7. No es posible que Uds. estacionen su coche aquí.
8. No es bueno que Ud. fume.
9. Ud. siempre llega tarde a clase.
10. ¿Puede Ud. buscarme un apartamento, señorita?
11. No se puede salir por aquella puerta, señores.
12. Está prohibido que Uds. beban vino en la residencia.
13. Hacer ejercicios es bueno para la salud, señora.
14. Es necesario practicar más en el laboratorio, amigos.

D. **¡Prepárense, ciudadanos!** Hay peligro de huracán en el Caribe. Las siguientes recomendaciones aparecieron en un cartel de la Guardia Nacional. Represente el papel del alcalde *(mayor)* de un pueblo de la costa y mándeles a los habitantes que se preparen para el huracán.

MODELO: Es necesario cerrar las puertas.   **Ciérrenlas.**

1. Es necesario reforzar *(reinforce)* las ventanas.
2. Es urgente componer el radio transistor.
3. Es importante hacer las compras ahora mismo.
4. Es preciso comprar pilas *(batteries).*
5. No es posible contar con la corriente durante un huracán.
6. No es conveniente encender las luces.
7. Es necesario tener listas las linternas.
8. Ya no es posible tomar el autobús.
9. Es preciso saber la verdad sobre los peligros.
10. Es bueno sacar los botes del agua.
11. Es mejor darle la noticia al vecino.
12. Es necesario cerrar los negocios del pueblo.

E. **Bueno, pues...** Alguien hace una sugerencia y Ud. la acepta. Dé una orden afirmativa o negativa usando pronombres.

MODELOS: Es conveniente devolverle el libro a su compañero.
           Bueno, pues... devuélvaselo.
           No es necesario ponerse sombrero para la boda.
           Bueno, pues... no se lo ponga.

1. Es conveniente darles las gracias a los amigos.
2. No es necesario hacerle un regalo a la profesora.
3. Es importante decirle la verdad a sus padres.
4. Es preferible no contarle la verdad a la abuelita.
5. Es urgente explicarle el problema al profesor.
6. No es buena idea darles dulces a los niños.
7. Es agradable comerse un buen helado.
8. No está permitido beberse una cerveza en el coche.
9. Está prohibido llevarse flores de los jardines públicos.
10. Es necesario preguntarle su edad.

F. Imagínese que Ud. es profesor(a) y su compañero o compañera es estudiante. Hágale a él o ella las primeras cuatro preguntas; entonces cambien los papeles (*change roles*).

MODELOS: P. ¿Les recomiendo algunas novelas?
           E. **Sí, recomiéndenoslas.**
           P. ¿Les doy un examen difícil?
           E. **No, no nos lo dé.**

1. ¿Les hablo más despacio o más de prisa?
2. ¿Les doy más trabajo?
3. ¿Prefieren Uds. que yo les corrija todos los errores?
4. ¿Les recomiendo algunas revistas en español?
5. ¿Les hago preguntas más complicadas?
6. ¿Les doy los temas para composición?
7. ¿Les devuelvo sus exámenes después de corregirlos?
8. ¿Les doy una prueba mañana?

SITUACIÓN COMUNICATIVA

Imagínese la siguiente situación y represéntela con un compañero o una compañera.

RECEPTIONIST   You are the receptionist at a clinic. Tell the patient to come in, sit down, and make himself or herself comfortable.

PATIENT   *(half an hour later)* Ask the receptionist to tell the doctor that you are here and to give you the forms to fill out.

RECEPTIONIST   Tell the patient to fill out the forms and to bring them back to you. Ask him or her to please be patient.

PATIENT   *(half an hour later)* Tell the receptionist to call the doctor again. You are really angry.

RECEPTIONIST   Tell the patient to calm down. When the patient continues to rant and rave, tell him or her to leave.

formularios *forms*   **calmarse** *to calm down*

Esperando ver al médico en un pueblo cerca de Cuernavaca, México.

III. Mandatos con **nosotros, tú** y **vosotros**

A. ¡Hablemos de trucos infalibles!

Los siguientes «Trucos de la semana»
aparecieron en una revista femenina española.

*Para aliviar un dolor de muelas, coge un trozo de algodón, empápalo en alcohol y préndele fuego. Luego, apaga la llama, cierra los ojos y aspira por la nariz el humo que se desprende.

*Reduzcamos la grasa de las salchichas. Antes de freírlas, hiérvelas en una solución de agua y vino blanco.

*Aliviemos los pies fatigados. Tomad nota de esta vieja fórmula: 50 gramos de alumbre en polvo, 100 gramos de talco y 10 de arcilla sulfurosa. Rociaos los pies y veréis cómo alivia.

◆ Siempre hay en las familias hispánicas una abuela o una tía con algún «remedio casero» para todo. Así no hay que gastar mucho dinero en productos «especiales» para cada caso.

dolor de muelas *toothache*   trozo de algodón *cotton ball*   empápalo *soak it*   llama *flame*   se desprende *is given off*   hiérvelas *boil them*   alumbre *alum*   arcilla sulfurosa *sulfuric clay*   rociaos *sprinkle*

B. Preguntas

1. ¿Qué debo hacer cuando me duelen las muelas?   2. ¿Cómo podré comer salchichas sin mucha grasa?   3. ¿Qué tenemos que hacer después de caminar mucho?   4. ¿Conocía Ud. alguno de estos trucos? ¿Cuál?   5. ¿Podría Ud. recomendarnos un truco infalible?

C. Mandatos con nosotros

1) The **nosotros** command in Spanish, which corresponds to *let us (let's)* and *let us not (let's not)* in English, has the same form as the first-person plural of the present subjunctive.

Comamos juntos y hablemos del asunto.
Let's have dinner together and talk about this matter.

No nos quedemos aquí más tiempo.
Let's not stay here any longer.

2) One exception is the affirmative **vamos** *(let's go)*. The negative is regular: **no vayamos** *(let's not go)*.

—¡Vamos al cine!
"Let's go to the movies!"
—No vayamos todavía. No son más que las seis y media.
"Let's not go yet. It's only 6:30."

3) **Vamos a** + infinitive can also be used for the **nosotros** command form.

¡Vamos a hacer algo, compañeros!
Let's do something, you guys.

4) When the reflexive **nos** is added to the affirmative command, the final -s of the **nosotros** form is dropped.

Levantemos.   Levantémonos.
Vamos.   Vámonos.

D. Mandatos con tú y vosotros

1) Tú

a. Informal singular (**tú**) affirmative commands for regular verbs have the same form as the third-person singular of the present tense of the indicative. The pronoun **tú** is used only rarely, for emphasis.

Third-Person Present Indicative	tú Command
Andrés toma un café.	Andrés, toma un café.
Andrés is having coffee.	*Andrés, have some coffee.*
Herminia lee la novela.	Herminia, lee la novela.
Herminia is reading the novel.	*Herminia, read the novel.*

b. There are eight irregular affirmative **tú** commands:

di (decir)	**ve** (ir)	**sal** (salir)	**ten** (tener)
haz (hacer)	**pon** (poner)	**sé** (ser)	**ven** (venir)

Carmen, di la verdad.	*Carmen, tell the truth.*
Haz la tarea, Marcos.	*Do your homework, Marcos.*
Sé amable con los invitados.	*Be nice to the guests.*
Ten paciencia, amigo.	*Be patient, my friend.*

c. The negative **tú** commands have the same form as the second-person singular of the present subjunctive.

No vuelvas a hacer eso.	*Don't do that again.*
No llegues tarde.	*Don't be late.*

2) Vosotros

a. Informal plural (**vosotros**) affirmative commands are formed by dropping the **-r** of the infinitive ending and adding **-d.**

¡Hablad menos y comed más, niños!	*Talk less and eat more, children!*
¡Venid enseguida!	*Come at once!*

b. Although the **vosotros** command is standard in Spain, there is a tendency there to use the infinitive instead when the command is not accompanied by direct or indirect object pronouns.

¡Hablar menos y actuar más!	*Talk less and do more!*

c. The final **-d** is dropped before the reflexive **-os** is added.

¡Levantaos y vestíos inmediatamente, dormilones!	*Get up and get dressed immediately, sleepyheads!*

d. Negative **vosotros** commands have the same form as the second-person plural of the present subjunctive.

¡No gritéis tanto, chicos!	*Don't shout so much, you guys!*

3) Reflexive and object pronouns are added to informal commands the same way they are added to the formal commands: they precede negative commands but follow and are attached to affirmative commands.

No os acostéis tarde.	*Don't go to bed late.*
No se lo digáis a él.	*Don't tell (it to) him.*
Danos una lección de trucos.	*Give us a lesson on tricks.*

EJERCICIOS

PRÁCTICA

A. **Todos quieren algo.** Jaime habla con sus amigos Leo y Cristina. Leo piensa que Jaime debe complacer a todo el mundo; Cristina cree que debe pensar en sí mismo. Dé los mandatos informales afirmativos de Leo y los mandatos informales negativos de Cristina.

MODELO: Quieren que yo haga todo el trabajo.
   L.   **Hazlo, pues.**
   C.   **¡Qué va! No lo hagas si no quieres.**

1. La profesora de química quiere que lea dos capítulos para mañana.
2. Mis padres dicen que tengo que escribirles una vez a la semana.
3. Uds. desean que yo abra el regalo de cumpleaños, pero prefiero esperar.
4. Mis abuelos quieren que les mande una foto de mi novia.
5. Rosa me pide que le pague la entrada del concierto.
6. Mi hermana siempre está rogándome que deje los cigarrillos.
7. Uds. me han dicho varias veces que les traiga vino.
8. Todos quieren que yo les haga caso.

B. **Pues... bueno.** Margarita siempre acepta las sugerencias de su esposo, Ramón. Represente el papel de Margarita y cambie las opiniones a mandatos informales afirmativos o negativos.

MODELOS: R.   Es importante decir la verdad.
   M.   **Pues, dila.**

   R.   No es conveniente explicarles el caso a los niños.
   M.   **Bueno, no se lo expliques.**

1. Es recomendable beber mucha leche.
2. Está prohibido tomar drogas.
3. Hay que pagar la factura (*bill*) del agua.
4. No debo acostarme tarde.
5. Tengo que levantarme temprano mañana.
6. No es bueno que yo les dé tantos dulces a los niños.
7. Sería buena idea devolverle los esquís a Pancho.
8. No es necesario comprarle una raqueta nueva a Lupita.
9. Es preferible enviarle la carta a tu tío.
10. No es urgente entregarle el cheque al dueño de la casa.

C. Hagámonos preguntas.

MODELOS: A   ¿Debemos cantar esta canción?
   B   **Sí, cantémosla.**

   A   No necesitamos salir todavía, ¿verdad?
   B   **No, no salgamos todavía.**

1. ¿Debemos escribir una composición larga?
2. No necesitamos escribir todos los ejercicios, ¿verdad?
3. ¿Debemos quedarnos en casa hoy?
4. No necesitamos quedarnos en clase ahora, ¿verdad?
5. ¿Salimos a dar un paseo?
6. No tenemos que salir ahora, ¿verdad?
7. ¿Nos reunimos en casa de Tere?
8. No necesitamos reunirnos hasta las siete, ¿verdad?
9. ¿Debemos apagar el televisor?
10. No necesitamos apagar el radio, ¿verdad?

SITUACIÓN COMUNICATIVA

Imagínese la siguiente situación y represéntela con un compañero o una compañera.

PARENT   Tell your child to get up at once and get ready for school.

CHILD   Ask your mother or father to let you sleep for 5 more minutes. Tell him or her to wake you up in exactly 5 minutes.

PARENT   Tell your child to wash up and get dressed.

CHILD   Explain that you can't get up without music. Ask your parent to turn on the radio and to turn it up loud. Then tell him or her to leave, because you're awake now. Say "Don't worry."

PARENT   Remind your child to make his or her bed before coming to the table. Tell him or her not to be late.

ACTIVIDADES

EN GRUPITOS

A. El robot hispanohablante. La clase se divide en grupitos de cuatro estudiantes. Imagínense que Uds., los miembros de cada grupito, son dueños de un robot que entiende y habla español. Uds. deben programarlo dándole una serie de instrucciones que sigan una secuencia lógica. Si Uds. quieren, por ejemplo, que su robot responda cada vez que alguien llame a la puerta, Uds. deben enseñarle los pasos a seguir. Una vez programado, el robot puede responder de manera automática.

EJEMPLO:

Programa para abrir la puerta
Instrucciones para el robot

UDS.		ROBOT	
Camina hacia la puerta.		Él camina hacia allí.	
Abre la puerta.		La abre.	
Pregunta: ¿Quién es?		Hace la pregunta.	
Dime quién ha venido y qué quiere.		Lo hace.	

Piensen ahora en otras tareas que podría hacer su robot y preparen las instrucciones necesarias para lo siguiente:

◆ despertarlos a una hora todos los días y a otra hora diferente los fines de semana
◆ prepararles una taza de café con o sin azúcar
◆ ayudarlos a vestirse
◆ conjugar verbos... o cualquier otra cosa

Ahora solamente necesitan un robot para programarlo. Cada estudiante debe ser el robot una vez. ¿De acuerdo?

B. Dando órdenes e instrucciones. Ahora representen una o varias de las situaciones siguientes con los estudiantes de su grupo.

◆ una madre dándole órdenes a sus hijos pequeños

◆ una policía de tráfico dando órdenes a la gente

◆ un auxiliar de vuelo dando órdenes a los pasajeros

◆ un cocinero explicando cómo preparar un plato

◆ una doctora dando instrucciones a un paciente

PARA TODOS

Aviso comercial en televisión. Imagínense ahora que quieren convencer a otros para que compren el producto que Uds. fabrican o venden. Inspirándose en los avisos que siguen, preparen un aviso describiendo su producto y exhortando a los otros a comprarlo. Vendan un televisor, un libro, una cafetera, un reloj, un automóvil, un elefante... o lo que quieran; pero sean persuasivos. Su profesor o profesora designará a los vendedores, si no hay voluntarios.

DE TODO UN POCO

Más refranes

A ver si Ud. adivina el equivalente inglés de estos refranes españoles.

1. Más vale tarde que nunca.
2. Barriga llena, corazón contento.
3. Ayúdate tú y Dios te ayudará.
4. Aprendiz de todo, maestro de nada.
5. A caballo regalado no le mires el diente.

1. Better late than never. 2. The way to a man's heart is through his stomach. 3. God helps those who help themselves. 4. Jack of all trades, master of none. 5. Don't look a gift horse in the mouth.

LECTURA IV

Pablo Neruda:
Vida y obra

◆ READING HINTS ◆

Reading Poetry

Reading poetry in a foreign language can be more difficult than reading prose, because a poet often rearranges word order to produce a particular rhythm or rhyme. A few simple techniques can help you understand a poem more easily.

1. Connect the lines of poetry so that they form complete sentences.
2. Identify word functions just as you would for prose (see Lectura III).
3. Rearrange word order as necessary to find a basic meaning for each sentence; then consider what further meaning the poet created by choosing to order the words that way.
4. Work out a chronology: what happened first, second, and so on.
5. If certain kinds of words are repeated frequently (such as an unusual number of adverbs) or if there are no active verbs, try to imagine why.

◆ PREPARACIÓN PARA LA LECTURA ◆

Vocabulario

SUSTANTIVOS

el canto   *song, singing*
el cónsul   *consul*
el desarrollo   *development*
el enfoque   *focus*
la envidia   *envy*
la obra   *work (of art)*
el país natal   *native country*
el pensamiento   *thought, thinking*
la reencarnación   *reincarnation*
el regreso   *return*
el seudónimo   *pseudonym*
la tiranía   *tyranny*
el traidor/la traidora   *traitor*
el tomo   *volume (of a series of books)*
la vocación   *vocation, calling*

ADJETIVO

sencillo/a   *simple*

VERBOS

acabar   *to finish, to end*
afiliarse a   *to join (a union, political party)*
aparecer   *to appear (on the scene), come into view*
denunciar   *to denounce*
desaparecer   *to disappear*
elogiar   *to praise*
luchar (por)   *to fight, struggle (for)*
nacer   *to be born*
parecer   *to seem, appear to be*

PALABRAS ÚTILES PARA HABLAR DE POESÍA

la poesía   *poetry*
el poema   *poem*
el/la poeta   *poet*
el/la escritor(a)   *writer*
comprometido   *politically committed*
el verso   *line (of poetry)*
la estrofa   *stanza*
la rima   *rhyme*
el verso libre   *free verse*
la oda   *ode*
la imagen   *image*
la metáfora   *metaphor*

EJERCICIOS

A. **Palabras emparentadas.** Busque en la lista de vocabulario un sustantivo relacionado con cada verbo que sigue. Luego, úselo en una oración que aclare el significado.

MODELO: reencarnar   **la reencarnación**
          Carlos cree en la reencarnación porque cree que volverá a nacer.

1. regresar   3. pensar   5. envidiar   7. tiranizar
2. cantar   4. desarrollar   6. enfocar   8. traicionar

B. Complete cada oración con la palabra apropiada tomada de la lista de vocabulario.

1. Para ocultar su verdadera identidad, un escritor usa un ＿＿.
2. Muchos jóvenes tienen dificultad en escoger una carrera porque no sienten ninguna ＿＿.
3. Aquí tengo un solo ＿＿, pero si quieres ver la ＿＿ completa de Neruda, puedes ir a la biblioteca.
4. Mientras en Washington nuestro representante es el embajador, en Los Ángeles es el ＿＿.
5. Aunque he pasado casi toda mi vida en el extranjero, siempre siento nostalgia por mi ＿＿ porque allí está todavía la mayoría de mis parientes.
6. Si uno quiere cambiar las condiciones sociales, es necesario ＿＿ a un partido político y participar en política.
7. ¿En qué año ＿＿ tu padre si ahora tiene setenta años?
8. Los derechos humanos no se ganan fácilmente; hay que ＿＿ por ellos.
9. Necesito saber cuándo se ＿＿ el semestre para hacer mis planes para las vacaciones.
10. Tus empleados trabajarán bien si sabes ＿＿los frecuentemente.
11. Marta es una mujer de conciencia que insiste en ＿＿ todos los abusos que encuentra.
12. No tolero una vida de exceso; soy un hombre de gustos ＿＿.

C. Escriba una oración con cada una de las palabras que siguen.

1. parecer   2. aparecer   3. desaparecer

◆ INTRODUCCIÓN AL TEMA ◆

Pablo Neruda (1904–1973), ganador del premio Nobel en 1971, es el poeta latinoamericano más celebrado de los años recientes. Nació en Chile con el nombre de Neftalí Reyes Basualto, pero en 1920 adoptó el seudónimo de Pablo Neruda para ocultar *(hide)* de su padre su vocación de poeta. Sus obras mejor conocidas son *Veinte poemas de amor y una canción desesperada* (1924), *Residencia en la tierra, Canto General* (1950) y *Odas elementales* (1954, 1956, 1957, 1959), pero escribió prolíficamente y su obra completa llena muchos tomos.

Pablo Neruda: Vida y obra

Pablo Neruda es un poeta de muchas voces. Es imposible categorizarlo porque su obra poética es el fruto de su experiencia vasta y variada. A través de su poesía es posible trazar[1] el desarrollo de su pensamiento, pero sería inútil calificar cualquiera de sus poemas como típico de su obra. La selección que se ha hecho aquí trata de dar, en un espacio muy limitado, una idea de la diversidad de su obra y su profunda humanidad. | *to trace*

En el siguiente poema, «Muchos somos», Neruda trata de definirse a sí mismo, con un resultado humorístico e irónico. Apareció el poema en 1958, en *Estravagario,* escrito por el poeta ya maduro, bien conocido y muy admirado. El tono es ligero[1], coloquial y juguetón[1]. | *light / playful*

De tantos hombres que soy, que somos
no puedo encontrar a ninguno:
se me pierden[1] bajo la ropa, | **se...** *they get lost*
se fueron a otra ciudad.

Cuando todo está preparado
para mostrarme inteligente
el tonto[1] que llevo escondido | *the fool*
se toma la palabra en mi boca.

Otras veces me duermo en medio
de la sociedad distinguida
y cuando busco en mí[1] al valiente | **busco...** *I look inside myself for*
un cobarde que no conozco
corre a tomar con mi esqueleto
mil deliciosas precauciones.

Cuando arde[1] una casa estimada | *burns*
en vez del bombero[1] que llamo | *firefighter*
se precipita[1] el incendiario[1] | *comes running / arsonist*
y ése soy yo. No tengo arreglo[1]. | *There's no hope for me.*
Qué debo hacer para escogerme?

Cómo puedo rehabilitarme?
Todos los libros que leo
celebran héroes refulgentes[1] | *radiant*
siempre seguros de sí mismos:
me muero de envidia por ellos,
y en los filmes de vientos y balas[1] | *bullets*

me quedo envidiando al jinete[1],
me quedo admirando al caballo.

Pero cuando pido al intrépido
me sale el viejo perezoso[1],
y así yo no sé quién soy,
no sé cuántos soy o seremos.
Me gustaría tocar un timbre[1]
y sacar el mí verdadero
porque si yo me necesito
no debo desaparecerme.

horseman, rider

lazy old man

tocar... *press a button*

Pablo Neruda parecía buscar una nueva forma de expresarse con cada libro de poemas que publicaba, y por eso, más de una vez tuvo dificultad en encontrar una editorial[1] para publicar una obra nueva. Tal fue el caso del libro que lo lanzó[1] a la fama a los veinte años y que ahora es su obra más vendida, *Veinte poemas de amor y una canción desesperada.* Los poemas de este volumen rompieron con el idealismo y los eufemismos del pasado; trataron el tema del amor con una sensibilidad concreta y una pasión anhelante[1], a través de imágenes de carne y hueso[1].

publishing house
launched

yearning
flesh and blood

Neruda pasó los años de 1927 a 1933 de cónsul en Rangún, Colombo, Yakarta[1] y Singapur. Alejado[1] de su propia cultura y lengua, siguió escribiendo. Los poemas de esta época se publicaron en 1933 y 1935 en *Residencia en la tierra.* Son testimonio de una crisis personal expresada de un modo condensado y surrealista. La acumulación de imágenes en el poema «*Walking Around*» presenta un mundo sofocante por el cual el poeta anda[1] vacilante, cansado y solo.

Rangoon, Colombo,
  Djakarta / separated from

wanders

Sucede[1] que me canso de ser hombre.
Sucede que entro en las sastrerías[1] y en los cines
marchito[1], impenetrable, como un cisne de fieltro[1]
navegando en un mar de origen y ceniza[1].

Sucede que me canso de mis pies y mis uñas[1]
y mi pelo y mi sombra.
Sucede que me canso de ser hombre.

It so happens
tailors' shops
wilted / felt swan
ashes

nails

De 1934 a 1938, Neruda estuvo de cónsul en España y sintió la tragedia de la Guerra Civil Española (de 1936 a 1939) en carne propia. De esta época nació su poesía comprometida, en la que denunciaba la tiranía, la sangre humana cruelmente derramada[1] y la destrucción de una España inocente y amada. En *España en el corazón* (1936–1937) trató de explicar su conversión:

spilled

Os voy a contar todo lo que me pasa.

Yo vivía en un barrio
de Madrid, con campanas[1]

bells

con relojes, con árboles.

Desde allí se veía
el rostro¹ seco de Castilla   *face*
como un océano de cuero¹.   *leather*
Mi casa era llamada
la casa de las flores, porque por todas partes
estallaban¹ geranios: era   *burst forth*
una bella casa
con perros y chiquillos.

Y una mañana todo estaba ardiendo¹   *burning*
y una mañana las hogueras¹   *bonfires*
salían de la tierra
devorando seres,
y desde entonces fuego,
pólvora¹ desde entonces,   *gunpowder*
y desde entonces sangre¹.   *blood*

Venid a ver la sangre por las calles,
venid a ver
la sangre por las calles,
venid a ver la sangre
por las calles!

De España pasó a Francia y a México y luego volvió a Chile. Unos meses
después de su regreso fue elegido¹ senador de la República de Chile y en julio   *elected*
del mismo año 1945 se afilió al Partido Comunista de Chile. La política y la
poesía se entrelazaron¹ por el resto de su vida, aunque sólo partes de su obra   *se... were intertwined*
son políticas en tono y contenido. La política le ofreció un medio constructivo
para luchar por los derechos humanos¹ y de esta manera mostrar la solida-   *human rights*
ridad con el hombre sencillo que elogiaba en su poesía.

No se puede hablar de Neruda sin mencionar su *Canto General,* publicado
en 1950. Es un libro monumental que abarca¹ la historia y geografía de   *covers*
América; exalta la naturaleza y a los hombres que forjaron¹ la grandeza que es   *forged*
América, y a la vez satiriza y denuncia a los dictadores y traidores que la   *la... would have destroyed it*
habrían derrumbado¹. De la segunda sección, titulada «Alturas de Machu
Picchu», se ha dicho que no tiene paralelo en la poesía contemporánea.

En 1954 apareció el primero de cuatro tomos de *Odas elementales,* de tono
y enfoque totalmente distintos. En las odas cultivó una poesía más ligera y
humorística, en la que elogiaba los objetos comunes y cotidianos¹ como el   *daily*
diccionario, la alcachofa¹, los calcetines, el castaño y el cactus de la costa. En   *artichoke*
más de 250 odas, escritas en verso libre, Neruda parece seguir un proceso
sencillo para transformar un objeto humilde en algo elevado y sublime. Un
ejemplo es su «Oda a la cebolla¹», dedicada a una verdura¹ que es una parte   *onion / vegetable*
íntegra de la comida diaria de los pobres de Chile.

Cebolla,
luminosa redoma[1],   *flask*
pétalo a pétalo
se formó tu hermosura,
escamas[1] de cristal te acrecentaron[1]   *scales / te... increased your size*
y en el secreto de la tierra oscura
se redondeó tu vientre de rocío[1].   *se... your dewy belly was rounded*
Bajo la tierra
fue el milagro[1]   *miracle*
y cuando apareció
tu torpe tallo[1] verde   *awkward stem*
y nacieron
tus hojas como espadas[1] en el huerto[1],   *swords / garden*
la tierra acumuló su poderío[1]   *power*
mostrando tu desnuda transparencia,
y como en Afrodita[1] el mar remoto   *Aphrodite (goddess of love)*
duplicó la magnolia
levantando sus senos[1],   *breasts*
la tierra
así te hizo,
cebolla,
clara como un planeta
y destinada
a relucir[1],   *shine*
constelación constante,
redonda rosa de agua,
sobre
la mesa
de las pobres gentes.

Neruda murió de cáncer en 1973. Sabía de qué sufría y que le quedaba poco tiempo de vida, pero parece que aceptaba la muerte con cierta intuición de la eternidad. El distinguido crítico y escritor Fernando Alegría, que conocía bien a Neruda, cuenta la siguiente anécdota de su muerte.

Una tarde de 1973... Neruda le dice al doctor Francisco Velasco, que conoce muy bien su condición:

— ¿Y tú crees que se acaba todo con la muerte?

El doctor, observando la mirada de perfil del vate[1], mezcla de superior   *bard's profile*
sabiduría[1] y burla[1], y presintiendo[1] la confidencia, responde que sí. Todo se   *wisdom / mockery / anticipating*
acaba.

— Yo —dice Neruda— creo, por supuesto, en la reencarnación.

La pregunta que sigue es como dictada por él:

— ¿Y en qué te vas a reencarnar tú?

— En pájaro —contesta Neruda— naturalmente.

— ¿Y en qué clase de pájaro?

— En águila[1].   *eagle*

El doctor acepta la respuesta como una metáfora.

En marzo de 1974 —enterrado¹ ya Neruda en el Cementerio General de   *buried*
Santiago—, el doctor Velasco regresaba de su jornada¹ diaria en el Hospital   *day's work*
de Valparaíso a «La Sebastiana», la casa que compartió¹ durante años con los   *he shared*
Neruda. Acercándose, advirtió¹ una aglomeración de vecinos en la puerta de   *noticed*
calle, alguna conmoción inusitada¹. A sus preguntas respondieron que un   *unusual*
pájaro se había metido en la parte de la casa donde estaba el escritorio del
poeta y que, a pesar de los esfuerzos del cuidador¹, resultaba imposible hacer-   *caretaker*
lo salir. El doctor subió armado de una escoba¹, entró a la pieza¹ y se enfrentó¹   *broom / room / faced*
con el extraño¹ visitante. Era un aguilucho¹, pájaro de las montañas chilenas,   *strange / eaglet*
hosco¹, casi fiero¹, que de espaldas contra la pared aleteaba¹ frenéticamente   *surly / fierce / was flapping*
defendiéndose con todas sus fuerzas de sus atacantes. El aguilucho volaba
desatentado¹ dándose golpes contra la ventana y el techo, estirando¹ las ga-   *disoriented / stretching / claws*
rras¹, perdiendo terreno¹. Crispado¹, pálido, el doctor consiguió¹ abrir los   *losing ground / Nervous / managed to*
postigos¹ y, empujándolo¹ con el palo, puso al aguilucho en libertad.   *shutters / pushing it*

COMPRENSIÓN DE LA LECTURA

Conteste las siguientes preguntas.

1. ¿Cuándo y dónde nació Neruda?
2. ¿Cómo ocultó su vocación de su padre?
3. ¿En qué año ganó el premio Nobel?
4. ¿Qué libro publicó cuando tenía veinte años?
5. ¿Por qué pasó Neruda muchos años en el extranjero?
6. ¿Qué tipo de poesía escribió Neruda mientras estaba en el oriente?
7. ¿Cómo cambió el poeta al presenciar la Guerra Civil Española?
8. ¿Qué hizo después de su regreso a Chile en 1945?
9. ¿Qué es una oda? ¿De qué habla Neruda en sus odas?
10. ¿Qué ocurrió en marzo de 1974?

INTERPRETACIÓN DE LA LECTURA

Conteste las siguientes preguntas.

1. En el poema «Muchos somos», ¿qué problema plantea el poeta? ¿Cuáles son los ejemplos que da de su problema? ¿Siente Ud. un problema semejante?
2. ¿Habrá alguna posible explicación lógica para la crisis personal expresada en los poemas de *Residencia en la tierra* en 1933 y 1935?
3. ¿Por qué usa Neruda un título en inglés para el poema «*Walking Around*»?
4. ¿Cómo se traduce **sucede que...**? ¿Qué tono introduce el poema inmediatamente?
5. Al explicar su compromiso político, ¿qué imágenes contrasta Neruda en el poema de *España en el corazón* para poner de relieve los horrores de la guerra civil? ¿Cuál es el color que une las imágenes, y qué representa en cada una? ¿Qué efecto tiene la repetición?
6. ¿Cuál era la actitud de Neruda hacia la muerte? ¿En qué creía Neruda que iba a reencarnarse?

REPASO GRAMATICAL

Escriba las siguientes oraciones de nuevo, cambiándolas al tiempo pasado, escogiendo entre el pretérito y el imperfecto.

1. Pablo Neruda <u>parece</u> buscar una nueva forma de expresarse en cada libro de poemas que <u>publica</u>, y por eso, más de una vez <u>tiene</u> dificultad en encontrar una editorial para publicar una obra nueva. Tal <u>es</u> el caso del libro que lo <u>lanza</u> a la fama a los veinte años.

2. De 1934 a 1938, Neruda <u>está</u> de cónsul en España y <u>siente</u> la tragedia de la Guerra Civil Española (de 1936 a 1939) en carne propia. De esta época <u>nace</u> su poesía comprometida, en la que <u>denuncia</u> la tiranía, la sangre humana cruelmente derramada y la destrucción de una España inocente y amada. En *España en el corazón* <u>trata</u> de explicar su conversión.

CREACIÓN

Los siguientes vegetales y frutas aparecen en las odas de Neruda, transformadas por la imagen en temas dignos de canto. Lea las imágenes abajo y trate de emparejarlas con la fruta o vegetal descrita por Neruda. ¿Puede Ud. explicar la relación entre la imagen y el objeto?

Vocabulario útil

alcachofa *artichoke*	conmovedor/a *moving*
ciruela *plum, prune*	tierno/a *tender*
sandía *watermelon*	ámbar *transparent liquid*
copa *goblet*	morado *purple*
guerrero *warrior*	
víscera *innards*	

1. la alcachofa	a. recién caída del Paraíso
2. las papas fritas	b. una copa amarilla; de ácida, secreta simetría
3. la cebolla	c. la lanza verde que se cubre de oro
4. el tomate	d. el bulbo conmovedor
5. la ciruela	e. la fruta del árbol de la sed
6. el limón	f. la alegría del mundo
7. el maíz	g. planeta anaranjado; fruta del fuego
8. la manzana	h. guerrero de tierno corazón
9. la naranja	i. pequeña copa de ámbar morado (purple)
10. la sandía	j. una roja víscera; un sol fresco

Respuestas: 1.h, 2.f, 3.d, 4.j, 5.i, 6.b, 7.c, 8.a, 9.g, 10.e.

TEMAS DE DISCUSIÓN O DE COMPOSICIÓN

El poeta y la poesía

◆ ¿Qué actitudes hacia el poeta y la poesía predominan en la cultura norteamericana? ¿Por qué? ¿Cómo acepta Ud. a alguien que le dice que es poeta? ¿Qué diría su padre si Ud. le indicara *(indicated)* la intención de dedicar su vida a ser poeta?

◆ ¿Qué opina Ud. de la poesía o de la literatura comprometidas? ¿Las defiende o las rechaza? ¿Por qué? Busque en la biblioteca ejemplos de la poesía comprometida de Neruda y coméntelos con sus compañeros de clase. Dos posibilidades serían «Canto de amor a Stalingrado» e «Invitación al Nixoncidio». ¿Qué opinan Ud. y sus compañeros acerca de este tipo de poesía —como poesía— como compromiso humano y político?

◆ Prepare una presentación sobre la vida y obra de un(a) poeta a quien Ud. admira y que quiere presentar a sus compañeros.

Capítulo 9

Gramática

El imperfecto de subjuntivo; Los tiempos
compuestos de subjuntivo

Cláusulas dependientes e independientes;
El subjuntivo en cláusulas dependientes;
El subjuntivo en cláusulas sustantivas:
Después de verbos de volición,
influencia, emoción y obligación

El subjuntivo después de verbos
de percepción, opinión, duda y negación

Funciones lingüísticas

Expresión de creencia e incredulidad

Expresión de duda, posibilidad y
probabilidad

Expresión de esperanza, deseo, necesidad,
intención y obligación

Expresión de lástima y miedo

Negación

Actividades

I. El imperfecto de subjuntivo; Los tiempos compuestos de subjuntivo

A. *Sería interesante que asistieran a una corrida*

Los señores Smith visitaron a sus socios, los Gil, en Marbella, España. Éstos les
propusieron que los acompañaran a una corrida.

SR. GIL   Nos gustaría que Uds. vinieran a los toros con nosotros mañana.

SRA. SMITH   ¡Ojalá pudiéramos aceptar su invitación! Nos hubiera encantado poder
complacerlos, pero sinceramente no estamos de acuerdo con la corrida.

SR. SMITH   Miren, sencillamente opinamos que no hay razón para hacer sufrir a un
animal indefenso.

SR. GIL   Bueno, son toros de lidia, ¿no?, toros bravos...

SRA. GIL   Yo los comprendo muy bien. Sobre todo después de las últimas cogidas, yo
ya no disfruto tanto como antes.

◆ Desde principios de siglo, diez de los
mejores **toreros** españoles han muerto a consecuencia de una cogida. Paquirri, el héroe de
los años setenta, murió en Córdoba en sep-

Un momento de ansiedad en la corrida de toros en Sevilla, región que tiene fama de criar los toros más bravos de España.

tiembre del 84; Yiyo, de apenas veintiún años, murió en Colmenar Viejo (cerca de Madrid), en septiembre del 85. Pero los aficionados continúan llenando las plazas de España, México, Colombia y Venezuela, a pesar de la creciente oposición a la «fiesta brava».

corrida *bullfight* socios *business partners* los toros *bullfight* complacerlos *to please you* indefenso *defenseless* toros de lidia, toros bravos *fighting bulls* cogidas *gorings*

B. *Preguntas*

1. ¿Qué les propusieron los Gil a los Smith? 2. ¿Por qué no aceptaron ellos la invitación?
3. ¿Por qué los comprende la Sra. Gil? 4. ¿Hubiera aceptado Ud. ir con los Gil a los toros? ¿Por qué (no)?

C. *El imperfecto de subjuntivo: Formas*

1) To form the imperfect subjunctive, remove the **-ron** ending from the third-person plural of the preterit indicative and choose an ending from one of the following two sets. The **-ra** forms are standard in Spanish America. Both the **-ra** and **-se** forms are commonly used in Spain. (Notice that the **nosotros/as** form in both sets requires an accent in the stem.)

yo	-ra	nosotros	-ramos	yo	-se	nosotros	-semos
tú	-ras	vosotros	-rais	tú	-ses	vosotros	-seis
él, ella, Ud.	-ra	ellos, ellas, Uds.	-ran	él, ella, Ud.	-se	ellos, ellas, Uds.	-sen

hablar				
hablara	habláramos		hablase	hablásemos
hablaras	hablarais		hablases	hablaseis
hablara	hablaran		hablase	hablasen

comer				
comiera	comiéramos		comiese	comiésemos
comieras	comierais		comieses	comieseis
comiera	comieran		comiese	comiesen

vivir				
viviera	viviéramos		viviese	viviésemos
vivieras	vivierais		vivieses	vivieseis
viviera	vivieran		viviese	viviesen

pensar				
pensara	pensáramos		pensase	pensásemos
pensaras	pensarais		pensases	pensaseis
pensara	pensaran		pensase	pensasen

volver				
volviera	volviéramos		volviese	volviésemos
volvieras	volvierais		volvieses	volvieseis
volviera	volvieran		volviese	volviesen

pedir				
pidiera	pidiéramos		pidiese	pidiésemos
pidieras	pidierais		pidieses	pidieseis
pidiera	pidieran		pidiese	pidiesen

2) You can produce the imperfect subjunctive forms for all verbs, regular and irregular, in the same way. Just remember, if the third-person plural preterit stem has an irregularity, use that same irregular stem for all forms of the imperfect subjunctive. The endings never vary.

INFINITIVE	UDS. FORM, PRETERIT	YO FORM, IMPERFECT SUBJ.	INFINITIVE	UDS. FORM, PRETERIT	YO FORM, IMPERFECT SUBJ.
andar	anduvieron	anduviera	leer	leyeron	leyera
caber	cupieron	cupiera	morir	murieron	muriera
construir	construyeron	construyera	poder	pudieron	pudiera
creer	creyeron	creyera	poner	pusieron	pusiera
dar	dieron	diera	querer	quisieron	quisiera
decir	dijeron	dijera	saber	supieron	supiera
estar	estuvieron	estuviera	tener	tuvieron	tuviera
haber	hubieron	hubiera	traer	trajeron	trajera
hacer	hicieron	hiciera	venir	vinieron	viniera
ir / ser	fueron	fuera	ver	vieron	viera

D. Usos básicos del imperfecto de subjuntivo

1) When the verb in the main clause is in the imperfect, preterit, conditional, or past perfect, and the subjunctive mood is required in the dependent clause, use the imperfect subjunctive.

MAIN CLAUSE: INDICATIVE   DEPENDENT CLAUSE: IMPERFECT
                                                        SUBJUNCTIVE

IMPERFECT	Me decía *He told me*	
PRETERIT	Me dijo *He told me*	que lo pensara bien. *that I should think it over carefully* *(to think it over carefully).*
CONDITIONAL	Me diría *He would tell me*	
PAST PERFECT	Me había dicho *He had told me*	

2) The imperfect subjunctive is used after a main verb in the present when the speaker is referring to an action prior to that of the main verb.

Es probable que digan la verdad.   *It's probable they are telling the truth* (now).
Es probable que dijeran la verdad.   *It's probable they told the truth* (before).

3) When used alone, the imperfect subjunctive implies futurity or more doubt than does the present subjunctive; it also means *"it isn't, but I wish it were."*

¡Ojalá nos tocara la lotería!   *How I wish we'd win the lottery!* (but the
                                                              chances are so remote).

¡Ojalá te sintieras bien!   *I wish you were feeling better!* (I know
                                                              you're feeling sick).

E. El subjuntivo en los tiempos compuestos

1) The present perfect subjunctive is formed with the present subjunctive of **haber** plus a past participle.

haya
hayas
haya
hayamos   hablado   comido   vivido
hayáis
hayan

2) When do you use the present perfect tense of the subjunctive? When (a) the verb in the main

clause is in the present or future; (b) the subjunctive mood is required in the dependent clause; and (c) the dependent verb refers to an earlier time than the main verb.

MAIN CLAUSE: INDICATIVE	DEPENDENT CLAUSE: PRESENT PERFECT SUBJUNCTIVE
PRESENT	No creo	que hayan vivido en Guatemala.
	I don't believe	*that they have lived in Guatemala.*
FUTURE	Te llamaré	cuando haya llegado el correo.
	I'll call you	*as soon as the mail has arrived.*

3) The past perfect subjunctive is formed with the imperfect subjunctive of **haber** plus a past participle.

hubiera	hubiese			
hubieras	hubieses			
hubiera	hubiese	hablado	comido	vivido
hubiéramos	hubiésemos			
hubierais	hubieseis			
hubieran	hubiesen			

4) When do you use the past perfect tense of the subjunctive? When (a) the verb in the main clause is in the imperfect, preterit, conditional, past perfect, or conditional perfect; (b) the subjunctive mood is required in the dependent clause; and (c) the dependent verb refers to an earlier time than the main verb.

MAIN CLAUSE: INDICATIVE — DEPENDENT CLAUSE: PAST PERFECT SUBJUNCTIVE

IMPERFECT

No era cierto
It wasn't true that they had robbed the bank.

PRETERIT

Negaron
They denied that they had robbed the bank.

PAST PERFECT

No nos habíamos enterado de
We hadn't found out that they had robbed the bank.

CONDITIONAL

Sería posible
It would be possible for them to have robbed the bank.

CONDITIONAL PERFECT

Habría sido terrible
It would have been terrible had they robbed the bank.

que hubieran robado el banco.

5) As a main verb, the past perfect subjunctive implies a wish or a situation that is contrary to fact.

¡Cómo hubiera querido estar allí aquel día!   *How I would have liked to be there that*
                                                        day!

¡Ojalá me lo hubieras advertido!   *How I wish (If only) you had warned me!*

EJERCICIOS

PRÁCTICA

A. ¡Qué sorpresa! Pilar le cuenta a Verónica cómo ella y las amigas organizaron una fiesta en su honor sin que ella se diera cuenta. Complete la narración con el imperfecto de subjuntivo de los verbos de la clave.

No queríamos que tú —(1)— lo que estábamos planeando. Era necesario que tu novio, Emilio, nos —(2)— con la fiesta que queríamos hacerte para celebrar tu compromiso. Las amigas querían que yo —(3)— todos los arreglos; tuve que engañarte para que no —(4)— nada. Por eso le pedí a Emilio que te —(5)— que Uds. se iban de baile el sábado. Pero todo se complicó cuando tú insististe en que Emilio nos —(6)— a salir con Uds. Aunque el pobre Emilio te explicó que era imposible que Roger y yo —(7)— con Uds., que él dudaba que nosotros —(8)— libres el sábado, tú seguías insistiendo. Por fin, como temíamos que tú —(9)— cuenta de lo que estaba ocurriendo, les dijimos que nos —(10)— a buscar a las nueve. Afortunadamente mis padres se ofrecieron a que nosotros —(11)— la fiesta en casa. Pero entre nosotros no había nadie que —(12)— que —(13)— éxito, que —(14)— sorprenderte. Pero no tenías ni idea, ¿verdad?

Clave: 1. saber   4. adivinar   7. ir   10. venir   13. tener
         2. ayudar   5. decir   8. estar   11. hacer   14. lograr
         3. hacer   6. invitar   9. darse   12. creer

B. Tiene que haber alguna explicación. Dante es instructor de esquí en Bariloche. Se hizo muy amigo de una familia norteamericana que estaba de vacaciones en la Argentina. Como no vinieron a la pista de esquí para despedirse de él, Dante fue a su hotel.

Complete las oraciones con el pretérito perfecto (present perfect subjunctive) de subjuntivo. Escoja entre estos verbos: **dejar, ir, llegar, marcharse, romperse, salir, ver, volver.**

1. Es probable que los Bartlett ya _____ para el aeropuerto.
2. ¿Cómo es posible que _____ sin despedirse de mí?
3. No encuentro a nadie que los _____.
4. Me extraña que el Sr. Bartlett no me _____ un recado.
5. Es una lástima que no _____ a cenar juntos ellos y yo.
6. ¡Cómo siento que Don _____ la pierna!
7. A lo mejor me llamarán en cuanto _____ a Buenos Aires.
8. ¿Puede ser que _____ a la pista en camino al aeropuerto?

C. **¡Si me lo hubieras dicho!** Camilo trabaja para un buscatalentos *(talent scout);* Camilo y Ángel son aficionados a la «salsa». Complete el diálogo con el pluscuamperfecto de subjuntivo (past-perfect subjunctive) de los verbos en la clave.

A.   No sabía que tu jefe te —(1)— entradas para el concierto del sábado pasado. ¡Cómo nos —(2)— asistir!

C.   Ojalá que tú me lo —(3)— antes. Si —(4)— que a Uds. les gustaba la «salsa», se las habría dado.

A.   Oye, ¿te gustó el concierto? Marisol me contó que estaba muy contenta de que la —(5)—.

C.   Ojalá que lo —(6)— antes. Ella y yo lo pasamos muy bien el sábado.

Clave: 1. regalar   3. decir   5. llamar
             2. gustar   4. saber   6. hacer

¡A CONOCERNOS!

A. Conteste estas preguntas.

1. ¿Le pide su profesor(a) que escriba composiciones para esta clase? ¿Le dijo que escribiera una composición para hoy? ¿Sobre qué tema le dijo que escribiera? 2. Cuando Ud. era más joven, ¿le pedían sus profesores que hiciera la tarea todos los días? 3. ¿Le ordenaban sus padres que viniera a casa directamente? 4. ¿Le mandaban sus padres que se hiciera la cama? 5. ¿Le pedían que se limpiara el cuarto? 6. ¿Qué otras cosas le mandaban sus padres que hiciera? 7. Imagine que Ud. ayer ordenó un libro en la librería. ¿Cree Ud. que haya llegado? 8. ¿Le avisarán cuando haya llegado? 9. ¿Sería un problema si no hubiera llegado ese libro para la semana próxima?

B. Ahora hágale unas preguntas similares a un compañero o a una compañera.

SITUACIÓN COMUNICATIVA

Imagínese la siguiente situación y represéntela con un compañero o una compañera.

ADVISOR   You are talking with a student who is considering quitting school. Say that you would like him or her to think about it very seriously.

STUDENT   Say that if you hadn't already thought about it, you wouldn't be in his or her office.

Una cordobesa consulta con su profesor en la Universidad de Córdoba, España.

ADVISOR   Tell the student that you didn't think he or she was the type of person who gave up so easily.

STUDENT   Explain that you didn't know it was so difficult to be a college student and that you wished someone had told you before you started.

ADVISOR   Tell the student to come back when he or she has made a decision.

consejero/a *advisor*   **dejar de estudiar** *quitting school*   **darse por rendido** *to give up*   **tomar una decisión** *to make a decision*

II. Cláusulas dependientes e independientes; El subjuntivo en cláusulas dependientes; El subjuntivo en cláusulas sustantivas: Después de verbos de volición, influencia, emoción y obligación

A. *«¿Quién es la Nela?», de Galdós*

Lo siguiente es un extracto de *Marianela,* novela de Benito Pérez Galdós.

—¿Quién es la Nela? Nadie. Ella sólo es algo para el ciego. Si sus ojos me ven, me caigo muerta. … Él es el único para quien la Nela no es menos que los gatos y los perros. Me quiere como quieren los novios a sus novias, como Dios manda que se quieran las personas. Madre de Dios, ya que vas a hacer la maravilla de darle la vista, hazme hermosa a mí o mátame, porque para nada estoy en el mundo. … ¿Siento yo que le des la vista? No, no es eso. Yo quiero que él vea. Lo que no quiero es que mi Pablo me vea, no. ¡Madre mía! me arrojaré al río. Yo no debí haber nacido.

Y luego dando una vuelta en la cesta seguía:

—Mi corazón es todo para él. ¡Oh! Si yo fuese grande y hermosa; si yo tuviera la figura, la cara y el tamaño, sobre todo el tamaño, de otras mujeres; si yo pudiese llegar a ser señora; si yo fuera como las demás. ¡Oh Madre de Dios, para qué permitiste que le quisiera yo y que él me quisiera a mí!

◆ **Benito Pérez Galdos** nació en Las Palmas de Gran Canaria (España) en 1843 y murió en 1920. Uno de los mejores novelistas de su época, se dedicó a retratar en sus obras el Madrid de la segunda mitad del siglo XIX. Entre sus obras, calificadas de realistas, se destaca *Marianela* (1878), historia tierna y patética de una adolescente fea e infeliz, pero con un alma sensible y poética que sólo dos personas saben ver: Golfín, hombre de ciencia, y Pablo, que la conoce y ama desde su corazón ciego pero que la ignora al recuperar la vista. Marianela muere de vergüenza de sí misma.

ciego *blind man*   **cesta** *basket*   **tamaño** *size*   **tierna** *tender*   **vergüenza** *shame*

Benito Pérez Galdós. Retrato por Joaquín Sorolla.

B. Preguntas

1. ¿Qué quiere Nela y qué no quiere ella?   2. ¿Qué piensa ella que pasaría si la viera su novio?   3. ¿Qué desearía Nela?   4. ¿Qué importancia tiene la belleza física para el novio de Nela? ¿Y para Ud.?   5. ¿Qué cualidades le gustaría a Ud. que tuviera su novio/a?

C. Cláusulas dependientes e independientes: Concepto

1) Chapter 8 introduced the terms *main clause* and *dependent clause.* A clause may have from one to very many words, but it always has a conjugated verb (a verb with a person/number ending). Main clauses, also called independent clauses, express a complete thought: you could cut off your sentence at the end of the main clause, and no grammatical clue would tell your listener that you had suppressed something.

Estudiaré hasta las cinco de la tarde.   *I'll study until 5:00 P.M.*

Dependent clauses, in contrast, cannot stand alone. Their meaning depends on another clause, even if it is unexpressed. If the listener doesn't understand an unexpressed clause, the grammar of the expressed dependent clause will seem puzzling and incomplete.

Puzzling dependent clauses—main clauses not understood:

Hasta que me canso.   *Until I get tired.*
Hasta que tú llegues.   *Until you arrive.*

Main clauses standing alone:

Estudio.   *I study.*
Estudiaré.   *I will study.*

Dependent clauses that make sense because the main clauses are understood:

— ¿Cuánto tiempo estudias?   *"How long do you study?"*
— (Estudio) Hasta que me canso.   *"(I study) Until I get tired."*
— ¿Cuánto tiempo vas a estudiar?   *"How long are you going to study?"*
— (Estudiaré) Hasta que tú llegues.   *"(I'll study) Until you arrive."*

2) Dependent clauses take the place of nouns, adjectives, and adverbs.

  a. You can use *noun clauses* in place of nouns.

Deseo { NOUN / tu amor. / NOUN CLAUSE / que tú me ames. }   *I want* { *your love.* / *that you love me.*[1] }

  b. You can use *adjective clauses* in place of adjectives.

¿Conoces una doctora { ADJECTIVE / bilingüe? / ADJECTIVE CLAUSE / que hable inglés y español? }   *Do you know* { *a bilingual doctor?* / *a doctor who speaks English and Spanish?* }

[1]This English sentence is phrased to help you see the structure of the Spanish sentence. Standard English would use an infinitive phrase: *I want you to love me.* Spanish grammar differs from English grammar in many points; this is one of them. In Spanish, if the subjects of the verbs in the main and dependent clauses are different (yo, tú), you usually need a conjugated verb, not an infinitive phrase, in the dependent clause. A few exceptions are discussed in Section D. 3.

c. You can use *adverb clauses* in place of adverbs or adverbial phrases such as the following.

◆ Adverbs of time, purpose, condition, concession, result, or manner. These clauses are usually introduced by a preposition followed by *que.*

Te pagaré {
ADVERB
mañana.
ADVERB PHRASE (NO VERB)
después de la fiesta.
ADVERB CLAUSE
    (CONJUGATED VERB)
después de que regreses de
    la fiesta.
}
I'll pay you {
tomorrow.

after the party.

*after you return from
    the party.*
}

◆ Adverbial *if*-clauses that imply a condition that is contrary to fact.[2]

Si no lloviera hoy, jugaría al tenis.   *If it weren't raining* (but it is), *I'd play
                                                    tennis.*

◆ Adverbial *as if*-clauses that imply a hypothetical condition or one that is contrary to fact.

Me saludó **como si** no hubiera pasado nada.   *He greeted me **as if** nothing had happened*
                                                    (but it had).

D. *El subjuntivo en cláusulas sustantivas*

1) Use a subjunctive verb in the dependent noun clause when the verb in the main clause expresses the following:

a. Desire or necessity

Quiero que me acompañes.   *I want you to accompany me.*
Necesitaban que les mandáramos su ropa   *They needed us to send their winter clothes
   de invierno enseguida.*   immediately.*

b. Requests or commands

Te pido que me dejes ir a California, papá.   *I'm asking you to let me go to California,
                                                    Dad.*

La juez le ordenó que pagara su multa.   *The judge ordered him to pay his fine.*

---

[2]When *if* means *whenever,* the indicative is used: **Si no llueve, juego al tenis.** (If [= whenever] *it doesn't rain, I play
tennis.*)

c. Permission, prohibition, or advice

La jefa le permite que haga el viaje.	*The boss is permitting him to take the trip.*
Los dueños me prohíben que conduzca el camión.	*The owners forbid me to drive the truck.*

d. Emotion and feeling (including verbs that imply joy, sorrow, surprise, hope, fear: **alegrar, encantar, sentir, dar pena, dar lástima, sorprender, esperar,** and **temer**)

A mi abuela le alegra que le escriba.	*My grandmother is happy that I write her.*
Me sorprendió que me llamaras.	*I was surprised that you called.*
Espero que no digas nada.	*I hope you won't say anything.*
Temía que lo supieran los cuates.	*I was afraid my buddies would find out.*

Use the subjunctive after **ojalá,** because a verb of wishing or hoping is understood.

¡Ojalá (que) me dejen ir a la sierra!	*I hope they let me go to the mountains.*
¡Ojalá (que) hubieras venido a la fiesta!	(It would have been better) *If only you had come to the party.*

2) When your main clause merely records, verifies, or documents the source of the dependent statement, without commenting on it or implying that it is hypothetical, use a verb in the indicative in your dependent noun clause.

Me dijeron que cantas muy bien.	*They told me you sing very well.*
Creo que vas a enojarte conmigo.	*I think* (= I recognize that) *you are going to get mad at me.*

3) You may use an infinitive phrase or a clause with the subjunctive after the following verbs:

aconsejar	exigir	impedir	permitir	recomendar
dejar	hacer	mandar	prohibir[3]	sugerir

La doctora le prohíbe que coma helados.	} *The doctor forbids him to eat ice cream.*
El doctor le prohíbe comer helados.	
Les mandó que limpiaran el barco.	} *She ordered them to clean up the boat.*
Les mandó limpiar el barco.	

---

[3]Note the use of accents in two forms of **prohibir**. Present indicative: **prohíbo, prohíbes, prohíbe, prohibimos, prohíben;** present subjunctive: **prohíba, prohíbas, prohíba, prohibamos, prohíban.**

EJERCICIOS

PRÁCTICA

A. **¿Indicativo o subjuntivo? Ése es el problema.** Complete las oraciones siguientes con la forma apropiada de los verbos señalados.

1. (ser / pasar) Recuerdo que ____ tu cumpleaños hoy y te deseo que ____ un feliz día.
2. (llover) Han dicho que ____ hoy pero no deseo que ____ hoy.
3. (haber) Los empleados quieren que ____ más vacaciones; saben que ____ fiesta el Día del Trabajo en muchos países del mundo.
4. (aumentar) Los obreros esperan que ____ su salario pronto y la gerencia afirma que les ____ el salario dentro de seis meses.
5. (volver) Enrique le ha prometido a Adela que ____ para casarse con ella. Pero la pobre Adela teme que él no ____ nunca.
6. (salir) Como la Srta. Henry siempre saca buenas notas, sus profesores esperan que ella ____ bien en los exámenes finales. Y la señorita espera que también ____ bien sus compañeros.

B. **Creación.** Escoja una palabra de cada columna para crear sus propias oraciones con el infinitivo y el subjuntivo. Añada cualquier detalle que se le ocurra.

MODELO: **Como hubo un accidente grave en esta calle, la policía nos impidió pasar.**
          Durante la manifestación la policía impidió que pasáramos.

policía	prohibir	fumar
consejero/a	recomendar	divorciarse
profesores	impedir	pasar
abogado/a	permitir	comer
padres	mandar	conducir
esposo/a	exigir	demandar (*sue*)

C. **Expresemos nuestros sentimientos.** Hable con un compañero o una compañera y complete estas oraciones.

1. A mis padres les gustaría (que)...
2. Cuando éramos chiquitos mis hermanos/amigos y yo deseábamos (que)...
3. A mi novio/a le sorprendió (que)...
4. Me alegra mucho (que)...
5. Siento mucho (que)...
6. A los profesores les da lástima (que)...

D. **¡Ojalá!** Imagínese cinco cosas que Ud. verdaderamente desea. Exprese sus deseos con **ojalá (que)** y el subjuntivo.

MODELOS: Ojalá me llame mi novio/a hoy.
           Ojalá pudiéramos vernos pronto.

E. Una buena sugerencia fue la del consejero académico de Liz. Tradúzcala Ud. al español.

1. My advisor suggested that I take a foreign language this quarter.   2. I'm glad I'm taking Spanish, and I'm happy that my best friend is in my class, too.   3. The teacher demands that we always speak Spanish and she insists on our preparing every exercise in the workbook.   4. She wants us to know how to speak well by the end of the course.   5. She has recommended that we try to take a trip to a Spanish-speaking country.

¡A CONOCERNOS!

A. Conteste Ud. estas preguntas.

1. ¿Quieren sus padres que Ud. estudie en esta universidad?   2. ¿Necesita Ud. que su familia le mande dinero?   3. ¿Espera que lo/la visite algún pariente pronto?   4. ¿Le sorprendió que lo/la admitieran en esta universidad?   5. ¿Siente Ud. que sus amigos de la secundaria no puedan asistir a esta misma universidad?   6. ¿Teme Ud. que no lo/la aprueben en alguna asignatura (*subject*)?   7. ¿Qué asignaturas le aconseja su consejero/a que estudie?   8. ¿Nos permite la policía que aparquemos en lugares prohibidos?   9. ¿Ha recibido Ud. alguna multa alguna vez?   10. ¿Quién le ordenó que pagara la multa?   11. ¿Le gustaría que alguien lo/la llamara por teléfono hoy?   12. ¿Le encantaría que alguien lo/la invitara a cenar?   13. ¿Qué le encantaría que le regalaran para su cumpleaños?

B. Ahora hágale unas preguntas similares a un compañero o a una compañera.

SITUACIÓN COMUNICATIVA

Imagínese la siguiente situación y represéntela con un compañero o una compañera.

MRS. VERDÚ   Tell your servant that you'd love to have croissants for breakfast.

SERVANT   Ask Mrs. Verdú if she knows another bakery in the area, because **La Croissantería** is closed for vacation.

MRS. VERDÚ   Say you hope **La Panadería Ideal** is open, but you advise her to call before going.

SERVANT   Say that **La Ideal** is closed also, and that you are sorry that she can't have the croissants today. Ask what else she would like to have. Then tell her whether it is available or not. Continue for as long as possible.

croissant *panecillo de media luna*

III. El subjuntivo después de verbos de percepción, opinión, duda y negación

A. *Ovni sobre la Argentina*

Esta noticia apareció en un periódico en español.

Varios ovni, avistados en la zona

En la noche del domingo, Mario Ance, locutor de Radio Nacional de San Miguel de Tucumán, regresaba en automóvil hacia esta ciudad por los valles calchaquíes, en compañía de su hijo y un amigo, cuando se quedó sin gasolina. «A las 20.30», relató, «mientras esperábamos socorro, cayó sobre nosotros una potente luz, que nos paralizó. Era como si nos estuvieran observando. Esto duró varios minutos, mientras nosotros nos manteníamos dentro del vehículo. Luego, también de pronto, volvió la oscuridad, y minutos después pasó otro coche que pudo auxiliarnos».

También el domingo la tripulación y pasajeros de un aparato de Aerolíneas Argentinas en vuelo Santiago del Estero–Buenos Aires pudieron observar durante varios minutos dos objetos volantes no identificados que siguieron al aparato desplazándose en trayectorias insólitas en la navegación aérea. Santiago del Estero es otra provincia norteña fronteriza con Salta y con Tucumán.

Dos redactores del diario porteño *Clarín* que viajaban en el aparato tomaron hasta 36 fotografías de una esfera luminosa, parpadeante y polícroma, que parecía estar relacionada con otro objeto triangular menos destellante.

Por dos horas de la mañana del lunes, y también en las provincias norteñas del Chaco y Santa Fe, cientos de personas observaron otro ovni que permanecía quieto o se desplazaba lentamente, proyectando hacia tierra un potente foco de luz blanca.

◆ La Argentina se divide en provincias que equivalen a los estados norteamericanos. Las provincias de Salta, Santiago del Estero, Chaco, Tucumán y Santa Fe se encuentran al norte de la capital.

◆ Los calchaquíes eran indios que vivían en el noroeste antes de la llegada de los españoles.

ovni *(objeto volador no identificado) UFO (unidentified flying object)* **locutor** *radio announcer* **socorro** *help* **tripulación** *crew* **aparato** *airplane* **desplazándose** *moving* **redactores** *staff writers* **parpadeante** *blinking* **destellante** *glittering*

B. *Preguntas*

1. ¿Qué vio Mario Ance? 2. ¿Qué observaron la tripulación y pasajeros de un avión argentino? 3. ¿De qué tomaron fotografías los redactores de *Clarín?* 4. ¿Cree Ud. que existen los ovni? ¿Duda que existan? 5. ¿Qué opina la mayoría de la gente sobre este tema? 6. ¿Niega Ud. que haya seres en otros planetas? 7. ¿Niega Ud. que los argentinos vieron luces extrañas?

C. El subjuntivo en cláusulas sustantivas (continuación)

When you are using a dependent noun clause, sometimes you have to cast its verb in the subjunctive, sometimes in the indicative. How can you tell which mood to use? It all depends on the verb used in the main clause.

1) In the main clause, verbs of perception or opinion, such as **notar, observar, oír, ver, creer, parecer, pensar,** and **sospechar,** require either of the two moods, based on the following considerations.

a. statements

◆When your main clause is *affirmative* (that is, it just documents the truth of the dependent statement), use the indicative in the dependent clause.

Me parece que ese chico está loco.	*It seems to me that that kid is crazy.*
Creo que existen seres en otros planetas.	*I believe there are living beings on other planets.*

◆When your main clause is *negative* (that is, you are saying you *don't* perceive or believe the dependent statement), use the subjunctive in the dependent clause.

No me parece que ese chico esté loco.	*It doesn't seem to me that that kid is crazy.*
No creo que existan seres en otros planetas.	*I don't believe there are living beings on other planets.*

b. questions

In forming questions, when you use a verb of opinion or perception (**creer, estar seguro de, imaginar...**) in your main clause, use either the indicative or the subjunctive in your dependent clause, depending on whether the question is straightforward or you already have a preconception of its answer.

◆If you expect a negative answer, use the subjunctive in the dependent noun clause.

¿Crees que ellos hablen nuestra lengua?	*Do you (really) think they speak our language?* (I don't.)
¿Están Uds. seguros de que alguien haya visto platillos volantes?	*Are you (really) sure anybody has seen flying saucers?* (I'm not.)

◆If you are asking a straightforward question—merely soliciting information, with no preconception about the answers—use the indicative in the dependent noun clause.

¿Creen Uds. que hay seres extraterrestres?	*Do you think there are extraterrestial beings?* (What's your opinion? I'd like to know.)
¿Estás seguro de que tu tío los ha visto?	*Are you sure your uncle has seen them?* (You know him better than I do.)

2) When you use a verb of *doubt* (such as **dudar** or **no estar seguro de**) in your main clause and your main clause is *affirmative,* use the subjunctive in your dependent clause.

Dudo que pueda comprar un coche.	*I doubt I can buy a car.*
Dudábamos que vieran platillos volantes.	*We doubted they saw flying saucers.*

But if your main clause is *negative* (that is, you're saying you *don't doubt*), use either the indicative or the subjunctive, depending on your own feelings about the dependent statement.

No dudo que el piloto { ha visto / haya visto } platillos volantes.   *I don't doubt the pilot has seen flying saucers.*

Here, **ha visto** implies that you have no doubts about flying saucers. **Haya visto** implies that you've got some doubts after all.

If the verb **no estar seguro de** is in your main clause, always use the subjunctive in your dependent clause.

No estoy seguro de que tenga tiempo de ir.	*I'm not sure I will have the time to go.*
No estaban seguros de que pudieran comprarlo.	*They weren't sure they could buy it.*

3) **Negar,** a verb of denial, is usually followed by the subjunctive:

Niega que haya robado el banco.	*He denies having robbed the bank.*

However, when used in the negative, **negar** may be followed by either the indicative or the subjunctive, depending on the degree of doubt or certainty felt by the speaker.

No niego que la historia { es / sea } interesante.   *I'm not denying that the story's interesting.*

Here, **es** implies you think it is, or at least can innocently ask if it is. **Sea** implies that you have doubts about the matter.

EJERCICIOS

PRÁCTICA

A. **Las fuentes de energía.** Complete el siguiente párrafo con el indicativo o subjuntivo de estos verbos: **acabarse, estar, existir, haber, poder, ser, subir.** Cuando termine el ejercicio, dé su opinión sobre el problema.

Los científicos dicen que las reservas de petróleo —(1)— pronto. Mucha gente no piensa que eso —(2)— verdad. El consumidor siempre opina que los precios —(3)— altísimos. Nosotros creemos que todavía —(4)— más. Dudamos que otras fuentes de energía —(5)— sustituir completamente al petróleo, aunque parece que el Brasil —(6)— usando alcohol en vez de gasolina. ¿Piensan Uds. que —(7)— otras alternativas? ¿Se dan cuenta Uds. de que —(8)— un problema gravísimo?

B. **La vida extraterrestre.** Marisa opina lo siguiente, pero Jesús no está de acuerdo. Represente a Jesús y niegue las afirmaciones de Marisa.

MODELO: M.   En una vida pasada vivíamos en otro planeta.

J.   **¿Estás loca? Yo no creo que hayamos vivido en otro planeta. Y dudo que hayamos tenido una vida pasada.**

1. Pienso que los humanos viajarán a Marte para el año 2000.
2. Creo que existen seres extraterrestres.
3. Creía que una mujer sería astronauta.
4. Parece que los gobiernos han ocultado las apariciones de ovnis en sus países.
5. Es cierto que han tomado muchas fotografías de objetos extraños en el cielo.

C. **Otra vez la política.** Dos estudiantes nicaragüenses comentan sobre la política norteamericana. Ud. no puede oír el final de sus comentarios, porque hay mucho ruido. Pero, ¿puede Ud. imaginarse lo que estarán diciendo?

A   La prensa dijo que..., pero el presidente negó que...
B   Dicen que la Casa Blanca..., pero mi padre piensa que...
A   Afirman que..., pero yo no estoy seguro de que...
B   Algunos piensan que... ¿Crees tú que... ?
A   Otros dicen que los Estados Unidos... ¿Dudas tú que... ?

¡A CONOCERNOS!

A. Conteste estas preguntas.

1. ¿Le parece a Ud. que hacemos bastantes ejercicios en clase?   2. ¿Se da Ud. cuenta de que es necesario practicar mucho?   3. ¿Está Ud. seguro de que habrá un examen final?   4. ¿Niega Ud. que hace algunos errores en sus composiciones?   5. ¿Duda un buen estudiante que tendrá éxito en las pruebas?   6. ¿Cree Ud. que haya seres en otros planetas?   7. ¿Niega Ud. que pueda llegar a ser presidenta una mujer?   8. ¿Está Ud. seguro/a de que exista el demonio?   9. ¿Piensa Ud. que sea posible vivir mil años?

B. Ahora hágale unas preguntas similares a un compañero o a una compañera.

SITUACIÓN COMUNICATIVA

Imagínese la siguiente situación y represéntela con un compañero o una compañera.

You have fallen in love and you are thinking of getting married. You want to make sure, however, that you both agree on certain issues that you think are very important for a future life together: children, career plans, where you wish to live, divorce, or other topics of your choice. Give your opinions on those issues and state whether or not you believe you can have a good life together.

ACTIVIDADES

EN GRUPITOS

A. Nuestro club. Los grupitos de cuatro a seis estudiantes imaginan que son la junta directiva de su club, asociación, fraternidad, hermandad *(sorority),* etcétera. Discutan las características que desean y esperan que tengan sus futuros miembros. Un(a) estudiante hará el papel de secretario/a y tomará notas. Otro/a estudiante hará el papel de portavoz *(speaker)* del grupo y leerá las normas a la clase. La clase podrá entonces hacer preguntas y poner objeciones. Usen las siguientes frases:

◆ Deseamos que nuestros miembros...
◆ Esperamos *(expect)* que...
◆ Les exigimos que...
◆ Les permitimos que...
◆ Les prohibimos que...

B. ¿Vamos juntos de viaje? Miren los siguientes anuncios de viajes. Si Uds. pudieran hacer un viaje juntos, ¿a dónde irían? Discútanlo y decídanlo. Un portavoz del grupo reportará a la clase su decisión.

A MADRID
de 16 en 16...
761 Dlls.

Por PAN AM
via Nueva York

Respetamos sus
reservaciones de PAN AM

525 82 44
525 82 21
525 16 67
533 15 28

Precio por persona
Ultima salida Junio 24
A partir de Junio 25, 854 Dlls.

Ahorre planeando con tiempo sus vacaciones.

Acapulco de lujo por sólo $29,000*

Viajes
Horizonte,
presenta un increíble paquete**
en el Hotel Condesa del Mar

* Por sólo $29,000.00 diarios
  por persona, obtiene:
– Habitación doble de lujo con aire
  acondicionado, terraza privada con
  vista al mar.
– Desayuno, comida y cena.
– Hasta 2 niños menores de 14 años
  gratis compartiendo la habitación con
  sus papás y sus 3 alimentos
  por sólo $5,000.00 de cada uno.
– Impuestos Incluidos.

CUPO LIMITADO

Haga sus reservaciones hoy mismo a:
VIAJES HORIZONTE
Florencia No. 18-201
Tels. 533 23 46 511 93 50

** Este paquete únicamente es válido
   para residentes
   de la República Mexicana.
   Número Límitado de habitaciones.
   Vigencia hasta junio 30 de 1987.

¿VAMOS JUNTOS DE VIAJE?

LA RUTA DEL TRANSIBERIANO

La línea férrea más larga
del mundo, la más célebre.
la más
romántica.

Descubra Siberia,
su presente y su futuro

Salidas: 9-12 y 15 de
agosto
y 9 de septiembre

Plazas limitadas

VIAJES ITACA, S. A. (G. A. T. 841)
D. Ramón de la Cruz, 93
Tels.   401 27 50   401 24 16
MADRID

GAT 627

nuevas fronteras

AGENCIA DE VIAJES -
VIAJES AVENTURA

Luisa Fernanda, 2.
Tel. 242 39 90/91. Madrid-8.
Carrer Balmes, 8. Tel. 318 61 84.
Barcelona-7.

— Vuelta a Thailandia. Salida: 9 de agosto. 140.000
pesetas. 22 días.

— Circuito Parque y Reservas de Kenia. Salida: 5 agosto. 139.000 pesetas.

— La aventura del Este: Un
mes, desde Turquía, 95.000
pesetas. Salida: 30 de julio.

— India del Norte y Nepal.
Salida: 31 de julio. 167.000
pesetas. 15 días.

— Acercamiento a Túnez.
Salida: 26 de agosto-9 de
septiembre. 72.000 pesetas.

— Los Bordes del Nilo. Salida: 20 de agosto-3 de septiembre. 105.000 pesetas.

I ♥ TRANSALPINO

NUEVA YORK: 23.900 ptas.   (Salidas todas las semanas)

LONDRES: 11.300 ptas.   (Salidas dos veces por semana)

GRECIA: 11.900 ptas.   (Una semana en la playa de Alexandra
Club, en pensión completa)

YUGOSLAVIA: 20.798 ptas. (Curso de hípica en Lípica. Una semana pensión completa)

PALMA DE MALLORCA: 12.500 ptas.   (Curso de vela. Una semana en
Calanova, en pensión completa)

TRANSALPINO
Plaza de España, 9
Tel. 241 34 78/81   MADRID

¡INFORMATE YA!

un destino que vale un Perú
(pero cuesta mucho menos)

Asentado en un escenario de bella y fantástica geografía, el Perú es uno de los países de contrastes más intensos del mundo.
En Perú se dan cita todos los elementos naturales que pueden ser anhelados por los turistas: la selva amazónica bella y misteriosa, las inmensas alturas nevadas, los profundos precipicios y desnudas estepas de cordillera andina, las plateadas y tranquilas playas de su costa, las generosas aguas del Océano Pacífico y el árido desierto litoral.
En su variada geografía, en la diversidad racial y cultural de sus gentes y en su única y permanente amabilidad, el Perú que le espera, resume dones de un país de contrastes: antiguo y moderno, alto y profundo, real y mágico.
En Lima, la capital, una amplia red hotelera brinda el gran confort buscado por el visitante, hombre de negocios o turista, y atractivas tiendas ofrecen finas artesanías y joyería en oro y plata. Una cadena de elegantes restaurantes ofrece comida criolla e internacional, con show; y un creciente número de Peñas Folklóricas brindan al turista viandas típicas, así como el espectáculo mágico de sus cantos y bailes de honda raíz nativa.

En sus próximas vacaciones, decídase por el Perú y disfrute de todas sus maravillas por mucho menos de lo que pensaba, gracias a la ventaja que supone para el turista español el cambio de la moneda peruana.

CONSULTE A SU AGENCIA DE VIAJES
O ENVIE EL CUPON ADJUNTO

Nombre
Domicilio

FOPTUR - Orense, 18 - MADRID-20
Teléfono (91) 456 34 13

FONDO DE PROMOCION
TURISTICA DEL PERU
FOPTUR

Peru

EN PAREJAS

¿Es usted pesimista? Con otro estudiante haga el siguiente test. Pero, por favor, conteste con una frase completa en vez de «sí» o «no» sólo. Cuando hayan terminado todas las parejas, queremos saber cuántos optimistas y cuántos pesimistas hay en la clase.

TEST   **Núm. 16.388**

¿ES USTED PESIMISTA?

Por favor, conteste con un SI o un NO a las siguientes preguntas.

			Puntos
1.	¿Piensa que alguna vez le va a tocar algo en una apuesta o juego de azar?	SI NO	0 1
2.	¿Cree firmemente que hay peligro de una Tercera Guerra Mundial?	SI NO	1 0
4.	¿Cree en los malos vaticinios de los brujos?	SI NO	1 0
5.	¿Si le dan una buena noticia, piensa que puede no ser verdad?	SI NO	1 0
6.	¿Piensa a menudo en que puede tener una enfermedad?	SI NO	1 0
7.	¿Es usted capaz de superarse en el trabajo, aunque vea malas perspectivas en el mismo?	SI NO	0 1
8.	¿Aunque su situación actual sea favorable, piensa que no va a durar mucho tiempo así?	SI NO	1 0
9.	¿Ve con claridad su futuro?	SI NO	0 1
10.	¿Se derrumba fácilmente?	SI NO	1 0

PUNTUACION

Si ha obtenido de 0 a 3 puntos es usted una persona más optimista que pesimista.
Si ha obtenido de 4 a 7 puntos es una persona que se desanima con facilidad y su grado de pesimismo es bastante pronunciado en su carácter.
Si ha obtenido de 8 a 10 puntos es una persona frustrada y amargada, pues todo lo ve y lo dice con pesimismo.

DE TODO UN POCO

Villancicos

«CAMPANETES DE NADAL» (de Cataluña)

Ning ning ning nang nang...
Sonen campanetes la nit de Nadal,
amb veu entendrida per ciutats i
                                    (camps.
Arreu de la terra canten nens i grans.
i els àngels hi uneixen llurs càntics
Nang ning nang...   (celestials.

Nang nang nang...
Vibren campanetes al xoc dels batalls,
belen les ovelles i canten els galls.
Pels camins els homes es donen les
                                    (mans,
les donen, s'abracen i es besen els
Nang ning nang...   (infants.

Nang nang nang...
Canten campanetes la nit de Nadal.
Glòria a les altures, pau als cors hu-
                                    (mans,
i al peu del pessebre i a missa del gall,
els infants són àngels i els homes més
Nang nang ning nang...   (infants.

«FALADE BEM BAIXO» (de Galicia)

Falade bem baixo, petade pouquiño
pa que non desperte o noso neniño.
¡Ay! Miña xoia, meu queridiño,
eu bem quixera darche agariño.
Miña xoia, meu rapaz,
miña xoia, ¿cómo estás?
¡Qu' estás tembrando de frío!
¡Ay! ¡Qué lástima me das!

Note: Cataluña, in the northeast of Spain, and Galicia, in the northwest, have their own languages, Catalán and Gallego, derived from Latin like Spanish and Portuguese.

CAPÍTULO 10

Gramática
Las preposiciones
La preposición **por**
La preposición **para; Por** o **para**
Funciones lingüísticas
Explicar intenciones, propósitos y causas
Expresión de posesión y origen
Expresión de situación, duración y
movimiento
Inclusión y exclusión
Actividades

I. Las preposiciones

A. *Otro golpe de estado*

Al salir de su clase de ingeniería, Eduardo se acercó a su compatriota Ramiro.
Caminaron hacia su residencia platicando de los últimos eventos políticos de su país.

EDUARDO ¿Sabes? Me muero de coraje. Siempre soñando con la democracia y,
después del último golpe, está cada vez más lejos.

RAMIRO Pero el presidente depuesto era un hombre de mentalidad tan estrecha...
Según dicen, no contaba con el pueblo...

EDUARDO Eso no justifica otro golpe militar. Hay que acabar con el golpismo. Pero,
¿qué piensas del nuevo jefe de estado?

RAMIRO No confío en él, claro. ¡Otro generalote! Cambiamos de gobierno como de
camisa.

◆ La palabra **golpismo** (que viene de **golpe**) fue inventada por críticos de los frecuentes golpes de estado de Latinoamérica. Éstos, junto con el poder extraordinario del ejército, son uno de los mayores problemas del mundo hispánico. Bolivia y Paraguay, por ejemplo, son países que han estado casi permanentemente gobernados por regímenes militares. Desde su independencia en 1825, Bolivia ha sufrido centenares de golpes militares, con o sin éxito.

golpe de estado *coup d'état (overthrowing of a government)* **compatriota** *fellow countryman* **coraje** *anger* **depuesto** *overthrown* **de mentalidad estrecha** *narrow-minded* **generalote** *general (augmentative -ote expresses contempt or disdain)*

Fuerza y lealtad. Los porteños saludan con entusiasmo a los soldados leales al gobierno del Presidente Alfonsín en Buenos Aires.

B. Preguntas

1. ¿Con qué sueña Eduardo?   2. ¿Cómo era el presidente depuesto?   3. ¿Por qué no confía Ramiro en el nuevo jefe de estado?   4. ¿Cree Ud. que un golpe militar puede justificarse?

C. Las preposiciones: Concepto y formas

1) Use prepositions to show relationships between elements of a phrase or sentence.

sala **de** emergencia	*emergency ward*
el dinero **de** la familia	*the family's money*
Voy **a** casa.	*I'm going home.*
Le compró la finca **a** mi primo.	*She bought the farm from my cousin.*
Por amor **a** su patria, salió **a** la calle **sin** miedo **para** luchar **contra** los golpistas.	*For the love of his country, he went out fearlessly into the street to fight against the rebels.*

2) Some common Spanish prepositions have different English equivalents, depending on their context.

a	*at, by, on, to, upon*	excepto	*except*
ante	*before* (location)	hacia	*toward*

bajo	*under*	hasta	*as far as, until, up to*
con	*with*	para	*around, for, on, to*
contra	*against*	por	*because of, by, for, in, through*
de	*about, from, of, to*	según	*according to*
desde	*from, since*	sin	*without*
durante	*during*	sobre	*about, on, over*
en	*at, in, into, on*	tras	*after* (location)
entre	*among, between*		

Very often, one language requires a preposition where the other language doesn't, in which case the preposition has no equivalent at all.

Trata **de** ver a la doctora.	*She's trying to see the doctor.*
Le habla.	*She's talking to her.*

The grammatical principles controlling the use of prepositions are deep-rooted and still largely unformulated. Be alert to the way native speakers use prepositions and try to develop your own feel for them by imitation.

3) Prepositions combine with other prepositions, adverbs, and nouns to form prepositional phrases. Some of the most common are as follows:

a causa de	*because of, on account of*
a excepción de	*except for, with the exception of*
a pesar de	*in spite of*
a través de	*through*
acerca de	*about*
alrededor de	*about, around*
antes de	*before* (time)
cerca de	*close to, near*
debajo de	*below, underneath*
delante de	*before, in front of*
dentro de	*inside (of)*
después de	*after* (time)
detrás de	*behind*
en contra de	*against*
en cuanto a	*as for*
en frente de	*in front of*
en lugar de (en vez de)	*instead of*
encima de	*above, on top of, upon*
frente a	*facing*
fuera de	*outside (of)*
junto a	*next to*
lejos de	*far from*
más allá de	*beyond*

D. Usos de a

1) A is perhaps the most common Spanish preposition. Use it in the following situations.

   a. before all indirect object nouns

Di «no» a la comisión.	*Tell the commission "no."*
Condena la economía al desastre[1].	*It's condemning the economy to failure.*
Deseamos tener derecho al voto.	*We wish to have the right to vote.*

   b. before direct object nouns if they represent specific persons or personified animals or things (the "personal a")

Veo a la presidenta.	*I see the president* (specific person).
Veo a su perrito.	*I see her dog* (personified animal).
Veo un futuro mejor.	*I see a better future* (not personified, hence no **a**).
Apoyo los principios tradicionales.	*I support traditional principles.*
Apoyo a la libertad.	*I support liberty* (personified).

   c. to express the following:
   ◆ motion or direction in space (meaning *to*)

El nuevo jefe de estado viajará al sur del país.	*The new head of state will travel to the south of the country.*
¿Vas a casa de Ramiro?	*Are you going to Ramiro's house?*

   ◆ the time of an action (meaning *at*)

El avión sale a las cuatro de la tarde.	*The plane leaves at 4:00 P.M.*

   ◆ in certain idiomatic expressions, the manner of action (meaning *by*)

Es una blusa hecha a mano.	*It's a handmade blouse* (it's made by hand).

   d. in the expression **estar a** to express the following:
   ◆ location or distance with respect to another point of reference

San José de Costa Rica está a 842 km de Tegucigalpa, Honduras.	*San José, Costa Rica, is 842 km from Tegucigalpa, Honduras.*

   ◆ a price or rate

Los huevos están a cien pesos la docena.	*Eggs are 100 pesos a dozen.*

   e. after certain verbs when followed by a noun or pronoun

acercarse a	*to approach*	oponerse a	*to be opposed*
asistir a	*to attend*	parecerse a	*to resemble*
invitar a	*to invite*	responder a	*to answer*
jugar a	*to play*	tener miedo a	*to be afraid of*

[1]Use the contraction **al** whenever **a** occurs before **el**.

El hijo del general se parece mucho a su padre.	*The general's son looks very much like his father.*
En Hispanoamérica asisten a muchas manifestaciones políticas.	*They attend a lot of political demonstrations in Spanish America.*

2) Al + infinitive has a meaning equivalent to English *on* or *upon* + present participle.

El niño sonríe al ver a su madre.	*The boy smiles on seeing his mother.*
Al salir de su clase, Eduardo se acercó a su compatriota.	*Upon leaving his class, Eduardo approached his countryman.*

E. Usos de con

Use **con** as follows:

1) to introduce the instrument, means, or procedure for doing something

Cerró la puerta con llave.	*He locked the door* (with the key).
Hay que hablar con cuidado.	*One must speak carefully* (with care).

2) to express accompaniment or concurrence

Me tomé unas cervezas con mis amigos.	*I had a few beers with some friends.*
Guarda los lápices con las plumas.	*Keep the pencils with the pens.*

3) to point out noun characteristics that you don't consider essential or inherent

Miren al actor con pelo verde.	*Look at the actor with green hair.*
Había mucha gente con pantalón corto.	*There were many people with shorts on.*
Me gustan las casas con habitaciones grandes.	*I like homes with large rooms.*

4) after certain verbs followed by a noun or pronoun

acabar con	*to end, to put an end to*	encontrarse con	*to meet, to run into*
casarse con	*to marry*	salir con	*to go out with, to date*
contar con	*to count on*	soñar con	*to dream about*

Siempre sueño con la democracia.	*I always dream of democracy.*
Hay que acabar con el golpismo.	*We must put an end to coups d'état.*
Eduardo se encontró con Ramiro.	*Eduardo ran into Ramiro.*
El presidente depuesto no contaba con el pueblo.	*The deposed president didn't take the people into account.*

F. Usos de de

De in most of its uses is equivalent to English *of* or *from*. Sometimes it corresponds to other English words, however. Use **de** as follows:

1) with the meaning *in*

    a. after a superlative

Es la candidata mas fuerte del grupo[2].   *She's the strongest candidate in the group.*

    b. to indicate time of day

Eran las tres de la mañana.   *It was three in the morning.*

2) to indicate possession

El pueblo de Guatemala es católico.   *The people of Guatemala are Catholic.*
Me pondré la camiseta de mi partido.   *I'll wear my party's T-shirt.*

3) to indicate origin or point of departure

Andrés y Lucía son de Bolivia.   *Andrés and Lucía are from Bolivia.*
Eduardo venía de la oficina central.   *Eduardo was coming from the main office.*

You can use either **de** or **desde** to indicate movement from a place, but **desde** emphasizes the point of departure (for example, to invite your listener to think about just how far away it is).

He venido desde Guadalajara sin parar.   *I've come from Guadalajara without stopping.*

4) to indicate the material of which something is made, its purpose, or its content

camiseta de algodón	*cotton T-shirt*
tarjeta de identificación	*I.D. card*
cuaderno de ejercicios	*workbook* (exercise book)
máquina de votar	*voting machine*
cuarto de baño	*bathroom*
vaso de agua	*glass of water*
clase de español	*Spanish class*
objeto de cerámica	*ceramic object*

5) to indicate noun characteristics that you consider essential

El chico del pelo negro se llama José.   *The black-haired fellow is called José.*

6) in certain idiomatic expressions

de buen (mal) humor	*in a good (bad) mood*
de buena (mala) gana	*(un)willingly*
de memoria	*by heart*
de moda	*in fashion*
de día	*during the day*
de noche	*at night*
de vacaciones	*on vacation*

[2]Use the contraction **del** whenever **de** occurs before **el**.

Los soldados patrullan de noche y duermen de día.	*The soldiers patrol at night and sleep during the day.*
Don Fernando aprende el discurso de memoria.	*Don Fernando's learning the speech by heart.*

7) between certain verbs and a following noun, pronoun, or infinitive

acordarse de		*to remember*	
burlarse de		*to laugh at*	
cambiar de		*to change*	
depender de		*to depend on*	
despedirse de		*to say good-bye to*	
enamorarse de	algo o alguien	*to fall in love with*	*someone or something*
fiarse de		*to trust*	
olvidarse de		*to forget*	
pensar de		*to think of*	
reírse de		*to laugh at*	
mudar(se) de		*to move from*	
trasladarse de	alguna parte	*to move from*	*somewhere*
salir de		*to leave*	

El dictador se ríe del proceso democrático.	*The dictator laughs at the democratic process.*
Sin embargo, nos acordamos de votar.	*Still, we remember to vote.*
¿Qué piensas del nuevo jefe de estado?	*What do you think of the new head of state?*
Al ser elegida diputada, Amalia se mudó (trasladó) de la provincia a la capital.	*On being elected a legislator, Amalia moved from the province to the capital.*

8) in set phrases with **acabar** and **tratar,** before an infinitive

acabar de   *to finish*   tratar de   *to try*

Traté de llamarte cuando acabé de votar.	*I tried to call you when I finished voting.*

G. Usos de en

You can use **en** in the following situations.

1) to express location, with verbs that do not indicate movement (meaning *at, in,* or *on*)

Mi familia vive en la Plaza de la Constitución.	*My family lives on Constitution Square.*
Practicaba sus discursos en la soledad de su cuarto.	*He practiced his speeches in the solitude of his room.*

Note: **entrar** may be used with either **en** or **a.**

Entraron en (a) la casa.	*They entered the house.*

2) to indicate a precise date or a span of time (meaning *in* or *during*)

Ramón Iduarte nació en 1913.   *Ramón Iduarte was born in 1913.*
Vivía en España en tiempo de Franco.   *He lived in Spain during Franco's time.*

3) to mention certain means of transportation (meaning *by* or *in*)

Viajaremos en avión a México, en tren a   *We'll travel by plane to Mexico City, by*
Veracruz y en barco a La Habana.   *train to Veracruz, and by boat to*
                                          Havana.

But: Viajaremos a caballo y a pie hasta   *We'll travel **on** horseback and **on** foot until*
llegar a la zona de combate.   *we arrive in the combat zone.*

4) after certain verbs followed by a noun or pronoun, to express particular meanings

confiar en			to confide in, to trust	
consistir en			to consist of	
fijarse en	} algo o alguien		to notice	} something or someone
meter(se) en			to get involved in, to get into; to put in	
pensar en			to think about	

¿Te fijaste en los cascos de los soldados?   *Did you notice the soldiers' helmets?*
Si me meto en política, lo haré a   *If I get involved in politics, I'll do it with*
conciencia.   *integrity.*

Notice the contrast of meaning between **pensar en** and **pensar de**.

Pienso en los desaparecidos bajo cada   *I think **about** the people who disappeared*
régimen.   *under each regime.*
¿Qué piensas del nuevo jefe de estado?   *What do you think **of** the new head of*
                                        state?

EJERCICIOS

PRÁCTICA

A. Cuentecitos. Complete Ud. las siguientes narraciones con las preposiciones **a, de, en** o **con**.

Mi avión sale —(1)— las dos —(2)— la tarde —(3)— aeropuerto —(4)— Miami. Llega —(5)— San Juan de Puerto Rico —(6)— las cinco. Voy —(7)— pasar mis vacaciones —(8)— la familia —(9)— un compañero. Una hermana mía también está —(10)— vacaciones —(11)— Ponce, —(12)— otro lado —(13)— la isla. La casa —(14)— mis padres está —(15)— la sierra —(16)— California, —(17)— unas horas de San Francisco. Tengo que comprarme una cámara —(18)— fotos antes de ir —(19)— aeropuerto. ¡Ay! Espero haber puesto el traje —(20)— baño —(21)— la maleta. A veces uno se olvida —(22)— las cosas necesarias.

Tere empezó los estudios —(23)— los dos años y —(24)— los cuatro ya sabía leer. La nenita asiste —(25)— una escuela especial para los niños —(26)— los empleados de la compañía norteamericana donde trabaja el papá —(27)— Tere. La escuela está —(28)— la calle Alta, —(29)— unas cuadras —(30)— la casa. Los padres —(31)— Tere sueñan —(32)— mudarse —(33)— la capital a un pueblo chico. Tienen ganas —(34)— vivir lejos —(35)— ruido y —(36)— la contaminación del aire. Quieren despedirse —(37)— la ciudad: algún día van a tener una casita —(38)— madera —(39)— un patio.

B. Una historia triste. Complete la siguiente narración con una preposición apropiada.

Quisiera hablarles —(1)— un amor que tenía yo hace muchos años. Esta mañana amanecí pensando —(2)— aquel joven que venía —(3)— casa todos los días —(4)— las seis —(5)— punto aunque su casa estaba —(6)— más de 50 km —(7)— la mía. Nuestra relación consistía —(8)— sentarnos en el patio —(9)— mis padres y charlar. Nos parecíamos —(10)— una pareja casada. —(11)— cumplir los veintiún años el muchacho entró —(12)— el ejército. Antes —(13)— irse me pidió que me casara —(14)— él cuando volviera. Contábamos —(15)— la boda más linda —(16)— el año. Pero —(17)— el mes —(18)— abril nuestro país se metió —(19)— una guerra civil y mi novio nunca volvió.

C. **Vamos al partido.** Complete los planes de Pancho y sus amigos usando las preposiciones sugeridas en la clave.

PANCHO   El equipo de los Aztecas juega —(1)— los Mayas esta tarde.
LUPE   Sí, lo sé. Todos queremos ir al partido —(2)— Margarita.
ANA   Ella va al teatro —(3)— venir con nosotros.
PANCHO   Es que a ella no le gusta el fútbol. Pero a mí me encanta —(4)— los diez años.
ANA   No debo olvidarme de las gafas porque —(5)— ellas no veo nada.
PANCHO   —(6)— el partido vamos a cenar a La cucaracha.
LUPE   ¡Qué bien! —(7)— Jaime, allí sirven la mejor comida mexicana.
ANA   Pues, tenemos que llegar al estadio —(8)— las cuatro de la tarde.
LUPE   Y La cucaracha está —(9)— la ciudad, —(10)— el estadio.

Clave: 1. against   5. without   9. outside of
         2. except   6. After   10. next to
         3. instead of   7. According to
         4. since   8. around

¡A CONOCERNOS!

A. Conteste estas preguntas.

1. ¿Se parece Ud. mucho a sus padres o a sus hermanos? 2. ¿Se han mudado de casa sus padres últimamente? 3. ¿Cuenta Ud. con la ayuda de sus padres? 4. ¿Con qué sueña Ud.? 5. ¿En qué se fija cuando conoce a un(a) chico/a? 6. ¿Está enamorado/a de alguien? 7. ¿Con qué tipo de persona le gustaría casarse? 8. ¿Se acuerda de la fecha del cumpleaños de su novio/a? 9. ¿En qué piensa Ud. a veces? 10. ¿Qué piensa Ud. de sus profesores? 11. ¿De qué depende la nota de su examen? 12. ¿Asistió Ud. a muchas conferencias este trimestre (semestre)? 13. ¿Se olvidó de pagar alguna cuenta este mes?

B. Ahora hágale unas preguntas similares a un compañero o a una compañera.

SITUACIÓN COMUNICATIVA

Imagínese la siguiente situación y represéntela con un compañero o una compañera.

CLASSMATE 1   You run into a former classmate. Tell him or her that you recently attended your high school reunion.
CLASSMATE 2   Say that you thought about going but that you were out of the city on a business trip that weekend.
CLASSMATE 1   Say that you ran into several old friends and that you all thought and talked a lot about the good old days (**los buenos tiempos pasados**).
CLASSMATE 2   Ask if he or she saw the girl or boy with whom you were in love in high school.
CLASSMATE 1   Say that yes, he or she was there and asked about him or her, wanting to know whom he or she had married.
CLASSMATE 2   Answer that you had forgotten the old girlfriend or boyfriend until recently. Ask who else was there and keep the conversation going for as long as possible.

Yo y mi moto. Una adoles-
cente española a punto de
ponerse en marcha.

II. La preposición por

A. *Vendió su motocicleta por doce mil bolívares*

Rita y Mercedes viven en barrios alejados de Caracas. Por eso no se habían visto por largo tiempo aunque se habían hablado por teléfono de vez en cuando.

RITA   Pasaba por acá camino del hospital y...

MERCEDES   ¿El hospital?

RITA   ¡Ah, no sabías! Estoy en tratamiento dos veces por semana. Me duele mucho el cuello desde que me caí de la motocicleta.

MERCEDES   Irías a cien por hora, por supuesto...

RITA   No, chica. Si voy a esa velocidad, no te cuento esta historia. Y, por cierto, vendí la motocicleta por doce mil bolívares. Ahora viajo en autobús.

◆ La unidad monetaria de Venezuela, **el bolívar,** lleva el nombre del héroe nacional de este país, Simón Bolívar, quien es conside- rado por varias naciones suramericanas como su «libertador» del dominio español.

---

alejados *far away (from each other)*   **motocicleta** *moped*

B. *Preguntas*

1. ¿Por cuánto tiempo no se habían visto Rita y Mercedes? 2. ¿Cómo se comunicaban ellas? 3. ¿Cuántas veces por semana tiene que ir Rita al hospital? 4. ¿A cuánta velocidad imagina Mercedes que iba Rita? 5. ¿Por cuánto vendió su motocicleta? 6. Y usted, ¿vendió algo últimamente? ¿Por cuánto?

C. *La preposición por*

As you formulate Spanish sentences, you often have to choose between **por** and other prepositions, especially **para**. Nearly every preposition in English has been used to translate both **por** and **para** in one context or another, so the word you would use in English is not always a reliable guide to the preposition you need in Spanish. However, several rules of thumb will help you know when to choose **por**.

1) Use **por** to express the following.

    a. cause, motive, reason, intention, purpose (meaning: *about, because of, for, for the sake of, for the reason of, in favor of, in quest of, in search of, on account of, out of*)

Se cayó de la motocicleta por ir muy rápidamente.	*She fell from the moped because she was going very fast.*
No dijo la verdad por miedo a las consecuencias.	*He didn't tell the truth for fear of the consequences.*
Mis padres siempre se sacrifican por mí.	*My parents always sacrifice themselves for my sake.*
Pasaremos por ti a las ocho.	*We'll come for you at 8:00.*
Votaré por él.	*I will vote for him.*
Está loco por ella.	*He's crazy about her.*
Lo hizo por piedad, no por amor.	*He did it out of pity, not love.*

    b. duration, length of time, approximate time (meaning: *for, around, about*)

Estaré aquí por todo el verano.	*I'll be here all summer.*
Rita y Mercedes no se habían visto por largo tiempo.	*Rita and Mercedes hadn't seen each other for a long time.*

    c. exchange (meaning: *in exchange for, in place of, as a substitute for, on behalf of*)

Vendió su motocicleta por doce mil bolívares.	*She sold her moped for 12,000 bolivars.*
Marta trabaja hoy por la secretaria.	*Marta is working today in place of the secretary.*

    d. number, measure, frequency (meaning: *per*)

Irías a cien kilómetros por hora, por supuesto.	*You must have been going a hundred kilometers per hour, of course.*
Se vende fruta por kilo, leche por litro y huevos por docena.	*Fruit is sold by the kilo, milk by the liter, and eggs by the dozen.*

Tengo que tener tratamiento dos veces por   *I have to have treatments twice a week.*
semana.

    e. manner or means (meaning: *by, through*)

Te mandé las revistas por correo.   *I sent you the magazines by mail.*
Ellas se hablan por teléfono de vez en   *They phone each other from time to time.*
cuando.
Supe del puesto por medio de un amigo.   *I found out about the position through a*
                                      friend.
But: Viajo en coche, en avión, en tren,...   *I travel by car, plane, train, . . .*

    f. location and place of transit (meaning: *through, around, by, along*)

El año pasado viajamos por toda Europa.   *Last year we traveled throughout (all*
                                        around) Europe.
Hay que pasar por la aduana.   *One must go through customs.*

    g. opinion, estimation (meaning: *for, because*)

Lo suspendieron por estúpido.   *They flunked him because he was stupid.*

2) Use **por** to introduce the agent in the passive construction.

El ministro de educación fue nombrado por   *The secretary of education was appointed by*
el presidente.   *the president.*

3) Use **por** in multiplication and division.

Cinco por cinco, veinticinco.   *Five times five is twenty-five.*
Cien dividido por diez, diez.   *One hundred divided by ten is ten.*

4) Use **por** in a number of idiomatic expressions.

por cierto	*by the way*
por consiguiente	*consequently*
por desgracia	*unfortunately*
por Dios	*for heaven's sake*
por ejemplo	*for example, for instance*
por falta de	*for lack of*
por fin	*finally, at last*
por supuesto	*of course, certainly*

Por cierto, vendí mi motocicleta.   *By the way, I sold my moped.*
Por desgracia me duele mucho el cuello.   *Unfortunately my neck really hurts.*

5) Use **por** with particular verbs to express special meanings.

estar por	*to be for (in favor of); to remain to be done*
preguntar por	*to ask about*
preocuparse por	*to worry about*

Tu cama está por hacer.   *Your bed is yet to be made.*

Estoy por el candidato de mi partido.   *I'm for my party's candidate.*
¿Te preguntó Alicia por mí?   *Did Alicia ask about me?*

EJERCICIOS

PRÁCTICA

A. **Por distintas razones.** Las siguientes personas tienen sus razones. Ud. tiene las suyas.

   MODELO: Felipe no tomó el examen por llegar tarde.
             Yo no tomé el examen por no estar preparado/a.

   1. María no pudo estudiar por dolerle la cabeza.
   2. Jaime no irá al cine hoy por tener trabajo.
   3. Diana no fuma por miedo a las consecuencias.
   4. No compraron los discos por no tener dinero.
   5. Pasé mucho frío por salir sin bufanda.

B. **¿Por qué?** Las siguientes oraciones necesitan la preposición **por**. ¿Sabe Ud. por qué, en cada caso?

   1. El pianista está loco por la música.
   2. La madre mandó al chico por pan al mercado.
   3. Nosotros pasaremos por Uds. si no tienen coche.
   4. Josefina está por comprarse una moto japonesa.
   5. Las religiosas rezan por los enfermos.
   6. Por Navidad a veces hace mucho frío.
   7. ¿Puedes trabajar por mí hoy?
   8. En México se maneja a 100 km por hora.
   9. Pagaron 20 mil dólares por su Mercedes.
   10. El nuevo edificio de la biblioteca está por acabar.
   11. Si vienes por mi ciudad, llámame.
   12. El presupuesto será aprobado por él.

C. **Un poco de aritmética.** Haga Ud. las siguientes operaciones.

   1. $3 \times 4 =$ 3. $9 \times 5 =$ 5. $2 \times 8 =$
   2. $6 \times 6 =$ 4. $8 \times 7 =$ 6. $6 \times 9 =$

D. **Cada oveja con su pareja.** Elija Ud. entre las siguientes expresiones con **por**, la que sea adecuada a cada caso: **por cierto, por consiguiente, por desgracia, por Dios, por ejemplo, por falta de, por fin, por supuesto.**

   A   Me encantan las películas argentinas de hoy. —(1)—, ¿viste «La historia oficial»?
   B   Pues, sí. Hacía tiempo que quería verla y —(2)— la vi. No era —(3)— ganas, —(4)—.
   A   A mí me encantaron algunas escenas, —(5)— en la clase de historia... —(6)— la película muestra una realidad muy triste, que ojalá nunca se repita.

¡A CONOCERNOS!

A. Conteste estas preguntas.

   1. ¿Irá Ud. por el centro hoy? 2. ¿Sabe Ud. qué autobús pasa por la calle Mayor? 3. ¿Irá Ud. a la tienda por comestibles? 4. ¿Compra Ud. la leche por litro o por galón? 5. ¿Va por los grandes almacenes de vez en cuando? 6. ¿Cuánto paga generalmente por un vestido (por una corbata)?

El Ángel de la Independencia, uno de los monumentos más concocidos de la Avenida de la Reforma, arteria principal de la capital de México. Erigido en el año 1909, el ángel dorado ha sobrevivido todos los terremotos menos uno, cuando cayó desde unos cuarenta metros a la calle y tuvieron que restaurarlo cuidadosamente.

7. ¿Ha viajado Ud. por algún país hispánico? 8. ¿Lo/La tomaron por norteamericano/a? 9. ¿Viajará este verano por los Estados Unidos? 10. ¿Por qué (no) viaja Ud. a otros países? 11. ¿Por qué estudia español?

B. Ahora hágale unas preguntas similares a un compañero o a una compañera.

SITUACIÓN COMUNICATIVA

Imagínese la siguiente situación y represéntela con un compañero o una compañera.

CLIENT You are talking to a travel agent about your plans. Tell him or her that you are thinking about taking a trip through Mexico, from Tijuana to the capital (el distrito federal).

AGENT Ask how the client wants to travel, by plane or by bus?

CLIENT Say that you paid too much for your plane ticket last year; this time you want to go by bus.

AGENT Tell the client he or she shouldn't worry about the price: you will do the best you can to get him or her the lowest price possible. Ask him or her to come for the tickets next week.

CLIENT Tell the agent that you will come back and ask for him or her if you don't see him or her around the office.

III. La preposición para; Por o para

A. *Para norteamericano, habla muy bien el español*

Charlie llega al aeropuerto internacional de El Dorado, en Bogotá. Para entrar en el país, pasa por la aduana y control de pasaportes.

ADUANERA Buenos días, señor. ¿Visita Ud. el país por placer o por negocios?

CHARLIE Realmente por otras razones. Primero, para ver el Museo del Oro y las ruinas de San Agustín. Y segundo, para mejorar mi español.

ADUANERA   Pues, para norteamericano, lo habla Ud. muy bien.
CHARLIE   Gracias. Lo aprendí por un método práctico. Para mí la comunicación es
           muy importante.

◆ **El Museo del Oro** contiene una magnífica colección de esmeraldas y joyas de oro fino, incluyendo preciosos brazaletes, coronas, anillos de nariz y armas de dos importantes tribus indígenas, los Chibcha y los Quimbay.

◆ **El Parque Arqueológico de San Agustín,** a unos 500 kilómetros al sureste de Bogotá, contiene el principal tesoro arqueológico de Colombia. Sus ruinas, que datan unos 500 años antes de Cristo, se extienden por un área enorme y contienen miles de esculturas, tumbas, templos y adoratorios.

aduana *customs*   **brazaletes** *bracelets*   **anillos de nariz** *nose rings*

Un guerrero monolítico a la izquierda, acompañado por el dios de la guerra, espera la llegada del enemigo en el Parque Arqueológico Nacional de San Agustín en el sur de Colombia. Estas figuras de la civilización chibcha fueron abandonadas antes de la llegada de los españoles y los arqueólogos todavía disputan sobre su significado.

B. Preguntas

1. ¿Por dónde se pasa para entrar en un país extranjero?   2. ¿Por qué razones visita Charlie Colombia?   3. ¿Qué le dice la aduanera sobre su español?   4. ¿Cómo lo aprendió? ¿Por qué?

C. La preposición *para*

Use **para** to express the following:

1) purpose or goal (meaning: *in order to*)

Charlie va a Colombia para mejorar su español.	*Charlie is going to Colombia (in order) to improve his Spanish.*
Estudia para médico.	*He's studying to be a doctor.*

2) intended recipient (meaning: *for someone or something*)

Estas flores son para ti.	*These flowers are for you.*
Se compró una maleta para el viaje.	*He bought a suitcase for the trip.*

3) direction (meaning: *toward*)

Mañana sale para San Agustín.	*She leaves for San Agustín tomorrow.*
Voy para el centro, ¿y tú?	*I'm going downtown; how about you?*

4) personal opinion or in an implied comparison (meaning *for, to*)

Para los colombianos, las ruinas chibchas son un tesoro.	*For the Colombians, the Chibcha ruins are a (national) treasure.*
Para mí, la comunicación es muy importante.	*Communication is very important to me.*
Para norteamericano, habla muy bien el español.	*For an American, you speak Spanish very well.*

5) a deadline or future point in time (typical equivalents: *for, in*)

Tengo una cita para el sábado por la noche.	*I have a date for Saturday night.*
Piensa ir a Cali para la primavera.	*She's thinking of going to Cali in the spring.*

6) in the expression **estar para** followed by an infinitive, to indicate the proximity of an event or action (typical equivalent: *about to*)

El avión está para salir.	*The plane is about to leave.*
La película estaba para terminar cuando aterrizaron en El Dorado.	*The movie was about to end when they landed at El Dorado.*

D. *Por o para*

por	para

Used to Express Actions

CAUSE, MOTIVE, REASON of action (what motivated the person to act)	GOAL, INTENTION, DESTINATION of action
Trabajo por mi familia.	Trabajo para mi familia.
I work for my family (my family is the motive for my work).	*I work for my family* (to give them a better life).
PURPOSE OR INTENTION of action (with a verb of movement and a noun)	PURPOSE OR INTENTION of action (with an infinitive)
Voy por pan a la tienda.	—¿Para qué vas a la tienda?
I'm going to the store for bread.	—Voy para comprar pan.
	"Why are you going to the store?" *"(In order) To buy some bread."*
AGENT of an action (with passive)	RECIPIENT of an action (with passive)
La cena fue organizada por Margarita.	La cena fue organizada para Margarita.
The dinner was organized by Margaret.	*The dinner was organized for Margaret.*
SOMETHING HAS NOT BEEN DONE (**estar por** + infinitive)	SOMETHING IS ABOUT TO BE DONE (**estar para** + infinitive)
El avión está por salir. Aún llegas a tiempo.	El avión está para salir. ¡Date prisa!
The plane hasn't left yet. You're still on time.	*The plane is about to leave. Hurry up!*

Used to Express Qualities and Abilities

CAUSE OR MOTIVE of quality	NO CORRESPONDENCE WITH STANDARD quality or ability
María tiene una casa hermosa por su alta posición social.	María tiene una casa hermosa para su humilde posición social.
María has a beautiful house because of her high social status.	*Considering her low social status, María has a beautiful house.*

Used to Express Time

TIME PERIOD when action takes place	DEADLINE
Viví en Madrid por cinco años.	Necesito el pasaporte para el lunes.
I lived in Madrid for five years.	*I need the passport for (by) Monday.*

Used to Express Movement and Place

MOVEMENT THROUGH (a través de)	MOVEMENT TOWARD (en dirección a)
Este autobús va por el centro.	Este autobús va para el centro.
This bus passes through the downtown area.	*This bus is going downtown.*
MEANS of movement	DESTINATION of movement
El paquete salió por correo.	El paquete salió para México.
The package went by mail.	*The package went to Mexico.*

EJERCICIOS

PRÁCTICA

A. ¿Por o para? Complete los siguientes dialoguitos con **por** o **para,** según corresponda.

A   Hoy parece que está —(1)— nevar. ¿Es este tiempo normal —(2)— Uds.?
B   Bueno, —(3)— lo general aquí en invierno hace frío —(4)— las mañanas. Le aseguro que —(5)— la primavera tendremos un tiempo divino.

A   ¿Dices que pagaste dos mil dólares —(6)— esa moto?
B   Sí, el banco me dio un préstamo —(7)— comprarla. Aún me parece poco dinero, —(8)— lo fantástica que es.
A   Entonces, ¿vendrás —(9)— mí en la moto —(10)— ir al baile?
B   Bueno, pasaré —(11)— ti, pero tendrás que estar lista a las nueve —(12)— llegar a tiempo.
A   —(13)— supuesto. Me muero —(14)— bailar «salsa» toda la noche.

A   La mesa está todavía —(15)— poner, la comida —(16)— preparar y los invitados están —(17)— llegar...
B   Tranquilízate, querida; yo voy —(18)— el hielo y —(19)— las bebidas. No te preocupes que —(20)— la una de la tarde estará todo listo.

B. La familia Martínez-Renedo. Complete la siguiente historia con **por** y **para.**

Antonio Martínez tiene siete hijos. Él tiene que trabajar mucho —(1)— su familia —(2)— poder alimentarla y darles a sus hijos una buena educación. —(3)— su posición social, es difícil —(4)— ellos asistir a las mejores escuelas, pero Antonio, aunque es obrero, se preocupa mucho —(5)— el futuro de sus hijos.

Remedios, su mujer, va cada día —(6)— pan a la panadería. Es el alimento más barato —(7)— ellos. El lunes, Remedios estaba —(8)— salir de casa cuando oyó —(9)— radio que los obreros de la fábrica —(10)— la cual trabaja Antonio estaban de huelga. La huelga fue organizada —(11)— los obreros —(12)— obtener mejores salarios. Muchos de estos obreros han trabajado allí —(13)— muchos años. Ellos les pedían a los gerentes que les dieran una respuesta —(14)— el martes.

A la familia de Antonio le gustaría salir de vacaciones —(15)— el verano. Pero —(16)— julio y agosto ya están tomadas las habitaciones de todos los hoteles baratos. Ellos quisieran ir —(17)— las playas de Almería, pasando —(18)— Alicante. Con el aumento de salario quizás podrían realizar su sueño.

C. Por turno. En parejas, complete cada uno de Uds. una oración incluyendo, si es posible, **por** y **para.**

MODELO: Paso por tu casa...   **Paso por tu casa a las cinco para ver si quieres ir al cine.**

1. Nuestro libro de español fue escrito...
2. Lo compré...
3. Tenemos que estudiar mucho...
4. Necesitamos practicar más...
5. Nuestra profesora está muy joven...
6. Voy a comprar un regalo...
7. Tengo que enviar un paquete...
8. Yo voy a dar un paseo...

¡A CONOCERNOS!

A. Conteste estas preguntas.

1. ¿Tiene Ud. tarea para mañana?   2. ¿Para qué necesitamos un diccionario?   3. ¿Terminaremos este libro para el fin del semestre?   4. ¿Para qué estudia Ud. español?   5. ¿Sabe Ud. qué autobuses van para el centro?   6. ¿Va Ud. al centro para comprar ropa?   7. ¿Para quién fue la última cosa que compró Ud.?   8. ¿Por quién fue escrita su novela favorita?   9. ¿Qué planes tiene Ud. para el fin de semana?   10. ¿Por dónde quisiera Ud. viajar?

B. Ahora hágale unas preguntas similares a un compañero o a una compañera.

SITUACIÓN COMUNICATIVA

Imagínese la siguiente situación y represéntela con un compañero o una compañera.

STUDENT   Explain to the travel agent that you have a scholarship to study at the University of La Plata, in Argentina, and that you wish to travel to Buenos Aires by plane and by a certain date.

AGENT   Ask whether he or she wants to go directly or whether he or she would mind going through Río and Asunción, since the fare would be much cheaper.

STUDENT   Ask if there isn't a special fare for students.

AGENT   Say there are some charter flights but that he or she would have to stay for more than three months. Tell him or her that unfortunately there aren't any special student fares. Explain that the Argentinian **austral** has been devalued and that he or she will get a lot of australes for a dollar now.

STUDENT   Say that's very good news for you. Thank the travel agent and buy your ticket.

viaje de grupo *charter flight*   **tarifa estudiantil** *student fare*

ACTIVIDADES

EN GRUPITOS

A. Proyectos, viajes, visitas. En grupitos de cuatro a seis, cada estudiante les hablará a los demás de uno de los siguientes temas:

◆ un proyecto que ha emprendido *(undertaken),* explicando el propósito del mismo

◆ un viaje que va a hacer, explicando cómo, cuándo, por cuánto tiempo y por dónde viajará

◆ visitas al mercado, a la biblioteca, a la playa o a otros lugares explicando por qué va

B. Cadena de oraciones. Cada grupito hace una cadena de oraciones unidas por la preposición **por.** El párrafo tiene que tener sentido. Un estudiante del grupo lo escribe y otro lo leerá a la clase.

MODELO: A Por aquí hace un tiempo magnífico.

B Por eso me encantaría ir a la playa.

C Pero por desgracia tengo dos clases esta tarde.

D ¡Por Dios, qué mala suerte!

C. ¿Quién sabe más? Ahora cada grupito prepara seis preguntas sobre la historia y geografía de los países hispanoamericanos. Por turno, cada grupo debe enfrentarse con los demás haciendo sus preguntas y contestando las de los otros. Cada pregunta contestada vale un punto. El grupo que más puntos tenga es el ganador.

MODELO: ¿Por quién fueron liberadas Colombia y Venezuela?
¿Dónde están las ruinas de Machu Picchu?

DE TODO UN POCO

Trabalenguas

¿Quién puede recitarlos sin trabársele la lengua?

Erre con erre, cigarro;
erre con erre, barril;
rápido corren las ruedas
de los carros del ferrocarril.

Compadre, cómpreme un coco.
Compadre, coco no compro,
que el que poco coco come
poco coco compra.
Como yo como poco coco,
poco coco compro, compadre.

Acertijo: Dos flores con dos trampas

Si ordena Ud. las letras de estas flores, encontrará el nombre de dos ríos de Suramérica. Pero cuidado, porque en cada flor hay tres letras que son de la otra.

Amazonas y Paraguay

Chistes

¿Por o para?

Hay un incendio en un edificio grande donde trabajan un paraguayo, un uruguayo y un argentino. Ellos están en el último piso y parece que no hay posibilidad de salvación.

El argentino mira —(1)— todas partes —(2)— ver si hay alguna salida. No ve nada y decide saltar. —(3)— morir —(4)— algo, el argentino dice antes de saltar: «¡ —(5)— la Argentina!» y se tira *(throws himself)* —(6)— la ventana.

—(7)— no ser menos, el uruguayo dice: «¡ —(8)— Uruguay!» y salta también.

El paraguayo está —(9)— saltar cuando decide mirar —(10)— tercera vez alrededor del edificio. Ve una escalera y corre hacia ella, diciendo: «¡ —(11)— la escalera!».

Un señor mandó un cheque —(12)— inscribirse en una escuela que ofrecía un curso de telepatía —(13)— correspondencia. Esperó y esperó —(14)— dos semanas sin recibir nada. Entonces decidió llamar —(15)— teléfono y quejarse.

—No mandamos ese curso —(16)— correo —dijo la secretaria que contestó—. Lo mandamos —(17)— telepatía.

—Pues, todavía no he recibido nada —dijo el hombre.

—Ya lo sé. —(18)— eso se ve claro que Ud. no va a aprobar *(pass)* el curso.

Respuestas: 1. por, 2. para, 3. Para, 4. por, 5. Por, 6. por, 7. Para, 8. Por, 9. para, 10. por, 11. Por *(by means of)* or Para *(toward)*, 12. para, 13. por, 14. por, 15. por, 16. por, 17. por, 18. Por.

LECTURA V

«No oyes ladrar los perros»
Juan Rulfo

◆ READING HINTS ◆

Guessing the Meaning of Words by Recognizing Prepositional Phrases and Dependent Clauses

Prepositional phrases can be recognized easily, because they begin with a preposition. Their function is to give circumstantial information: where, with whom, for whom, when, and very much more. Examine them separately from the subject and verb to obtain information that adds to the basic facts of who is doing what. Here are some specific hints for decoding phrases following **a** or **de.**

1. If you see a prepositional phrase beginning with **a** plus what looks like a subject pronoun (**él, ellos,** and so on) or a proper noun, it is probably clarifying the meaning of an indirect object pronoun immediately preceding the verb in the same clause.
   EXAMPLE   **A Juan** y **a Pedro** no **les** mandaron nada, pero **a ellas les** mandaron unos regalos bien bonitos.
2. A phrase beginning with **de** may indicate possession.
   EXAMPLE   El padre **de mi amiga** es millonario.

Dependent clauses, also known as subordinate clauses, come in many forms and are therefore more difficult to decipher. However, a few basic characteristics help you to identify them and determine what their function is within a particular sentence. (See **Lectura VI** for more information on words that connect clauses to sentences.)

1. Most dependent clauses in Spanish begin with **que** or preposition + **que (de que, en que)**. Others begin with **quien** or preposition + **quien (para quien, con quien)**. A few begin with forms of the possessive pronoun **cuyo**. Many others begin with adverbial conjunctions such as **cuando, porque,** and **ni siquiera**.

2. In most cases, the following is true.

   a. If the clause follows a verb, it is a noun clause.

   EXAMPLE   Me dijo **que no lo conocía.**
   Dime con **quién andas,** y te diré **quién eres.**

   b. If the clause follows a noun, it is an adjective clause.

   EXAMPLE   No pierdas el disco **que te presté,** porque no me pertenece.

   c. If the clause begins with **cuando, porque, como,** or any other adverbial conjunction of time, place, manner, condition, or cause, it is an adverbial clause that offers more information about the action of the main clause by stating when, where, how, or why the action was carried out.

   EXAMPLE   No habló con nadie **porque era muy tímido.**
   Cuando vengan, avíseme.
   Siempre me mira **como si no me conociera.**

◆ PREPARACIÓN PARA LA LECTURA ◆

Vocabulario

SUSTANTIVOS

la carga   *load, burden*
el cerro   *hill*
la espalda   *back; shoulder*
la herida   *wound*
el hombro   *shoulder*
el monte   *mountain, hill*
el rastro   *trace, sign*
la señal   *sign*
la sombra   *shade*
el sostén   *support*
el sudor   *sweat, perspiration*
el temblor   *trembling, tremor*

ADJETIVOS

difunto/a   *dead*
flojo/a   *loose, slack*
mojado/a   *wet*
tambaleante   *staggering, tottering*

VERBOS

agarrar   *to grab*
aguantar   *to endure, to bear*
crecer   *to grow*
destrabar   *to unfasten, to loosen*
disminuir   *to diminish*
doblarse   *to bend over*
enderezarse   *to straighten up*
ladrar   *to bark*
reponerse   *to recover*
soltar   *to loosen, to free*
sudar   *to sweat, to perspire*
tambalearse   *to stagger, to totter*
trabar   *to join, to fasten*
trepar   *to climb*
tropezar   *to stumble*

================================ ▆ *EJERCICIO* ▆ ================================

A. Busque en la lista de vocabulario un sinónimo para cada una de las palabras que siguen.

1. muerto   3. recuperarse   5. rastro   7. soltar
2. suelto   4. apoyo   6. monte

B. Ahora busque un antónimo de estas palabras.

1. crecer   3. doblarse   5. trabar
2. soltar   4. sol

C. Defina en español el significado de los siguientes verbos. Luego, busque en la lista de vocabulario un sustantivo o un adjetivo relacionado con cada verbo.

1. cargar   3. tambalearse   5. herir
2. temblar   4. mojar   6. sudar

D. Complete cada oración con la palabra más apropiada. Haga todos los cambios necesarios. Escoja entre las siguientes: **trepar, ladrar, tropezar, aguantar.**

1. El cartero siempre se asustaba cuando el perro le ＿＿.
2. Es un camino muy difícil; espero que no vayas a ＿＿.
3. De niño ＿＿ a los árboles como si fuera la cosa más natural.
4. No ＿＿ este dolor de cabeza; voy a tomarme cuatro aspirinas.

◆ INTRODUCCIÓN AL TEMA ◆

A pesar de haber publicado sólo una novela—*Pedro Páramo,* en 1955—y una colección de cuentos—*El llano en llamas,* en 1953—, Juan Rulfo (1918–1986) es reconocido como uno de los principales narradores mexicanos del siglo XX. Sus relatos recrean vívidamente el desolado drama de los hombres de Jalisco, su tierra nativa.

«No oyes ladrar los perros» retrata el fuerte vínculo *(tie)* psicológico que une a padres e hijos aun en las circunstancias más desconcertantes.

Prepárese para la lectura discutiendo brevemente con sus compañeros los siguientes temas.

1. En el cuento un hombre viejo camina larga distancia llevando sobre los hombros a su hijo que está herido. ¿Por qué se encuentran ellos en esta situación? ¿Qué ha ocurrido? ¿A dónde van?

2. ¿Por qué pregunta uno de los personajes si el otro oye el ladrido de los perros? Use su imaginación y haga una lista de posibles razones.

«No oyes ladrar los perros»

—Tú que vas allá arriba, Ignacio, dime si no oyes alguna señal de algo o si ves alguna luz en alguna parte.

—No se ve nada.

—Ya debemos estar cerca.

—Sí, pero no se oye nada.

—Mira bien.

—No se ve nada.

—Pobre de ti, Ignacio.

La sombra larga y negra de los hombres siguió moviéndose de arriba abajo, trepándose a las piedras, disminuyendo y creciendo según avanzaba por la orilla[1] del arroyo. Era una sola sombra, tambaleante.

La luna venía saliendo de la tierra, como una llamarada[1] redonda.

—Ya debemos estar llegando a ese pueblo, Ignacio. Tú que llevas las orejas de fuera[1], fíjate a ver si no oyes ladrar los perros. Acuérdate que nos dijeron que Tonaya estaba destrasito[1] del monte. Y desde qué horas que hemos dejado el monte. Acuérdate, Ignacio.

—Sí, pero no veo rastro de nada.

—Me estoy cansando.

—Bájame.

El viejo se fue reculando[1] hasta encontrarse con el paredón[1] y se recargó[1] allí, sin soltar la carga de sus hombros. Aunque se le doblaban las piernas, no quería sentarse, porque después no hubiera podido levantar el cuerpo de su hijo, al que allá atrás, horas antes, le habían ayudado a echárselo a la espalda. Y así lo había traído desde entonces.

—¿Cómo te sientes?

—Mal.

Hablaba poco. Cada vez menos. En ratos parecía dormir. En ratos parecía tener frío. Temblaba. Sabía cuándo le agarraba a su hijo el temblor por las sacudidas[1] que le daba, y porque los pies se le encajaban en los ijares como espuelas[1]. Luego las manos del hijo, que traía trabadas en su pescuezo[1], le zarandeaban[1] la cabeza como si fuera una sonaja[1].

Él apretaba[1] los dientes para no morderse la lengua y cuando acababa aquello le preguntaba:

—¿Te duele mucho?

—Algo —contestaba él.

Primero le había dicho: «Apéame[1] aquí... Déjame aquí... Vete tú solo. Yo te alcanzaré[1] mañana o en cuanto me reponga un poco». Se lo había dicho como cincuenta veces. Ahora ni siquiera eso decía.

Allí estaba la luna. Enfrente de ellos. Una luna grande y colorada que les llenaba de luz los ojos y que estiraba[1] y oscurecía más su sombra sobre la tierra.

bank
blaze
Tú... who have your ears free to hear
just behind (dim.)
se... backed up / thick wall / se... leaned against
shaking
encajaban... dug in his sides like spurs / neck (animal) bobbed around / rattle
clenched
Put me down
I'll catch up
stretched

—No veo ya por dónde voy —decía él.

Pero nadie le contestaba.

El otro iba allá arriba, todo iluminado por la luna, con su cara descolorida, sin sangre, reflejando una luz opaca. Y él acá abajo.

—¿Me oíste, Ignacio? Te digo que no veo bien.

Y el otro se quedaba callado.

Siguió caminando, a tropezones[1]. Encogía[1] el cuerpo y luego se enderezaba para volver a tropezar de nuevo.

a... stumbling / He bent

—Éste no es ningún camino. Nos dijeron que detrás del cerro estaba Tonaya. Ya hemos pasado el cerro. Y Tonaya no se ve, ni se oye ningún ruido que nos diga que está cerca. ¿Por qué no quieres decirme qué ves, tú que vas allá arriba, Ignacio?

—Bájame, padre.

—¿Te sientes mal?

—Sí.

—Te llevaré a Tonaya a como dé lugar[1]. Allí encontraré quien te cuide. Dicen que allí hay un doctor. Yo te llevaré con él. Te he traído cargando desde hace horas y no te dejaré tirado[1] aquí para que acaben contigo quienes sean[1].

a... one way or another

lying / para... for someone to finish you off

Se tambaleó un poco. Dio dos o tres pasos de lado y volvió a enderezarse.

—Te llevaré a Tonaya.

—Bájame.

Su voz se hizo quedita[1], apenas murmurada:

very soft (dim.)

—Quiero acostarme un rato.

—Duérmete allí arriba. Al cabo[1] te llevo bien agarrado.

After all

La luna iba subiendo, casi azul, sobre un cielo claro. La cara del viejo, mojada en sudor, se llenó de luz. Escondió los ojos para no mirar de frente, ya que no podía agachar[1] la cabeza agarrotada[1] entre las manos de su hijo.

bend / gripped

—Todo esto que hago, no lo hago por usted. Lo hago por su difunta madre. Porque usted fue su hijo. Por eso lo hago. Ella me reconvendría[1] si yo lo hubiera dejado tirado allí, donde lo encontré, y no lo hubiera recogido para llevarlo a que lo curen, como estoy haciéndolo. Es ella la que me da ánimos[1], no usted. Comenzando porque a usted no le debo más que puras dificultades, puras mortificaciones, puras vergüenzas.

would reprimand

da... is motivating

Sudaba al hablar. Pero el viento de la noche le secaba el sudor. Y sobre el sudor seco, volvía a sudar.

—Me derrengaré[1], pero llegaré con usted a Tonaya, para que le alivien[1] esas heridas que le han hecho. Y estoy seguro de que, en cuanto se sienta usted bien, volverá a sus malos pasos. Eso ya no me importa. Con tal que se vaya lejos, donde yo no vuelva a saber de usted. Con tal de eso... Porque para mí usted ya no es mi hijo. He maldecido la sangre que usted tiene de mí. La parte que a mí me tocaba la he maldecido. He dicho: «¡Que se le pudra en los riñones la sangre[1] que yo le di!» Lo dije desde que supe que usted andaba trajinando[1] por los caminos, viviendo del robo y matando gente... Y gente

I'll cripple myself / they heal

May the blood rot in his kidneys

wandering

buena. Y si no, allí está mi compadre Tranquilino. El que lo bautizó a usted. El que le dio su nombre. A él también le tocó la mala suerte de encontrarse con usted. Desde entonces dije: «Ése no puede ser mi hijo».

—Mira a ver si ya ves algo. O si oyes algo. Tú que puedes hacerlo desde allá arriba, porque yo me siento sordo[1].

deaf

—No veo nada.

—Peor para ti, Ignacio.

—Tengo sed.

—¡Aguántate[1]! Ya debemos estar cerca. Lo que pasa es que ya es muy noche y han de haber apagado la luz en el pueblo. Pero al menos debías de oír si ladran los perros. Haz por oír[1].

Put up with it!

Try to hear.

—Dame agua.

—Aquí no hay agua. No hay más que piedras. Aguántate. Y aunque la hubiera, no te bajaría a tomar agua. Nadie me ayudaría a subirte otra vez y yo solo no puedo.

—Tengo mucha sed y mucho sueño.

—Me acuerdo cuando naciste. Así eras entonces. Despertabas con hambre y comías para volver a dormirte. Y tu madre te daba agua, porque ya te habías acabado la leche de ella. No tenías llenadero[1]. Y eras muy rabioso[1]. Nunca pensé que con el tiempo se te fuera a subir aquella rabia[1] a la cabeza… Pero así fue. Tu madre, que descanse en paz, quería que te criaras fuerte. Creía que cuando tú crecieras irías a ser su sostén. No te tuvo más que a ti. El otro hijo que iba a tener la mató. Y tú la hubieras matado otra vez si ella estuviera viva a estas alturas[1].

There was no way of filling you up. / angry
anger

a… now

Sintió que el hombre aquel que llevaba sobre sus hombros dejó de apretar las rodillas y comenzó a soltar los pies, balanceándolos de un lado para otro. Y le pareció que la cabeza, allá arriba, se sacudía[1] como si sollozara.

Sobre su cabello sintió que caían gruesas gotas[1], como de lágrimas.

se… was shaking
heavy drops

—¿Lloras, Ignacio? Lo hace llorar a usted el recuerdo de su madre, ¿verdad? Pero nunca hizo usted nada por ella. Nos pagó siempre mal. Parece que, en lugar de cariño, le hubiéramos retacado[1] el cuerpo de maldad. ¿Y ya ve? Ahora lo han herido. ¿Qué pasó con sus amigos? Los mataron a todos. Pero ellos no tenían a nadie. Ellos bien hubieran podido decir: «No tenemos a quién darle nuestra lástima». ¿Pero usted, Ignacio?

filled

Allí estaba ya el pueblo. Vio brillar los tejados[1] bajo la luz de la luna. Tuvo la impresión de que lo aplastaba[1] el peso de su hijo al sentir que las corvas[1] se le doblaban en el último esfuerzo. Al llegar al primer tejabán[1], se recostó sobre el pretil de la acera[1] y soltó el cuerpo, flojo, como si lo hubieran descoyuntado[1].

roofs
was crushing / backs of his knees
building
pretil… edge of the sidewalk dislocated

Destrabó difícilmente los dedos con que su hijo había venido sosteniéndose de su cuello y, al quedar libre, oyó cómo por todas partes ladraban los perros.

—¿Y tú no los oías, Ignacio? —dijo—. No me ayudaste ni siquiera con esta esperanza.

COMPRENSIÓN DE LA LECTURA

Conteste las siguientes preguntas.

1. ¿Quiénes viajan hacia el pueblo de Tonaya?
2. ¿Por qué hay una sola sombra?
3. ¿Por qué no puede andar el hijo?
4. ¿Qué espera encontrar el padre en Tonaya?
5. ¿Por qué ayuda el padre al hijo?
6. ¿Por qué maldice el padre la sangre que le había dado al hijo?
7. ¿Por qué no quiere el padre bajar al hijo?
8. ¿Dónde está la madre, y cómo reacciona el hijo al recordarla?
9. ¿Por qué no había oído el padre el ladrido de los perros?
10. ¿En qué condición estaba el hijo al llegar los dos al pueblo?

INTERPRETACIÓN DE LA LECTURA

Conteste las siguientes preguntas.

1. Describa el medio ambiente del cuento.
2. Describa a los dos hombres.
3. Al principio del cuento, el padre lo tutea al hijo; ¿por qué cambia de repente a **usted**?
4. ¿Siente Ud. lástima por el hijo? ¿Por el padre? ¿Por qué (no)?
5. ¿Qué haría usted siendo el padre de este hijo? ¿Lo ayudaría? ¿Por qué (no)?
6. ¿Es convincente la actitud del padre? ¿Por qué (no)?
7. ¿Qué asociaciones se evocan con las imágenes (a) del padre tambaleante cargando al hijo, (b) de los perros que no oye ladrar y (c) del camino oscuro luego plateado por la luz casi azul de la luna?
8. El autor incorpora mucho diálogo en el cuento. ¿Cómo es y qué efecto tiene?
9. ¿Cómo interpreta Ud. la última acusación del padre? ¿Cree Ud. que el hijo haya oído ladrar los perros?

REPASO GRAMATICAL

A. **El verbo** *oír.* Complete cada oración con la forma más apropiada del verbo **oír**.

1. Vete a tu cuarto. No quiero que _____ lo que discutimos aquí.
2. Cuando _____ la noticia, le mandamos un carta inmediatamente, dándole el pésame *(condolences).*
3. _____. Ven acá y haz lo que te dice tu mamá.
4. Por la construcción tan barata, siempre se _____ todo lo que pasaba en el apartamento de nuestros vecinos.
5. La música está tan fuerte que me resulta imposible _____ lo que tratas de decirme.

B. **El subjuntivo.** Busque en el cuento ocho ejemplos del uso del subjuntivo y explíquelos.

TEMAS DE DISCUSIÓN O DE COMPOSICIÓN

◆ PADRES E HIJOS   El padre de Ignacio, a pesar de su rencor, ayuda al hijo lo más que puede. ¿Qué piensa Ud. de su motivo? ¿Cree Ud. que su ayuda representa una reacción universal entre padre e hijo? ¿Qué responsabilidad tiene un padre hacia un hijo que escoge seguir el mal camino?

◆ EL INDIVIDUO Y LA SOCIEDAD   Basándose en los pocos detalles que menciona el autor, ¿puede Ud. discutir algunos factores sociales que explicarían (aunque no perdonarían) el tipo de vida que ha escogido Ignacio?

◆ REPRESENTACIÓN   Escriba el guión teatral del cuento y preséntelo luego en parejas a los compañeros de clase.

◆ INNOVACIÓN   Imagínese que el hijo no se ha muerto sino que se ha desmayado. ¿Cuál será la continuación del cuento?

CAPÍTULO 11

Gramática

Adverbios

Cláusulas adverbiales con el subjuntivo
   y con el indicativo

Cláusulas con **si** y **como si;**
   las conjunciones **y, o, pero, sino, sino
   que**

Funciones lingüísticas

Corrección

Expresión de posibilidad y condición

Expresión de tiempo, lugar y cantidad

Hacer hipótesis y suponer

Actividades

I. Adverbios

A. La «salsa» es diferente

Tito Puente, indiscutiblemente «el rey de los timbales», va a actuar en Nueva York.

DIANA   Oye, Jorge, ¿querrás ir al concierto del sábado?

JORGE   Es que a mí el rock no me interesa mucho, tú sabes.

DIANA   Pero la «salsa» es diferente. Deriva de raíces afrocubanas y puertorriqueñas, y
        Tito es el mejor salsero. ¿Todavía no te decides?

JORGE   No sé aún. Ya veremos.

DIANA   Pues decídete pronto, porque si lo piensas demasiado, ya no habrá entradas.

◆ En los últimos años la «salsa» ha logrado romper las barreras entre el mundo anglosajón y los barrios latinos. Sus ritmos, basados no solamente en cantos y bailes afrocubanos y puertorriqueños sino también en el jazz y el rock, son ricos y variados y atraen a muchos norteamericanos a las discotecas latinas. Entre los mejores «salseros» se encuentra Tito Puente, director, compositor e intérprete.

salsa *a Latin dance*   indiscutiblemente *indisputably*   timbales *kettledrums*   entradas *tickets*   Ya veremos. *We'll
see.*

Celia Cruz y Tito Puente, dos artistas populares de Cuba y
Puerto Rico respectivamente.

B. Preguntas

1. ¿Quién es Tito Puente?   2. ¿Por qué es la «salsa» diferente del rock?   3. ¿Por qué tiene Jorge que
decidirse pronto?   4. ¿Conoce Ud. la «salsa»? ¿Por qué le gusta o no le gusta?

C. Adverbios: Concepto

You can add an adverb to your sentence to modify the meaning of a verb, another adverb, or an
adjective.

Toca.	*She's playing.*
+ **rápidamente** ⟶ Toca rápidamente.	*She's playing rapidly.*
+ **muy** ⟶ Toca muy rápidamente.	*She's playing very rapidly.*
Estoy enojada.	*I'm mad.*
+ **muy** ⟶ Estoy muy enojada.	*I'm extremely mad.*

You can use adverbs to express basic concepts such as affirmation, negation, or doubt and to
pinpoint a wide variety of conditions and parameters such as time, place, manner, and quantity.

D. Adverbios: Formación

1) You can form many Spanish adverbs by adding the ending **-mente** (equivalent to the English *-ly*) to the feminine singular form of adjectives.

verdadero/a	verdaderamente
indudable	indudablemente
actual	actualmente

Tito Puente es indiscutiblemente «el rey de los timbales».	*Tito Puente is indisputably King of the Kettledrums.*
Verdaderamente a Jorge no le interesa el rock.	*Truthfully, Jorge isn't interested in rock.*

2) When you use two or more adverbs to modify the same verb, add **-mente** only to the last one. The other adverbs remain in their base form (feminine singular adjective).

La modelo caminaba lenta, elegante y rítmicamente.	*The model walked slowly, elegantly, and rhythmically.*

E. Adverbios: Posición

1) When you are using an adverb to modify an adjective or adverb, place it before the word modified.

Las entradas son demasiado caras.	*The tickets are too expensive.*
Nos trataron bastante amablemente.	*They treated us quite nicely.*

2) You can usually place other kinds of adverbs right after the verb or verbal structure.

Celia Cruz canta bien.	*Celia Cruz sings well.*
Lo has hecho mal.	*You've done it wrong.*
El espectáculo será afuera.	*The show will be outdoors.*

3) Adverbs indicating place or time can often be placed either at the beginning or the end of a sentence, to achieve slight differences of emphasis, as in English.

Hace calor allí.	*It's hot there.*
Allí hace calor.	*There it's hot.*
Juan vendrá mañana.	*John will come **tomorrow**.*
Mañana vendrá Juan.	*Tomorrow, **John** will come.*

F. Usos coloquiales de los adverbios

1) aún, todavía

    a. Aún and **todavía** in affirmative sentences and questions mean *still.*[1]

La vocalista está aún (todavía) aquí.	*The singer is still here.*
¿Aún (Todavía) estás aquí?	*You're still here?*

    b. In negative sentences and questions, **aún** and **todavía** mean *yet* or *still.*

Aún (Todavía) no estoy lista.	*I'm still not ready (I'm not ready yet).*
¿No estás lista aún (todavía)?	*Still not ready? (Not ready yet?)*

    c. You may place **aún** and **todavía** before or after a verbal construction, but not in the middle, as you can in English.

Aún (Todavía) están tocando. Están tocando aún (todavía).	*They're still playing music.*
Cansada, sí, pero aún (todavía) puede cantar.	*Tired, sure, but she can still sing.*

2) ya

    a. Use ya with the present tense to mean *already* or *now,* and with the past tense to mean *already.*

El taxi está aquí ya.	*The taxi's already here.*
Nos vamos ya.	*We're leaving now.*
Ya alquilaron el estudio.	*They already rented the studio.*

    b. Use ya with the future to imply *later* or *perhaps.*

—¿Me prestarás tus palillos?	*"Will you lend me your drumsticks?"*
—Ya veremos.	*"We'll see."*

    c. You can use **ya no** to mean *no longer, not . . . any more.*

Ya no hay entradas.	*There are no longer any tickets.*

3) aquí, ahí, allí

    a. Aquí *(here),* ahí *(there),* and allí *(way over there)* are used to indicate position. Use **aquí** to refer to someplace close to you as you speak, **ahí** for a place close to the person you're talking to, and **allí** for a place far from both of you.

Aquí me siento yo y ahí te sientas tú. Los salseros tocarán allí, en aquel lado.	*I'll sit here, you sit there. The salsa players will play over there, on that side.*

    b. Acá and allá are variations of **aquí** and **allí.** Use them to refer more vaguely to less well defined locations.

---

[1]**Aún** with a written accent means **todavía,** which also has a written accent. Aun without a written accent is a different word, meaning *even:* **Ama aun a los enemigos, hermano, aunque da pena.** *(Love even your enemies, brother, even though it hurts.)*

Acá no sé, pero allá siempre parece haber problemas laborales.

I don't know about here, but (around) there they always seem to have labor problems.

4) mucho, muy

a. You can use **mucho** as an adjective to modify nouns and as an adverb to modify verbs.

En el bar comen { mucho. / muchos maníes.

In the bar they eat { a lot. / a lot of peanuts.

Les gustan mucho los maníes.

They like peanuts a lot.

The opposite of **mucho** is **poco**, not **no mucho**.

A mí me gustan poco.
En casa como pocos.

I don't like them much.
I don't eat many at home.

b. Use **muy**, meaning *very,* to modify adjectives or adverbs (though not comparatives).

Pues, las tortillas de maíz son muy sabrosas.

Well, corn tortillas are very tasty.

El público recibió a los artistas muy calurosamente.

The crowd welcomed the artists very enthusiastically.

Note: **Muy** can't be used to modify **mucho**. To express *very much,* use **muchísimo**. (**Muy poco,** however, is acceptable, as is **poquísimo.**)

A unas personas les gustan las tortillas muchísimo; a otras les gustan muy poco.

Some people like tortillas a lot; others like them very little.

The opposite of **muchísimo** is often **nada**, used with the negative **no**.

A los borrachines no les gusta nada el agua mineral.

Drunkards don't like mineral water at all.

EJERCICIOS

PRÁCTICA

A. **Julio Iglesias.** Así describe una revista hispánica al cantante español. Cambie los adjetivos en la clave a adverbios.

El cantante español más famoso —(1)— es Julio Iglesias. En los Estados Unidos es admirado —(2)— por los hispanos, —(3)— por las mujeres. Julio viste —(4)— pero —(5)— y canta —(6)—. Durante el espectáculo se mueve —(7)— y —(8)—. —(9)— es un hombre tranquilo y sincero. En los estadios conmueve —(10)— y —(11)— a sus aficionados.

Clave: 1. actual 4. elegante 7. lento 10. profundo
2. principal 5. informal 8. rítmico 11. apasionado
3. especial 6. dulce 9. Personal

B. Charlas. Complete estas conversaciones con **aún, todavía o ya.**

1. A ¿Está lloviendo ____?
   B No, ____ no. ____ dejó de llover.
2. A Ay, se acabaron ____ las vacaciones.
   B Sí, y qué pena me da pensar que ____ es tiempo de volver al trabajo.
3. A Niños, a la cama. ____ es hora de acostarse.
   B Mamá, no puedo acostarme ____ porque ____ no he terminado mi tarea.
4. A ¿ ____ te vas?
   B No, me quedaré ____ un ratito.
5. A Tu abuelo ____ se ha retirado, ¿verdad?
   B Sí, pero ____ tiene mucha energía.

C. ¿Dónde querrá vivir Germán? Complete el diálogo con **aquí, ahí, allí, acá o allá.**

BETO ¿Sabes tú si Germán está —(1)— este trimestre?
LUPE Sí, vive —(2)— cerca de tu residencia.
BETO Pero pronto volverá a su pueblo, —(3)— en Bolivia, ¿no?
LUPE Tiene que irse en diciembre. Su familia ya no puede mandarle dinero de —(4)—.
BETO ¿Dónde crees tú que él preferiría vivir, —(5)— o —(6)—?
LUPE Sin duda que —(7)—. —(8)— tienen muchos problemas. —(9)— en Hispanoamérica la gente vive peor que vivimos —(10)—.

D. ¡Qué buen café! Representen en clase la siguiente conversación, pero en español.

A You're a Colombian? You drink a lot of coffee there in your country, don't you?
B Yes, a lot. It's very good.
A And the coffee growers **(cafetaleros)** like to receive visits from hotel owners **(hoteleros)** and other buyers, don't they?
B Of course, and they like it very much when the buyers speak Spanish well.
A Almost everybody here speaks Spanish. Very few people in Puerto Rico speak only English. By the way **(A propósito),** are coffee prices still low in Colombia?
B Not really. Not any more.

¡A CONOCERNOS!

A. Conteste estas preguntas.

1. ¿Se divierte Ud. poco en las fiestas? 2. ¿Se despierta Ud. rápidamente? 3. ¿Se siente bien cuando no duerme bien? 4. ¿Se desayuna Ud. abundantemente? 5. ¿Llega Ud. tarde a sus clases a menudo? 6. ¿Cuesta poco la matrícula en una universidad privada? 7. ¿Cuáles son dos cosas que Ud. tuvo que hacer y que ya hizo? 8. ¿Cuáles son dos cosas que Ud. tiene que hacer y que todavía no ha hecho? 9. ¿Cuáles son dos cosas que eran muy importantes para Ud. cuando era más joven? ¿Todavía le importan mucho?

SITUACIÓN COMUNICATIVA

Imagínese la siguiente situación y represéntela con un compañero o una compañera.

CAMPAIGNER Greet a passerby and explain that you are working for Mrs. Zapata, who is running for Congress. Ask whether the passerby has registered to vote in the next election.
CITIZEN Say that you are already registered, of course.
CAMPAIGNER Say you are very interested in knowing whether he or she is going to vote for Mrs. Zapata.

PASSERBY   Say you're not decided yet.

CAMPAIGNER Explain why, in your opinion, Mrs. Zapata is the best qualified candidate. Assure him or
            her that Mrs. Zapata will do a lot for the people of the state and will truly work for the
            people.

PASSERBY   Ask questions about the points brought up by the campaigner, or ask your own questions
            on specific issues.

presentarse candidato/a *to run for office*   **presentarse candidato a diputado** *to run for Congress*

II. Cláusulas adverbiales con el subjuntivo y con el indicativo

A. *Aunque tenga mucho trabajo, siempre asisto al Festival*

A pesar de que Santiago y Fernando, dos periodistas amigos, no se habían visto en
mucho tiempo, se alegraron al encontrarse.

FERNANDO   ¡Hombre! ¿Tú, por San Sebastián?

SANTIAGO   Sí, sí. Yo, aunque tenga mucho trabajo, siempre asisto al Festival. A menos
           que esté fuera de España...

FERNANDO   Y yo, por mucho que trabaje, siempre encuentro unos días para venir aquí.
           Dicen que este año es muy bueno.

SANTIAGO   Cierto. Hay películas y cortometrajes excelentes. Dos directoras de primera.
           ¿Cuál vas a ver ahora, el filme de Bemberg o el de Fernández Violante?

FERNANDO   Quiero ver los dos, con tal de que no sean a la misma hora. ¡Sería difícil
           decidir!

Famoso por ser el lugar de
veraneo de los Reyes y la corte
en tiempos pasados, San Sebastián, en la costa del norte de
España, es también el punto de
partida de una flota pesquera.

◆ Uno de los festivales de cine más importantes de Europa se celebra cada mes de julio en San Sebastián, capital de Guipuzcoa, una de las tres provincias del País Vasco español. Directores y estrellas conocidas, así como aficionados de todo el mundo, acuden cada año al festival.

◆ La argentina **María-Luisa Bemberg** es la directora de *Camila,* filme que obtuvo un premio internacional. Como feminista, Bemberg centra su atención en mujeres que, como ella, tienen valor para abandonar sus papeles tradicionales. La mexicana **Marcela Fernández Violante**, directora de la película premiada *Cananea* así como de otros filmes, es conocida por su conciencia social.

cortometrajes *short films*   **de primera** *first-class*   **acuden** *flock to*   **conciencia** *awareness*

B. Preguntas

1. ¿Por qué están Fernando y Santiago en San Sebastián?   2. ¿Asisten ellos siempre al Festival?   3. ¿Por qué será bueno este año?   4. ¿Podrán ellos ver los filmes de las dos directoras hispánicas?   5. ¿Qué buena película ha visto Ud. últimamente?

C. Cláusulas adverbiales: Concepto

You can use adverbial clauses the same way that you use adverbs: to modify the meaning of your verbs, adverbs, and adjectives. Connect these dependent clauses to your main clause with a conjunction or conjunctive phrase.

In your adverbial clauses, sometimes you will need to use a verb in the indicative, sometimes in the subjunctive. Use the indicative when you believe that the statement in the clause is a fact.

MAIN CLAUSE WITH ADVERB

| Llego pronto. | *I'll arrive soon.* |

MAIN CLAUSE	ADVERBIAL CLAUSE
Siempre llego al Festival *I always arrive at the Festival*	tan pronto como puedo. (indicative verb) *as soon as I can.*
Llegaré al Festival *I'll arrive at the Festival*	tan pronto como pueda. (subjunctive verb) *as soon as I can.*

D. Cláusulas adverbiales con el indicativo

When you begin an adverbial phrase with one of the following conjunctions, always use a verb in the indicative.

puesto que $\Big\}$ *since, because*
ya que

como   *since, because* (only)

porque $\Big\}$ *because, since*
pues

ahora que   *now that*

Como Miguel no ha visto ese filme, va a
 verlo hoy.
No es directora de cine porque no quiere.

*Because (Since) Miguel hasn't seen that
 film, he'll see it today.*
*She isn't a film director because she doesn't
 want to be one.*

E. Cláusulas adverbiales con el subjuntivo

1) When you begin an adverbial clause with a conjunction of *purpose* or *condition,* always use the subjunctive mood, because your verb refers to a *hypothetical* rather than a factual state or action.

   a. Common conjunctions of *purpose* include the following.

   a fin de que   *so that*
   para que   *in order that, so that*

Os llevaré al Monte Igueldo a fin de que
 conozcáis San Sebastián.
Me lo contó todo para que supiera el
 argumento del filme.

*I'll take you to Monte Igueldo so that you
 get to know San Sebastián.*
*He told me everything, so that I'd know the
 plot of the movie.*

   b. Common *conditional* conjunctions include the following.

   a menos que
   a no ser que $\Big\}$ *unless*
   salvo que

   en caso de que   *in case*

   con tal (de) que
   siempre que $\Big\}$ *provided that*

   sin que   *without*

Fernando verá las dos películas con tal de
 que no sean a la misma hora.
Santiago asiste al Festival de Cine a menos
 que esté fuera de España.
Iremos a la playa de La Concha a no ser
 que haga frío.
Me robaron el bolso en el cine sin que yo
 me diera cuenta.

*Fernando will see both films, provided that
 they aren't at the same time.*
*Santiago attends the Film Festival unless
 he's abroad.*
We'll go to La Concha beach unless it's cold.

*They stole my purse in the movie theater
 without my realizing it.*

F. Cláusulas adverbiales con el indicativo o el subjuntivo

After certain adverbial conjunctions, you may need to use either the indicative or the subjunctive, depending upon the meaning you wish to express.

1) Conjunctions of *time* include the following.

cuando	} *when*	mientras	*while*
siempre que		mientras (que)	*as long as*
tan pronto como	} *as soon as*	desde (que)	*since*
en cuanto		hasta (que)	*until*

a. Use the indicative with these time conjunctions when you refer to an action that takes place repeatedly, that is taking place now, or that actually took place before.

Cuando hay cortometrajes vamos a verlos.	*When there are short films, we go to see them.*
En cuanto llegó la directora de la película, el público la aplaudió.	*As soon as the director of the film arrived, the audience applauded.*
Mientras ven una película, los españoles jóvenes comen pipas en el cine.	*While they watch a movie, young Spaniards eat sunflower seeds in the theater.*

b. Use the subjunctive in your dependent clause when you are talking about an action that you merely anticipate, that has not taken place.

Cuando haya cortometrajes, iremos a verlos.	*When(ever) they show short films, we'll go to see them.*
En cuanto llegue la directora, el público la aplaudirá.	*As soon as the director arrives, the audience will applaud her.*
Mientras tengan pipas, seguirán comiéndolas.	*As long as they have sunflower seeds, they'll continue eating them.*

In the foregoing examples, notice the difference between **mientras** meaning *while* (indicative) and **mientras** meaning *as long* as (subjunctive).

Exception: Always use the subjunctive after **antes de que,** since it always implies anticipation.

Siempre se dormía antes de que terminara la película.	*He always fell asleep before the film was over.*

2) Conjunctions of *concession* and *result* include the following.

aunque	*although, even though, even if*
a pesar de que	*in spite of the fact that*
por mucho que	} *no matter how much*
por más que	
de manera que	} *so that, therefore*
de modo que	
así que	

a. Use the indicative in your dependent clause when you are talking about an action that you have experienced or that you view as real.

Por mucho que trabajo, nunca gano bastante como guionista.	*No matter how much I work, I never earn enough as a scriptwriter.*
Veré ese melodrama aunque terminaré llorando.	*I'll watch that melodrama, although I'll end up crying.*
Voy a los festivales, de manera que conozco a los directores.	*I go to the film festivals, so I know the directors.*

b. But use the subjunctive if you merely anticipate the action or situation and aren't ready to say whether it's real or not.

Por mucho que trabaje, nunca ganaré bastante como guionista.	*No matter how much I (may) work, I'll never earn enough as a scriptwriter.*
Veré ese melodrama aunque termine llorando.	*I'll watch that melodrama, although I may end up crying.*

═══ *EJERCICIOS* ═══

PRÁCTICA

A. ¿Indicativo o subjuntivo? Escoja la forma apropiada.

1. (hacer) Cuando _____ buen tiempo, vamos a la playa.
   Cuando _____ buen tiempo, iremos a la playa.

2. (trabajar) Siempre que tú _____ bastante, sacas buenas notas.
   Sacarás buenas notas siempre que tú _____ bastante.

3. (amanecer) Tan pronto como _____ Antonio se levantaba.
   Antonio se levantará tan pronto como _____.

4. (ver) Salgo de casa en cuanto _____ el autobús.
   Saldré de casa en cuanto _____ el autobús.

5. (estar) Jacinta hablaba español mientras _____ en Quito.
   Jacinta hablará español mientras _____ en Quito.

6. (ir) Mientras que todo _____ bien, estuvieron contentos.
   Mientras que todo _____ bien, estarían contentos.

7. (cansarse) Viajaba hasta que _____.
   Viajaría hasta que _____.

8. (entrenarse) Por mucho que su equipo _____, nunca nos gana.
   Por mucho que su equipo _____, no nos ganaría.

9. (buscar) No conseguí trabajo, aunque lo _____.
   No conseguiré trabajo aunque lo _____.

10. (sentirse) Mi padre va a un buen médico, de modo que ahora _____ mejor.
    Papá, ve a un buen médico de modo que _____ mejor.

B. Un poco de traducción. Traduzca las siguientes historias.

1. My mother-in-law is going to take care of the baby while my husband and I are on vacation. 2. I know I don't have to worry as long as the baby is with her. 3. Mother will be very careful so that the baby will stay safe. 4. But we'll call her as soon as we arrive. 5. And we'll probably call her every night, provided we have the time.

6. Henry's rich uncle gave him $1,000 so that he could go to Spain.   7. The uncle did it without his wife knowing anything about it.   8. Henry's parents will give him more money in case he needs it.   9. So Henry will make the trip provided he can find a cheap flight.   10. It's a shame he has to wait until school closes.   11. He can't leave before school is over.

¡A CONOCERNOS!

A. Conteste estas preguntas.

1. ¿Se levanta Ud. en cuanto suena el despertador?   2. ¿Está Ud. siempre atento/a mientras asiste a sus clases?   3. ¿Hablarán Uds. en inglés tan pronto como salga el/la profesor(a) de clase?   4. ¿Vivirá Ud. en una residencia de estudiantes mientras esté estudiando?.   5. ¿No saca Ud. buenas notas aunque trabaja mucho?   6. ¿Terminará Ud. sus estudios aunque le cueste mucho dinero?   7. ¿Tomará Ud. muchas materias a fin de que le den su título antes?   8. ¿Les escribe Ud. a sus amigos con tal que ellos le contesten?   9. ¿Fuma Ud. en el cine a menos que esté prohibido?

B. Ahora hágale unas preguntas similares a un compañero o a una compañera.

SITUACIÓN COMUNICATIVA

Imagínese la siguiente situación y represéntela con un compañero o una compañera.

JOURNALIST	Ask the film director if he or she always comes to film festivals.
DIRECTOR	Answer that whenever one of your films is shown you attend, unless you are making another film at the time.
JOURNALIST	Ask why his/her films generally deal with (**tratar de**) social problems.
DIRECTOR	Say that they will deal with social problems as long as those problems exist in the world.
JOURNALIST	Ask what he or she thinks of his/her films.
DIRECTOR	Say that no matter how much you work on them, you never think they are perfect, and therefore you always try to find ways to improve.
JOURNALIST	Ask whose movies he/she likes. Which directors have influenced him/her? Create names as you go if necessary.

III. Cláusulas con **si** y **como si**; Las conjunciones **y, o, pero, sino, sino que**

A. «La familia de Pascual Duarte», de Cela

Pascual y su esposa, Lola, hacen planes para su primer hijo poco después de su nacimiento. Su conversación se vuelve morosa cuando ambos recuerdan la muerte del hijo de un vecino «por un mal aire». Comienza a hablar Lola.

—Debería saberse cuánto había de durarnos cada hijo, que llevasen escrito en la frente…
—¡Calla!…
—¿Por qué?
—¡No puedo oírte!

Un golpe de azada en la cabeza no me hubiera dejado en aquel momento más aplanado que las palabras de Lola.

—¿Has oído?

—¡Qué!

—La ventana.

—¿La ventana?

—Sí; chirria como si quisiera atravesarla algún aire…

El chirriar de la ventana, mecida por el aire, se fue a confundir con una queja.

—¿Duerme el niño?

—Sí.

—Parece como que sueña.

—No lo oigo.

—Y que se lamenta como si tuviera algún mal…

—¡Aprensiones!

—¡Dios te oiga! Me dejaría sacar los ojos.

En la alcoba, el quejido del niño semejaba el llanto de las encinas pasadas por el viento.

—¡Se queja!…

Lola fue a ver qué le pasaba; yo me quedé en la cocina fumando un pitillo, ese pitillo que siempre me cogen fumando los momentos de apuro…

◆ **Camilo José Cela** nació en Galicia, España, en 1916 y es uno de los novelistas contemporáneos más conocidos en lengua española. Su obra se inició en 1942 con la novela *La familia de Pascual Duarte,* obra de extraordinaria y viva prosa en la que Pascual narra la historia de su absurda vida.

morosa *slow* **durar** *to last* **azada** *hoe* **chirriar** *creaking* **mecida** *swinging* **queja** *moan* **me dejaría sacar los ojos** *I'd give my right arm* (to save him) **alcoba** *bedroom* **semejaba** *resembled* **llanto** *cry* **encinas** *oaks* **pitillo** *cigarette* (Spain) **apuro** *trouble*

B. Preguntas

1. ¿Qué querría saber Lola? 2. ¿Cómo chirriaba la ventana? 3. ¿Qué creía Lola que hacía su hijo? 4. ¿Qué haría Pascual por su hijo? 5. ¿Por qué se quedó fumando Pascual? 6. ¿Fuma Ud. en los momentos de apuro?

C. Cláusulas con si

1) When you begin an adverbial clause with **si** *(if),*[2] your verb will sometimes be indicative, sometimes subjunctive. (Only past subjunctive forms follow **si,** never the present subjunctive.)

   a. Use the indicative in an *if*-clause to express an action or condition that you are ready to accept as true, even if it is only anticipated, not experienced.

[2]The phrases **salvo si** and **excepto si,** both meaning *except if,* function just as si does.

Lo saludaré si lo veo.	*I'll say hello to him if* (= when) *I see him.*
Si lo veía, lo saludaba, naturalmente.	*If* (= Whenever) *I saw him, I greeted him, of course.*
Si él estuvo aquí, no lo vimos.	*If* (= Granted, When) *he was here, we didn't see him.*

b. Use the subjunctive in an *if*-clause to express an action or condition that you regard as hypothetical or contrary to fact.

◆ To express what you would do if some condition were to be met, use a verb in the conditional in the main clause.

Lo cuidaría mucho...	*I'd take good care of him . . .*

◆ To express the condition, use a verb in one of the past subjunctive tenses in a dependent *if*-clause.

... si tuviera un hijo.	*. . . if I had a child.*

◆ Note that the conditional verb states the result, not the condition. Fix this formula in your mind:

> main clause, conditional; *if*-clause, past subjunctive

◆ When the verb in your main clause is in the conditional, and your *if*-clause refers to present time, the verb in your *if*-clause must be in the imperfect subjunctive.

Leería *La familia de Pascual Duarte* si tuviera tiempo.	*I'd read La familia de Pascual Duarte if I had the time.*
Si no trabajaras tanto, tendrías tiempo de leer novelas.	*If you didn't work so hard, you'd have time to read novels.*

◆ When your *if*-clause refers to past time, use the past perfect subjunctive.[3]

Si él no hubiera fumado, se habría puesto nervioso.	*If he hadn't smoked, he would have gotten nervous.*
Si el niño no hubiera llorado, su madre no se habría preocupado tanto.	*If the child hadn't cried, his mother wouldn't have been so worried.*

D. Cláusulas con *como si*

The expression **como si** *(as if)* implies a hypothetical or untrue situation. It always requires the imperfect or past perfect subjunctive.

El niño se lamenta como si tuviera algún mal.	*The child moans as if he were ill.*
La ventana chirria como si quisiera atravesarla algún aire.	*The window creaks as if some evil wind wanted to enter.*

---

[3]The past perfect subjunctive can also be used in the main clause, replacing the conditional perfect. Si me hubiera confesado culpable, él no hubiera sido expulsado. *(If I'd confessed, he wouldn't have been expelled.)*

E. Conjunciones

Conjunctions link clauses, and shorter parts of sentences as well.

1) y, o
The most common conjunctions are **y** *(and)* and **o** *(or)*. In writing Spanish, change **y** to **e** before words beginning with **i-** or **hi-**; change **o** to **u** before **o-** or **ho-**.[4]

El tratado se firmó entre España e Inglaterra.	*The treaty was signed by Spain and England.*
¿Era tu cumpleaños ayer u hoy?	*Was your birthday yesterday or today?*

2) Pero, sino, sino que
   a. Use **pero** in most places where you would use *but* in English.

Compró un bonito vestido pero no se lo puso.	*She bought a pretty dress but didn't wear it.*
Me gusta el cine pero también el teatro.	*I like movies, but also the theater.*

   b. When *but* means *but rather, on the contrary,* or *but instead,* use **sino**. The initial part of the sentence is negative, and the second part corrects or contradicts it. The only verb form that can directly follow **sino** is an infinitive.

Chemari no tomó cerveza sino sidra.	*Chemari didn't drink beer but cider.*
No queremos entrar sino salir.	*We don't want to get in but* (on the contrary) *to leave.*

   c. Use **sino que** instead of **sino** to connect two clauses. The first is negative and the second corrects, contradicts, or excludes the first.

No reían sino que lloraban.	*They weren't laughing but crying.*

3) no sólo (solamente)... sino que también...
Use **no sólo (solamente)... sino que también...** when you mean *not only . . . but also . . .* The first sentence is negative, and the second adds another action.

No sólo está nervioso sino que también llora.	*He's not only nervous but also crying.*

EJERCICIOS

PRÁCTICA

  A. **¿Indicativo o subjuntivo?** En cada par de oraciones que siguen, una requiere el indicativo y la otra el subjuntivo del verbo que está entre paréntesis.
     1. (fumar) Si Chemari ____, fue porque sus amigos fumaron.
          Si Chele ____ menos, se sentiría mejor.
     2. (querer) Mis padres me dijeron que si yo ____ estudiar, ellos me pagarían los estudios.
          Todavía no sé si yo ____ seguir una carrera universitaria.

[4]Note that y does not change to e before **hie-**, a diphthong. **Siempre hay nieve y hielo en esa carretera.** *(There's always snow and ice on that road.)*

3. (invitar) Si tú celebras tu cumpleaños, esperamos que nos ____ a la fiesta.

Nos hubiera encantado quedarnos en Lima si los amigos limeños nos ____.

4. (tener) Si Juan ____ más dinero, podría estudiar para médico. Dice Juan que si ____ suerte, el gobierno le dará una beca.

5. (casarse) No sé si mi vieja amiga María-Teresa y su novio ____, porque me mudé después de la secundaria y no tengo noticias de ellos.

Pero sí sé que si María Teresa no ____, habría sido una abogada importantísima.

6. (llover) Las calles están secas y polvorientas como si nunca ____ aquí.

Si no ____ mañana, vamos a la playa.

B. Así suena mejor. Complete la siguiente narración con las conjunciones y, e, o, u.

Ernesto —(1)— Hipólito son padre —(2)— hijo; no recuerdo si son chilenos —(3)— uruguayos. El año pasado viajaron por España —(4)— Italia. En Madrid hacía frío en diciembre —(5)— enero y había nieve —(6)— hielo en las carreteras.

Hipólito —(7)— Isabel son primos. Ellos viajarán a Irlanda —(8)— Inglaterra este año. Todavía no saben si irán en septiembre —(9)— octubre; pero uno —(10)— otro mes sería agradable.

C. ¿Pero, sino o sino que? Complete cada oración de la primera columna con otra de la segunda que sea apropiada, uniéndolas con **pero, sino** o **sino que**, según convenga.

1. Adela es inteligente...
2. No es sólo una buena persona...
3. Le interesan los deportes...
4. Ayer no fue a la universidad...
5. Sus padres no se quejan de ella...
6. Él no sólo tiene mal genio...
7. Los mineros trabajan duro...
8. Muchos no están contentos...
9. A veces no quieren hacer huelga...
10. Ellos no piden trabajar menos...
11. Los patronos no los escuchan...
12. Ellos no piden sangre...

a. también es perezoso.
b. de su hermano Pablo.
c. al centro comercial.
d. no estudia demasiado.
e. también es alegre.
f. no los practica.
g. muy disgustados con los patronos.
h. no tienen más remedio.
i. llaman a la policía.
j. pan.
k. les aumenten el salario.
l. no ganan bastante.

¡A CONOCERNOS!

A. Conteste estas preguntas.

¿Qué hace Ud. si...

1. tiene mucho tiempo libre?   2. lo/la invita un amigo al cine?   3. le dan dinero sus padres?
4. tiene mucho sueño después de comer?

¿Qué ocurrirá si...

5. hay un terremoto o huracán en el área?   6. llegan a la tierra seres extraterrestres?   7. una gran potencia *(great power)* declara la guerra a otra?   8. se acaban las reservas de petróleo?

¿Qué pasaba si...

9. llegaba Ud. tarde a la escuela?   10. llovía y quería jugar al aire libre?   11. miraba demasiado la televisión?   12. no terminaba su tarea?

¿Qué haría Ud. si...

13. le tocara la lotería?   14. encontrara un ladrón en su casa?   15. un extraño le pidiera que lo llevara en su coche?   16. viera a un compañero o a una compañera copiando *(cheating)* en un examen?

¿Qué habría (hubiera) hecho si...

17. hubiera sido testigo/a *(witness)* de un crimen o robo?   **18.** una persona que no le gusta le hubiera dicho que lo/la quiere?   **19.** un amigo le hubiera pedido el coche prestado?   **20.** se hubiera encontrado mil dólares en la calle?

B. Ahora hágale unas preguntas similares a un compañero o a una compañera.

SITUACIÓN COMUNICATIVA

Imagínese la siguiente situación y represéntela con un compañero o una compañera.

PARENT	Say that you're looking for a super babysitter who could care for your children as if they were his/her own.
BABYSITTER	Say that if there is such a person, it's you, and that if you didn't love children, you would never have looked for this position.
PARENT	Ask what he/she would do if the youngest child had a fever while you were on a business trip.
BABYSITTER	Answer that you would call the doctor and follow his/her orders. Say that if you were hired, you would take care of his/her children with patience and love.
PARENT	Say that if this is the case, he/she is hired.

niñero/a *babysitter*   **propio(s)** *own*

ACTIVIDADES

PARA TODOS

A. Don Curiosón y Doña Curiosa. Cada estudiante tiene que hacerle tres preguntas a otro de la clase. Tanto las preguntas como las respuestas tienen que ser imaginativas y chistosas para hacerlos/las reír.

MODELOS: —¿Qué harás si entra un ratoncito en la clase?
—Pues, si entra un ratón aquí... ¡me subiré en la mesa enseguida!
—¿Qué harías si te regalaran un loro?
—Bueno, si me regalaran un loro... le enseñaría a hablar español.
—¿Qué habrías hecho si te hubieras encontrado con un extraterrestre?
—Hombre, pues le habría pedido un autógrafo, claro.

B. «La Adelita». «La Adelita» es quizás la canción más famosa de la revolución mexicana. Pertenece al grupo de «corridos», o canciones populares de autor desconocido. En ella, un soldado confiesa su amor por la bella Adelita. ¡Cántela con sus compañeros!

Si Adelita se fuera con otro
le seguiría las huellas[1] sin cesar.   *tracks*
Si por mar, en un buque de guerra
si por tierra, en un tren militar.

Si Adelita quisiera ser mi esposa,
si Adelita ya fuera mi mujer,
le compraría un vestido de seda
para llevarla a bailar al cuartel.

Adelita se llama la joven
a quien yo quiero y no la puedo olvidar.
En el mundo yo tengo una rosa
y con el tiempo la voy a cortar.

Y si acaso yo muero en campaña[1]   *war campaign*
y si mi cuerpo en la tierra va a quedar,
Adelita, por Dios te lo ruego que con
tus ojos me vayas a llorar. (bis)[1]   *repeat*

DE TODO UN POCO

Chistes

Fumador empedernido[5]

—¿Cuántos cigarillos fuma Ud. al día?
—Dos paquetes.
—Y, ¿cuánto le cuestan?
—Como cuatro mil pesos diarios.
—¿Cuánto tiempo lleva fumando?
—Como treinta años.
—Cuatro mil pesos diarios en treinta años es mucho dinero... ¿Ve Ud. aquel edificio de la esquina? Si no hubiera fumado tanto, podría ser el dueño, ¿eh?
—Y ¿Ud. fuma?
—No, no.
—¿Es Ud. el dueño de aquel edificio?
—No, tampoco.
—¡Pues fíjese que yo sí lo soy!

A todo dar

—Y ¿cómo pasó el día con los Fernández, compadre?
—Pues, fíjese Ud. compadre, que si la sopita hubiera estado tan calientita como el vino, y el vino tan añejo[1] como el conejo[1], y el conejo tan tiernito[1] como la sirvienta, y la sirvienta tan amable como la señora Fernández... todo hubiera salido a todo dar[1].

mature / rabbit / tender

a... great

[5]*Heavy smoker*

CAPÍTULO 12

Gramática
El adjetivo
Comparaciones: Concepto; Comparaciones de
    igualdad y de desigualdad; Formas
    irregulares de los comparativos: Adjetivos
    y adverbios
El superlativo
Funciones lingüísticas
Comparar
Descripción de personas y cosas
Persuadir
Valorar y despreciar
Actividades

I. El adjetivo

A. *Poderoso caballero es don Dinero*

Una tarde calurosa de enero, la anciana doña Elvira y su hermosa nieta Raquel conversan
en su casa de Santo Domingo.

DOÑA ELVIRA	Me dicen que tienes novio, hijita. Cuéntame, ¿es un muchacho atractivo? ¿Sigue estudios universitarios? ¿Su familia es rica y conocida?
RAQUEL	No, abuelita. Antonio restaura muebles antiguos. No es un chico rico, pero sí es una gran persona.
DOÑA ELVIRA	¿Verdad? Pues tú verás. Eres una mujer inteligente y discreta. Pero recuerda aquello de «Poderoso caballero es don Dinero»...

◆ **Santo Domingo,** capital de la República Dominicana y fundada en 1496, es la ciudad más antigua de Hispanoamérica. Su universidad fue la primera en el Nuevo Mundo. Situada en el Caribe, Santo Domingo goza de un clima tropical.

◆ «Poderoso caballero es don Dinero» es el título y estribillo de un famoso poema de don **Francisco de Quevedo,** un gran poeta y satírico español del siglo XVII.

poderoso *powerful* calurosa *hot* restaura *restores* estribillo *refrain*

La elegancia tranquila de la arquitectura colonial se aprecia todavía en la casa construida para el hijo de Cristóbal Colón en Santo Domingo, capital de la República Dominicana.

Letrilla[1]

Francisco de Quevedo

> *Poderoso caballero*
> *es don Dinero.*
>   Madre, yo al oro me humillo;
> él es mi amante y mi amado,
> pues de puro enamorado,
> anda contino[1] amarillo;
> que pues, doblón o sencillo[1],
> hace todo cuanto quiero,
> *poderoso caballero*
> *es don Dinero.*

>   Son sus padres principales,
> y es de nobles descendiente,
> porque en las venas[1] de Oriente
> todas las sangres son reales;
> y pues es quien hace iguales
> al rico y al pordiosero[1],
> *poderoso caballero*
> *es don Dinero.*

[1] stanza form that was very popular during the Renaissance for satirical poems

[1] always

[1] doblón... old Spanish coins

[1] veins

[1] beggar

B. Preguntas

1. ¿Qué quiere saber doña Elvira?   2. ¿Qué hace Antonio?   3. ¿Cómo es él?   4. Según la abuela, ¿cómo es Raquel?   5. ¿Qué le parece a Ud. el consejo de doña Elvira?

C. El adjetivo: Concepto

You can use adjectives to describe, qualify, or specify the identity or quantity of nouns. Adjectives have different endings to reflect the number, and usually the gender, of the nouns they accompany. Adjectives are of two types: limiting and descriptive.

1) Limiting adjectives include numbers, and possessive and demonstrative adjectives.

2) Descriptive adjectives are all the other adjectives that describe and qualify nouns and pronouns.

D. Formas de adjetivos: Género

Many Spanish adjectives have different forms for masculine and feminine.

1) For adjectives whose masculine form ends in **-o,** change the **-o** to **-a** to get the feminine form.

     alto, alta   *tall*   bajo, baja *short*   simpático, simpática *nice*

2) For adjectives whose masculine form ends in **-n** or **-r,** and for adjectives of nationality that end in a consonant, add **-a** to get the feminine.[1] The comparative forms of **bueno** and **malo, mejor** and **peor,** are exceptions: use the same form for masculine and feminine.

    charlatán, charlatana   *talkative*   trabajador, trabajadora   *hardworking*
    dormilón, dormilona   *sleepyhead*   andaluz, andaluza   *Andalusian*

3) Adjectives ending in **-e, -ista,** or a consonant other than **-n** or **-r** are invariable; use the same form for both masculine and feminine.

    azul   *blue*   excelente   *excellent*
    infantil   *childish*   optimista   *optimistic*

4) Some adjectives ending in **-a** are also invariable.

    hipócrita   *hypocritical*   demócrata   *democratic*

E. Formas de adjetivos: Número

Spanish adjectives have different forms for the singular and the plural.

1) Add **-s** if the adjective ends in a vowel.

    alto, altos   *tall*   francesa, francesas   *French*
    baja, bajas   *short*   interesante, interesantes   *interesting*

2) Add **-es** if the adjective ends in a consonant.

    difícil difíciles   *difficult*   francés, franceses   *French*[1]

3) Like nouns, adjectives ending in **-z** change **z** to **c** when **-es** is added.

    andaluz, andaluces   *Andalusian*   feroz, feroces   *fierce, ferocious*

---

[1]The addition of **-a** adds a syllable to these words. This often means that a written accent is no longer needed to show which syllable is stressed: **portugués, portuguesa** *(Portuguese).* The addition of a plural ending has the same effect: **portugués, portugueses.** Review the rules of where to use written accents in the Appendix if you need more help with this.

F. *Concordancia de los adjetivos con sustantivos*

1) Choose endings for your adjectives that reflect the number and, if appropriate, the gender of the noun you are modifying.

tío trabajador
tía trabajadora } y optimista

tíos trabajadores
tías trabajadoras } y optimistas

hardworking and optimistic {
uncle
aunt
uncles
aunts
}

2) When you use an adjective to modify two or more nouns of different genders, follow these guidelines.
   a. Use the masculine form if the adjective follows the nouns.

Los duraznos y las cerezas están **maduros**.   *The peaches and cherries are ripe.*
Había rosas y claveles **rojos**.   *There were red roses and carnations.*

   b. Use the ending that matches the closest noun if the adjective precedes the nouns.

Comimos **ricos** dulces y frutas.   *We ate some delicious candy and fruit.*
Conocí a **simpáticas** actrices y actores.   *I met nice actresses and actors.*

G. *Posición y apócope (shortening) de adjetivos*

1) Limiting adjectives precede the noun.

Mi clase es interesante.   *My class is interesting.*
No he visto **esos** filmes.   *I haven't seen those films.*
Escribí a **varios** amigos.   *I wrote to several friends.*
Abra la **primera** puerta.   *Open the first door.*

2) Descriptive adjectives generally follow the noun.

Raquel es una mujer inteligente.   *Raquel is an intelligent woman.*
Antonio no sigue estudios universitarios.   *Antonio isn't pursuing a university career.*
Ellos usaron ácido sulfúrico.   *They used sulphuric acid.*
Hoy llegaron las turistas colombianas.   *The Colombian tourists arrived today.*
Me confesé con un sacerdote católico.   *I confessed to a Catholic priest.*

   However, place descriptive adjectives before the noun in these cases:
   a. to refer to the inherent or natural characteristics of the noun

      las elegantes modelos   *the elegant models*
      el frío hielo   *the cold ice*

   b. to emphasize the quality itself

      la anciana doña Elvira   *the elderly Doña Elvira*
      la hermosa nieta   *the beautiful granddaughter*

3) Before a masculine singular noun, a few adjectives are shortened. This is called **apócope** in Spanish. **Bueno, malo, primero,** and **tercero** drop their final **-o** and **Santo** becomes **San** (except for **Santo Domingo** and **Santo Tomás**). **Grande** becomes **gran** before masculine and feminine singular nouns.

un buen amigo	*a good friend*
un mal día	*a bad day*
Tome el primer barco.	*Take the first boat.*
Lea el tercer capítulo.	*Read the third chapter.*
San Pedro y San Agustín	*St. Peter and St. Augustine*
un gran señor	*a great gentleman*
una gran señora	*a great lady*

H. *Significados que dependen de la posición*

Some adjectives have different meanings depending on whether you use them before or after the noun you are modifying.

ADJECTIVE	BEFORE NOUN	AFTER NOUN
antiguo	*old; former, ex-*	*very old, ancient, antique*
cierto	*certain, some*	*true*
diferente	*various*	*different*
gran(de)	*great, famous*	*large, big*
medio	*half*	*average*
mismo	*same; very* (emphatic)	*(one)self, itself*
nuevo	*new (different, another)*	*brand-new*
pobre	*poor (unfortunate, pathetic)*	*poor (penniless)*
único	*only*	*unique*
viejo	*old (affectionate)*	*old (in years)*

Me encontré con mi antiguo novio.	*I ran into my former boyfriend.*
Antonio restaura muebles antiguos.	*Antonio restores antique furniture.*
Es un chico pobre pero una gran persona.	*He's poor but a great guy.*
A pesar de su dinero, mi jefe es un pobre hombre.	*In spite of his money, my boss is pathetic.*
Lo vi con un nueva chica en un coche nuevo.	*I saw him with a different girl in a brand-new car.*

▬▬▬▬▬ *EJERCICIOS* ▬▬▬▬▬

PRÁCTICA

A. **Macarena y Julián.** Complete esta descripción de dos novios usando la forma correcta de los adjetivos en la clave. Haga todos los cambios necesarios.

Macarena, la novia de Julián, es —(1)—. Es una chica —(2)— y —(3)—. Además, es una —(4)— bailarina de flamenco. Julián es un muchacho —(5)— y —(6)—. También es un —(7)— admirador de Andalucía. Le gustan especialmente las paredes —(8)— de las casas y las macetas *(pots)* con geranios y azaleas —(9)—. Le encantan las —(10)— tapas y platos que preparan en los bares —(11)—.

Clave: 1. andaluz   4. bueno   7. grande   10. delicioso
           2. simpático   5. inteligente   8. blanco   11. andaluz
           3. charlatán   6. optimista   9. rojo

B. **Feliciano.** Hablemos ahora de Feliciano. Complete la descripción combinando los nombres y los adjetivos en la clave. ¡Atención a la posición y a la forma del adjetivo!

Les presento a Feliciano, mi —(1)—. Es un —(2)— y un —(3)—. De —(4)— pero honrada, vino aquí para ganar —(5)— y mandárselo a su familia en El Salvador. Comenzó lavando —(6)— en un restaurante y ahora tiene un —(7)— como mozo en El Paseo. Dice que hay unos —(8)— que le dan —(9)—. Cuando tenga —(10)— traerá a su —(11)—.

Clave: 1. salvadoreño / amigo   4. pobre / familia   7. permanente / empleo   10. bastante / dinero
　　　 2. simpático / hombre   5. alguno / dinero   8. católico / curas   11. querido / familia
　　　 3. grande / amigo   6. sucio / platos   9. grande / propinas

C. **Agregando detalles.** Henry nunca da muchos detalles cuando escribe. Ayúdelo, traduciendo los adjetivos que aparecen entre paréntesis para formar frases más interesantes acerca de Alejandro, su nuevo amigo guatemalteco.

MODELO: Henry está viajando por países suramericanos.   *(various)*
　　　　　Henry está viajando por varios países suramericanos.

1. Alejandro es un joven guatemalteco.   *(big and strong)*
2. Se compró una moto.   *(brand-new)*
3. Vive en un barrio de la ciudad.   *(new)*
4. En cambio sus abuelos viven en un barrio.   *(old)*
5. Sus abuelos están ahora enfermos y sin amigos.   *(poor)*
6. Alejandro cree que la solución es meterlos en una residencia para ancianos.   *(only)*
7. Sin embargo el costo es un problema.   *(high, serious)*
8. El ciudadano no puede pagarlo.   *(average)*

¡A CONOCERNOS!

A. Conteste estas preguntas.

1. ¿Cómo es la familia de Ud.? 2. ¿Cómo es su hermano/a mayor o menor? 3. ¿Cómo es su universidad? 4. ¿Cómo son sus profesores? 5. Y sus clases, ¿cómo son? 6. ¿Cómo es la ciudad donde vive Ud.? 7. ¿Cómo es la comida en la cafetería de la universidad? 8. ¿Cuál es la mejor comida que conoce Ud.? 9. ¿Cómo son sus amigos?

B. Ahora hágale unos preguntas similares a un compañero o a una compañera.

SITUACIÓN COMUNICATIVA

Imagínese la siguiente situación y represéntela con un compañero o una compañera.

PET OWNER   You have lost your dog, so you call the pound (perrera). Describe your dog to the attendant.

ATTENDANT   Tell the owner that you have a dog like the one described. Ask the owner to come down to the pound.

PET OWNER   At the pound, you look at the dog in question, but it isn't yours. Describe the differences between this dog and the one you have lost.

ATTENDANT   Try to persuade the owner to take this other dog home with him or her. Describe all the great qualities of this animal.

EL SEAT, que es un FIAT fabricado en España, es el automóvil más popular en España por su economía.

II. Comparaciones: Concepto; Comparaciones de igualdad y de desigualdad; Formas irregulares de los comparativos: Adjetivos y adverbios

A. *Noticia*

LOS ESPAÑOLES Y EL TRABAJO

Según varias encuestas elaboradas por el Centro de Investigaciones Sociológicas, en esta década los españoles trabajan más horas y tienen un mejor nivel de vida que en años pasados. Sin embargo, los españoles siguen preocupándose por cuestiones económicas. En general, quieren precios más baratos, mejores viviendas y mayor seguridad en el trabajo.

Los datos sobre el trabajo son muy interesantes. Alrededor del 77 por ciento de los encuestados manifestaron trabajar más de ocho horas diarias, mientras que únicamente el 10 por ciento trabaja menos de seis horas diarias. Es posible, además, que muchas personas trabajen más horas de las que mencionaron porque cuando les preguntaron si tenían más de un empleo, 56 por ciento de los encuestados se negaron a responder.

También es significativo que una gran mayoría de los españoles estaría dispuesta a cambiar de empleo y que 58 por ciento se cambiarían a un trabajo igual en una empresa similar.

Parece que los españoles no quieren que la gente sepa que tienen más de un empleo, pero muchos confiesan que quisieran tener un trabajo más seguro, que cambiarían de empleo y les gustaría trabajar menos horas de las que trabajan.

---

encuestas *opinion polls* **nivel de vida** *standard of living* **viviendas** *housing* **datos** *data* **encuestados** *persons polled* **dispuesta** *ready* **empresa** *company, enterprise*

B. *Preguntas*

1. Según varias encuestas recientes, ¿cómo es el nivel de vida de los españoles? 2. ¿Qué quieren los españoles? 3. ¿Cuántas horas diarias trabajan los españoles? 4. ¿Por qué cree Ud. que muchos españoles no quieren que la gente sepa que tienen más de un empleo? 5. ¿Cuántas horas diarias trabaja la gente en los Estados Unidos? ¿Y Ud.?

C. *Comparaciones: Concepto*

You can compare people, things, and qualities in Spanish using adjectives, adverbs, nouns, pronouns, and verbs. The elements you are comparing may be equal or unequal.

D. *Comparaciones de igualdad*

1) Comparisons of adjectives or adverbs: *as . . . as*

$$\textbf{tan} + \begin{Bmatrix} \text{adjective} \\ \text{adverb} \end{Bmatrix} + \textbf{como}$$

Margarita es **tan** inteligente **como** Elvira.	*Margarita is as intelligent as Elvira.*
En el vacío, ¿cae una pluma **tan** rápidamente **como** una piedra?	*In a vacuum, does a feather fall as fast as a stone?*
Ana es **tan** inteligente **como** simpática.	*Ana is as intelligent as she is nice.*

2) Comparisons of the quantity of nouns: *as much as, as many as*

$$\textbf{tanto (-a, -os, -as)} + \text{noun} + \textbf{como}$$

Perico toma **tanta** cerveza **como** Tomás.	*Perico drinks as much beer as Tomás.*
Ella fuma **tantos** cigarrillos **como** él.	*She smokes as many cigarettes as he (does).*

3) Comparisons of verbs (actions): *as much as*

verb + **tanto como** + verb, noun, or pronoun
verb + **tanto** + noun or pronoun + **como** + verb, noun, or pronoun

Fernando come **tanto como** bebe.	*Fernando eats as much as he drinks.*
Beatriz gana **tanto como** Luis.	*Beatriz earns as much as Luis.*
Ella trabaja **tanto como** nosotras.	*She works as much as we do.*
Quiero **tanto** a mi padre **como** a mi madre.	*I love my father as much as (I love) my mother.*
Te quiero **tanto** a ti **como** odio a tu jefa.	*I love you as much as I hate your boss.*

E. Comparaciones de desigualdad

1) Simple comparisons: *more than, less than*

más/menos que

Tomás baila **más que** Nana.   *Tomás dances more than Nana.*
Ella baila **menos que** él.   *She dances less than he does.*
Yo corro **más/menos** que nado.   *I jog more/less than I swim.*

2) Comparisons of nouns, adjectives, and adverbs: *more . . . than, less . . . than*

más/menos + noun, adjective, or adverb + que

Ana tiene **más** cassettes **que** yo.   *Ana has more cassettes than I (do).*
El tren va **más/menos** rápidamente **que** el   *The train goes faster/slower than the bus.*
  autobús.
Cristina es **más/menos** ágil **que** Luisa.   *Cristina is more/less agile than Luisa.*
Ricardo es **más/menos** inteligente **que**   *Ricardo is more/less intelligent than he's*
  guapo.   *handsome.*

3) Comparison of two quantities or amounts of the same thing[2]

  a. Use **de** instead of **que** before a number.

   La sirvienta gana **menos de** 50 mil   *The servant earns less than 50,000 pesetas.*
  pesetas.

  b. If the comparison involves two verbs applied to the same noun, don't repeat the noun; use **el
  (la, los, las) que** instead.

$$\text{verb} + \textbf{más/menos} + \text{noun} + \left\{ \begin{array}{l} \textbf{del que} \\ \textbf{de la que} \\ \textbf{de los que} \\ \textbf{de las que} \end{array} \right\} + \text{verb}$$

Necesitan **más** dinero **del que** tienen.   *They need more money than they have.*
A los españoles les gustaría trabajar **menos**   *Spaniards would like to work fewer hours*
  horas **de las que** trabajan.   *than they do.*
Llegó **más** gente **de la que** esperaban.   *More people arrived than were expected.*

  c. If no specific noun is present in these self-comparisons, use **más/menos de lo que** (more/
  less than what).

verb + más/menos + de lo que + verb

[2]In negative sentences, **que** is used before quantities to mean *only.* No tengo **más que quinientas pesetas.** *(I have
only 500 pesetas.)*

Ése sabe **más de lo que** tú crees.   *That guy knows more than (what) you think.*

Hacen **menos de lo que** prometen.   *They do less than (what) they promised.*

F. Formas irregulares de los comparativos: Adjetivos

1) The following adjectives have irregular forms for use in comparisons of inequality.

ADJECTIVE	REGULAR COMPARATIVE	IRREGULAR COMPARATIVE
bueno *good*	(not used)	mejor *better*
malo *bad*	(not used)	peor *worse*
grande *big*	más grande *bigger, larger, of greater size*	mayor *older; major; of more importance*
pequeño *small, little*	más pequeño *smaller in size*	menor *younger; minor; of less importance*

2) The irregular comparatives have the same forms for the masculine and feminine. Add **-es** to form the plurals.

El pan integral es mejor que el pan blanco.   *Whole wheat bread is better than white bread.*

Aunque ellos son menores que yo, están   *Although they are younger than I am,*
    más grandes.   *they're bigger.*

G. Formas irregulares de los comparativos: Adverbios

The following adverbs have irregular forms for use in comparisons of inequality.

ADVERB	IRREGULAR COMPARATIVE
bien *well*	mejor *better*
mal *badly*	peor *worse*
mucho *much*	más *more*
poco *little*	menos *less*

Iván vive mejor que Jaime.   *Iván lives better than Jaime.*
Jaime gana menos que Iván.   *Jaime earns less than Iván.*

H. Comparaciones con **cuanto**

To show that the extent of one action correlates with the extent of another, use **cuanto... (tanto)** in the following pattern:

> **cuanto más / menos** + verb, **(tanto) más / menos** + verb

Cuanto más gana Juan, (tanto) **más** quiere.	*The more Juan earns the more he wants.*
Cuanto menos tenemos, (tanto) **menos** necesitamos.	*The less we have the less we need.*
Cuanto más busco, **(tanto) menos** quiero cambiar de puesto.	*The more I look around, (so much) the less I want to change jobs.*

Note: The use of **tanto**, although optional, adds emphasis.

EJERCICIOS

PRÁCTICA

A. **¡Más parecidos no podrían ser!** Cambie las siguientes afirmaciones a comparaciones de igualdad usando **tan, tanto/a** y **tantos/as.**

MODELOS: Acapulco y Cancún son bonitos.
             Es verdad. Acapulco es tan bonito como Cancún.

             Los españoles toman vino y cerveza.
             Tienes razón. Los españoles toman tanto vino como cerveza.

1. Cristina y Eusebio son buenos estudiantes.
2. Don Fernando vende muchos autos y motos.
3. El niño y la niña juegan alegremente.
4. Martín y Alejandro siempre tienen mucha prisa.
5. Plácido Domingo y Montserrat Caballé cantan maravillosamente.
6. Tengo estampillas panameñas y guatemaltecas.
7. La sala está sucia. Los cuartos de los niños también están sucios.
8. Felisa y Eduardo pronuncian bien el español.
9. Ernestina y Carlos visitan a su abuela tres veces por semana.
10. Mario trabaja mucho y se divierte mucho.

B. **¡Comparemos!** A veces las comparaciones no son justas, pero éstas sí lo son. Complete cada oración con un adjetivo o un adverbio que indique comparación.

MODELO: Carolina cocina bien, pero su mamá...
            Carolina cocina bien, pero su mamá cocina mejor que ella.

1. Hoy me siento mal, pero ayer...
2. Ese diablito es malo, pero su hermanita...
3. Tito siempre se porta bien, pero Pablito...
4. Yo tengo veinte años. Tengo un primo que tiene veintiocho años y una prima que tiene quince. Él... y ella...

5. Tenemos un apartamento pequeño, pero el de los vecinos...

6. La familia Suárez vive en una casa grande, pero la familia Carvajal...

7. Emilio gana cien pesetas la hora; Emilia gana cien pesetas la hora. Los dos son pobres porque él...

8. Odio el fútbol; tampoco me gusta el boxeo. Me disgusta el fútbol...

C. La fiesta resultó un desastre. Complete el siguiente diálogo. Escoja entre **de, que, del que, de la que, de los que, de las que** y **de lo que.**

A   Vinieron menos invitados —(1)— esperabas, ¿no?

B   Pues, sí. ¿Qué voy a hacer con toda esta comida que sobró? Imagínate que doña Lola me hizo más empanadas —(2)— le pedí. No quería más —(3)— tres docenas y me trajo más —(4)— cuatro.

A   ¿Cuánto te cobró doña Lola por las empanadas? Sabes, hay más —(5)— diez señoras en el barrio que preparan comida para las fiestas.

B   No me salieron muy caras las empanadas. Doña Lola no me cobró más —(6)— cien pesetas cada una. El problema es que ahora tengo más —(7)— puedo comer yo sola.

A   Pues, la señora es más lista —(8)— tú crees. Y tú tienes más dinero —(9)— pensaba yo.

¡A CONOCERNOS!

A. Conteste estas preguntas.

1. ¿Es Ud. menor o mayor que su profesor(a) de español? 2. ¿Se divierte Ud. tanto ahora como antes en la universidad? 3. ¿Tiene Ud. tanto tiempo libre ahora como en la secundaria? 4. ¿Qué cuesta menos, una universidad particular *(private)* o una estatal? 5. ¿Estudia Ud. tanto como puede? 6. ¿Duerme Ud. tanto como quiere? 7. ¿Qué cuesta más, una entrada de cine o de teatro? 8. ¿Cómo puede Ud. viajar más rápidamente, en tren o en autobús? 9. ¿Es cierto que cuanto más se tiene, más se quiere? 10. ¿Es verdad que cuanto menos se come, más se engorda?

B. Ahora hágale unas preguntas similares a un compañero o a una compañera.

SITUACIÓN COMUNICATIVA

Imagínese la siguiente situación y represéntela con un compañero o una compañera.

SALESPERSON 1 At the annual sales convention you get into an argument with a salesperson from a competing company. Tell him or her that your product is larger and stronger than his or hers.

SALESPERSON 2 (You are indignant.) Tell your competitor that not only is your product cheaper but that it lasts longer.

SALESPERSON 1 Say that your product lasts just as long and that yours is more attractive.

SALESPERSON 2 Respond with some sales figures: say that your company made more than $1 million last year.

SALESPERSON 1 Respond that you made more than that and that your product is definitely of better quality. Add that you know that the competitor made much less than $1 million and that you will make more than double what the salesperson made last year.

SALESPERSON 2 Tell your fellow salesperson that you sold more than he or she can imagine and that this year you will sell even more than last year.

III. El superlativo

A. *Un proyecto importantísimo*

En Tegucigalpa, Tacho y Pepita acaban de recibir la siguiente carta de la directora regional de UNICEF.

> Muy queridos amigos:
>
> Les escribo para pedirles su colaboración en un proyecto importantísimo que podrá salvar la vida de un niño de UNICEF. Ese niño puede ser una chiquita de Etiopía enfrentándose con la sequía más horrorosa de la tierra; o un pequeñín de Nicaragua o El Salvador, uno de esos millones de niñitos que sufren debido a guerras de las que no son culpables. O un bebé hambriento y lloroso en los brazos de su madre, a la puerta de una casucha pobrísima...
>
> Y a Uds. les costaría poquísimo: 100, 500, 1,000 lempiras; lo que puedan. Envíen hoy mismo su cheque en el sobre adjunto. En los últimos diez segundos tres niños murieron sin necesidad.
> ¡Muchísimas gracias, amigos!
>
> Conchita Saldaña

◆ **Tegucigalpa,** cuyo nombre significa «montaña de plata», es la capital de Honduras. Originariamente era una ciudad precolombina donde los españoles se establecieron a partir de 1578. Hoy día es el centro comercial de mayor importancia en el país.

◆ **Lempira** fue el cacique o jefe indio que luchó contra los conquistadores españoles en Honduras. La moneda nacional ahora lleva su nombre.

enfrentándose *facing*   sequía *drought*   culpables *guilty*   casucha *shack*

B. *Preguntas*

1. ¿Quién les ha escrito a Tacho y Pepita?   2. Según esa persona, ¿cómo es su proyecto?   3. ¿A quiénes podrá salvar?   4. ¿Cree ella que les costaría mucho participar en el proyecto?   5. ¿Da Ud. mucho o poquito para UNICEF u otras asociaciones benéficas?   6. ¿Cuánto deberíamos dar?

La estátua del héroe nacional y la catedral embellecen el parque central de Tegucigalpa, capital de Honduras.

C. El superlativo

1) The superlative describes an extreme of any group *(the most . . ., the least . . .)*. You can form the superlative in Spanish by placing a definite article before the comparative. Use **de** after the superlative to express *in, of,* or *on.*

Los niños son los más inocentes de las víctimas.	*Children are the most innocent of all victims.*
Etiopía sufrió la sequía más horrorosa de la tierra.	*Ethiopia suffered the most horrible drought on earth.*
Conchita tiene el mejor corazón del mundo.	*Conchita has the best heart in the world.*

2) For the superlative of adverbs, just use the comparative; don't add a definite article.

Ésta es la manera de sacar fondos que funciona mejor.	*This is the fund-raising drive that works best.*

D. El superlativo absoluto: Concepto y formas

Absolute superlative constructions (compare them to *very, extremely,* or *most* in English) indicate a very high degree of a quality without making a comparison. You can form them in Spanish in the following ways.

1) Use **muy** or an adverb like **enormemente** or **sumamente** before your adjective or adverb.

Esa bomba es **sumamente** peligrosa y explota **muy** rápidamente.	*This bomb is extremely dangerous and explodes very fast.*

2) Add **-ísimo (-a, -os, -as)** to adjectives.

difícil, dificilísimo	*difficult, very difficult*
fácil, facilísimo	*easy, very easy*

Es dificilísimo acabar con la pobreza.   *It's extremely difficult to eradicate poverty.*

a. Adjectives that end in a vowel or diphthong drop it before adding **-ísimo**. Those ending in **-ble** change it to **-bil** before adding **ísimo**.

feo, feísimo	*ugly, very ugly*
sucio, sucísimo	*dirty, very dirty*
amable, amabilísimo	*kind, very kind*

b. You may need to make standard spelling changes before adding **-ísimo**.

rico, riquísimo	*rich, very rich*
largo, larguísimo	*long, very long*
feliz, felicísimo	*happy, very happy*

Se ha hecho riquísimo vendiendo computadores.   *He has become tremendously rich selling computers.*
Están felicísimos en su nueva casa.   *They are extremely happy in their new home.*

3) Add **-ísimo** to most adverbs after dropping the final vowel.

mucho, muchísimo   *a lot, an awful lot*

a. You may need to make standard spelling changes: **poco, poquísimo**.

Ayudar cuesta poquísimo.   *Helping is extremely inexpensive.*

b. You can insert **-ísima** between the adjective and the ending **-mente** in the case of adverbs derived from adjectives.

fácil, fácilmente, facilísimamente	*easy, easily, very easily*
claro, claramente, clarísimamente	*clear, clearly, very clearly*

Nos explicó el método clarísimamente.   *She explained the method to us very clearly.*

E. Aumentativos y diminutivos

Spanish speakers add augmentative and diminutive endings for two main reasons: to imply size and to express a positive or negative connotation.

1) The following augmentatives are common.

a. The augmentatives **-ón, -ona** imply large size.

b. The augmentatives **-ote, -ota, -azo, -aza** imply large size but with a comical or derogatory tone.

c. The endings **-ucho, -ucha, -uco, -uca** are used to imply contempt or disdain except with given names.

La vieja casona estaba rodeada de casuchas pobrísimas.   *The old mansion was surrounded by extremely poor shacks.*
El portero era un hombre grandote de bigotazo negro y manotas enormes.   *The doorman was a big fellow with a huge black moustache and enormous hands.*

2) You can generally form augmentatives in the following manner.

    a. Add the augmentative ending to any noun or adjective ending in a consonant other than **-s.**

        camión, camionazo   general, generalote   nariz, narizón

    b. For words that end in a vowel or **-s,** drop the final vowel or final **-s** before adding the suffix.

        carro, carrazo   casa, casucha   hombre, hombrón

3) The following diminutives are common.

    a. The diminutives **-ín, -ina, -ito, -ita, -cillo,** and **-cilla** sometimes imply smallness and at other times affection.

Nunca llegará a ser mujercita.	*She'll never get to be a young lady.*
Esos chiquillos morirán de hambre.	*Those little boys will die of hunger.*

    b. The diminutives **-illo** and **-cillo** may have a sarcastic connotation.

Ahora sale con un empleadillo de banco.	*She now dates some bank teller.*

4) No set rules govern the formation of diminutives. Here are a few rules of thumb that hold true much of the time, and may help you to look things up or ask questions.

    a. If a word ends in **-a** or **-o,** the suffixes **-ito** or **-illo** are added after dropping the final vowel.

        abuelo, abuelito   guapa, guapita   mona, monilla

    b. If the word ends in a consonant other than **-n** or **-r,** the suffixes **-ito** or **illo** are added.

        árbol, arbolito   clavel, clavelito

    c. If the word ends in **-e, -n,** or **-r,** the suffixes **-cito** or **-cillo** are added.

        café, cafecito   corazón, corazoncito   doctor, doctorcillo

    d. Some words require standard spelling changes before a diminutive ending to show that the pronunciation of the base word does not change.

        chico, chiquito   amigo, amiguito   lápiz, lapicito   luz, lucecita

5) Most first names in Spanish are associated with various nicknames. Some of these nicknames are diminutives, others not. The particular nickname a person has reflects regional differences and personal styles.

FEMININE	MASCULINE
Ana: Anita	Antonio: Toño, Toñito
Carmen: Carmencita	Arturo: Arturito
Concepción: Concha, Conchita	Carlos: Carlitos
Dolores: Lola, Lolita	Ernesto: Neto
Guadalupe: Lupe, Lupita	Francisco: Curro, Currito, Paco,
Josefina: Fina, Finita, Pepa, Pepita	Paquito, Pancho, Panchito
Juana: Juanita	José: Pepe, Pepito
Pilar: Pilarín, Pilarica	Ricardo: Ricardín

━━━━━━━━━━━━━━━ *EJERCICIOS* ━━━━━━━━━━━━━━━

PRÁCTICA

A. ¿El ejercicio más interesante del libro? Con un compañero o una compañera haga preguntas y respuestas con la forma superlativa de los adjetivos.

> MODELO: estudiante / mejor / clase   (Toño)
>> A **¿Quién es el mejor estudiante de la clase?**
>> B **Toño es el mejor estudiante de la clase.**

1. tenista / conocida / la Argentina   (Gabriela Sabatini)
2. problema / importante / mundo   (hambre)
3. montañas / altas / Suramérica   (los Andes)
4. cantante / popular / mundo hispano   (Julio Iglesias)
5. futbolista / famoso / mundo   (Diego Maradona)
6. lago / elevado / mundo   (lago Titicaca)
7. exportación / grande / Bolivia   (minerales)

B. Juanita la loca. Juanita está confundida y necesita ayuda. Corrija sus declaraciones falsas, empleando el superlativo absoluto de un adjetivo con sentido opuesto al que usa Juanita.

> MODELO: Rafael se casó con una chica pobre.   **¡Qué va! ¡Es riquísima!**

1. Acapulco tiene unas playas muy feas.
2. Esta lección es muy difícil.
3. Esa muchacha delgada come mucho.
4. El viaje de Nueva York a Buenos Aires es corto.
5. Los recién casados están muy infelices en su nuevo apartamento.
6. Ese amigo que me presentaste es muy antipático.
7. El tren que va de Cuzco a La Paz es muy rápido.
8. El agua del mar Caribe estaba muy sucia.
9. Doña Sol es muy guapa.
10. El dormitorio de Beto es muy pequeño.

C. ¡Increíblemente interesante! El escritor del siguiente párrafo no tiene muy buen estilo. Mejore la descripción sustituyendo **muy** con un adverbio (tal como **sumamente, increíblemente, absolutamente**) o un superlativo absoluto (por ejemplo, **interesantísimo**).

El imperio de los incas era muy extenso. En la costa del Perú se han hallado ruinas incaicas muy interesantes. Para defenderse los incas levantaron fortalezas muy grandes, hechas de piedras muy pesadas. Además de la arquitectura muy elegante de los incas, este pueblo también logró adelantos muy complejos en otros campos, tales como la medicina.

D. ¿Aumentativo o diminutivo? ¿Qué efecto produce el uso del aumentativo o del diminutivo en cada caso?

> MODELO: Ese hombrón es narizón.
>> **El hombre es grande y tiene una nariz grande.**

1. La cómoda *(chest of drawers)* tiene cinco cajoncitos.
2. El pobrecito chiquillo pedía limosna *(was begging for money)* delante de la casita de su familia.
3. Un perrazo guardaba la casucha de ese hombrote.
4. El bebé sonreía con sus ojillos abiertos.
5. ¿Cuándo terminarás de leer ese librucho?

6. Pilar es una chiquita muy lista.

7. Susana ya es mujercita y ahora sale con un ingenierillo.

8. El nuevo jefe de estado es otro generalote.

¡A CONOCERNOS!

A. Conteste estas preguntas.

1. ¿Cómo se llama el mayor de sus parientes? 2. ¿Cuántos años tiene el hermano o hermana mayor de su mamá o su papá? 3. ¿Cuál es la manera más fácil de aprobar un examen? 4. ¿Cuál fue la peor nota que Ud. sacó en la secundaria? 5. ¿Cuál es el peor curso que tomó Ud. en la universidad? 6. ¿Cuál es la menos interesante de las materias que estudia actualmente? 7. ¿Cuál es la bicicleta más cara del mundo? ¿Y el coche más caro? 8. ¿Cuál es la manera más fácil de adelgazar? 9. ¿Cuáles son los peores problemas del mundo? 10. Para Ud., ¿cuál es la mejor película que ha visto? ¿Y la peor?

B. Ahora hágale unas preguntas similares a un compañero o a una compañera.

SITUACIÓN COMUNICATIVA

Imagínese la siguiente situación y represéntela con un compañero o una compañera.

Compare two kinds of cars. Tell each other which car is the best in its class, which has a very modern design, which has the most beautiful design, which has the most powerful engine in its class, which is the fastest car you have ever driven, and which car would make you the happiest person in the world if you owned it.

ACTIVIDADES

EN PAREJAS

Antes de la boda. Elijan a un(a) estudiante y representen el papel de una pareja de novios que discute sobre su futuro. Seguramente no estarán de acuerdo sobre muchas cosas. Discutan lo siguiente, describiendo las cosas y comparándolas siempre que puedan.

◆ El lugar y tipo de ceremonia de boda que desean

◆ El lugar para ir de viaje de luna de miel

◆ El coche (motocicleta, barco) que quieren comprar

◆ La casa (el piso, apartamento) que quieren comprar (rentar)

◆ Los aparatos que necesitan (computador, televisor, sistema audiofónico, refrigerador, etcétera)

◆ Los muebles y la decoración de su hogar

EN GRUPITOS

A. **Y tú, ¿qué piensas?** Ahora divídanse en grupitos de cuatro estudiantes e intercambien sus opiniones sobre lo siguiente:

◆ El hombre o la mujer ideal

◆ La mejor vida

◆ Un buen (mal) presidente de los Estados Unidos

B. Ensalada de frutas. En el dibujo vemos once alimentos naturales para una riquísima ensalada. Fíjense Uds. atentamente en la adjetivación. Ahora imaginen que han de preparar una ensalada. Decidan con qué frutas o con qué vegetales quieren hacerla, calificándolos como en el dibujo de una revista argentina.

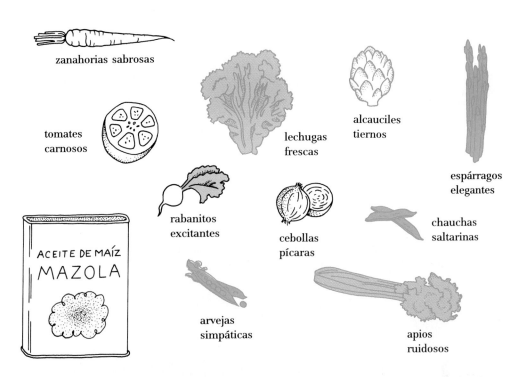

zanahorias sabrosas

tomates carnosos

lechugas frescas

alcauciles tiernos

espárragos elegantes

rabanitos excitantes

cebollas pícaras

chauchas saltarinas

ACEITE DE MAÍZ MAZOLA

arvejas simpáticas

apios ruidosos

Vocabulario útil			
albaricoque	*apricot*	aceite	*oil*
durazno	*peach*	alcaucil/alcachofa	*artichoke*
frambuesa	*raspberry*	apio	*celery*
fresa	*strawberry*	arveja/guisante	*green pea*
mango	*mango*	cebolla	*onion*
manzana	*apple*	chaucha/judía verde	*green bean*
melón	*melon*	espárrago	*asparagus*
naranja	*orange*	lechuga	*lettuce*
papaya	*papaya*	rábano	*radish*
pera	*pear*	tomate	*tomato*
piña	*pineapple*	zanahoria	*carrot*
plátano	*banana*	carnoso	*fleshy*
sandía	*watermelon*	jugoso	*juicy*
toronja	*grapefruit*	pícaro	*mischievous*
uvas	*grapes*	sabroso	*tasty*
		saltarín	*jumping*

DE TODO UN POCO

Problema

Lea las instrucciones, piense y trate de solucionar el problema siguiente.

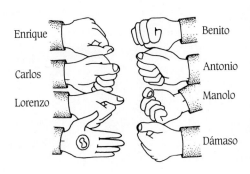

Todos los jugadores
llevan al menos
una moneda.

Lorenzo tiene más que
Dámaso, pero menos
que Carlos.

Solamente un jugador
lleva tres monedas.

Antonio y Benito (que
llevan el mismo número
de monedas) tienen,
cada uno, más que Manolo.

El número de monedas
en juego es par.

Teniendo en cuenta que
yo llevo una moneda,
como muestro en la
mano abierta, ¿cuántas
deberé pedir para acertar
el número exacto de monedas
que llevan todos los jugadores,
incluyendo la mía?

SOLUCIÓN Dámaso: 1, Antonio: 2, Benito: 2, Lorenzo: 2, Carlos: 3, Manolo: 1, Enrique: 2, Jugador que pide: 1. Total: 14.

LECTURA VI

«Cassette»
Enrique Anderson Imbert

◆ READING HINTS ◆

Guessing the Meaning of Words by Recognizing the Meaning and Function of Pronouns

Pronouns in Spanish follow different patterns than pronouns in English. Try to remember these guidelines when determining the correct meaning of pronouns.

1. Subject pronouns follow these patterns:
   a. They usually refer to someone or something that has just been mentioned. Therefore, the reference can be found fairly quickly in the words or sentences immediately preceding the pronoun. This is also true of many object pronouns.
   b. They can also appear in prepositional phrases, as the objects of prepositions, indicating how, why, when, and so on, something is done (**para ellos, con nosotras**).
2. Indirect object pronouns follow these patterns:
   a. They always appear either before a conjugated verb or attached to an infinitive or present participle; they indicate for whom or to whom the action of the verb is done.
   Example: **Me** quitaron todo. (**Me** = *from me.*)
   b. They are often accompanied by a prepositional phrase beginning with **a** appearing elsewhere in the sentence. Because the main function of this type of prepositional phrase is to clarify the meaning of the indirect object pronoun, always look to see if there is such a phrase and then use it to help you understand the sentence.
   Example: **Le** mandaron tres paquetes de libros **a Clara.**

◆ PREPARACIÓN PARA LA LECTURA ◆

Vocabulario

ADJETIVOS

cosido/a   *sewn*
impreso/a   *printed*
portátil   *portable*

EXPRESIONES ÚTILES

dar vueltas   *to turn, to rotate*
estar en penitencia   *to be in detention (in school)*
no obstante   *notwithstanding, nevertheless*

SUSTANTIVOS

el aula   *classroom*
la cartera   *briefcase, satchel*
la cibernética   *cybernetics (study of intelligence, human and artificial)*
el cine mudo   *silent movies*
el cine parlante   *talking movies*
el código   *code*
el deber   *homework*
el dispositivo calculador   *calculator*
el entretenimiento   *entertainment, pastime*
el genotipo   *genetic type*
el guiño   *wink, blink*
el juguete   *toy*
la lengua   *language*

el pasatiempo   *amusement*
la pequeñez   *smallness*
el tocayo   *namesake*
el tutor   *tutor; guardian*
el vocablo   *word*

VERBOS

aburrirse   *to be bored*
apagar   *to turn off*
distraerse   *to be inattentive, absent-minded*
encender   *to turn on; to light up*
funcionar   *to work, to function*
reinventar   *to invent again*

EJERCICIOS

A. Busque en la lista de vocabulario la palabra que corresponde a cada definición.

1. lenguaje secreto
2. movimiento rápido del ojo para hacer señas
3. persona que tiene el mismo nombre que otra
4. volver a inventar
5. ciencia que investiga las relaciones entre la inteligencia humana y la inteligencia artificial
6. tipo de la genética
7. instrumento que puede usarse para hacer cálculos
8. diversión
9. objeto con el que juega un niño
10. que puede llevarse fácilmente

B. Complete cada oración con la palabra o expresión más apropiada tomada de la lista a mano derecha. Haga todos los cambios necesarios.

1. No podemos grabar las canciones porque la grabadora no ____.
2. Desde su invención, el cine siempre ha sido un ____ muy popular.
3. En el cine ____, los personajes hablan pero no se los oye; en el cine ____, ellos hablan, aunque a veces sería preferible no poder oírlos.
4. El problema lo preocupaba mucho a pesar de su ____.
5. Era obvio que la muchacha estaba muy nerviosa porque no dejaba de ____ al anillo que llevaba en la mano izquierda.
6. ____ su gran belleza, ella nunca fue feliz.

mudo
pequeñez
dar vueltas
no obstante
parlante
funcionar
pasatiempo

C. Identifique adjetivos derivados de los siguientes verbos y dé su significado en inglés.

MODELO: cansar   **cansado** *(tired)*

1. aburrir
2. coser
3. imprimir
4. apagar
5. encender
6. distraer

D. Retrato de un escolar. Escriba un párrafo acerca de un niño en la escuela primaria. Incluya en su párrafo las siguientes palabras: **aula, deber, distraerse, vocablo, cartera, estar en penitencia, tutor, lenguas.**

◆ INTRODUCCIÓN AL TEMA ◆

Enrique Anderson Imbert, nacido y educado en la Argentina, se ha destacado como escritor y como crítico literario. Durante una larga y distinguida carrera docente, ha sido profesor en la Universidad de Tucumán y en las universidades de Michigan y Harvard. Es autor de muchos cuentos, narraciones fantásticas y obras críticas, entre las que se cuenta su conocida *Historia de la literatura hispanoamericana*.

«Cassette», un cuento de ciencia-ficción escrito en 1982, presenta una visión del futuro de la humanidad.

Prepárese para la lectura discutiendo brevemente con sus compañeros los siguientes temas.

1. El cuento describe lo que hace un estudiante del siglo XXII. ¿Qué estudia este niño? Haga una lista de las materias que tendrán más importancia en el futuro.
2. ¿Cómo serán las escuelas en el siglo XXII? ¿Quién educará a los niños: un maestro, un robot, una computadora?

«Cassette»

AÑO: 2132
LUGAR: aula de cibernética
PERSONAJE: un niño de nueve años

Se llama Blas. Por el potencial de su genotipo ha sido escogido para la clase Alfa. O sea, que cuando crezca[1] pasará a integrar ese medio por ciento[1] de la población mundial que se encarga del progreso. Entretanto[1], lo educan con rigor. La educación, en los primeros grados, se limita al presente: que Blas comprenda el método de la ciencia y se familiarice con el uso de los aparatos de comunicación. Después, en los grados intermedios, será una educación para el futuro: que descubra, que invente. La educación en el conocimiento del pasado todavía no es materia para su clase Alfa: a lo más, le cuentan una que otra anécdota en la historia de la tecnología.

grows up (subj. of crecer) / half percent
In the meantime

Está en penitencia. Su tutor lo ha encerrado para que no se distraiga y termine el deber de una vez.

Blas sigue con la vista una nube que pasa. Ha aparecido por la derecha de la ventana y muy airosa[1] se dirige hacia la izquierda. Quizás es la misma nube que otro niño, antes que él naciera, siguió con la vista en una mañana como ésta y al seguirla pensaba en un niño de una época anterior que también la miró y en tanto la miraba creía recordar a otro niño que en otra vida... Y la nube ha desaparecido.

gracefully

Ganas de estudiar, Blas no tiene. Abre su cartera y saca, no el dispositivo calculador, sino un juguete. Es una cassette.

Empieza a ver una aventura de cosmonautas. Cambia y se pone a escuchar un concierto de música estocástica[1]. Mientras ve y oye, la imaginación se le escapa hacia aquellas gentes primitivas del siglo XX a las que justamente ayer se refirió el tutor en un momento de distracción.

random

¡Cómo se habrán aburrido, sin esta cassette!

—Allá, en los comienzos de la revolución tecnológica —había comentado el tutor— los pasatiempos se sucedían como lentos caracoles[1]. Un pasatiempo cada cincuenta años: de la pianola[1] a la grabadora, de la radio a la televisión, del cine mudo y monocromo[1] al cine parlante y policromo[1].

snails
early piano
black and white / color

¡Pobres! ¡Sin esta cassette cómo se habrán aburrido!

Blas en su vertiginoso[1] siglo XXII, tiene a su alcance[1] miles de entretenimientos. Su vida no transcurre[1] en una ciudad sino en el centro del universo. La cassette admite los más remotos sonidos e imágenes; transmite noticias desde satélites que viajan por el sistema solar; emite cuerpos en relieve[1]; permite que él converse, viéndose las caras, con un colono de Marte; remite sus preguntas a una máquina computadora cuya memoria almacena datos fonéticamente articulados y él oye las respuestas.

dizzying / a... within reach
does not pass
three-dimensional figures

(Voces, voces, voces, nada más que voces pues en el año 2132 el lenguaje es únicamente oral: las informaciones importantes se difunden mediante fotografías, diagramas, guiños eléctricos, signos matemáticos.)

En vez de terminar el deber Blas juega con la cassette. Es un paralelepípedo[1] de 20 × 12 × 3 que, no obstante su pequeñez, le ofrece un variadísimo repertorio de diversiones.

six-sided prism

Sí, pero él se aburre. Esas diversiones ya están programadas. Un gobierno de tecnócratas resuelve qué es lo que debe ver y oír. Blas da vueltas a la cassette entre las manos. La enciende, la apaga. ¡Ah, podrán presentarle cosas para que él piense sobre ellas pero no obligarlo a que piense así o asá[1]!

así... this way or that

Ahora, por la derecha de la ventana, reaparece la nube. No es nube, es él, él mismo que anda por el aire. En todo caso, es alguien como él. De pronto a Blas se le iluminan los ojos:

—¿No sería posible —se dice— mejorar esta cassette, hacerla más simple, más cómoda, más personal, más íntima, más libre, sobre todo más libre?

Una cassette también portátil, pero que no dependa de ninguna energía microelectrónica: que funcione sin necesidad de oprimir[1] botones: que se encienda apenas se la toque con la mirada y se apague en cuanto se le quite la vista de encima: que permita seleccionar cualquier tema y seguir su desarrollo hacia adelante, hacia atrás repitiendo un pasaje agradable o saltándose[1] uno fastidioso... Todo esto sin molestar a nadie, aunque se esté rodeado de muchas personas, pues nadie, sino quien use tal cassette, podría participar en la fiesta. Tan perfecta sería esa cassette que operaría directamente dentro de la mente. Si reprodujera, por ejemplo, la conversación entre una mujer de la Tierra y el piloto de un navío sideral[1] que acaba de llegar de la nebulosa[1] Andrómeda, tal cassette la proyectaría en una pantalla de nervios. La cabeza se llenaría de seres vivos. Entonces uno percibiría la entonación de cada voz, la expresión de cada rostro, la descripción de cada paisaje[1], la intención de cada signo ... Porque claro, también habría que inventar un código de signos. No como esos de la matemática sino signos que transcriban vocablos: palabras impresas en láminas cosidas en un volumen manual. Se obtendría así una portentosa[1] colaboración entre un artista solitario que crea formas simbólicas y otro artista solitario que las recrea...

to press
skipping
navío... starship / nebula
landscape
wonderful

— ¡Esto sí que será una despampanante[1] novedad! — exclama el niño — . El   *stunning*
tutor me va a preguntar: «¿Terminaste ya tu deber?» «No», le voy a contestar.
Y cuando rabioso[1] por mi desparpajo[1], se disponga a castigarme otra vez,   *furious / easy manner*
¡zas! lo dejo con la boca abierta: «¡Señor, mire en cambio qué proyectazo[1] le   *big project*
traigo!»...

(Blas nunca ha oído hablar de su tocayo Blas Pascal, a quien el padre
encerró para que no se distrajera con las ciencias y estudiase lenguas. Blas no
sabe que así como en 1632 aquel otro Blas de nueve años, dibujando con tiza[1]   *chalk*
en la pared, reinventó la Geometría de Euclides, él, en 2132, acaba de reinventar el Libro.)

COMPRENSIÓN DE LA LECTURA

Conteste las siguientes preguntas.

1. ¿En qué año ocurre la acción? ¿En qué lugar? ¿Quién es el personaje principal?
2. ¿Por qué ha sido escogido Blas para la clase Alfa? ¿A qué grupo pertenecerá cuando crezca?
3. ¿Qué debe aprender Blas en los primeros grados? ¿Cómo será su educación en los grados intermedios? ¿Le enseñarán algo acerca del pasado?
4. ¿Por qué lo ha encerrado su tutor?
5. ¿Tiene ganas de estudiar Blas? ¿Qué saca de su cartera para entretenerse?
6. ¿Qué comentario de su tutor recuerda el niño? ¿Cómo son los pasatiempos del siglo XXII?
7. ¿Por qué se aburre Blas con la cassette?
8. ¿Qué idea se le ocurre a Blas? ¿Cómo funcionaría su invención? ¿Qué ventajas tendría?
9. ¿Qué sorpresa tiene Blas para su tutor?

INTERPRETACIÓN DE LA LECTURA

Conteste las siguientes preguntas.

1. ¿Qué visión de la sociedad futura presenta el cuento? En su opinión, ¿es esta pintura verosímil? ¿Es
   optimista o pesimista?
2. El destino del protagonista parece estar decidido desde su nacimiento. ¿Cree Ud. que es posible, o
   deseable, planear de esta manera la vida de un individuo? ¿Cree Ud. en la determinación bio-
   lógica?
3. ¿Cuál es el concepto de la educación en el año 2132? ¿En qué se parece al sistema actual? ¿En qué
   difiere de él?
4. Si la educación es preparación para el futuro, ¿qué valor tiene el estudio del pasado?
5. A pesar de tener «a su alcance miles de entretenimientos», Blas se aburre. ¿Qué han ignorado los
   tecnócratas y planificadores?
6. Según el cuento, en el siglo XXII el lenguaje es únicamente oral. En su opinión, ¿hay indicios en el
   siglo presente de una posible desaparición de la lengua escrita?
7. ¿Cuáles son las coincidencias y las diferencias entre la historia de Blas y la de su tocayo, Blas Pascal?
   ¿Qué significado tiene el paralelismo de sus vidas?

REPASO GRAMATICAL

Complete cada oración con la forma más apropiada del verbo entre paréntesis.

1. Blas será un hombre importante cuando (crecer).
2. Su tutor lo había encerrado para que no (distraerse).

3. La nube existía antes de que él (nacer).

4. Queremos que tú (aprender) a leer antes de que (desaparecer) los libros.

5. Si pudiera, yo (inventar) un código de signos para que tú y yo (entenderse) sin que los otros lo (saber).

6. Le regalan juguetes para que (ser) feliz.

7. El piloto dijo que él (ir) a Andrómeda si (tener) la oportunidad.

8. Actúa como si (saber) lo que va a suceder en el siglo XXII.

TEMAS DE DISCUSIÓN O DE COMPOSICIÓN

El mundo futuro

◆ Discuta con sus compañeros su visión del futuro de la humanidad.

◆ Examine las ventajas y desventajas del progreso de la ciencia y la tecnología.

◆ Describa un día en la vida de un estudiante universitario en el año 2132.

El lenguaje y la imaginación

◆ Defienda o refute: «La televisión y el cine han eliminado la lectura y nos estamos convirtiendo en una sociedad de analfabetos *(illiterates)*».

◆ Imitando a Blas, deje libre su imaginación e invente algo. Describa su invención. ¿Para qué sirve? ¿Cómo funciona?

Creación

◆ Escriba un relato corto titulado «Y la historia se repite...»

Gramática

Adjetivos y pronombres posesivos

Adjetivos demostrativos; Pronombres demostrativos;
   Pronombres demostrativos neutros;
   Usos idiomáticos de los demostrativos

Las expresiones impersonales: Concepto;
   El subjuntivo con expresiones impersonales

Funciones lingüísticas

Expresión de emoción, deseo y necesidad

Expresión de propiedad y posesión

Expresión del grado de (in)seguridad de algo

Identificación

Actividades

I. Adjetivos y pronombres posesivos

A. ¿Poesía o medicina?

En Managua, Celia y Luis discuten sus actitudes frente a la poesía y la medicina.

CELIA Tus poemas y tus amigos me atraen mucho, pero mis estudios de medicina me servirán en el futuro para ayudar a nuestro pueblo.

LUIS Sin duda, pero deberías pensar en tu talento natural y en la cultura de nuestra gente.

CELIA ¡Ay, Luis! A nuestra nación no le hace falta otro Rubén... Pero en el pueblito mío y en el tuyo sí necesitamos médicos y enfermeras...

LUIS Tu actitud es admirable, compañera. Sin embargo, puedes practicar medicina y escribir tus poemas también, ¿no crees?

◆ **Managua**, actual capital de Nicaragua, fue fundada en 1858. Se la declaró capital para poner fin a la rivalidad tradicional entre dos ciudades coloniales: Granada, que era conservadora, y León, que era mucho más liberal.

◆ **Rubén Darío** es, según el juicio de muchos críticos literarios, uno de los más importantes poetas en lengua española. Fue el iniciador del Modernismo, un movimiento poético que pone énfasis en la belleza de las imágenes y la musicalidad de los versos.

me atraen *are appealing to me*   **pueblo** *people; village*   **juicio** *judgment, opinion*

El Banco Central, visto desde el Palacio Presidencial, es uno de los pocos rascacielos de Managua, capital de Nicaragua. El temor a la fuerza destructiva de los terremotos es un factor que va en contra de la construcción de edificios muy altos.

B. Preguntas

1. ¿Qué discuten Celia y Luis? 2. ¿Por qué prefiere Celia sus estudios de medicina a la poesía? 3. ¿Qué le hace falta a su nación? 4. ¿Qué le sugiere Luis? 5. Ellos ya nos dieron su opinión; ¿cuál es la opinión de Ud.?

C. Adjetivos posesivos: Formas

1) For every subject pronoun there is a corresponding possessive adjective that you can use to indicate to whom something belongs.

SUBJECT PRONOUN	POSSESSIVE ADJECTIVE
yo *I*	mi, mis *my*
tú *you*	tu, tus *your*
ella *she* él *he* Ud. *you*	su, sus *her, his, its, your*
nosotros/as *we*	nuestro/a/os/as *our*
vosotros/as *you*	vuestro/a/os/as *your*
ellos/as *they* Uds. *you*	su, sus *their, your*

Place the possessive adjective before the noun for the item possessed.

Mis estudios serán útiles para **nuestro** pueblo.	*My career will be useful to our people.*
Tu actitud es admirable.	*Your attitude is admirable.*
Los amigos discuten **sus** planes.	*The friends discuss their plans.*

2) The endings of the possessive adjectives reflect the number — and in two cases, the gender — of the nouns they modify. You choose the *word* to say who is the possessor, but you choose the *ending* to agree with the item possessed.

The two possessive adjectives that show gender as well as number are **nuestro/a/os/as** and **vuestro/a/os/as**.

A nuestra nación no le hace falta otro Rubén.	*Our nation doesn't need another Rubén.*
Hemos visto a vuestros primos en el centro.	*We've seen your cousins downtown.*

3) **Su** and **sus** can refer to several possible possessors and mean *his, her, your, their, its.* Usually the context makes clear whom you mean, but you can achieve even greater clarity by using the following construction.

$$\text{definite article } + \text{ noun } + \textbf{de } + \left\{ \begin{array}{l} \text{él} \\ \text{ella} \\ \text{Ud.} \\ \text{ellos} \\ \text{ellas} \\ \text{Uds.} \end{array} \right.$$

Su hermana es ingeniera. La hermana **de ella** es ingeniera.	*Her sister is an engineer.*
Sus parientes les enviaron un regalo. Los parientes **de ellos** les enviaron un regalo.	*Their relatives sent them a gift.*
Yo no acepto **sus** excusas. Yo no acepto **las** excusas **de Uds.**	*I won't accept your excuses.*

D. Usos del artículo definido para expresar posesión

1) The definite article is often used instead of a possessive adjective with nouns that refer to parts of one's own body.

Tengo que lavarme **el** pelo.	*I have to wash my hair.*
Me duele mucho **la** cabeza.	*I have a bad headache* (My head aches a lot).

You can use a possessive adjective for a more poetic effect, however, when the part of the body is the subject of your sentence or when it is modified.

Tus verdes ojos me cautivaron.	*Your green eyes enchanted me.*

2) When you mention an article of clothing belonging to the subject of your sentence, generally use a definite article instead of the possessive adjective that would be used in English.

El chico se metió **la** corbata en **el** bolsillo.	*The boy put **his** tie in his pocket.*
No se olviden **del** traje de baño.	*Don't forget **your** bathing suits.*

E. *Formas largas de los adjetivos posesivos*

1) Like English, Spanish has both short- (**mi** = *my*) and long-form (**mío** = *of mine*) possessive adjectives. The long forms follow the nouns they modify.

mío/a/os/as	*my, of mine*	nuestro/a/os/as	*our, of ours*
tuyo/a/os/as	*your, of yours*	vuestro/a/os/as	*your, of yours*

suyo/a/os/as
{ *her, of hers*
his, of his
its, of its
your, of yours }

suyo/a/os/as
{ *their, of theirs*
your, or yours }

En el pueblito **mío** y en el pueblo **tuyo** necesitamos médicos y enfermeros.	*In that village of mine and in that town of yours we need doctors and nurses.*
Un amigo **mío** llegó ayer del frente.	*A friend of mine arrived yesterday from the front.*
—Encantada.	*"Nice meeting you."*
—El gusto es **mío**.	*"The pleasure is mine."*

2) Use long-form possessive adjectives to focus more attention on the possessor, for example in contrasts.

No me interesa el trabajo **mío** sino el trabajo **tuyo**.	*I'm not interested in my work but in your work.*
Una hermana **mía** vive en Managua.	*A sister of mine lives in Managua.*

Note the difference: short forms focus on the thing possessed; long forms focus on the possessor.

Ésa era mi intención.	*That was my intention* (though I failed).
Ésa era la intención mía.	*That was my intention* (what was yours?).
No es mi prima; es mi hermana.	*She's not my cousin; she's my sister.*
No es prima mía; es prima de mi marido.	*She's not my cousin; she's my husband's cousin.*

F. *Pronombres posesivos: Formas y usos*

1) Possessive pronouns are actually noun phrases, usually made up of definite articles and long-form possessive adjectives. The noun is understood but not expressed. The phrase **el regalo suyo** (*her present*) thus becomes **el suyo** (*hers*).

These possessive pronouns and any articles that accompany them agree with the item possessed (the deleted noun), not with the possessor.

Use possessive pronouns to indicate which one of a list or collection you mean.

—Él y yo hemos escrito poemas. ¿Cuál te gusta más, el mío o el suyo?	*"He and I have written poems. Which one do you like better, mine or his?"*
—El tuyo, claro.	*"Yours, of course!"*

2) You can use possessive pronouns with **ser** to state ownership. The definite article is usually omitted.

— ¿De quién son estos poemas?   *"Whose are these poems?"*
— Son míos.   *"Mine."*

3) Third-person possessive pronouns are potentially ambiguous, because **suyo** can mean *his, hers, yours,* and *theirs.* If the context doesn't make clear whom you mean, use the following construction instead.

el suyo	el		él
la suya	la		ella
los suyos	los	de	Ud.
las suyas	las		ellos
			ellas
			Uds.

He traído la suya pero he olvidado la suya. *(confusing)*
He traído la de Uds. pero he olvidado la de él. *(clear)*
⎫ *I've brought yours, but I've forgotten his.*

Encontraron los suyos antes que los suyos. *(confusing)*
Encontraron los de ella antes que los de Uds. *(clear)*
⎫ *They found hers before they found yours.*

EJERCICIOS

PRÁCTICA

A. Una invitación. Cambie la historia usando adjetivos posesivos.

MODELOS: Tenemos un primo que vive en Santa Fe.
           Nuestro primo vive en Santa Fe.

           Viene con la familia de él a visitarnos.
           Viene con su familia a visitarnos.

1. Tengo una hermana que cocina muy bien.   **2.** Ella ha invitado a los primos de nosotros a comer hoy en casa.   **3.** Tú y los niños están invitados también.   **4.** Carmiña vendrá con el novio.   **5.** La vecina de nosotros, doña Eloísa, va a traernos unas frutas del huerto.   **6.** Las frutas de Eloísa son siempre muy sabrosas.   **7.** El otro vecino que tenemos y la esposa de él vienen también a la cena de nosotros.   **8.** Van a traer la mejor botella de vino que tengan.

B. ¿De quién es? Aclare las siguientes afirmaciones ambiguas.

MODELO: Su bicicleta es japonesa.   (Carlos)
          La bicicleta de él es japonesa.

1. Su gato es siamés.   (Elena)
2. Sus pantalones son vaqueros.   (Celia)
3. Su piscina tiene mucho cloro.   (don Andrés)
4. Sus planes me parecen interesantísimos.   (Joaquín y Beatriz)
5. Me presentarán a su amigo hoy.   (Paco y Fernando)

C. Mucho en común. Los señores Dávila y los señores Feliciano comparan sus dos restaurantes. Represente a los señores Feliciano y conteste según el modelo.

MODELO: Nuestro negocio anda muy bien.   **Y el nuestro también.**

1. Nuestros clientes siempre salen muy contentos.
2. Mi restaurante sirve a más de cien personas por día.
3. Tus clientes siempre se quejan de la mala comida que les sirves tú.
4. Mis empleados siempre se quejan de sus clientes antipáticos.
5. Mi cocinera siempre trae a sus niños al trabajo.

D. Preguntas curiosas. Conteste estas preguntas con pronombres posesivos.

1. Las películas de ciencia ficción son mis películas favoritas. ¿Cuáles son las tuyas?
2. El grupo favorito nuestro son Los Monos. ¿Cuál es el de Uds.?
3. El banco de don Felipe es el Banco Popular. ¿Cuál es el banco de la esposa de Felipe?
4. Los profesores de Paco y Mónica son todos simpáticos. ¿Cómo son los de Teresita?
5. El carro mío es viejo y feo. ¿Cómo es el tuyo?
6. Conocemos los poemas de Pablo Neruda. ¿Conocen Uds. los de Gabriela Mistral?

E. Un robo. Imagine que Ud. y un compañero o una compañera comparten una casa o un apartamento con otros amigos y que alguien les robó. Afortunadamente la policía ha recuperado casi todo lo robado. Ud. y su compañero deciden a quién pertenece cada artículo.

MODELO: un anillo de oro   (Magdalena)
A. ¿De quién es este anillo de oro? ¿Es tuyo?
B. No, no es mío. El mío es de plata. Será suyo. Será de ella.

1. una cámara fotográfica   (de ti)
2. un reloj de pulsera   (de Clara)
3. una máquina de escribir   (de todos nosotros)
4. unos zapatos rotos   (de Jaime)
5. una bicicleta   (de ti)
6. unos aretes   (de Carmita)
7. un amuleto   (de los hermanos Suárez)
8. unos discos   (de todos nosotros)
9. una pulsera de plata   (de Susi)
10. unas cassettes   (de todos nosotros)

¡A CONOCERNOS!

A. Conteste estas preguntas.

1. ¿Vive Ud. solo/a, con su familia o con la familia de un amigo?   2. ¿Cómo es la casa de Uds.? ¿Cuál es más grande, la suya o la de los vecinos?   3. ¿Qué cosas son de Ud. solamente y qué cosas son de su familia también?   4. ¿Son interesantes sus cursos? ¿Qué cursos son más interesantes, los suyos o los de los estudiantes con otra especialidad? ¿Por qué?   5. El libro que tiene en la mano, ¿de quién es?   6. ¿Y los exámenes que corrige el profesor o la profesora, ¿de quiénes son?   7. Todos tenemos muchos problemas. ¿Tiene Ud. también los suyos? ¿Y sus amigos?

B. Ahora hágale unas preguntas similares a un compañero o a una compañera.

SITUACIÓN COMUNICATIVA

Imagínese las siguientes situaciones y represéntelas con un compañero o una compañera.

SWIMMER   You go to a public swimming pool. You ask the attendant where you can change your clothes.
ATTENDANT   Tell the swimmer that he or she can change clothes in the locker room.

SWIMMER   Ask the attendant where you can keep your clothes while you're swimming and if there is anywhere to put your valuables.

ATTENDANT   Explain that swimmers can put their clothes in the lockers, and that valuables can be left with you.

SWIMMER   Tell the attendant that's great. Then ask if you can wash and dry your hair after swimming.

ATTENDANT   Answer that yes, there are showers where he or she can wash his or her hair and that you have some shampoo for sale. Explain that if he or she wants to dry his or her hair, there are hair dryers in the bathroom.

nadador/a *swimmer*   **empleado/a** *attendant*   **vestuario** *locker room*   **armarios** *lockers*   **objetos de valor** *valuables*

DINER 1   You are in a restaurant and notice that someone leaving is wearing your coat. Say that there must be some mistake; the coat is not his or hers, but yours.

DINER 2   Tell your accuser that the mistake is not yours but rather his or hers. Say that the coat is yours.

DINER 1   Say that you can prove that the coat is yours because your name is inside.

DINER 2   Whoops! Admit that you made a mistake and ask for help in finding your coat. Explain that the confusion came about because the coat you were wearing tonight belongs to a friend, so you have trouble recognizing it.

DINER 1   Forgive Diner 2 and say that you would be happy to find his or her coat, but that you're late.

Divertirse en el agua no les encanta menos a los mexicanos que a todos, como aquí en un balneario popular en México.

Como los rascacielos de Miami, estos apartamentos en Punta del Este, en Uruguay, ofrecen una vista estupenda del océano Atlántico y de la gente que se divierte en la playa.

II. Adjetivos demostrativos; Pronombres demostrativos; Pronombres demostrativos neutros; Usos idiomáticos de los demostrativos

A. ¡Qué tiempos aquellos!

Amalia Pelegrini y Eva Sandoval, ésta diseñadora de modas y aquélla empleada de banco, toman té en Montevideo.

AMALIA Esta vida de mujer adulta y responsable no es fácil, Eva. Este año no pude ir a Punta del Este, y eso de levantarme temprano...

EVA Pues, yo me pasé el verano diseñando esos modelos para la próxima temporada...

AMALIA ¡Aquellos años del liceo sí que fueron felices!

EVA Sin responsabilidades, ¿verdad? Aquélla fue sin duda la época más bonita de nuestra vida.

◆ En Uruguay, tanto como en Argentina, se acostumbra tomar el té a las cinco de la tarde.

◆ Las hermosas playas de **Punta del Este** atraen a muchos turistas, especialmente argentinos, y son una excelente fuente de ingresos para Uruguay.

◆ Los **uruguayos** son personas bastante cultas. El índice de analfabetismo es muy bajo y la mayor parte de la población ha completado el bachillerato que se estudia en los liceos. Las escuelas secundarias se llaman «liceos» (del francés *lycée*) porque el sistema educacional uruguayo fue organizado en el siglo XIX siguiendo el modelo francés.

¡Qué tiempos aquellos! *What a wonderful time that was!* diseñadora de modas *fashion designer* fuente *source* ingresos *income* índice de analfabetismo *illiteracy rate* bachillerato *high school*

B. Preguntas

1. ¿De qué se queja Amalia?   2. ¿Qué hizo Eva durante el verano?   3. ¿Por qué fueron felices aquellos años del liceo?   4. ¿Puede Ud. decir lo mismo sobre sus años de secundaria? ¿Por qué sí o por qué no?

C. Adjetivos demostrativos

1) Use demonstrative adjectives to point out or identify a particular person or object. Place them before the nouns they modify. These agree with the noun in gender and number.

este, esta, estos, estas	*this, these*
ese, esa, esos, esas	*that, those*
aquel, aquella, aquellos, aquellas	*that, those* (over there)

2) Just as Spanish has the three adverbs **aquí, ahí,** and **allí** *(here, there, over there),* to specify location, it has three demonstrative adjectives. **Este** and its forms mean *this, these.* Use them to refer to people or things located near you, and to current events and times.

Esta vida de mujer adulta y responsable no es fácil.	*This life of a responsible and adult woman isn't easy.*
Este año no pude ir a Punta del Este.	*I couldn't go to Punta del Este this year.*
Estas muchachas hablan de su adolescencia.	*These young women are talking about their adolescence.*

3) **Ese** and its forms mean *that, those.* Use them to refer to the person you are talking to, or to things that are not very far from you in time or space.

Esos zapatos que llevas te quedan muy bien.	*Those shoes you're wearing look good on you.*
¿Te divertiste el sábado? Estabas guapísima esa noche.	*Did you have fun Saturday? You were very beautiful that night.*

4) **Aquel** and its forms mean *that, those (over there).* Use them to refer to people or things located far from both you and your listener, or to things remote in time.

Amalia trabaja en aquel banco.	*Amalia works in that bank over there.*
¡Aquellos años del liceo sí que fueron felices!	*Those high school years were really happy!*

D. Pronombres demostrativos: Formas y usos

Demonstrative pronouns are actually noun phrases that combine a demonstrative adjective with a deleted noun. They have the same forms as the demonstrative adjectives, except that demonstrative pronouns have written accents on the stressed vowel. They agree in gender and number with the deleted noun.

Me gusta más este diseño.	*I like this design best.*
Me gusta más **éste.**	*I like this one best.*

The forms are as follows.

éste, ésta, éstos, éstas	*this one, these (ones)*
ése, ésa, ésos, éstas	*that one, those (ones)*
aquél, aquélla, aquéllos, aquéllas	*that one, those (ones)* (over there)

— ¿Te gusta este modelo?   *"Do you like this pattern?"*
— No, prefiero **ése.**   *"No, I prefer that one."*

— ¿Vas a comprarte estas camisas?   *"Are you going to buy these shirts?"*
— No, compré **aquéllas** que vimos en   *"No, I bought those we saw at Galerías*
  «Galerías Todo».   *Todo."*

E. Pronombres demostrativos neutros

1) Spanish has three neuter demonstrative pronouns: **esto** *(this)*, **eso** *(that)*, and **aquello** *(that over there)*. Use them to refer to statements, abstract ideas, or something that has not been identified. They have no plural forms and do not take a written accent.

Bueno, **esto** es un secreto, ¿eh?   *Look, this is a secret, OK?*
¡Oye, **eso** no se dice!   *Hey, one doesn't say that!*
¿Qué será **aquello** que se ve allá?   *What do you think that is, there?*

2) Esto, eso, and **aquello** followed by **de** mean *that idea, that fact, that matter,* and so on.

Eso de levantarme temprano me fastidia.   *The idea of getting up early bothers me.*
Aquello del robo no se me olvida.   *I can't forget that robbery business.*

F. Usos idiomáticos de los demostrativos

1) You can use a form of the pronoun **éste** to mean *the latter* and of **aquél** to mean *the former.*

Amalia y Eva, **ésta** diseñadora de modas y   *Amalia and Eva, the latter a fashion*
  aquélla empleada de banco...   *designer, the former a bank employee . . .*

   Note the difference in usage and word order between Spanish and English. In Spanish, **ésta** refers to the *nearest* word, and is mentioned first. In English, *the former* refers to the *first* word, and is mentioned first.

2) Sometimes you can use a definite article + **de** or **que** instead of a demonstrative pronoun, to avoid repeating a noun. The construction is equivalent to *the one(s)* in English.

Tráeme este libro y **el (aquél) que** te presté   *Bring me this book and the one I lent you*
  ayer.   *yesterday.*

   Note: The English construction *those who* is translated **los que** instead of **esos que** or **aquellos que.**

Los que mandan ahora no hacen nada.   *Those who are in power now don't do*
                                         anything.

EJERCICIOS

PRÁCTICA

A. Un lindo recuerdo. Complete la siguiente narración con adjetivos demostrativos apropiados.

Todavía recuerdo —(1)— verano que pasé en Cuernavaca, —(2)— ciudad mexicana al sur de la capital. ¿Quieres ver —(3)— fotos? Son las que saqué durante —(4)— vacaciones fabulosas. —(5)— gente de Cuernavaca era encantadora. ¿Te gusta —(6)— suéter? Lo compré en Cuernavaca y —(7)— cerámica también es de allí. Ay, —(8)— viajes de mi niñez no se me olvidan nunca. —(9)— año pienso volver a México, —(10)— país maravilloso.

B. ¡Qué difícil esto del desempleo! Carmín y Jesús, recién casados, consultan los anuncios clasificados. Complete su conversación con pronombres demostrativos apropiados.

JESÚS   No pierdas el tiempo con ese periódico. —(1)— no sirve para nada. Nunca tiene tan buenos anuncios de empleo como —(2)— que tengo aquí.

CARMÍN   Estás equivocado, mi amor. Los anuncios que aparecen hoy son mucho más interesantes que —(3)— que me enseñaste ayer. Mira —(4)—, por ejemplo. Este puesto ofrece un sueldo bueno y —(5)— de la página 15 ofrece uno mejor.

JESÚS   Tienes razón. Voy a llamar a esta compañía hoy mismo. Y mañana llamamos a —(6)—. Ah, —(7)— de estar sin trabajo es terrible.

CARMÍN   Estamos pobres ahora, pero —(8)— no me importa. Tú tienes que saber —(9)—, ¿no?

JESÚS   Pues, a mí, sí me importa. No sé por qué te casaste conmigo. Si te hubieras casado con Raúl, ahora llevarías una vida de mujer rica en vez de —(10)— de pobre...

CARMÍN   ¿Cómo te atreves a decir —(11)—, Jesús? —(12)— es la vida que quería yo, compartiendo todo con el hombre que adoro. Mira, no es de —(13)— que querría hablar yo ahora, sino de nuestros planes para el futuro y todo —(14)— con lo que soñamos los dos.

C. Información importante. Traduzca el siguiente anuncio usando **el/la/los/las de/que** siempre que sea posible.

1. In this announcement, and the one that you received last week, you will find the rules for this course and a summary of those that we discussed last semester.   2. The information in this announcement and the one that you already have is extremely important for those who want to do well *(salir bien)* in this course.   3. Those who attend class and do all the assignments will get good grades, but those who miss more than ten classes won't pass this course.

¡A CONOCERNOS!

A. Conteste estas preguntas.

1. ¿De quién es este libro? ¿De quién es aquél que está encima del escritorio del profesor o de la profesora?   2. ¿Qué libro le gusta más a Ud., éste o el que usó el año pasado? ¿Por qué?   3. ¿Habla Ud. más en esta clase que en ésa(s) que tiene más tarde? ¿Y en aquéllas que tiene más temprano que ésta?   4. ¿Quién aprende más, el que va al laboratorio o el que nunca va?   5. ¿Quiénes son mejores políticos, los que cumplen sus promesas o aquéllos que no las cumplen? ¿Quiénes son aquellos políticos que cumplen sus promesas?

B. Ahora hágale unas preguntas similares a un compañero o a una compañera.

SITUACIÓN COMUNICATIVA

Imagínese la siguiente situación y represéntela con un compañero o una compañera.

TOURIST   You are a tourist browsing in the gift shop at Jorge Chávez Airport in Lima, Peru. Ask to see several items (that mirror, those shoes, and so on).

SALESCLERK Agree to show the tourist the items he or she is interested in, but then point out the virtues of other more expensive items, saying that they are better.

AeroPerú es una de las múltiples compañías domésticas que hacen más fácil la transportación a través del terreno montañoso, especialmente en los países andinos donde un viaje en tren o en coche puede durar días.

III. Las expresiones impersonales: Concepto; El subjuntivo con expresiones impersonales

A. *No parece que haya justicia para nosotros*

Aniceto y Félix escuchan atentamente este aviso que transmite una emisora local en el suroeste de los Estados Unidos.

> Amigos, los hispanos nos quejamos con frecuencia de ciertas injusticias de que somos objeto. Es obvio que a veces discriminan contra nosotros, nos pagan mal y nos hacen trabajar más de lo justo. Está claro que otras veces nos niegan trabajo sin motivo. Pero, por influjo de nuestra tradición, sucede que tenemos poca fe en las leyes sin darnos cuenta de que ellas nos protegen... Es lástima que nadie les haya ayudado hasta ahora a conocer esas leyes. Por eso, es importante que Uds. visiten las oficinas de la Comisión de Prácticas Justas de Empleo, donde nuestros abogados los esucharán y aconsejarán. Recuerden: No será posible que cambie su situación si Uds. no conocen sus derechos. Llámen al teléfono 688-3437. Es bueno que lo hagan hoy mismo.

◆ Como resultado del movimiento de Derechos Civiles, el presidente de los Estados Unidos nombró varias comisiones para promover igualdad de oportunidades de empleo, animar la acción afirmativa y prohibir la discriminación de las **minorías** como la **hispánica** y otras.

Comisión de Prácticas Justas de Empleo *Fair Employment Practices Commission*   las **leyes** *the law*   **derechos** *rights*

B. Preguntas

1. ¿De qué se quejan los hispanos?   2. ¿Por qué sucede eso?   3. ¿Qué es una lástima?   4. ¿Por qué es importante que visiten las oficinas de la Comisión?   5. ¿Qué prácticas de empleo cree Ud. que son justas e injustas?

C. Las expresiones impersonales: Concepto

Impersonal expressions have no personal or specific subject. No pronoun is used in Spanish to translate the English subject *it*.

No es justo.	*It's not fair.*
Es verdad.	*It's true.*

Impersonal expressions in Spanish can be followed by either the indicative or the subjunctive, depending on their meaning and the intention of the speaker.

D. El indicativo con expresiones impersonales

When you use an impersonal expression in an independent clause to testify to the truth of a statement in a dependent clause, use an indicative verb. Here is a list of expressions regularly followed by the indicative.

es cierto que	es que	está visto que
es evidente que	es seguro que	ocurre que
es indudable que	es verdad que	sucede que
es obvio que	está claro que	

Es obvio que discriminan contra nosotros.	*It's obvious they're discriminating against us.*
Está claro que nos niegan trabajo sin motivo.	*It's clear they're denying us work for no reason.*
Sucede que tenemos poca fe en las leyes.	*It so happens that we've got little faith in the law.*
Es que no conocemos las leyes.	*The thing is that we don't know the laws.*

Note: although **parece que** *(it seems)* is not a very strong affirmation of the statement in the following clause, the indicative is nevertheless used.

Parece que va a conseguir un puesto hoy.	*It seems he will get a job today.*

E. El subjuntivo con expresiones impersonales

1) If you use the expressions listed above in the *negative,* to deny the truth of something, use the subjunctive in your dependent clause.

No es cierto que todos discriminen.	*It's not true that everybody discriminates.*
No es seguro que tenga empleo mañana.	*It's not certain that I'll have a job tomorrow.*

No es evidente que no sepas el subjuntivo.   *It's not evident that you don't know the subjunctive.*

No parece que haya justicia para nosotros.   *It doesn't seem that there's any justice for us.*

2) All other impersonal expressions, whether you use them affirmatively or negatively, turn a following dependent clause into a hypothetical statement rather than a factual one. That rules out using the indicative in the dependent clause — use the subjunctive. Here are some examples.

a. expressions of necessity or convenience

es necesario	es importante	es bueno
es innecesario	es conveniente	es malo
	es preferible	es mejor
	es urgente	es peor

Es importante que Uds. visiten las oficinas de la Comisión.   *It's important that you visit the offices of the Commission.*

Es bueno que lo hagan hoy mismo.   *It's good that you do it today.*

Es innecesario que se pierda tanta energía.   *It's not necessary to waste so much energy.*

b. expressions of emotion and feeling

es de esperar	es lástima	es sorprendente
es lamentable	es penoso	es un milagro

Es lástima que nadie nos ayude.   *It's a pity nobody helps us.*

Es un milagro que haya encontrado trabajo.   *It's a miracle that he's found a job.*

c. expressions of doubt and uncertainty

es posible	es increíble	es improbable
es imposible	es probable	es dudoso

No será posible que cambie la situación.   *It won't be possible for the situation to change.*

Es probable que haya discriminación.   *There will probably be some discrimination.*

Es imposible que Ud. no sepa la verdad.   *It's impossible that you don't know the truth.*

3) After some impersonal expressions, if the subject of the dependent verb is a personal pronoun, you can replace the entire dependent clause with an infinitive construction. What would have been the dependent-clause personal pronoun subject shows up in the new construction as an indirect object pronoun, to show who is affected.

Es difícil que yo pueda comprenderlo.
Me es difícil comprenderlo.   } *It's difficult for me to understand.*

¿Será posible que Ud. compre el regalo?
¿Le será posible comprar el regalo?   } *Will it be possible for you to buy the gift?*

EJERCICIOS

PRÁCTICA

A. ¿Indicativo o subjuntivo? Cristina está muy agradable hoy. Está de acuerdo con todo el mundo. Represente a Cristina y exprese su opinión según el modelo.

MODELO: ALGUIEN: Tratan de poner fin a la guerra en Centroamérica. ¡Es obvio!
          CRISTINA: **¡Sí, es obvio que tratan de poner fin a la guerra en Centroamérica!**

1. Los vecinos creen en los seres extraterrestres. Es curioso, ¿no crees?
2. ¿Nos tocará la lotería este año? Es improbable, ¿verdad?
3. Yo sé que a Magda le encanta Marcos. Es indudable.
4. ¿Ganará mi candidato las elecciones? Es posible.
5. La pobre vecina de arriba no tiene un nombre bonito. Es verdad.
6. Nos acostamos temprano para levantarnos a las seis. Es mejor, ¿no crees?
7. Los jóvenes no desean ir al ejército. Está claro.
8. Hay muchos accidentes en la carretera. Es sorprendente, ¿verdad?
9. ¿Habrá habitantes en otros planetas? No parece, ¿verdad?
10. Descansa más, Cristina. Es conveniente.

B. Son cosas de la vida. Reaccione ante las siguientes situaciones usando expresiones impersonales.

MODELO: A María le duele la cabeza.
        Es lástima que a María le duela la cabeza.

1. Mis padres se comprarán un casa de campo.
2. La gente de la clase media paga demasiados impuestos.
3. Las corporaciones deben pagar más impuestos.
4. El petróleo se acabará en un futuro próximo.
5. Muchas personas sufren en la vida.
6. Los estadounidenses llegaron a la luna en 1969.
7. Tenemos que hacer más ejercicio físico.
8. Siempre hacía calor cuando yo vivía en Puerto Rico.
9. Este invierno lloverá mucho.
10. Mejorará la situación de los presos políticos en Cuba.

¡A CONOCERNOS!

A. Conteste estas preguntas.

1. ¿Es cierto que Ud. saca buenas notas?   **2.** ¿Es verdad que Ud. quiere ser miembro de una fraternidad o hermandad?   **3.** ¿Es seguro que la contaminación es peligrosa?   **4.** ¿Es bueno que haya elecciones en los países hispánicos?   **5.** ¿Es preferible que haya uno o más partidos políticos?   **6.** ¿Es mejor o peor para el mundo que haya exploraciones espaciales?   **7.** ¿Es lamentable que siga creciendo tanto la población?   **8.** ¿Es conveniente que los jóvenes no puedan tomar bebidas alcohólicas hasta los veintiún años?   **9.** ¿Es sorprendente que un paciente viva después de un transplante?   **10.** ¿Es posible que el próximo presidente de los Estados Unidos sea una mujer?

B. Ahora hágale unas preguntas similares a un compañero o a una compañera.

SITUACIÓN COMUNICATIVA

Imagínese la siguiente situación y represéntela con un compañero o compañera.

VISITOR   You are considering taking a trip to a Spanish-speaking country and you are visiting the Tourist Office of a certain country (select a country of your choice). State the purpose of your visit and tell the employee that you would like information and advice.

EMPLOYEE   Tell the visitor that it is important to read the following publications. Describe the publications.

VISITOR   Ask if it is necessary to have a passport and a visa.

EMPLOYEE   Answer that it is (or is not) necessary to have a passport. Add that it is important to have some vaccinations (**vacunas**).

VISITOR   Ask for some recommendations regarding clothing, good places to visit, things to do, things to beware of, and so on.

EMPLOYEE   Give the required advice, saying that it is important to . . ., it is convenient to . . ., it is not advisable to . . ., and so forth.

¿Sueña Ud. con escapar del tráfico de la capital? ¡Visite una agencia de viajes y realice sus sueños de una vez!

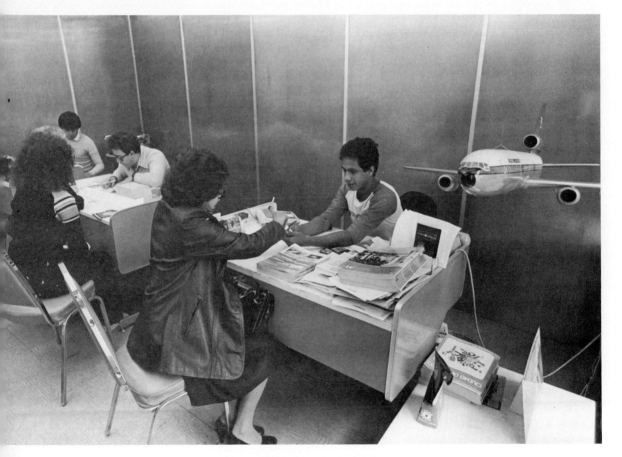

ACTIVIDADES

EN GRUPITOS

¿Estamos de acuerdo?

En grupitos de cuatro a seis estudiantes, discutan algunos temas de importancia en la vida moderna. Decidan si están o no de acuerdo con las siguientes opiniones. Su profesor(a) le pedirá a un(a) estudiante que reporte el consenso de su grupo.

1. Es necesario que exista la pena de muerte.
2. Es preferible que condenen al criminal a cadena perpetua.
3. Es urgente que acabemos con el terrorismo.
4. Es preciso que comprendamos la razón de los actos terroristas.

5. Es preferible que dejen morir a una persona que sufre.
6. No es posible que dejemos morir a una persona.
7. Es innecesario que hagan sufrir a los animales en los laboratorios médicos.
8. Es preciso que hagamos experimentos con animales en los laboratorios.

Pueden elegir otros temas que les interesen y discutirlos de la misma manera, reportando la opinión del grupito a la clase.

Vocabulario útil

pena de muerte *death penalty*
cadena perpetua *life imprisonment*
reo *defendant*
aborto   *abortion*
violación   *rape*
feto   *fetus*

eutanasia *mercy killing*
SIDA (Síndrome de Inmunodeficiencia Adquirida) *AIDS*
conejito de Indias *guinea pig*

DE TODO UN POCO

Acertijo zoológico

¿Podría Ud. asociar cada animal de la siguiente lista con uno de los personajes reales o imaginarios de la lista numerada?

1. Jonás
2. Eva
3. San Jorge
4. Darwin
5. Caperucita Roja

a. el vampiro
b. el caballo
c. la ballena
d. el oso
e. el burro

6. Ricitos de Oro
7. Sancho Panza
8. Androcles
9. Drácula
10. un vaquero

f. la serpiente
g. el león
h. el dragón
i. el lobo
j. el mono

Respuestas 1. c 2. f 3. h 4. j 5. i 6. d 7. e 8. g 9. a 10. b

¿Sabía Ud. que...

- Panamá viene de una palabra indígena que significa «muchos indios»?
- Paraguay viene de palabras guaraníes que probablemente significan «gran río»?
- Perú viene del nombre que los incas daban a esa tierra?
- República Dominicana viene de Santo Domingo, su capital, llamada así por Cristóbal Colón en memoria de su padre, Domingo?
- Uruguay viene de palabras guaraníes que probablemente significan «principal canal del río»?
- Venezuela se llamó así porque a los exploradores españoles les pareció una «pequeña Venecia»?

CAPÍTULO 14

Gramática
Palabras negativas; Doble negación
Cláusulas adjetivales
Correlación de tiempos del indicativo y del
  subjuntivo
Funciones lingüísticas
Explicación y aclaración
Expresión de descontento
Expresión de estados emocionales
Negación
Actividades

I. Palabras negativas; Doble negación

A. *Andrés no se había sentido así jamás*

La doctora Ruiz recibió a Andrés en su consultorio de la calle Argüello en San Francisco, California.

ANDRÉS   Mire, doctora, no me había sentido así jamás. No puedo concentrarme en mis estudios, nunca termino mi tarea a tiempo, preferiría no levantarme nunca de la cama...

DRA. RUIZ   ¿Practicas algún deporte, Andrés?

ANDRÉS   No, ninguno.

DRA. RUIZ   ¿Tocas quizás algún instrumento musical?

ANDRÉS   No, tampoco. Es que nada me satisface en la vida. Nadie me quiere ni yo quiero a nadie, ni siquiera a mis padres...

DRA. RUIZ   Bueno, Andrés. Te voy a pedir algo, pero no puedes decirme que no. ¿Vendrás a verme dos veces por semana?

◆ Esta calle lleva el nombre de Don Luis Argüello, que nació en San Francisco en 1784. En 1821, después de que México se independizó de España, los representantes de la provincia de California se reunieron en un Congreso en Monterrey (antigua capital de California) y decidieron permanecer leales a México. Este mismo Congreso nombró gobernador a Don Luis Argüello. Don Luis fue admirado por sus dotes militares y sus ideas liberales. Aunque estos nombres en español son Argüello y Monterrey, en inglés se han modificado a Arguello y Monterey.

◆ La ciudad de San Francisco fue fundada en 1776 por 30 familias mexicanas, procedentes de Sonora, México, que formaban parte de la expedición del Capitán Juan Bautista de Anza.

consultorio *medical office*   **leales** *loyal*   **dotes militares** *military skill*

En Los Ángeles y San Francisco, como en otras ciudades norteamericanas con una población hispana numerosa, los artistas dan nueva vida a la herencia mexicana de la pintura mural. Este mural se pintó en el distrito de la Misión en San Francisco, California.

B. Preguntas

1. ¿Qué le ocurre a Andrés?   2. ¿Practica él algún deporte?   3. ¿Toca algún instrumento musical?   4. ¿Quiere él a alguien? ¿Lo quieren a él?   5. ¿Se ha sentido Ud. como Andrés alguna vez?

C. Palabras negativas: Formas

The negative words in the following chart are commonly used in Spanish. They are shown with their affirmative counterparts.

NEGATIVE		AFFIRMATIVE	
nada	*nothing*	algo	*something*
nadie	*no one, nobody*	alguien	*somebody*
ningún	*no, no one, none*	algún	*some*
ninguno/a/os/as	*no one, none (of several)*	alguno/a/os/as	*someone*
ni (siquiera)	*neither . . . nor, not even*	o	*or*
ni... ni	*neither . . . nor*	o... o	*either . . . or*
no	*no*	sí	*yes*
tampoco	*neither, not either*	también	*also*
nunca	*never*	⎧ siempre	*always*
		⎨ a veces	*at times*
		⎩ muchas veces	*many times*

jamás	{*never* *ever*	siempre alguna vez	*always* *ever*
aún no todavía no }	*not yet*	ya	*already*
ya no	*not any more, no longer*	todavía	*still*

D. Palabras negativas: Usos

1) No

    a. The most common way to make a Spanish sentence negative is to place the word **no** before your conjugated verb form.

No puedo concentrarme en mis estudios.	*I can't concentrate on my studies.*
Andrés no ha entregado su composición.	*Andrés hasn't turned in his composition.*

    b. No goes before object pronouns and infinitives.

No se la entregó a la profesora.	*He didn't give it to the teacher.*
Prefiero no levantarme temprano.	*I prefer not to get up early.*

    c. If you don't use a verb in a negative answer, put **no** after the subject.

—¿Quién se ha comido el pastel?	*"Who's eaten the cake?"*
—Yo no, mamá.	*"Not me, Mom."*

2) Nada and **nadie.** Use **nada** *(nothing)* to refer to things, **nadie** *(no one, nobody)* to refer to people.

Nada me satisface en la vida. Nadie me quiere.	*Nothing satisfies me in life. Nobody loves me.*

3) Use the adjective **ningún** (or its feminine form, **ninguna**) before nouns.

Ningún amigo le ayuda.	*Not one friend helps him.*

    Use **ninguno/a** as an adjective after a noun, or as a pronoun.

No tiene interés ninguno.	*It has no interest at all.*
—¿Lees periódicos en español?	*Do you read Spanish papers?*
—No leo ningún periódico. *(adjective)*	*I don't read any papers.*
—No leo ninguno. *(pronoun)*	*I don't read any.*
Tiene conocidos, pero ninguno de ellos es un buen amigo.	*He has acquaintances, but not one of them is a good friend.*

    The plural form **ningunos/as** is seldom used and only with plural nouns that refer to singular objects, like **tijeras** *(scissors)* or **pantalones** *(pants).* (**Ningún** or **ninguno** basically means *not one.*)

4) Ni

   a. Ni *(nor)* is a negative counterpart of **y** *(and),* and of **o** *(or).* Use it to extend the same idea of negation through a series of words, phrases, or clauses, without repeating yourself.

words:	No quiero sal y no quiero pimienta.	
	No quiero sal ni pimienta.	*I don't want salt or pepper.*
phrases:	No tengo ganas de comer y no tengo ganas de beber.	
	No tengo ganas de comer ni de beber.	*I don't feel like eating or drinking.*
clauses:	No fue a ver a la doctora y no la llamó.	
	No fue a ver a la doctora ni la llamó.	*He didn't go to see the doctor, nor did he call her.*

   b. Ni, sometimes, and **ni siquiera**, always, are the equivalents of *not even.*

Ni siquiera puede dormir bien.	*He can't even sleep well.*
No quiere ni ver a sus padres.	*He doesn't even want to see his parents.*

   c. Use **ni... ni...** to express *neither . . . nor . . .* When your entire **ni... ni...** phrase is the subject of one verb, use a plural verb.

No quiero ni éste ni aquél.	*I want neither this one nor that one.*
Ni Tere ni Pepe trabajan en el Cuerpo de Paz.	*Neither Tere nor Pepe works for the Peace Corps.*

5) Tampoco

   a. Use **tampoco** to express *either* and *not . . . either.*

Tampoco le tocó la lotería esta vez.	*He didn't win the lottery this time, either.*
—¿Habló con su padre?	*"Did you speak to your father?"*
—No.	*"No."*
—¿Y con su madre?	*"And your mother?"*
—Tampoco.	*"No, I didn't speak to her, either."*

   Note: You can use any of the negative words as short answers to questions; no verb is necessary.

—¿Practicas algún deporte?	*"Do you practice any sports?"*
—Ninguno.	*"None."*
—¿Y tocas algún instrumento musical?	*"Do you play any musical instrument, then?"*
—Tampoco.	*"No, I don't play any instrument, either."*

   b. Use **tampoco** with **no** and with **ni** to express *not . . . either* or *neither.*

—Marisa no ha leído el Quijote. Juan no lo ha leído tampoco.	*"Marisa hasn't read Don Quixote. Juan hasn't read it, either."*
—Ni yo tampoco.	*"Neither have I."*

6) Nunca

a. Use **nunca** to express *never.*

No es para tanto, hombre. ¿Nunca perdiste antes? — *It's no big deal, man. You never lost before?*

b. **Nunca jamás** is a very strong negation, meaning *never ever* or *never again.*

Nunca jamás volveré a enamorarme. — *I'll never ever fall in love again.*

7) Jamás

a. Use **jamás** *(ever)* in a question when you expect a negative answer.

¿Visitaste el Polo Norte jamás? — *Have you ever been to the North Pole?*

b. **Jamás** is often added to superlative expressions.

Machu Picchu es la fortaleza más impresionante que he visto jamás. — *Machu Picchu is the most impressive fortress I've ever seen.*

E. Doble negación

You may place negative words either before or after your verb. When you place one after a verb, use **no** before the verb. (Double negation in Spanish is common and correct usage.)

Nada le gusta.
No le gusta nada. — *He doesn't like anything.*

Nadie nos conoce aquí.
No nos conoce nadie aquí. — *Nobody knows us here.*

Nunca practico con hispanohablantes.
No practico nunca con hispanohablantes. — *I never practice with Spanish-speakers.*

No vi a ninguno de ellos. — *I didn't see any of them.*
No vi a nadie. — *I didn't see anybody.*

EJERCICIOS

PRÁCTICA

A. **¡Viva la diferencia!** Un muchacho extranjero visita la clase de español y habla de sí mismo y sus costumbres. Ud. es diferente. Cambie las afirmaciones del visitante a la forma negativa.

MODELO: PANCHO: Soy mexicano y hablo español y zapoteca.
USTED: **No soy mexicano. No hablo ni español ni zapoteca.**

1. Mis amigos y yo tenemos discos de música zapoteca.   2. A mí me encanta tocar la marimba y el guitarrón.   3. Cuando paseo por mi pueblo, siempre veo gente en la calle.   4. Cuando voy al zócalo (al centro), a veces tomo algo en la cantina *(bar).*   5. Todavía vivo en casa de mis padres.   6. Ya he visto la película que ponen en el cine del pueblo.   7. Alguien me acompañará al boxeo el sábado por la noche.

B. **¿Qué te pasa, amiga?** Graciela y Gabi son compañeras de cuarto. Casi todas las tardes, cuando regresan de la universidad, se sientan a charlar un rato. Hoy Gabi está muy callada y Graciela le hace muchas preguntas. Imagínese que Ud. es Gabi y conteste usando expresiones negativas. (**no, nada, nadie, ninguno, tampoco, jamás, ya no, todavía no, nada más, nunca más.**).

1. ¿Me ha llamado alguien?
2. ¿Ha preguntado por mí alguno de mis amigos?
3. ¿Qué te pasa, amiga?
4. ¿Estás enojada conmigo?
5. ¿Estás enfadada con otra persona?
6. ¿Has terminado de escribir la composición?
7. ¿Aún estás cansada?
8. ¿Te habías sentido tan triste antes?
9. Voy a prepararte un sándwich. ¿Deseas algo más?

C. **¡Pobre Nicolás!** La hermana de Nicolás está preocupada. Traduzca lo que ella piensa de él.

1. Poor Nicholas doesn't feel well.   2. Nothing makes him happy.   3. Nobody likes him very much; none of his old friends come to see him anymore.   4. Neither Mom nor Dad can talk to him.   5. Does he read any good books? No, he doesn't read any.   6. Does he read any interesting magazines? No, he doesn't read magazines, either.   7. None of the doctors have been able to help him.   8. Has he ever fallen in love? No, never ever.   9. What a pity! It's the most beautiful experience I've ever had.

¡A CONOCERNOS!

A. Conteste estas preguntas.

1. ¿Es Ud. extranjero/a?   2. ¿Tiene Ud. algún pariente en esta clase?   3. ¿Conoce Ud. a alguien en Honduras?   4. ¿Ha pensado Ud. alguna vez en aprender guaraní?   5. ¿Vio Ud. a un ser extraterrestre jamás?   6. A ninguno de los estudiantes de la clase le gusta vivir lejos de la universidad. ¿Y a Ud.?   7. No voy a la ópera esta noche. ¿Y Ud.?   8. ¿Jugó Ud. al jai-alai alguna vez? ¿Sabe Ud. cómo se juega al jai-alai? ¿Conoce Ud. a algún jugador de jai-alai?   9. ¿Qué quiere Ud. cenar esta noche, lengua o hígado *(liver)?*

B. Ahora hágale unas preguntas similares a un compañero o a una compañera.

SITUACIÓN COMUNICATIVA

Imagínese la siguiente situación y represéntela con un compañero o una compañera.

CUSTOMER You have had a horrible experience with a product you bought recently. You are understandably upset. So you go to the store's Complaints Department to lodge your complaint. State your problem and say that you have never had a similar experience in your life.

CLERK Tell the customer that nobody has ever complained about the product. Tell him or her that you are sure that there is nothing wrong with the product. Add that there is no better product in the world.

CUSTOMER Repeat your complaint. Tell the clerk that the product never works and nobody wants to help you. The first time that you called the store to ask for advice nobody answered, and the second time nobody knew anything about the product.

CLERK Tell the customer that has never happened before and that, if he leaves the product with you, you will send it to the factory for repairs.

CUSTOMER Reply that you don't want that. Request a refund.

CLERK State that your company never gives a refund.

CUSTOMER Ask to exchange the item.

CLERK	State that your company doesn't give exchanges either.
CUSTOMER	Say that in the future you will never ever shop at that store. Add that your relatives won't shop there, either.
CLERK	Try to appease the customer. Find a solution to his or her problem.

queja *complaint*   **funcionar** *to work*   **devolución (o reembolso) del dinero** *refund*   **hacer cambios** *to exchange*

II. Cláusulas adjetivales

A. ¿Conocen a alguien que haga baúles laqueados?

Francisco Mendoza llega a un pueblito de Michoacán. Él busca artesanos que trabajen para su empresa.

SR. MENDOZA	Los que trabajan para FONART ganan buenos salarios y venden toda su producción... ¿qué pueden hacer Uds.?
VENTURA	Yo soy alfarero y mis hijos saben pulir vasijas. Mi esposa, Lidia, pinta vajillas con pelo de ardilla...
SR. MENDOZA	¿Conocen Uds. a alguien que haga baúles laqueados?
LIDIA	¡Cómo no, señor! Mi primo Raúl, allá en Guerrero...
VENTURA	Pues también el primo Chon, aquí en el pueblo.
SR. MENDOZA	¡Ándenle, pues! ¡Busquen algunos compadres que sean buenos artesanos! ¡Vamos a venderlo todo, toditito!

◆ El estado de **Michoacán,** situado al norte de la Ciudad de México, se destaca por sus cerámicas. En el estado de **Guerrero,** donde se encuentran las famosas playas de Acapulco e Ixtapa, los artesanos crean objetos laqueados de gran belleza.

◆ **FONART** (Fondo Nacional para el Fomento de las Artesanías), como su nombre indica, fue establecido por el gobierno mexicano para fomentar la fabricación y venta de artesanías nacionales. Este programa ha logrado tener gran éxito. En 1984, por ejemplo, proporcionó empleo a 75 mil familias y tuvo ventas en exceso de 2 millones de dólares.

◆ Cuando se bautiza a un niño, el padrino y la madrina prometen cuidarlo, protegerlo y hacerse cargo de su educación religiosa en caso de que mueran los padres. Los padrinos entran también en una relación muy especial con los padres: se convierten en **compadres.** Como las familias son muy numerosas, los padres suelen tener varios compadres y mantienen con ellos una relación muy estrecha.

baúles laqueados *lacquered chests*   **alfarero** *potter*   **pulir** *to polish*   **vasijas** *earthenware pots*   **vajillas** *dishes*   **pelo de ardilla** *squirrel's hair*   **ándenle** *come on*   **artesanías** *handicrafts*   **padrino** *godfather*   **madrina** *godmother*   **estrecha** *close*

B. Preguntas

1. ¿Qué busca el Sr. Mendoza?   2. ¿Por qué es bueno trabajar para FONART?   3. ¿Qué pueden hacer Ventura y su familia?   4. ¿Conoce Ud. a alguien que sea buen artesano?

Esta maceta pintada a mano es un ejemplo de la cerámica producida en Jalisco, México.

C. Cláusulas adjetivales: Concepto

You can use adjective clauses the same way you use adjectives, to modify a noun or pronoun. Introduce your adjective clause with a relative pronoun, usually **que**. Sometimes the verb in your clause will have to be subjunctive, sometimes indicative.

MAIN CLAUSE WITH ADJECTIVE

Allí trabajan artesanos **buenos.**

MAIN CLAUSE WITH ANTECEDENT   ADJECTIVE CLAUSE

Allí trabajan **artesanos**   que son buenos.

D. Cláusulas adjetivales con indicativo

When your antecedent noun or pronoun refers to a specific person or thing that exists in reality, use an indicative verb in your adjective clause. In the following examples, look for the **antecedent** and the adjective clause.

Los **artesanos** [que trabajan para esta empresa] ganan buenos salarios.

Artisans who work for this firm earn good salaries.

Contratarán a un **muchacho** [que viene de Guerrero].

They will hire a young man who comes from Guerrero.

E. *Cláusulas adjetivales con el subjuntivo*

1) When your antecedent is nonspecific or negative — that is, when it refers to someone or something unknown, uncertain, or nonexistent[1] — use a subjunctive verb in your adjective clause.

Los que trabajen mucho ganarán buenos salarios.

Those who work hard will earn a good salary.

¿Conocen a alguien que haga baúles laqueados?

Do you know anyone who makes lacquered chests?

Busquen algunos compadres que sean buenos artesanos.

Look for some friends who would be good craftsmen.

Trabajaríamos para cualquier empresa que nos pagara bien.

We would work for any firm that paid us well.

2) a. In this construction use the personal **a** in the following situations:

◆ when your antecedent noun refers to someone you know
◆ before the pronouns **alguien** and **algún (alguno/a/os/as)**
◆ before **nadie**
◆ before **ningún** and **ninguno** when they refer to people

Busco al artesano que me acompañó ayer.

I'm looking for the craftsman who accompanied me yesterday.

¿Encontraste a alguien que te interesara?

Did you find anybody that interested you?

No encuentro a ninguno que pinte con pelo de ardilla.

I can't find anyone who paints with squirrel's hair.

b. Remember to omit the personal **a** when your noun doesn't refer to any specific person.

Buscan un artesano que sepa pintar bien.

They're looking for an artisan who knows how to paint well.

━━━━━━━━━━ *EJERCICIOS* ━━━━━━━━━━

PRÁCTICA

A. ¡Ninguna funciona! Complete el siguiente diálogo con la forma apropiada del subjuntivo de los verbos en la clave.

DIEGO ¡Ay, Lupita! ¿No habrá nadie que —(1)— ayudarme? No había en la oficina ni una máquina que —(2)— ayer. ¿Conoces a alguien que —(3)— máquinas de escribir?

LUPE Fíjate que no conozco a nadie que —(4)— mécanico. Aquí no hay nadie que —(5)— ese tipo de trabajo. En la ciudad, sí. En la primera ocasión que —(6)—, te llevaré a un taller en la ciudad.

DIEGO Bueno. La próxima vez que —(7)—, iré contigo.

Clave: 1. poder   3. reparar   5. hacer   7. ir
        2. funcionar 4. ser   6. haber

[1]A good test is to ask yourself whether or not you can use the words *whoever, whatever, anyone, anything, no one,* or *nothing* to replace or to modify your antecedent. If you can, use the subjunctive in your adjective clause.

B. **¿Indicativo o subjuntivo?** En los siguientes pares de oraciones una requiere el indicativo y la otra el subjuntivo. ¿Cuál es la forma apropiada del verbo entre paréntesis?

   1. (hacer) Necesito una traductora que _____ este trabajo.
      Necesito a la traductora que _____ este trabajo.
   2. (arreglar) Encontramos a un mecánico que nos _____ el auto esta tarde.
      Buscamos un mecánico que nos _____ el auto esta tarde.
   3. (ser) Viajaba con unos compañeros que _____ divertidos.
      Viajaría con unos compañeros que _____ divertidos.
   4. (pintar) Quisiera darle el trabajo a un pintor que _____ bien.
      Le dimos el trabajo al pintor que _____ mejor.
   5. (servir) Hemos ido a un restaurante que _____ buena comida.
      ¿Conoces algún restaurante que _____ buenas tapas?
   6. (ver) Había algunos testigos que _____ lo que pasó.
      No había ningún testigo que _____ lo que había pasado.
   7. (querer) Coman Uds. toda la fruta que _____ .
      Ellos comen siempre toda la fruta que _____ .
   8. (cenar) En los Estados Unidos hay gente que _____ a las seis.
      En España no hay nadie que _____ antes de las nueve.
   9. (levantarse) El que _____ primero despierta a los demás.
      El que _____ primero despertará a los demás.
   10. (visitar) Cualquiera que _____ mi casa es bien recibido.
      Cualquiera que _____ mi casa sería bien recibido.

C. **En otras palabras.** Doña Herminia siempre aclara lo que dice su marido. Haga Ud. el papel de doña Herminia.

   MODELOS: MARIDO: Buscamos a la secretaria amiga de Juan.
               USTED: **Buscamos a la secretaria que es amiga de Juan.**

               MARIDO: Se necesita una secretaria puntual.
               USTED: **Se necesita una secretaria que llegue a tiempo.**

   1. Conocemos a una médica cirujana.
   2. Contratarán a alguien muy trabajador.
   3. Buscaban una cocinera experta en paellas.
   4. No conozco a ningún ecuatoriano.
   5. La policía encontró al niño perdido.
   6. Te regalaré mi colonia favorita.
   7. Inés prefiere a los chicos altos y deportistas.
   8. No hay ninguna bailarina profesional en el pueblo.
   9. Vimos la película más recomendada.
   10. Los vecinos buscan un piso espacioso.

¡A CONOCERNOS!

A. Conteste estas preguntas.

1. ¿Aprobarán el curso los estudiantes que estudian mucho? ¿Lo aprobarán los que no estudien? 2. ¿Conoce Ud. a los estudiantes que están a su lado? 3. ¿Conoce Ud. a algún estudiante que esté aprendiendo a bailar flamenco? 4. ¿Conoce al chico o a la chica que trabaja de cajera en la cafetería? ¿Tiene Ud. algún amigo que trabaje para la universidad? ¿Quién es y de qué traba-

ja? **5.** ¿Saldría Ud. con cualquier persona que lo/la invitara? ¿Con qué amigo o amiga saldrá Ud. esta noche? **6.** Cuando Ud. fue a comprar su primer coche, ¿encontró el coche que buscaba o no vio ningún coche que le gustara?

B. Ahora hágale unas preguntas similares a un compañero o a una compañera.

SITUACIÓN COMUNICATIVA

Imagínese la siguiente situación y represéntela con un compañero o una compañera.

CUSTOMER	You want to buy something. (Decide with your partner on an item: a car, bicycle, computer, and so on.) Tell the salesperson that you already have another brand of the item and mention some of its characteristics.
SALESPERSON	Describe the characteristics of the best brand and/or model of the item the customer wants that you have available.
CUSTOMER	Respond by saying that you are looking for a special model, and describe it.
SALESPERSON	Tell your customer that you don't have anything that fits that description and explain why you think that he or she is looking for something that doesn't exist.

III. Correlación de tiempos del indicativo y del subjuntivo

A. *Si llegara a venir un león*

La siguiente historia humorística apareció recientemente en un periódico en español publicado en Nueva York.

> Tres hombres caminaban por la selva. El primero llevaba una cabina telefónica, el segundo un poste de teléfonos y el tercero un yunque. Un señor que vivía por ahí los vio y se quedó muy sorprendido.
>
> —¡No creo que jamás haya visto algo más extraño! —se dijo el señor. Acercándose a los tres hombres, les pidió que le explicaran por qué llevaban esas cosas.
>
> —Si llegara a venir un león—contestó el primero— podría encerrarme en la cabina telefónica y evitaría que me comiera el león.
>
> —¡Muy ingenioso! ¿Y para qué sirve el poste de teléfonos?
>
> —Si llegara a venir un león —replicó el segundo— podría subirme al poste y salvarme la vida.
>
> —¡Qué maravilla! ¿Y el yunque?
>
> —Si llegara a venir un león—respondió el tercero— lo dejaría caer y podría correr mucho más rápido.

◆ En los centros urbanos del noreste de los Estados Unidos viven muchas personas de habla española. Además de los muchos puertorriqueños radicados en Nueva York, hay inmigrantes procedentes de casi todos los países latinoamericanos.

selva *forest* **cabina telefónica** *phone booth* **poste de teléfonos** *telephone pole* **yunque** *anvil*

B. Preguntas

1. ¿Dónde apareció esta historia?   2. ¿Por qué hay periódicos en español en los Estados Unidos?   3. ¿Por qué se sorprendió el señor?   4. ¿Qué le dijo el primer hombre?   5. ¿Qué haría el segundo hombre si llegara a venir un león?   6. ¿Qué haría el tercer hombre?   7. ¿Qué haría Ud. si se encontrara con un león?

C. Correlación de tiempos del indicativo y del subjuntivo

You know *when* you need to use a verb in the subjunctive, and you also know *how* to form the different tenses of the subjunctive. You might be wondering, now, how to decide *which* tense to use. When a verb in the subjunctive is needed, the tense you choose (the present subjunctive, the present perfect subjunctive, the imperfect subjunctive, or the past perfect subjunctive), depends on what you want to say and on when the actions take place (specifically, on the relationship between the time of the main action and that of the dependent action).

The following sections (D, E, F, G) present a series of sentences that illustrate how this temporal relationship influences your choice of tense. As you read the examples, observe the correlation of tenses (**correlación de tiempos**) and ask yourself the following questions.

1) Does the *action* described by the *main verb* occur *now?*
   Will it take place *in the future?*
   Did it already occur *in the past?*
2) Is the *action* described by the *dependent verb* (subjunctive)
   a. *concurrent* with (occurring at the same time as) that of the main verb?
   b. *subsequent to* (following) that of the main verb?
   c. *prior to* (preceding) that of the main verb? If so, is it recent or not?

D. Cuándo usar el presente de subjuntivo

Main clause	Dependent clause	Action is
Le pido	que me **cuente** el cuento **ahora**. que me **cuente** el cuento **mañana**.	CONCURRENT SUBSEQUENT
I ask him	*to tell me the story now.* *to tell me the story tomorrow.*	
Dudo (de)	que me **cuente** el cuento **ahora**. que me **cuente** el cuento **mañana**.	CONCURRENT SUBSEQUENT
I doubt	*that he would tell me the story now.* *that he would tell me the story tomorrow.*	
Es importante	que me **cuente** el cuento **ahora**. que me **cuente** el cuento **mañana**.	CONCURRENT SUBSEQUENT
It's important	*that he tell me the story now.* *that he tell me the story tomorrow.*	
Le pediré	que me **cuente** el cuento **mañana**. que **cuente** el cuento **otro día**.	CONCURRENT SUBSEQUENT
I'll ask him	*to tell me the story tomorrow.* *to tell me the story another day.*	

When the main action takes place *now* or *in the future* (this can be expressed by the present indicative, the future indicative, a command, or an impersonal expression in the present) and the dependent action is *concurrent* or *subsequent,* use the *present subjunctive.*

E. Cuándo usar el pretérito perfecto de subjuntivo

Main clause	Dependent clause	Action is
Dudo[2] *I doubt*	que me **haya contado** el cuento **antes**. *that he has told me the story before.*	PRIOR
Es posible *It's possible*	que me **haya contado** el cuento **antes**. *that he has told me the story before.*	PRIOR
Siempre dudaré[2] *I'll always doubt*	que me **haya contado** el cuento **antes**. *that he has told me the story before.*	PRIOR

When the main action takes place *now* or *in the future* but the dependent action was completed at a *prior time* (recent or unspecified), use the *present perfect subjunctive.*

---

[2]Note that none of these examples have verbs of influence (**verbos de voluntad**) in the main clause. This is because verbs of influence (such as **querer, pedir, mandar, ordenar**) are prospective by nature: you can exert influence upon present or future actions but not upon past actions.

F. *Cuándo usar el imperfecto de subjuntivo*

1) Main clause in the present tense

Main clause	Dependent clause	Action is
Dudo	que me **contara** el cuento **el año pasado.**	PRIOR
I doubt	*that he told me the story last year.*	

When the main action takes place in the *present,* use the *imperfect subjunctive* only to refer to a dependent action *completed in the past.*

2) Main clause in a past tense

Main clause	Dependent clause	Action is
Le pedía/pedí	que me **contara** el cuento **ayer/entonces.**	CONCURRENT
	que me **contara** el cuento **más tarde/hoy.**	SUBSEQUENT
I asked him	*to tell me the story yesterday/then.*	
	to tell me the story sometime later/today.	
Le había pedido	que me **contara** el cuento **entonces.**	CONCURRENT
	que me **contara** el cuento **más tarde.**	SUBSEQUENT
I had asked him	*to tell me the story then.*	
	to tell me the story sometime later.	
Era importante	que me **contara** el cuento **entonces.**	CONCURRENT
	que me **contara** el cuento **más tarde.**	SUBSEQUENT
It was important	*that he tell me the story then.*	
	that he tell me the story sometime later.	

When the main action takes place in the *past* (expressed by the preterit, the imperfect, the pluperfect, or an impersonal expression in the past) and the dependent action is *concurrent* or *subsequent,* use the *imperfect subjunctive.*

3) Main clause in the conditional

Main clause	Dependent clause	Action is
Le pediría	que me **contara** el cuento **entonces.**	CONCURRENT
	que me **contara** el cuento **más tarde.**	SUBSEQUENT
I would ask him	*to tell me the story then.*	
	to tell me the story sometime later.	
Le habría pedido	que me **contara** el cuento **entonces.**	CONCURRENT
	que me **contara** el cuento **más tarde.**	SUBSEQUENT
I would have asked him	*to tell me the story then.*	
	to tell me the story sometime later.	

When the main verb is in the *conditional* or *conditional perfect,* use the *imperfect subjunctive* to refer to *concurrent* or *subsequent* actions.

In conditional clauses, use the imperfect subjunctive to refer to actions that have not taken place.

G. *Cuándo usar el pluscuamperfecto de subjuntivo*

Main clause	Dependent clause	Action is
Me habría gustado *I would have liked*	que me **hubiera contado** el cuento **antes.** *for him to have told me the story before.*	PRIOR
Habría sido importante *It would have been important*	que me **hubiera contado** el cuento **antes.** *for him to have told me the story before.*	PRIOR

When the main verb is in the *conditional perfect*, use the *past perfect subjunctive* to refer to an action that is *prior* to that of the main verb.

In conditional clauses, the past perfect subjunctive is used (after the conditional perfect) to refer to actions prior to the time of uttering the sentences.

Me habría subido a un poste si **hubiera llegado** un león.

I would have climbed a pole if a lion had arrived.

═══ EJERCICIOS ═══

PRÁCTICA

A. **¿Lo tiene Ud. en la punta de la lengua?** Entonces, complete cada oración con la forma apropiada del subjuntivo.

MODELO: Mamá dice que vayas al mercado.
a. Y luego dirá que...
Y luego dirá que vaya a la lavandería.
b. Pero ayer me dijo que...
Pero ayer me dijo que fuera al mercado.

1. El profesor nos aconseja que estudiemos.
   a. Sí, lo sé. Y el año pasado también nos aconsejaba que...
   b. Pero si supiera lo cansados que estamos, nos aconsejaría que...
2. Mis padres me permiten que use su coche.
   a. Pues, los míos no. Pero antes del accidente que tuve, me permitían que...
   b. ¡Qué suerte tienes! Los míos nunca me han permitido que...
3. Sus padres han decidido que Luis estudie derecho.
   a. Hace años que decidieron que...
   b. Antes de nacer Luis, sus padres ya habían decidido que...
4. A los padres de Luis les agrada que lo hayan admitido.
   a. A los padres míos también les agradó que...
   b. Y yo sé que a los padres de Antonia les agradaría que...
5. El médico le ha mandado al Profesor López que se quede en casa.
   a. ¡Qué lástima! No sabíamos que el médico le había mandado que...
   b. Y tiene que quedarse en cama también. Si se levanta, el médico le mandará que...

B. Mirando hacia atrás. Cambie el siguiente diálogo al pasado.

> MODELO: No vamos a esquiar mientras llueva.
>
> **No íbamos a esquiar mientras lloviera.**

A.   Juan me invita al cine a menos que él no tenga dinero.

B.   Tus padres te permiten que salgas de noche con él con tal de que no vuelvas tarde, ¿verdad?

A.   Claro, pero si vuelvo tarde entro en casa sin que me oigan. Puedes acompañarnos, siempre que no te fastidien los chistes de Juan.

B.   Gracias. Él y yo no nos peleamos aunque tenemos ideas diferentes.

A.   Bueno. Te llamo en caso de que quieras venir con nosotros.

C. Combinando tiempos. Formule oraciones nuevas con significados diferentes según los modelos. ¿Entiende Ud. la diferencia entre cada declaración?

> MODELO: Aunque se conocen, no son amigos.
>
> **Aunque se conozcan, no serán amigos.**
>
> **Aunque se conocían, no eran amigos.**
>
> **Aunque se conocieran, no serían amigos.**

1. Por mucho que quiere, Bertín no puede enamorar a Tina.
2. A pesar de que es guapo, ella no lo quiere.
3. Por más que él insiste, ella no sale con él.
4. Aunque tiene dinero, ella no le hace caso *(ignores him)*.
5. Por poco que él dice, ella no lo escucha.

> MODELO: Duermo cuando tengo ganas.
>
> **Dormiré cuando tenga ganas.**
>
> **Dormía cuando tenía ganas.**
>
> **Dormiría cuando tuviera ganas.**

6. Voy a casa apenas terminan las clases.
7. Hablo con mis amigos siempre que puedo.
8. Mi hermano y yo miramos la tele cuando acabamos la tarea.
9. Nos divertimos mucho mientras vemos el partido.
10. No me acuesto hasta que termina.

D. Comentarios. Complete la siguiente narración con la forma apropiada de los verbos en la clave.

Es admirable que Matilde —(1)— con Mateo. Era difícil que los amigos —(2)— el problema de esa pareja. Fue fantástico que el problema —(3)—. Será imposible que ellos —(4)— enseguida. Sería mejor que ellos —(5)— por lo menos un año. Ha sido increíble que Matilde —(6)— a su esposo. Y sería trágico que los niños —(7)— mucho por esta historia.

Clave: 1. quedarse   3. resolverse   5. esperar   7. sufrir
         2. entender   4. casarse   6. abandonar

E. ¡A esquiar! Traduzca el siguiente párrafo.

1. I don't think Macarena has gone skiing yet.   **2.** Her father has recommended that she wait until the weather improves.   **3.** She hadn't thought it would be raining so much.   **4.** It would be sad if she had an accident on the road to Sierra Nevada.   **5.** Of course, no one had expected that the weather would be so miserable in March.

¡A CONOCERNOS!

A. Conteste estas preguntas.

1. ¿Qué les pide Ud. generalmente a sus padres?   **2.** ¿Qué les pedía cuando era pequeño/a?   **3.** ¿Era necesario que le dieran todo lo que pedía?   **4.** ¿Qué le había pedido Ud. a su madre, aquel día que ella se enojó tanto con Ud.?   5. ¿Qué les pedirá a sus amigos cuando lleguen las próximas vacaciones de verano?   6. ¿Qué les pediría a sus abuelos si fueran millonarios?   7. ¿Qué le habría gustado hacer el fin de semana pasado si hubiera tenido tiempo?   8. ¿Qué hará Ud. cuando termine sus estudios?

B. Ahora hágale unas preguntas similares a un compañero o a una compañera.

SITUACIÓN COMUNICATIVA

Imagínese la siguiente situación y represéntela con un compañero o una compañera.

You are a reporter for your school paper, and you are interviewing a candidate for the position of president of the Student Council. Find out what the candidate has done or is doing for your school and what he or she would do if elected. Address specific problems and ask the candidate to explain how he or she would solve the problems and improve the system.

ACTIVIDADES

EN GRUPITOS

Condorito y «El Traje». Divididos en grupos de cuatro, miren los dibujos de estas páginas y hablen sobre lo que le pasa a Condorito con los sastres. Cuenten la historia primero en el tiempo presente y después en el tiempo pasado, usando el subjuntivo siempre que sea posible. Es preferible que uno de cada grupito escriba el cuento, porque su profesor(a) les pedirá que se lo lean a la clase.

El personaje Condorito fue creado por el caricaturista chileno René Ríos, más conocido por el apodo (nickname) «Pepo». Condorito, reflejo humorístico de la cultura de Chile, ha hecho reír por muchos años a mucha gente hispanoamericana.

Vocabulario útil

sastre	*tailor*	fallar	*to prove wrong*
tacaño	*stingy*	sobrar	*to have more*
alcanzar	*to be*		*than enough*
	enough	tela	*fabric, material*

DE TODO UN POCO

Refranes

A ver si Ud. adivina el equivalente inglés de estos refranes españoles.

1. Cada oveja con su pareja.
2. Hombre prevenido nunca fue vencido.
3. Antes de que te cases, mira lo que haces.
4. Del dicho al hecho hay un gran trecho.
5. El que no se aventura no pasa la mar.

a. *It's sooner said than done.*
b. *Nothing ventured, nothing gained.*
c. *Birds of a feather flock together.*
d. *Forewarned is forearmed.*
e. *Look before you leap.*

Respuestas: 1. c 2. d 3. e 4. a 5. b

Chiste

Un hombre está todo vendado en el hospital. Su compadre lo visita:

—¿Y cómo fue que chocaste?

—Pues, por exceso de precaución. Como había bebido demasiado, le pedí a mi sobrino que manejara él.

—Y dime, Pancho. ¿Qué edad tiene tu sobrino?

—Ocho años.

LECTURA VII

«Cajas de cartón»
Francisco Jiménez

◆ READING HINTS ◆

Guessing the Meaning of Words by Recognizing the Meaning of se

When you come across the pronoun **se,** and its meaning is not immediately apparent, use the following guidelines to arrive at a logical conclusion.

1. **Se** plus a verb in the singular could be one of the following:
   a. a reflexive pronoun meaning *himself, herself* or *itself*
      EXAMPLE: Se miró en el espejo.
      If **se** is the reflexive pronoun, you can add **a sí mismo/a,** and the sentence will still make sense.
   b. a reflexive pronoun with no reflexive meaning
      EXAMPLE: Se quejó del servicio malo. *He complained about the bad service.*   (quejarse)
      Se divirtió mucho. *He had a great time.*   (divertirse)
   c. the impersonal **se;** any one of the impersonal subjects expressed in English as *one, they,* or *people*
      EXAMPLE: Aquí **se** hace así. *Here one does it this way.*
   d. the passive reflexive, meaning *something is done*
      EXAMPLE: Se habla español. *Spanish is spoken.*
      Se vende miel. *Honey is sold.*
      The passive reflexive will be discussed in detail in Chapter 16.
2. **Se** plus a verb in the plural could be one of the following:
   a. the reflexive pronoun meaning *themselves*
      The sentence will still make sense if you add **a sí mismos/as** *(to themselves).*
   b. the passive reflexive, meaning *something is done to someone or something*
      EXAMPLE: Se alquilan bicicletas aquí. *Bicycles for rent/are rented here.*
   c. the reciprocal **se,** meaning *each other*
      EXAMPLE: Los hermanos **se** llamaban cada sábado por la noche. *The brothers called each other every Saturday night.*

3. **Se** plus an indirect object plus a verb in the singular or plural could be one of the following:

   a. the expression of an unexpected or accidental happening

   EXAMPLE: **Se nos acabó la leche.** *We ran out of milk.*

   Se les quedaron las llaves en el coche. *Their keys got left in the car.*

   b. the passive reflexive with an indirect object pronoun, to indicate to whom the action was done

   EXAMPLE: **Se les explicó la situación.** *The situation was explained to them.*

4. **Se** plus a direct object pronoun plus a verb in the singular or plural probably means that **se** equals **le**. The indirect object pronoun **le** *(to him* or *to her)* or **les** *(to them)* has been transformed into **se**. This always happens when the third-person indirect object appears together with a direct object pronoun **(lo, la, los,** or **las)** before the verb.

   EXAMPLE: **Se lo dieron después de la ceremonia.** *They gave it to him after the ceremony.*

   A prepositional phrase beginning with **a** often appears, to clarify the meaning of **se**.

   EXAMPLE: **Se lo dieron a Juan después de la ceremonia.**

If the **se** that you come across fits none of these categories, refer to the grammar sections that explain **se** in Chapters 6 and 16.

◆ PREPARACIÓN PARA LA LECTURA ◆

Vocabulario

SUSTANTIVOS

el agujero   *hole*
el/la bracero/a   *field worker*
la caja   *box*
el carro   *car*
el cartón   *cardboard*
el colchón   *mattress*
la cosecha   *harvest; crop*
la choza   *hut, shack*
la jarra   *pitcher*
la olla   *cooking pot*
la parra   *grapevine*
el racimo   *bunch of grapes*
el recreo   *recreation; break*
la temporada   *season (for a crop)*
la uva   *grape*
la viña   *vineyard*

ADJETIVOS Y ADVERBIOS

gastado/a   *worn*
mareado/a   *dizzy*
ya no   *no longer*

VERBOS

apuntar   *to jot down*
barrer   *to sweep*
empacar   *to pack*
matricularse   *to matriculate, to register*
mudarse   *to move*
pararse   *to stop*
pertenecer   *to belong to*
recoger   *to pick*
sonreír   *to smile*

EJERCICIOS

A. Complete cada oración con la palabra o expresión más apropiada, tomada de la lista de vocabulario. Haga todos los cambios necesarios.

1. Tenemos demasiados libros. Vamos a ____ algunos de ellos en estas ____ de ____ para guardarlos en el garaje.
2. Si quieren Uds. tomar el curso, es necesario ____ antes del primer día de clase.
3. Antes de lavar el piso, debes ____lo para quitar todo el polvo.
4. Quiero que tú ____ mi nombre y mi número de teléfono para ponerte en contacto conmigo.
5. No sé de quién es esta chaqueta. ¿Sabes a quién ____?
6. Al ponerme la multa, la policía me dijo que es necesario ____ completamente al ver la señal que dice ALTO.
7. Unos amigos nuestros quieren ____ a una casa en el campo, para escaparse de la contaminación de la ciudad.
8. Sus tíos están ahora en Texas; ____ viven aquí en Arizona.
9. Mi hijo se niega a ____ cuando le saco una foto.

B. Empareje cada palabra con la definición apropiada.

1. un objeto rectangular que forma parte de una cama
2. un utensilio para cocinar en la estufa o en el fuego
3. una casa pequeña y pobre
4. un automóvil
5. un trabajador agrícola
6. un recipiente para agua, leche o jugo
7. una apertura
8. una forma de diversión
9. muy usado y viejo
10. está con una sensación de vértigo y náusea

a. choza
b. agujero
c. gastado
d. bracero
e. recreo
f. mareado
g. olla
h. carro
i. jarra
j. colchón

C. Complete el párrafo con las palabras de la lista. Haga todos los cambios necesarios. Escoja entre las siguientes palabras: **temporada, cosecha, racimo, recoger, parra, viña, uva.**

Las —(1)— del Valle de Napa son la fuente principal de vino de alta calidad en los Estados Unidos. La —(2)— de uvas tiene lugar en el mes de septiembre. Durante esta —(3)—, los trabajadores —(4)— con mucho cuidado los —(5)— de las —(6)—, porque es muy importante que las —(7)— no sean dañadas antes de ser prensadas *(crushed)*.

◆ INTRODUCCIÓN AL TEMA ◆

Francisco Jiménez ha publicado varios cuentos que reflejan sus propias experiencias de niño, hijo de padres inmigrantes que trabajaban en los campos de California. Hoy es profesor de español y literatura española en la Universidad de Santa Clara, California, y autor y editor de libros y artículos de crítica acerca de la literatura chicana. Escrito en 1973, el siguiente cuento capta el ambiente de la niñez del autor y da a comprender cómo afectan a los niños las condiciones de vida de los trabajadores migratorios.

Prepárese para la lectura discutiendo brevemente con sus compañeros los siguientes temas.

1. ¿Quiénes son los trabajadores migratorios? ¿En qué estados viven o viajan principalmente? ¿Cómo es la vida de estos trabajadores?
2. ¿Por qué se titulará el cuento «Cajas de cartón»? Piense en algunas posibles respuestas. Después de leer el cuento, sabrá si tiene razón.

«Cajas de cartón»

Era a fines de agosto. Ito, el contratista, ya no sonreía. Era natural. La cosecha de fresas terminaba, y los trabajadores, casi todos braceros, no recogían tantas cajas de fresas como en los meses de junio y julio.

Cada día el número de braceros disminuía. El domingo sólo uno —el mejor pizcador[1]— vino a trabajar. A mí me caía bien[1]. A veces hablábamos durante nuestra media hora de almuerzo. Así es como aprendí que era de Jalisco, de mi tierra natal. Ese domingo fue la última vez que lo vi. *picker / A mí... I liked him*

Cuando el sol se escondió detrás de las montañas, Ito nos señaló[1] que era hora de ir a casa. «Ya hes horra»[1] gritó en su español mocho[1]. Ésas eran las palabras que yo ansiosamente esperaba doce horas al día, todos los días, siete días a la semana, semana tras semana, y el pensar que no las volvería a oír me entristeció. *indicated / "It's time." / broken*

Por el camino rumbo a[1] casa, Papá no dijo una palabra. Con las dos manos en el volante[1] miraba fijamente hacia el camino. Roberto, mi hermano mayor, también estaba callado. Echó para atrás la cabeza y cerró los ojos. El polvo que entraba de fuera lo hacía toser repetidamente. *on the way / steering wheel*

Era a fines de agosto. Al abrir la puerta de nuestra chocita me detuve. Vi que todo lo que nos pertenecía estaba empacado en cajas de cartón. De repente sentí aún más el peso[1] de las horas, los días, las semanas, los meses de trabajo. Me senté sobre una caja, y se me llenaron los ojos de lágrimas al pensar que teníamos que mudarnos a Fresno. *weight*

Esa noche no pude dormir, y un poco antes de las cinco de la madrugada[1] Papá, que a la cuenta tampoco había pegado los ojos[1] en toda la noche, nos levantó. A pocos minutos los gritos alegres de mis hermanitos, para quienes la mudanza era una gran aventura, rompieron el silencio del amanecer. Los ladridos[1] de los perros pronto los acompañó. *dawn / pegado... shut his eyes*

Mientras empacábamos los trastes[1] del desayuno, Papá salió para encender[1] la «Carcanchita». Ése era el nombre que Papá le puso a su viejo Plymouth negro del año '38. Lo compró en una agencia de carros usados[1] en Santa Rosa en el invierno de 1949. Papá estaba muy orgulloso de su carro. «Mi Carcanchita», lo llamaba cariñosamente. Tenía derecho a sentirse así. Antes de comprarlo, pasó mucho tiempo mirando otros carros. Cuando al fin escogió la «Carcanchita», la examinó palmo a palmo[1]. Escuchó el motor, inclinando la cabeza de lado a lado como un perico[1], tratando de detectar cualquier ruido que pudiera indicar problemas mecánicos. Después de satisfacerse con la apariencia y los sonidos del carro, Papá insistió en saber quién había sido el dueño. Nunca lo supo, pero compró el carro de todas maneras. Papá pensó que el dueño debió haber sido alguien importante porque en el asiento de atrás encontró una corbata azul. *barking / dishes (Mex.) / start up / agencia... used car dealer / inch by inch / parakeet*

Papá estacionó¹ el carro enfrente a la choza y dejó andando el motor. «Lis-   *parked*
to», gritó. Sin decir palabra, Roberto y yo comenzamos a acarrear¹ las cajas de   *carry*
cartón al carro. Robertó cargó las dos más grandes y yo las más chicas. Papá
luego cargó el colchón ancho sobre la capota¹ del carro y lo amarró¹ con lazos¹   *roof / tied / ropes*
para que no se volara con el viento en el camino.

Todo estaba empacado menos la olla de Mamá. Era una olla vieja y galva-
nizada que había comprado en una tienda de segunda¹ en Santa María el año   *secondhand store*
en que yo nací. La olla estaba llena de abolladuras¹ y mellas¹, y mientras más   *dents / nicks*
abollada estaba, más le gustaba a Mamá. «Mi olla», la llamaba orgullosa-
mente.

Sujeté¹ abierta la puerta de la chocita mientras Mamá sacó cuidadosamente   *I held*
su olla, agarrándola¹ por las dos asas¹ para no derramar¹ los frijoles cocidos.   *clutching it / handles / spill*
Cuando llegó al carro, Papá tendió las manos para ayudarle con ella. Roberto
abrió la puerta posterior del carro y Papá puso la olla con mucho cuidado en el
piso detrás del asiento. Todos subimos a la «Carcanchita». Papa suspiró, se
limpió el sudor¹ de la frente con las mangas¹ de la camisa, y dijo con can-   *sweat / sleeves*
sancio: «Es todo».

Mientras nos alejábamos, se me hizo un nudo en la garganta¹. Me volví y   *se... I got a lump in my throat*
miré a nuestra chocita por última vez.

Al ponerse el sol¹ llegamos a un campo de trabajo cerca de Fresno. Ya que   *At sunset*
Papá no hablaba inglés, Mamá le preguntó al capataz¹ si necesitaba más   *labor camp foreman*
trabajadores. «No necesitamos a nadie», dijo él, rascándose la cabeza,
«pregúntele a Sullivan. Mire, siga este mismo camino hasta que llegue a una
casa grande y blanca con una cerca¹ alrededor. Allí vive él».   *fence*

Cuando llegamos allí, Mamá se dirigió a la casa. Pasó por la cerca, por
entre filas de rosales¹ hasta llegar a la puerta. Tocó el timbre¹. Las luces del   *rosebushes / doorbell*
portal se encendieron y un hombre alto y fornido¹ salió. Hablaron breve-   *robust*
mente. Cuando el hombre entró en la casa, Mamá se apresuró¹ hacia el carro.   *hurried*
«¡Tenemos trabajo! El señor nos permitió quedarnos allí toda la temporada»,
dijo un poco sofocada de gusto¹ y apuntando hacia un garaje viejo que estaba   **sofocada...** *flushed with*
cerca de los establos.   *pleasure*

El garaje estaba gastado por los años. Roídas por comejenes¹, las paredes   *Eaten by termites*
apenas sostenían el techo agujereado. No tenía ventanas y el piso de tierra
suelta ensabanaba todo de polvo¹.   **ensabanaba...** *blanketed*
                                                                                   everything with dust

Esa noche, a la luz de una lámpara de petróleo, desempacamos las cosas y
empezamos a preparar la habitación para vivir. Roberto enérgicamente se
puso a barrer el suelo; Papá llenó los agujeros de las paredes con periódicos
viejos y con hojas de lata¹; Mamá les dio de comer a mis hermanitos. Papá y   *tin*
Roberto entonces trajeron el colchón y lo pusieron en una de las esquinas del
garaje. «Viejita»¹, dijo Papá, dirigiéndose a Mamá, «tú y los niños duerman en   *term of endearment*
el colchón; Roberto, Panchito y yo dormiremos bajo los árboles».

Muy tempranito por la mañana al día siguiente, el señor Sullivan nos en-
señó dónde estaba su cosecha y, después del desayuno, Papá, Roberto y yo
fuimos a la viña a pizcar¹.   *to pick*

A eso de¹ las nueve, la temperatura había subido hasta cerca de cien gra-   *By about*
dos. Yo estaba empapado¹ de sudor y mi boca estaba tan seca que parecía   *soaked*

como si hubiera estado masticando[1] un pañuelo. Fui al final del surco[1], cogí la | *chewing / furrow*
jarra de agua que habíamos llevado y comencé a beber. «No tomes mucho; te
vas a enfermar», me gritó Roberto. No había acabado de advertirme cuando
sentí un gran dolor de estómago. Me caí de rodillas y la jarra se me deslizó[1] de | *slipped*
las manos. Solamente podía oír el zumbido[1] de los insectos. Poco a poco, me | *buzzing*
empecé a recuperar. Me eché agua en la cara y en el cuello y miré el lodo[1] | *mud*
negro correr por los brazos y caer a la tierra que parecía hervir.

Todavía me sentía mareado[1] a la hora del almuerzo. Eran las dos de la tarde | *dizzy*
y nos sentamos bajo un árbol grande de nueces[1] que estaba al lado del cami- | *walnuts*
no. Papá apuntó el número de cajas que habíamos pizcado. Roberto trazaba[1] | *traced*
diseños en la tierra con un palito. De pronto vi palidecer a Papá, que miraba
hacia el camino. «Allá viene el camión[1] de la escuela», susurró alarmado. | *bus (Mex.)*
Instintivamente Roberto y yo corrimos a escondernos entre las viñas. El ca-
mión amarillo se paró[1] frente a la casa del señor Sullivan. Dos niños muy | *stopped*
limpiecitos y bien vestidos se apearon[1]. Llevaban libros. Cruzaron la calle y el | *got off*
camión se alejó. Roberto y yo salimos de nuestro escondite[1] y regresamos a | *hiding place*
donde estaba Papá. «Tienen que tener cuidado», nos advirtió.

Después del almuerzo volvimos a trabajar. El calor oliente[1] y pesado, el | *smelly*
zumbido de los insectos, el sudor y el polvo hicieron que la tarde pareciera
una eternidad. Al fin las montañas que rodeaban el valle se tragaron[1] al sol. | *swallowed up*
Una hora después estaba demasiado obscuro para seguir trabajando. Las
parras tapaban las uvas y era muy difícil ver los racimos. «Vámonos», dijo
Papá señalándonos que era hora de irnos. Entonces tomó un lápiz y comenzó
a figurar cuánto habíamos ganado ese primer día. Apuntó números, borró[1] | *erased*
algunos, escribió más. Alzó la cabeza sin decir nada. Sus tristes ojos sumidos[1] | *sunken*
estaban humedecidos.

Cuando regresamos del trabajo, nos bañamos afuera con el agua fría bajo
una manguera[1]. Luego nos sentamos a la mesa hecha de cajones de madera y | *hose*
comimos con hambre la sopa de fideos[1], las papas y tortillas de harina blanca | *noodles*
recién hechas. Después de cenar nos acostamos a dormir, listos para empezar
a trabajar a la salida del sol.

Al día siguiente, cuando me desperté, me sentía magullado[1]; me dolía todo | *bruised*
el cuerpo. Apenas podía mover los brazos y las piernas. Todas las mañanas,
cuando me levantaba me pasaba lo mismo hasta que mis músculos se acos-
tumbraron a ese trabajo.

Era lunes, la primera semana de noviembre. La temporada de uvas se había
terminado y ya podía ir a la escuela. Me desperté temprano esa mañana y me
quedé acostado mirando las estrellas y saboreando el pensamiento de no ir a
trabajar y de empezar el sexto grado por primera vez ese año. Como no podía
dormir, decidí levantarme y desayunar con Papá y Roberto. Me senté cabiz- | *crestfallen*
bajo[1] frente a mi hermano. No quería mirarlo porque sabía que él estaba
triste. Él no asistiría a la escuela hoy, ni mañana, ni la próxima semana. No
iría hasta que se acabara la temporada de algodón, y eso sería en febrero. Me
froté las manos[1] y miré la piel seca y manchada[1] de ácido enrollarse y caer al | *Me... I rubbed my hands / stained*
suelo.

Cuando Papá y Roberto se fueron a trabajar, sentí un gran alivio[1]. Fui a la | *relief* cima de una pendiente[1] cerca de la choza y contemplé a la «Carcanchita» en su camino hasta que desapareció en una nube de polvo.

    Dos horas más tarde, a eso de las ocho, esperaba el camión de la escuela. Por fin llegó. Subí y me senté en un asiento desocupado. Todos los niños se entretenían hablando o gritando.

    Estaba nerviosísimo cuando el camión se paró delante de la escuela. Miré por la ventana y vi una muchedumbre de niños. Algunos llevaban libros, otros juguetes. Me bajé del camión, metí las manos en los bolsillos, y fui a la oficina del director. Cuando entré oí la voz de una mujer diciéndome: «May I help you?». Me sobresalté[1]. Nadie me había hablado inglés desde hacía meses. Por varios segundos me quedé sin poder contestar. Al fin, después de mucho esfuerzo, conseguí decirle en inglés que me quería matricular en el sexto grado. La señora entonces me hizo una serie de preguntas que me parecieron impertinentes. Luego me llevó a la sala de clase.

    El señor Lema, el maestro de sexto grado, me saludó cordialmente, me asignó un pupitre[1] y me presentó a la clase. Estaba tan nervioso y tan asustado[1] en ese momento cuando todos me miraban que deseé estar con Papá y Roberto pizcando algodón. Después de pasar lista[1], el señor Lema le dio a la clase la asignatura[1] de la primera hora. «Lo primero que haremos esta mañana es terminar de leer el cuento que comenzamos ayer», dijo con entusiasmo. Se acercó a mí, me dio su libro y me pidió que leyera. «Estamos en la página 125», me dijo. Cuando lo oí, sentí que toda la sangre me subía a la cabeza; me sentí mareado. «¿Quisieras leer?» me preguntó en un tono indeciso. Abrí el libro a la página 125. Mi boca estaba seca. Los ojos se me comenzaron a aguar[1]. No pude empezar. El señor Lema entonces le pidió a otro niño que leyera.

    Durante el resto de la hora me empecé a enojar más y más conmigo mismo. Debí haber leído, pensaba yo.

    Durante el recreo me llevé el libro al baño y lo abrí a la página 125. Empecé a leer en voz baja, pretendiendo que estaba en clase. Había muchas palabras que no sabía. Cerré el libro y volví a la sala de clase.

    El señor Lema estaba sentado en su escritorio. Cuando entré me miró sonriéndose. Me sentí mucho mejor. Me acerqué a él y le pregunté si me podía ayudar con las palabras desconocidas. «Con mucho gusto», me contestó.

    El resto del mes pasé mis horas de almuerzo estudiando ese inglés con la ayuda del buen señor Lema.

    Un viernes durante la hora del almuerzo, el señor Lema me invitó a que lo acompañara a la sala de música. «¿Te gusta la música?» me preguntó. «Sí, muchísimo» le contesté entusiasmado, «me gustan los corridos[1] mexicanos». Él cogió una trompeta, la tocó un poco y luego me la entregó. El sonido me hizo estremecer[1]. Me encantaba ese sonido. «¿Te gustaría aprender a tocar este instrumento?» me preguntó. Debió haber comprendido la expresión en mi cara porque antes que yo le respondiera, añadió: «Te voy a enseñar a tocar esta trompeta durante las horas de almuerzo».

    Ese día no podía esperar el momento de llegar a casa y contarles las nuevas[1]

Glosas marginales:
cima... *hilltop*
I was startled.
desk / scared
calling roll
subject
to water
ballads
tremble
news

a mi familia. Al bajar del camión me encontré con mis hermanitos que gritaban y brincaban[1] de alegría. Pensé que era porque yo había llegado, pero al abrir la puerta de la chocita, vi que todo estaba empacado en cajas de cartón...

were jumping

COMPRENSIÓN DE LA LECTURA

Conteste las siguientes preguntas.

1. ¿Quién es el narrador del cuento?
2. ¿En qué trabajaba? ¿Cuántos días y horas solía pasar trabajando? ¿Con quiénes?
3. ¿Cómo era su casa?
4. ¿Por qué estaba todo empacado en cajas de cartón?
5. ¿Cuáles eran las dos posesiones de más valor para la familia?
6. ¿Cómo encontró la familia un trabajo nuevo? ¿Qué trabajo fue?
7. ¿Cómo era el nuevo alojamiento de la familia?
8. ¿Por qué se escondieron Roberto y Panchito entre las viñas?
9. ¿En qué cosechas trabajaron y durante qué meses?
10. ¿Cuándo pudo Panchito, por fin, asistir a la escuela?
11. ¿Hasta cuándo tendría que trabajar su hermano Roberto antes de poder asistir a clases y por qué?
12. ¿Por qué no pudo leer Panchito ante la clase el primer día?
13. ¿Qué hacía Panchito con el señor Lema durante la hora del almuerzo?
14. ¿Qué le prometió un día el señor Lema a Panchito y cómo reaccionó él?
15. ¿Qué puso fin a las anticipadas lecciones de trompeta?

INTERPRETACIÓN DE LA LECTURA

Conteste las siguientes preguntas.

1. El cuento presenta una familia de trabajadores migratorios mexicanos de los años '50. ¿En qué condiciones trabajaban y vivían? ¿Cree Ud. que las descripciones son exageradas o verosímiles? ¿Cree Ud. que la situación ha cambiado en la actualidad?
2. Describa un día típico en la vida de un pizcador de uvas.
3. ¿Qué problema lingüístico tienen los trabajadores migratorios en el cuento y en la realidad? ¿Cómo afecta esto a los padres y a los hijos?
4. ¿Cree Ud. que el padre no quería que sus hijos se educaran? Explique su respuesta.
5. ¿Qué actitud tenían Panchito y Roberto hacia la escuela? ¿Qué opina Ud. del comportamiento de Panchito en la escuela? ¿Cree Ud. que él también será pizcador como su padre?
6. ¿Qué piensa Ud. del señor Lema? ¿Tienen todos los niños de familias migratorias maestros como él?
7. Muchos adolescentes en la sociedad norteamericana trabajan para ganar dinero, probablemente repartiendo el periódico o ayudando en la empresa del padre. ¿Cómo se diferencian las experiencias de ellos de las de Panchito y sus hermanos?

REPASO GRAMATICAL

Dé la forma correcta de los infinitivos entre paréntesis, escogiendo con cuidado entre el presente y el imperfecto de subjuntivo.

1. (asistir/trabajar) Papá quería que nosotros ____ a la escuela pero era necesario que ____ lo más posible en los campos porque nos hacía falta el dinero.

2. (haber) A fines de agosto, es menos probable que ____ trabajo en los campos de fresas porque se termina la temporada.
3. (leer) El señor Lema le pidió a Panchito que ____ la lección ante la clase.
4. (tener/burlarse) Era posible que aquel primer día Panchito ____ miedo de que los otros chicos ____ de él.
5. (ayudar) Panchito le pidió al señor Lema que le ____ con el inglés.
6. (enseñar) Un día, el señor Lema le preguntó a Panchito, «¿Te gustaría que yo te ____ a tocar la trompeta?»

TEMAS DE DISCUSIÓN O DE COMPOSICIÓN

El mundo del trabajador migratorio

◆ La vida del trabajador migratorio está dominada por el ciclo de las cosechas. ¿Qué efecto tiene esto sobre el individuo, la familia, la educación de los niños, la condición económica, la salud y la esperanza de lograr una vida mejor? Esboce *(sketch)* un plan práctico para mejorar las condiciones de vida del trabajador migratorio.

◆ ¿De qué países vienen los trabajadores migratorios? Discuta el papel de ellos en la economía de las zonas agrícolas de los Estados Unidos. ¿Contribuyen a la economía o causan el desempleo de otros trabajadores? ¿Qué efecto tienen sobre la economía de la patria de ellos?

◆ Con respecto a educación, salud pública, condiciones de empleo y beneficios del seguro de desempleo, ¿cuáles son las responsabilidades sociales del gobierno y de las comunidades? ¿Debe tener el trabajador migratorio los mismos derechos que otros trabajadores? ¿Por qué (no)? ¿Quién se los garantiza?

El mundo del inmigrante ilegal

◆ Busque en la biblioteca artículos sobre los problemas de los trabajadores migratorios. ¿Están trabajando legalmente en los Estados Unidos la mayoría de ellos? ¿Cómo pasan la frontera?

◆ ¿Qué opina Ud. acerca de la situación de muchos trabajadores ilegales que hacen trabajos que nadie más quiere hacer? ¿Qué debería de hacer el gobierno federal en cuanto a ellos: quitarles el trabajo y mandarles que vuelvan a su patria, o permitirles recibir ciudadanía estadounidense para poder trabajar aquí legalmente? ¿Qué dicen las leyes más recientes acerca de esta cuestión? ¿Que opina Ud.?

◇ CAPÍTULO 15 ◇

Gramática
Hacer
Números cardinales; Números colectivos
Números ordinales; Usos idiomáticos
   de los números cardinales y ordinales;
   Los signos matemáticos; Fracciones
Funciones lingüísticas
Contar y calcular
Dar direcciones
Dar y pedir información sobre el tiempo
Expresión de cantidad
Actividades

I. Hacer

A. *Hacía rato que Dora esperaba en la parada*

Hacía rato que Dora esperaba en la parada cuando llegó Marcelo, un compañero de trabajo.

MARCELO ¡Hola, Dora! ¿Hace mucho que esperas?

DORA Más de veinte minutos. Me estoy muriendo de frío. ¿Siempre hace este tiempo en La Paz?

MARCELO Sí, es por la altura. Allá, en Santa Cruz, Uds. tienen un clima ideal. Pero, hablando de otras cosas, ¿es cierto que tienes novio?

DORA ¡Ay, Marcelo! ¡Qué preguntas tan indiscretas me haces! Pero, mira... ¡ahí viene el ómnibus! ¡Hagámosle señal!

◆ **La Paz,** fundada en 1549, es la metrópolis y el centro comercial de Bolivia. Es además la sede del gobierno, aunque Sucre sigue siendo la capital oficial del país. Situada en el altiplano, a unos 12.000 pies de altura, se caracteriza por sus cielos despejados y noches frías. La temperatura media anual es de 54° F, pero de noche se registran temperaturas muy bajas.

◆ **Santa Cruz,** situada en los llanos de la zona tropical, tiene un clima húmedo y agradable. Debido a sus ingresos provenientes de la agricultura y la industria petrolera, es la ciudad más próspera de Bolivia.

hacía rato que esperaba *she had been waiting for a while* **altura** *altitude* **¡Hagámosle señal!** *Let's signal to it!*
sede *seat* **altiplano** *Bolivian plateau* **cielos despejados** *cloudless skies*

Parada de ómnibus en La Paz,
Bolivia.

La Paz, Bolivia. Casa de la Cultura.

B. Preguntas

1. ¿Cuánto tiempo hacía que esperaba Dora cuando llegó Marcelo? 2. ¿Por qué hace frío en La Paz? 3. ¿Qué tiempo hace en Santa Cruz? 4. ¿Cree Ud. que Marcelo le hizo una pregunta indiscreta a Dora?

C. Hacer: Significado general

Hacer most commonly means *to make* or *to do*.

Hago ejercicio cada día.	*I exercise every day.*
Hazme un favor.	*Do me a favor.*
El ómnibus los hace esperar.	*The bus makes them wait.*
Estos suéteres están hechos en Bolivia.	*These sweaters are made in Bolivia.*

D. Usos de *hacer*

1) Hacer in weather expressions:
Most expressions describing weather conditions in Spanish use **hacer** plus a noun.

hace calor	*it's hot*	hace sol	*it's sunny*
hace fresco	*it's cool*	hace viento	*it's windy*
hace frío	*it's cold*	hace buen (mal) tiempo	*the weather's good (bad)*

—¿Qué tiempo hace hoy?	*"What's the weather like today?"*
—Hace un tiempo horroroso.	*"The weather is horrible."*
Ayer hacía sol pero hacía viento.	*Yesterday it was sunny but windy.*

A few weather expressions do not use **hacer,** however.

está nublado	*it's cloudy*	hay niebla	*it's foggy*

2) Hacer in temporal expressions:
Hacer is used in set patterns to indicate that an action began in the past and has or had continued for some time.

  a. hace (present tense)

> **hace (present)** + time expression + **que** + main verb (present or preterit)

> main verb (present or preterit) + **desde hace (present)** + time expression

◆ When the main verb of your sentence is in the present tense, a present tense **hace** construction gives the extent of time that the action or event has been going on. Use either of the two patterns to answer questions beginning **¿Cuánto tiempo hace que...?** and **¿Desde cuándo...?** + present tense

—¿Cuánto tiempo hace que esperas el ⎫
ómnibus?   ⎬ *"How long have you been waiting for the*
—¿Desde cuándo esperas el ómnibus? ⎭   *bus?"*

—Hace veinte minutos que espero. ⎫   *"I've been waiting for twenty minutes* (and
—Espero desde hace veinte minutos. ⎭   *I'm still waiting)."*

◆ When your main verb is in the preterit, a present tense **hace** construction conveys the English *ago.* It gives the time that has elapsed since the event or action ended. Use this pattern only to answer questions beginning **¿Cuánto tiempo hace que...?**

—¿Cuánto tiempo hace que llegó ella a   *"How long ago did she arrive in La Paz?"*
La Paz?

—Hace unos meses que llegó. ⎫   *"She arrived a few months ago."*
—Llegó hace unos meses.   ⎭

—¿Cuántos días hace que dejó de llover?   *"How many days ago did it stop raining?"*

—Hace tres días que dejó de llover. ⎫   *"It stopped raining three days ago."*
—Dejó de llover hace tres días.   ⎭

b. hacía (imperfect)

> **hacía** (imperfect) + time expression + **que** + main verb (imperfect or pluperfect)
>
> main verb (imperfect or pluperfect) + **desde hacía** (imperfect) + time expression

When the main verb of your sentence is in the imperfect or pluperfect, an imperfect tense **hacía** construction gives the extent of time that the action or event had been going on at a certain point in the past. Use this pattern to answer questions beginning **¿Cuánto tiempo hacía que...?** and **¿Desde cuándo...?** + imperfect

—¿Cuánto tiempo hacía que Uds. se ⎫
conocían?   ⎬ *"How long had you known each other?"*
—¿Desde cuándo se conocían?   ⎭

—Hacía nueve meses que nos conocíamos. ⎫   *"We had known each other for about nine*
—Nos conocíamos desde hacía nueve meses. ⎭   *months."*

—¿Cuánto tiempo hacía que no habías ⎫
estado allá?   ⎬ *"How long was it since you had been there*
—¿Desde cuándo no habías estado allá? ⎭   *(since you were last there)?"*

—Hacía cinco años que no había estado ⎫
allá.   ⎬
—No había estado allá desde hacía cinco ⎬ *"I hadn't been there in five years."*
años.   ⎭

Note: These patterns usually occur in sentences in which a preterit verb specifies the point up to which time is measured.

—¿Cuánto tiempo hacía que Dora esperaba cuando llegó Marcelo?

"How long had Dora been waiting when (at the point that) *Marcelo arrived?"*

—Hacía veinte minutos que ella esperaba cuando él llegó.

"She'd been waiting for twenty minutes when (at the point that) *he arrived."*

3) Hacer in idiomatic expressions:

Hacer appears in many important idiomatic expressions.

hacer caso	*to pay attention*
hacer daño	*to harm, to hurt*
hacer el papel de	*to play the role of*
hacer el tonto	*to act silly, to play the fool*
hacer la maleta	*to pack (a suitcase)*
hacer novillos	*to cut class*
hacer señales	*to make signs*
hacer un viaje	*to take a trip*
hacer una pregunta	*to ask a question*

—¿Por qué haces la maleta?

"Why are you packing?"

—Porque voy a hacer un viaje.

"Because I'm taking a trip."

—¿Puedo hacerte una pregunta?

"May I ask you a question?"

Ellos hacen señal para que les haga caso el chofer del ómnibus.

They signal so the bus driver will pay attention to them.

EJERCICIOS

PRÁCTICA

A. **¿Cuánto tiempo hace?** Elija a un compañero o a una compañera. Conteste cada uno de Uds. estas preguntas de una manera diferente.

MODELO: ¿Cuánto tiempo hace que estás aquí?
A. Estoy aquí desde hace una hora.
B. Hace una hora que estoy aquí.

1. ¿Cuánto tiempo hace que estudias en esta universidad?
2. ¿Cuánto tiempo hace que estudias español?
3. ¿Cuánto tiempo hace que vives en tu residencia o apartamento o casa?
4. ¿Cuánto tiempo hace que no ves a tu familia?
5. ¿Cuánto tiempo hace que no recibes una carta?
6. ¿Cuánto tiempo hace que no vas al cine? ¿Y a un concierto?

B. **¿Desde cuándo?** Ahora elija a otro compañero o a otra compañera. Conteste cada uno de Uds. estas preguntas de una manera diferente.

MODELO: ¿Desde cuándo juegas a tu deporte favorito?
A. Hace tres años que juego al golf.
B. Juego al tenis desde hace cinco años.

1. ¿Desde cuándo vas al laboratorio?
2. ¿Desde cuándo conoces a tu mejor amigo/a?
3. ¿Desde cuándo no escribes una carta?
4. ¿Desde cuándo (no) estás a dieta para rebajar o aumentar de peso?
5. ¿Desde cuándo no vas a una discoteca o a un baile?
6. ¿Desde cuándo no tomas café?

C. **¡Manolo se ha reformado!** Manolo acaba de cumplir treinta años. Ha decidido cambiar de vida porque quiere gozar de buena salud y vivir muchos años más. Al encontrarse con Pepe, Manolo le cuenta que se ha puesto a régimen *(he's gone on a diet)* y ha abandonado muchos de sus malos hábitos. Represente la situación con un compañero o una compañera; uno de Uds. haga el papel de Manolo y otro el de Pepe. Sigan el modelo.

MODELO: MANOLO   Ya no fumo más.
           PEPE   ¡Qué milagro! ¿Cuánto tiempo hace que no fumas?
      MANOLO   No fumo desde hace dos semanas. (Hace dos semanas que no fumo.)

1. Ahora soy vegetariano.
2. Corro cinco kilómetros al día.
3. Soy miembro de un equipo de tenis.
4. Ya no bebo bebidas alcohólicas.
5. Duermo ocho horas por noche.
6. Sólo tomo dos tazas de café diarias.

Manolo también le cuenta que fue al médico. Represente la conversación con otro compañero u otra compañera. Sigan el modelo.

MODELO: MANOLO   La semana pasada por fin fui al médico.
           PEPE   ¿Desde cuándo no ibas al médico? (¿Cuánto tiempo hacía que no ibas al médico?)
      MANOLO   Hacía diez años que no iba al médico.

7. Yo esperé en la sala de espera antes de hablar con el doctor.
8. Fui a verlo porque me dolía la cabeza.
9. También me sentía cansado.
10. La enfermera me tomó la presión arterial *(blood pressure)*.
11. El médico me hizo un examen completo *(complete physical examination)*.
12. Me hicieron un análisis de sangre.

Siguiendo los consejos de su médico, Manolo decidió hacer un viaje con su esposa, Amalia. Manolo habla con su amigo y le cuenta que realmente necesitaban salir de vacaciones. Nuevamente, represente la situación con un compañero o una compañera, siguiendo el modelo.

MODELO: MANOLO   No habíamos salido de vacaciones.
           PEPE   ¿Desde cuándo no habían salido de vacaciones? (¿Cuánto tiempo hacía que no habían salido de vacaciones?)
      MANOLO   Hacía cuatro años.

13. No habíamos hecho un viaje a ninguna parte.
14. No había descansado los fines de semana.
15. No habíamos visto a mi familia.
16. Tampoco habíamos visitado a los amigos de la niñez.
17. No habíamos estado en nuestra patria.
18. Amalia no había vuelto a su pueblo.

D. **Cantinflas se hace el tonto.** Complete lo siguiente con un modismo con **hacer** que sea apropiado. Consulte las listas de la sección D si le es necesario.

Mi tía Adela me contó que cuando estaba en la secundaria, ella y sus amigos decidieron —(1)— una tarde. Se fueron a ver una película en la que el gran cómico Cantinflas —(2)— un turista estúpido que —(3)— todo el tiempo. Al principio de la película se veía a Cantinflas —(4)— porque iba a —(5)— a Acapulco. Cuando él llegó allí —(6)— y quería ir a la playa. Trató de —(7)— a un policía, pero como hablaba tan mal el español, no lo entendió y Cantinflas siguió gritando como un loco. Después le —(8)— a un taxista, pero éste no le —(9)— y no paró. Entonces Cantinflas, desesperado, lo siguió corriendo, se cayó de bruces *(fell on his nose)* y se —(10)—. ¡Pobre Cantinflas, tan triste y tan cómico!

E. **De cuatro maneras.** Invente cuatro oraciones usando **hace, hacía, desde hace** o **desde hacía** para describir las siguientes situaciones.

MODELO: Dorita llegó a la parada del autobús a las ocho. Ahora son las ocho y media.
Hace media hora que Dorita está en la parada.
Dorita está en la parada desde hace media hora.
Hace media hora que Dorita llegó a la parada.
Dorita llegó a la parada hace media hora.

1. Empezamos a estudiar español en septiembre. Todavía lo estamos estudiando.
2. No me siento bien ahora. Esta mañana a las seis comenzó a dolerme la cabeza. Aún me duele.
3. Ana María comenzó a interesarse en el arte precolombino cuando estaba en el primer año de su carrera. Ahora está en el cuarto año, pero todavía continúa interesada en el tema.
4. Eran las tres de la tarde y llovía. Había estado lloviendo por ocho horas sin parar.

¡A CONOCERNOS!

A. Conteste estas preguntas.

1. ¿Qué hace Ud. cada mañana?   2. ¿Quién le hace a Ud. el desayuno?   3. ¿Se hace Ud. la cama?   4. ¿Qué hará Ud. después de esta clase?   5. ¿Qué estaba haciendo Ud. cuando entró su profesor(a) hoy? ¿Quería Ud. hacerle una pregunta?   6. ¿Hace Ud. novillos de vez en cuando? ¿A menudo?   7. ¿Cuándo hace Ud. las maletas?   8. ¿Qué hacen los payasos en el circo? Y Ud., ¿a veces hace lo mismo?   9. ¿Hay alguna persona que le gusta a Ud. pero que no le hace caso? ¿Qué piensa Ud. hacer para resolver el problema?   10. ¿Qué tiempo hace hoy? ¿Qué tiempo dijo el meteorólogo que hará mañana?   11. ¿Quién lo/la hacía llorar a Ud. cuando era niño/a? ¿Quién lo/la ayudaba en las tareas?   12. ¿Qué hacía Ud. en su tiempo libre cuando estaba en la secundaria?

B. Ahora hágale unas preguntas similares a un compañero o a una compañera.

SITUACIÓN COMUNICATIVA

Imagínese la siguiente situación y represéntela con un compañero o una compañera.

You are the father of a young Hispanic American woman who has just told you she's planning to marry a young Bolivian. You are very anxious to know all about him. Ask your daughter to tell you what he does, what his father does, how long he has been in the United States, how long they have known each other, and how long they have been engaged (**estar comprometido**). Add a few more relevant questions of your own, and express your approval or disapproval, depending on her answers.

II. Números cardinales; Números colectivos

A. Aviso

HOLA AMIGO

¿Quieres viajar AHORRANDO MILES de pesos?
EL CLUB JUVENIL SUPERAVENTURAS
te invita a visitar sus oficinas, situadas en la
Avenida Nuevo León, 254.
EL CLUB JUVENIL SUPERAVENTURAS fue fundado
en 1984, apenas hace unos años, y ya cuenta con
CIENTOS de miembros de DIECISIETE A VEINTIÚN AÑOS
en todo el país.
NUESTRA PRÓXIMA SALIDA: A LAS GALÁPAGOS
Viajando con nosotros no sólo puedes conocer lugares
de ensueño sino también hacer UN MILLÓN DE AMIGOS.
PASA FOR NUESTRAS OFICINAS y llévate un par de
solicitudes para ti y para ese cuate inseparable...
O LLÁMANOS AL 558 7329. TE ESPERAMOS. NO LO OLVIDES:
CLUB JUVENIL SUPERAVENTURAS

◆ El archipiélago de las **Galápagos** consta de trece islas ubicadas en el océano Pacífico a 600 millas de la costa ecuatoriana. Las islas, de origen volcánico, tienen una flora y fauna muy peculiares. En ellas se encuentran especies zoológicas únicas, es decir, que no viven en ningún otro rincón del planeta. El naturalista Charles Darwin pasó cinco semanas en las Galápagos, y sus observaciones sirvieron de base para el libro *El origen de las especies*.

club juvenil *youth club*   lugares de ensueño *dream places*   un par de solicitudes *a couple of application forms*
cuate (Mex.) *friend, pal*   ubicadas *located*   rincón *corner*

B. Preguntas

1. ¿Dónde están situadas las oficinas del club juvenil?   2. ¿Con cuántos miembros cuenta actualmente?   3. ¿Cuándo fue fundado?   4. ¿Le gustaría a Ud. ser miembro de este club? ¿Por qué (no)?   5. ¿Le gustaría a Ud. viajar a las Galápagos? ¿Por qué (no)?

Iguanas marinas de las fascinantes islas Galápagos, Ecuador.

C. Números cardinales

Cardinal numbers are used in counting and to express a quantity.

0	cero	1	uno (un, una)	4	cuatro	7	siete
		2	dos	5	cinco	8	ocho
		3	tres	6	seis	9	nueve

10	diez	24	veinticuatro (veinte y cuatro)
11	once	25	veinticinco (veinte y cinco)
12	doce	26	veintiséis (veinte y seis)
13	trece	27	veintisiete (veinte y siete)
14	catorce	28	veintiocho (veinte y ocho)
15	quince	29	veintinueve (veinte y nueve)
16	dieciséis (diez y seis)	30	treinta
17	diecisiete (diez y siete)	40	cuarenta
18	dieciocho (diez y ocho)	50	cincuenta
19	diecinueve (diez y nueve)	60	sesenta
20	veinte	70	setenta
21	veintiuno (veinte y uno)	80	ochenta
22	veintidós (veinte y dos)	90	noventa
23	veintitrés (veinte y tres)		

100	cien	1000	mil

101	ciento uno (un, una)	1001	mil uno
200	doscientos/as	2000	dos mil
201	doscientos/as uno (un, una)	50.000	cincuenta mil
300	trescientos/as	100.000	cien mil
400	cuatrocientos/as	200.002	doscientos/as mil dos
500	quinientos/as	1,000.000	un millón
600	seiscientos/as	1,200.202	un millón doscientos/as mil
700	setecientos/as		doscientos/as dos
800	ochocientos/as	2,000.000	dos millones
900	novecientos/as	1000,000.000	mil millones

1) You can write out the numbers 16 through 19 and 21 through 29 in two ways; the one-word form is most common. Pronunciation is the same either way. Notice the spelling changes and the use of a written accent on the numbers ending in -s.

—¿Cuántos años tienes?   *"How old are you?"*
—Diecinueve (Diez y nueve).   *"Nineteen."*
Veintiséis (Veinte y seis) compañeros hacen   *Twenty-six classmates are taking the trip.*
  el viaje.

Note: Numbers from 30 to 99 can only be written in the long form.

Un grupo de treinta y ocho miembros voló a   *A group of thirty-eight members flew to the*
  los EE.UU.   *U.S.*
El club cuenta con ciento cincuenta y tres   *The club has a hundred and fifty-three*
  miembros de esta ciudad.   *members from this city.*

2) With the exception of **uno**, numbers ending in **-uno**, and the hundreds from 200 up, numbers do not show gender agreement with the nouns they modify.
   a. **Uno** is used in abstract counting. Before specific nouns, the indefinite article **un** or **una** is used instead.
   b. When a number ending in **-uno** appears before a masculine noun, **-uno** changes to **-ún** (notice the written accent).

Los miembros del club tienen entre   *Club members are from seventeen to*
  diecisiete y veintiún años.   *twenty-one years old.*

3) Use **cien** *(one hundred)* when the number stands alone. **Cien** and **ciento** are used interchangeably in certain expressions: **cien por cien, cien por ciento, ciento por ciento** *(one hundred percent)*.

—¿Cuántos pesos necesitas?   *"How many pesos do you need?"*
—Cien.   *"One hundred."*
Más vale pájaro en mano que cien(to)   *A bird in the hand is worth two in the bush.*
  volando.

   a. Use **cien** before all nouns and before **mil** *(one thousand)*, **millones** *(millions)*, and **billones** *(billions)*.

Leímos *Cien años de soledad.*   *We read* One Hundred Years of Solitude.

| ¿Cuántos dólares son ahora cien mil pesos? | *How many dollars are a hundred thousand pesos now?* |

b. Ciento *(one hundred)* is directly followed by any number smaller than one hundred. (**Y** is used less often for numbers in Spanish than is *and* in English. Use it between tens and units only: **noventa y dos, novecientos dos, nueve mil dos.**)

| El club organiza ciento cincuenta y tres viajes por año. | *The club organizes a hundred and fifty-three trips per year.* |
| Construyeron ciento una casas. | *They built a hundred and one houses.* |

c. In most cases, form multiples of one hundred by adding **-cientos** to the number: **doscientos, trescientos,** and so on. (**Quinientos, setecientos,** and **novecientos** are irregular forms.) The endings change to **-cientas** to show gender agreement when the noun being counted is feminine.

| Había setecientos alumnos: trescientos muchachos y cuatrocientas muchachas. | *There were seven hundred students: three hundred males and four hundred females.* |

d. To express *hundreds of,* follow **cientos** by **de** before a noun.

| Deseamos que cientos de muchachas sean socias del club. | *We want hundreds of girls to become club members.* |

4) Use **mil** *(one thousand)* to express numbers above a thousand, including dates.

| Se fundó en mil novecientos ochenta y cuatro. | *It was founded in nineteen hundred and eighty-four.* |
| Rafael tiene dos mil quinientos (2.500) dólares en el banco. | *Rafael has two thousand five hundred (2,500) dollars in the bank.* |

Remember that Spanish uses a period to show thousands where English uses a comma. (Some Hispanic countries use a period, others a comma, for the millions: **2.000.000** or **2,000.000.**)

5) Use **de** after **miles** *(thousands)* or **millón, millones** *(millions)* before a noun.

| ¿Quieres viajar ahorrando miles de pesos? | *Do you want to travel saving thousands of pesos?* |
| Puedes hacer un millón de amigos. | *You can make a million friends.* |

If another number intervenes between *million* and the noun, don't use **de**.

| El club recaudó dos millones quinientos mil pesos en cuotas. | *The club collected two million five hundred thousand pesos in membership fees.* |

B. *Números colectivos*

Collective numbers are nouns that express particular round numbers of things.

un par (de)	*a pair (of), a couple (of)*	pares (de)	*pairs (of)*
una decena (de)	*a group of ten*	decenas (de)	*groups of ten*
una docena (de)	*a dozen*	docenas (de)	*dozens*

una centena (de)	*a hundred*	centenas (de)	*hundreds*
un centenar (de)	*a hundred*	centenares (de)	*hundreds*
		cientos (de)	*hundreds*
un millar (de)	*a thousand*	millares (de)	*thousands*
		miles (de)	*thousands*

Compré dos pares de medias.	*I bought two pairs of socks.*
— ¿Cuánta gente asistió?	*"How many people attended?"*
— Creo que un centenar.	*"About a hundred."*

EJERCICIOS

PRÁCTICA

A. **La lotería.** Imagine que Ud. es el niño que canta los números premiados en un sorteo de la lotería nacional en Madrid. «Cante» los números premiados con los premios correspondientes.

MODELO: 4.567. . . . . . 50.000 pesetas

   cuatro mil quinientos sesenta y siete . . . . . . cincuenta mil pesetas

1. 2.336. . . . . .100.000 pesetas
2. 21.951. . . . . .200.000 pesetas
3. 107.033. . . . . .300.000 pesetas
4. 47.759. . . . . .400.000 pesetas
5. 781.415. . . . . .500.000 pesetas
6. 0203. . . . . .600.000 pesetas
7. 66.999. . . . . .700.000 pesetas
8. 0013. . . . . .800.000 pesetas
9. 837.102. . . . . .900.000 pesetas
10. 1.005. . . . . .1.000.000 pesetas

B. **Buscando intercambio.** Éstos son los datos que Marisol (una chica obsesionada por los números) nos envió desde el Ecuador. Ella quisiera vivir con una familia norteamericana que sea parecida a la de ella. Lea su carta en voz alta.

> Saludos, amigos:
>
>   Vivo en la avenida Amazonas número 157. El edificio tiene 12 pisos y 36 puertas. Vivo con mis padres, 3 hermanos, 1 sirvienta y 1 gato. Residimos aquí desde el 1 de septiembre de 1979.
>
>   Tengo 19 años. Mi padre tiene 51 y mi madre 42. Mi abuelo Alejandro cumplió 88 años ayer y mi abuela María Antonia cumplirá 80 el 2 de mayo. La sirvienta tiene 21 años. Papá gana 600.000 sucres anuales. La sirvienta gana 100.000. Pagamos 150.000 anuales de alquiler. La calefacción cuesta 2.500 mensuales; la electricidad 4.000 y el teléfono 6.300.
>
>   Mis padres me dan 200 sucres semanales para tomar el autobús. Yo me los gasto yendo al cine porque una entrada cuesta 100, y camino a la universidad. En invierno hace mucho frío, porque la temperatura a veces baja a 0 grados.

¡A CONOCERNOS!

A. Conteste estas preguntas.

1. ¿Cuántos años tiene Ud.?   2. ¿En qué año empezó sus estudios universitarios?   3. ¿Cuánta gente vive en su residencia (departamento[1], casa)?   4. ¿Cuántos alumnos hay en esta universidad? ¿Cuántos

[1]In Ecuador and in some other Latin American countries, **departamento** is used instead of **apartamento**.

hay en esta clase?   5. ¿Cuántas sillas se necesitarían si hubiera veintiún alumnos aquí?   6. ¿Cuánto cuesta la matrícula en esta universidad?   7. ¿Cuántos habitantes tiene su ciudad? ¿Cuántos tienen los Estados Unidos?   8. ¿Cuántos aficionados asisten a un partido de fútbol? ¿Y de béisbol?   9. ¿Cuánto dinero le gustaría a Ud. tener en el banco ahora?   10. ¿Cuánto desea pagar de alquiler por un apartamento?   11. ¿En qué año llegó el hombre a la luna?   12. ¿Se puede comprar un solo zapato?   13. Cuando Ud. compra huevos, ¿los compra por decena?   14. ¿Cuántas veces llama Ud. a su mejor amigo/a cada semana?   15. ¿Hay algo que sólo podemos hacer una vez?   16. ¿Cómo puedo decir que tengo cien amigos usando un número colectivo? Y ¿cómo puedo decir con un número colectivo que tengo muchos amigos?

B. Ahora hágale unas preguntas similares a un compañero o a una compañera.

SITUACIÓN COMUNICATIVA

Imagínese la siguiente situación y represéntela con un compañero o una compañera.

You and your roommate have finished your B.A. and are about to move out of the house you've rented for three years. You are going to have a garage sale. Because you live in a **barrio** where there are many recent immigrants from Mexico, you've decided to price the items in both dollars and pesos ($1 = approximately 3,000 pesos). Determine with your roommate what each item is worth and what you would share.

III. Números ordinales; Usos idiomáticos de los números cardinales y ordinales; Los signos matemáticos; Fracciones

A. Perdona, estoy medio dormido

Son las ocho de la mañana del lunes en cualquier escuela secundaria de Latinoamérica. Un tercio de los alumnos están ausentes. Pascual le pregunta por tercera vez a un compañero.

PASCUAL   ¡Pero, hombre! ¿Estás sordo? Te pregunté si estamos en el capítulo décimo.
ESTEBAN   (Abriendo los ojos, asustado) En el... en el once, creo. Perdona, estoy medio dormido. Tomo el primer autobús de la mañana, que sale a las seis y media, y...
PASCUAL   Supongo que la mitad de los días lo pierdes, ¿no?
ESTEBAN   No tanto, no tanto. Sólo falto a clase una quinta parte del tiempo.

◆ En los países hispánicos hay muchas aldeas o pueblos pequeños en los que no hay escuela secundaria. Los jóvenes que quieren seguir estudiando tienen que viajar para poder asistir a la escuela más cercana. Esto implica grandes sacrificios, ya que los estudiantes no tienen automóviles y, generalmente, se levantan muy temprano para tomar el tren o el autobús.

un tercio *a third*   **sordo** *deaf*   **asustado** *frightened*   **falto a clase** *I miss class*   **aldeas** *villages*

Maestra y alumnos en una escuela secundaria de Talaga, Honduras.

B. Preguntas

1. ¿Cuántos alumnos están ausentes el lunes? 2. ¿Por qué no contesta Esteban la primera vez? 3. ¿En qué capítulo están? 4. ¿Cuánto falta a clase Esteban? 5. ¿Cuánto falta a clase Ud.?

C. Números ordinales

1) Use ordinal numbers to refer to sequence and order up to *the tenth.*

primero/a	*first*		sexto/a	*sixth*
segundo/a	*second*		séptimo/a	*seventh*
tercero/a	*third*		octavo/a	*eighth*
cuarto/a	*fourth*		noveno/a	*ninth*
quinto/a	*fifth*		décimo/a	*tenth*

To go higher than *tenth,* use cardinal numbers (**once, doce...**).

¿Me dijiste la cuarta semana o la once?   *Did you tell me the fourth week or the eleventh?*

2) Make ordinal forms agree in gender and number with the nouns they modify. They usually precede the noun.

Es la tercera vez que te lo pregunto.   *I'm asking you for the third time.*
Los primeros días de enero hay vacaciones.   *The first days of January we're on vacation.*
Su primera clase es a las ocho.   *His first class is at 8:00.*

3) Use the short forms **primer** and **tercer** before masculine singular nouns. These forms are also used before feminine nouns that begin with the stressed vowel **a.**

Esteban toma el primer ómnibus de la mañana.   *Esteban takes the first bus in the morning.*
Juanita vive en el tercer piso.   *Juanita lives on the fourth floor.*[2]

---

[2]In Hispanic countries the first floor (**planta baja**) is not counted as it is in the United States.

4) You can abbreviate the ordinal numbers by writing the Arabic number followed by final letters (-er, -o, -a, -os, -as) appropriate to the ordinal form.

1er primer   1° primero   1ª primera   1os primeros   1as primeras

D. Usos idiomáticos de los números cardinales y ordinales

1) When giving dates, use cardinal numbers except for the first day of the month.

Las vacaciones duran desde el 25 de junio   *Vacation lasts from June 25th to September*
   hasta el primero de septiembre.   *1st.*

2) When referring to chapters, lessons, volumes, or streets, you may use cardinal or ordinal numbers. For 11 and above, a cardinal number is preferred.

¿Sabes si estamos en el capítulo décimo?   *Do you know if we are on Chapter 10?*
Abran el libro por la página 268, capítulo   *Open your books to page 268, Chapter 14.*
   catorce.

3) When referring to titles, use ordinal numbers up to *tenth* and cardinal numbers for anything higher. Both types of number follow the title, and no definite article stands between the name and the title, as it does in English.

En la actualidad Juan Carlos I (primero) es   *At present, Juan Carlos I (the First) is King*
   el rey de España.   *of Spain.*
Se dice que Juan XXIII (veintitrés) fue un   *They say John XXIII (the Twenty-third) was*
   buen papa.   *a good pope.*

4) A cardinal number precedes an ordinal number in Spanish when both appear in the same expression.

Para mañana estudiarán Uds. las diez   *For tomorrow you will study the first ten*
   primeras páginas.   *pages.*

E. Los signos matemáticos

The arithmetical signs are read as follows:

    +   más
    −   menos
    ×   por
    /   dividido por
    =   igual a, son

$15 + 5 = 20$
Quince más cinco igual a veinte.   *Fifteen plus five is twenty.*

$20 - 10 = 10$
Veinte menos diez igual a diez.   *Twenty minus ten is ten.*

$10 \times 6 = 60$

Diez por seis son sesenta.   *Ten times six is sixty.*

$60 / 10 = 6$

Sesenta dividido por diez igual a seis.   *Sixty divided by ten is six.*

F. Fracciones

1) Medio/a is an adjective and means *one half, a half,* or *half a.*

Se necesita medio litro de leche para hacer   *One needs half a liter of milk to make*
  el flan.   *custard.*
Se añade también media docena de huevos.   *Half a dozen eggs are also added.*

Medio is also an adverb meaning *half.*

Sí, campeona soy, pero ayer estaba medio   *Sure, I'm a champion, but yesterday I was*
  dormida.   *half asleep.*

2) La mitad (de) is a noun and means *half of, the middle.*

La mitad del tiempo pierdes el autobús,   *Half the time you miss the bus, don't you?*
  ¿no?
Corta el pastel por la mitad.   *Cut the cake in the middle (in half).*

3) The fractions from *one-half* to *one-tenth* are represented as in English, with the cardinal numbers before or on top of and the ordinal numbers after or below the slash.

$^1/_3$	un tercio	*one-third*
$^1/_4$	un cuarto	*one-fourth*
$^2/_5$	dos quintos	*two-fifths*

Un tercio de la clase está ausente.   *One-third of the class is absent.*

Note the use of y in giving fractions.

$1^1/_2$ uno y medio   *one and a half*

4) The word **parte** is commonly used with ordinals *third* and above when not referring to a specific measurement.

$^1/_5$	la quinta parte	*one-fifth*
$^2/_3$	las dos terceras partes	*two-thirds*

Sólo falto a clase una quinta parte del   *I only miss classes one-fifth of the time.*
  tiempo.

EJERCICIOS

PRÁCTICA

  A. **Los planes de Víctor.** Ésta es la historia de nuestro vecino Víctor. Léala en voz alta usando números ordinales. Haga los cambios necesarios.

1. Hoy es el 1º de enero.   2. Mi esposa y yo queremos mudarnos al 1er piso.   3. Después de celebrar el 7º año de casados estamos cansados de vivir en el 3er piso.   4. Mi esposa ya está en el 9º mes y no puede subir la escalera.   5. Espera dar a luz antes de los cinco 1os días del mes próximo.   6. Ya terminó de leer el 10º libro sobre cómo cuidar a los recién nacidos.   7. Si el bebé es varón pensamos ponerle el nombre de Juan en honor a Juan Carlos I; si es niña será Isabel, por Isabel I, la Católica.

B. **Una dieta saludable.** Ahora lea esta narración usando fracciones.

1. Gonzalo fue al mercado y compró ½ kilo de salchichas, ¼ de kilo de queso y ¾ de litro de leche.   2. Como tenía mucha hambre se comió ½ de la torta que había comprado en la pastelería.   3. Como Gonzalo ya está ½ gordo—pesa 93½ kilos—no le importa engordar un poquito más.   4. En realidad solamente ¹/₁₀ de la gente sigue una dieta saludable; ⅔ de la gente come más de lo que debe.

¡A CONOCERNOS!

A. Conteste estas preguntas.

1. ¿Cuál es el primer día de la semana? ¿Y el quinto?   2. ¿Hay clases en los Estados Unidos el primero de enero?   3. ¿Cómo se llaman los alumnos de primer año? ¿Y los del tercer año?   4. ¿A qué hora es su primera clase?   5. ¿En qué capítulo del libro estamos?   6. ¿Cuántos alumnos vienen a clase los lunes? ¿La mitad? ¿Un tercio?   7. ¿Cuánto mide esta clase de ancho y de largo?   8. ¿Cómo se siente Ud. cuando ha dormido sólo dos horas y media? ¿Y cuando ha bebido media docena de cervezas?   9. ¿Cuántos californianos son hispánicos? ¿Un décimo de la población?   10. ¿Cuántos americanos son de la minoría negra? ¿Un tercio de la población?   11. ¿Cuántos son 2.560 más 36? ¿Y 380 menos 45? ¿Y 4 por 7? ¿Y 100 dividido por 5?   12. ¿Qué cantidad de leche y de huevos se necesita para hacer un flan?

B. Ahora hágale unas preguntas similares a un compañero o a una compañera.

SITUACIÓN COMUNICATIVA

Imagínese la siguiente situación y represéntela con un compañero o una compañera.

EMPLOYER   Imagine that you are a wealthy Spaniard. Tell your servant what he or she must get at the market, specifying the amounts in kilograms and liters. (Remember, 1 kilogram equals approximately 2.2 pounds; 1 liter equals approximately 1 quart.)

SERVANT   Make a list of the items that your employer wants you to get. Confirm it before you leave. After you have bought all you need, hire someone to help you carry it. Tell your helper to bring the groceries to 1 Pío XII Plaza; say that it's the first building on the right, a twenty-one floor building, and that your employer lives on the third floor, ninth door.

ACTIVIDADES

EN PAREJAS

A. **Cumpleaños.** Imagínense Uds. que están encargados de organizar una fiesta para celebrar el cumpleaños de un compañero. Con un presupuesto (budget) de $30, ¿cuánto piensan gastar en lo siguiente?

1. el pastel
2. el helado
3. las bebidas
4. servilletas, platos, vasos, tenedores
5. decoraciones

Comprando comestibles en un mercado español.

B. Presupuesto familiar. Ahora imagínense que son el padre y la madre de una familia con unos ingresos mensuales de $1.320,30. ¿Qué asignan mensualmente a lo siguiente?

1. (la) hipoteca *(mortgage)*
2. comida
3. ropa
4. servicios (de agua, electricidad, basura, etcétera)
5. entretenimientos
6. ahorros
7. otros

C. ¿Qué cambio nos dan? Su compañero/a y Ud. quieren hacer un viaje por Latinoamérica. Elijan por lo menos seis países y, según la lista de cotizaciones, calculen cuánto recibirán en la moneda nacional de cada país a cambio de U.S. $10 y luego de $20[3].

[3]Como las cotizaciones cambian todos los días, consulte un periódico reciente para estar más actualizado.

COTIZACIONES		
PAÍS	UNIDAD MONETARIA	VALOR DE U.S. $1
Argentina	1 austral	49,03
Bolivia	1 boliviano	198,00
Brasil	1 cruzado	0,99
Chile	1 escudo	251,85
Colombia	1 peso	360,50
Costa Rica	1 colón	76,90
Ecuador	1 sucre	85,00
El Salvador	1 colón	6,66
España	1 peseta	151,95
Guatemala	1 quetzal	2,00
Honduras	1 lempira	3,30
Mexico	1 peso	3.000,00
Nicaragua	1 córdoba	125,00
Panamá	1 balboa	1,00
Paraguay	1 guaraní	1.000,00
Perú	1 inti	1.261,00
Uruguay	1 peso	506,50
Venezuela	1 bolívar	34,95

EN GRUPITOS

A. Presupuesto estudiantil. En grupitos de cuatro a seis estudiantes, imagínense que son miembros del comité de conferencias *(lectures)* de su universidad. Con un presupuesto de $7.500, ¿cómo van a dividirlo entre lo siguiente?

1. conferenciantes invitados por la asociación de estudiantes
2. alquiler de salas
3. gastos de oficina
4. gastos de teléfono

B. Presupuesto estatal. Uds. son ayudantes del tesorero de un estado con $60.950.000 disponibles este año. ¿Cómo van a dividir estos fondos entre los siguientes ministerios?

1. Educación
2. Salud y Bienestar Social
3. Justicia
4. Transportes
5. Agricultura
6. Industria y Comercio

PARA TODOS

A. Los nombres de las monedas. La clase se divide en dos grupos. Su profesor(a) preguntará a un estudiante de cada grupo si sabe qué hecho o personaje histórico conmemora cada una de las unidades monetarias siguientes. Si un estudiante de un grupo sabe la respuesta, su grupo gana un punto. Si no la sabe, cualquier estudiante del otro grupo puede contestar, y así gana dos. ¡A ver qué grupo sabe más!

1. el colón de Costa Rica
2. el bolívar de Venezuela
3. el sucre del Ecuador
4. el quetzal de Guatemala
5. el inti del Perú
6. el balboa de Panamá
7. el guaraní del Paraguay
8. el lempira de Honduras

Respuestas: 1. por Cristóbal Colón; 2. por Simón Bolívar; 3. por Antonio José de Sucre, general venezolano que ayudó a conseguir la independencia de España; 4. por el pájaro quetzal, típico del país; 5. por Inti, el dios Sol de los incas; 6. por Núñez de Balboa, descubridor del océano Pacífico; 7. por la cultura nativa del país; 8. por el héroe indígena, Lempira, que luchó contra los conquistadores españoles.

B. Numeración maya. Su profesor(a) pedirá voluntarios que salgan a la pizarra. El siguiente cuadro muestra el sistema de numeración que tenían los mayas. A base de los números que aparecen aquí, ¿puede escribir Ud. los equivalentes a 18, 20, 23, 25 y 28?

Diagrama del sistema de numeración Maya

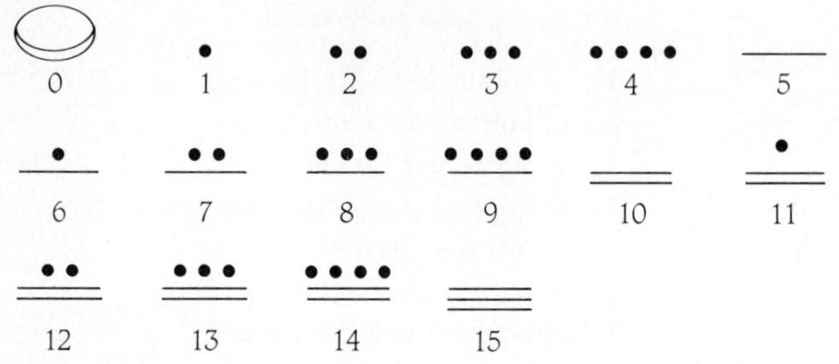
0
1
2
3
4
5
6
7
8
9
10
11
12
13
14
15

Respuestas:

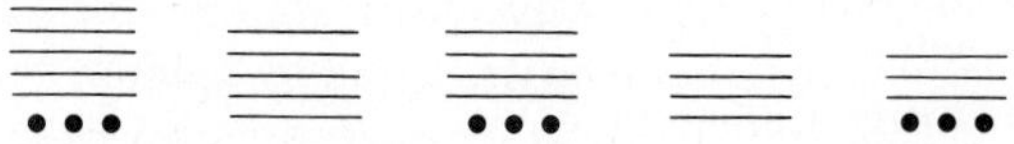

DE TODO UN POCO

Problema

Queremos distribuir 3.100 pesetas entre tres personas, de modo que la primera tenga el doble de la segunda y ésta el triple de la tercera. ¿Cuánto le daremos a cada una?

SOLUCIÓN: A la primera le corresponden 1.860 pts.; a la segunda, 930; a la tercera, 310.
A la primera: 6x; a la segunda, 3x; a la tercera, x. Luego: 6x + 3x + x = 3.100.
10x = 3.100; x = 310
3x = 3 × 310 = 930
6x = 6 × 310 = 1.860

CAPÍTULO 16

Gramática
Usos del infinitivo; Verbos que necesitan
una preposición antes del infinitivo
La voz pasiva; Construcciones con **estar**
y el participio pasado
La pasiva con **se**; La forma impersonal con **se**;
La forma impersonal con la tercera persona
Funciones lingüísticas
Aconsejar
Defender opiniones
Descripción de estados resultantes de otra acción
Expresión de gusto, agrado y opinión
Sugerir, permitir y prohibir actividades
Actividades

I. Usos del infinitivo; Verbos que necesitan una preposición antes del infinitivo

A. *«Amiga del Año» por trabajar con «Amigos de las Américas»*

Mandy Alvarado acaba de ser nombrada «Amiga del Año».

PERIODISTA	Dígame, Mandy, ¿se alegró Ud. mucho de recibir este honor?
MANDY	Pues, la verdad, me quedé muy sorprendida y emocionada al saber la noticia.
PERIODISTA	¿Puede Ud. explicarnos qué hacía en Santo Domingo?
MANDY	Bueno, mi trabajo con Amigos de las Américas consistió esencialmente en enseñar a la gente sobre salud e higiene. También les enseñé a hablar un poco de inglés...
PERIODISTA	¿Y qué planes tiene Ud. para el futuro?
MANDY	Acabar mis estudios y luego volver a trabajar en la República Dominicana con el Cuerpo de Paz en una campaña de alfabetización.
PERIODISTA	Pues, enhorabuena y adelante, Mandy.

◆ Mandy es una norteamericana de ascendencia mexicana. Cuando era estudiante de español y relaciones internacionales en la Universidad de Stanford, participó como voluntaria de **Amigos de las Américas**, programa norteamericano de ayuda social a Hispanoamérica en el que participan jóvenes universitarios de noble corazón. Destacán-

dose en un grupo de más de 400 voluntarios, fue reconocida como «Amiga del Año» el día 12 de octubre de 1985.

◆ Según una encuesta del año 1980, el índice de **analfabetismo** en la República Dominicana llega al 37 por ciento, lo cual indica que una campaña de alfabetización es una necesidad urgente en esa nación.

emocionada *moved*   alfabetización *literacy*   enhorabuena *congratulations*   Destacándose *Distinguishing herself*   encuesta *poll*   analfabetismo *illiteracy*

B. Preguntas

1. ¿Por qué acaba de ser nombrada Mandy «Amiga del Año»?   2. ¿Qué sintió ella al conocer la noticia?   3. ¿En qué consistió su trabajo en la República Dominicana?   4. ¿Qué planes tiene para el futuro?   5. ¿Conocía Ud. la organización Amigos de las Américas? ¿Qué sabe sobre ella? ¿Y sobre el Cuerpo de Paz?

C. El infinitivo: Concepto y usos

Infinitives end in **-ar, -er,** or **-ir.** They are verbal nouns—the names of verbs. They draw your listener's attention to an action in an abstract way. They are not conjugated; that is, you don't change their endings to indicate who did the action or the time of the action. Whenever you use an infinitive, it exhibits some of the properties of a noun, some of a verb.

1) The *verbal* properties of infinitives dominate when you use them in these situations:
   a. as colloquial imperatives, either standing alone or after **a**

Traducir el siguiente párrafo.	*Translate the following paragraph.*
¡A callar!	*Shut up!*
No fumar.	*Don't smoke (No smoking).*

   b. directly after conjugated verbs, especially verbs of perception and causation

Lo oí cantar.	*I heard him singing.*
El humo la hizo toser.	*The smoke made her cough.*
Puedo ir. Quiero ir. Pienso salir.	*I can go. I want to go. I intend to leave.*

   c. in constructions with **al**

Me quedé muy sorprendida al oír la noticia.	*I was very surprised upon hearing the news.*

Al + infinitive is equivalent to English *on* or *upon* + *-ing.* (In all the verbal uses of infinitives, notice how often the best English translation is an *-ing* form.)

2) In most uses, infinitives seem more like *nouns* than verbs.
   a. Some infinitives have a second life as full-fledged nouns. (Spanish dictionaries give them two

entries: one as verb, the other as noun.) As nouns they regularly appear with plural endings, like any other noun. They are always used in their masculine form.

el poder del dinero; los poderes de la imaginación	*the power of money; the powers of imagination*
Según mi parecer, es tu deber.	*In my opinion, it's your duty.*
Hay hermosos amaneceres en California.	*There are beautiful sunrises in California.*

b. An infinitive can function in a sentence just like any other noun: as a subject, predicate, object of a verb or preposition, and so forth.

Ver es creer.	*Seeing is believing.*
Es bueno conocer la lengua de un país antes de ir allí.	*It's good to know the language of a country before going there.*

D. Verbos seguidos de una preposición antes de un infinitivo

Many Spanish verbs require a preposition before an infinitive. (Some also require the preposition before other nouns.)

1) With the following twelve verbs, use the preposition **a** before an infinitive.

acostumbrarse a	*to get used to*	invitar a	*to invite to*
aprender a	*to learn to*	ir a	*to be going to*
atreverse a	*to dare to*	negarse a	*to refuse to*
ayudar a	*to help to*	ponerse a	*to begin to*
comenzar a }	*to begin to*	prepararse a	*to prepare to*
empezar a }		volver a	*to do* (something) *again*

Comenzaron a trabajar en una campaña de alfabetización en la República Dominicana.	*They began to work in a literacy campaign in the Dominican Republic.*
Me invitaron a tomar unas copas en casa del alcalde del pueblo.	*They invited me to have a few drinks in the home of the town's mayor.*
Me acostumbré a andar a pie como me acostumbré a la comida tan diferente.	*I got used to walking, just as I got used to such different food.*

2) With **soñar,** use **con** before an infinitive.

Los Amigos de las Américas sueñan con ayudar a los pobres.	*The Friends of the Americas dream of helping the poor.*
También sueñan con una población sana y educada.	*They also dream of a healthy and educated population.*

3) With certain other verbs, you need the preposition **en** before an infinitive.

consistir en	*to consist of*	pensar en[1]	*to think about*
convenir en	*to agree to*	tardar en	*to take (time) to*
insistir en	*to insist on*		

[1]Whether or not to use a particular preposition after certain verbs depends on your meaning. Compare **Pienso en ceder** *(I'm thinking about giving in)* with **Pienso ceder** *(I intend to give in).*

Piensan en sus amigos de Santiago de los Caballeros.	They're thinking about their friends from Santiago de los Caballeros.
Tardarán dos horas en llegar a la Vega Real y más en llegar a Santiago.	It'll take them two hours to reach Vega Real and longer to reach Santiago.
Convinieron en parar en Villa Altagracia.	They agreed to stop in Villa Altagracia.

4) With many other verbs and verbal constructions, use the preposition **de** before infinitives.

acabar de	*to have just*
acordarse de	*to remember*
alegrarse de	*to be glad (about)*
dejar de	*to stop* (doing something)
encargarse de	*to take charge of*
haber de	*to be supposed to*
olvidarse de	*to forget*
tener ganas de	*to feel like*
tener miedo de	*to be afraid of*
terminar de	*to finish* (doing something)
tratar de	*to try to* (do something)

Acuérdense de entregarme sus formularios.	*Remember to turn in your forms.*
¿Se alegró mucho de recibir este honor?	*Were you very happy to receive this honor?*
Ella trata de ayudar a los dominicanos.	*She's trying to help the Dominicans.*
¿Tienes ganas de volver a Santo Domingo?	*Do you feel like going back to Santo Domingo?*

E. ¿Infinitivo o subjuntivo?

1) You often have to use the subjunctive in Spanish where you would use an infinitive in English. Use an infinitive, however, if the subjects of the main verb and the complement are the same.

same subject = infinitive

Quiero
Me gustaría } salir contigo.   *I want to go out with you.*

different subjects = subjunctive

Quiero que tú salgas conmigo.   *I want you to go out with me.*

2) Whether or not there's a change of subject, you may use an infinitive *or* the subjunctive after the following verbs.

aconsejar	*to advise*	permitir	*to permit*
dejar	*to allow*	prohibir	*to forbid*
exigir	*to demand*	recomendar	*to recommend*
mandar	*to order*		

Joven americana participa en un proyecto del Cuerpo de Paz en América Latina.

El director les mandó $\begin{cases} \text{construir letrinas.} \\ \text{que construyeran letrinas.} \end{cases}$ *The director ordered them to build latrines.*

Le prohibieron $\begin{cases} \text{hablar de política.} \\ \text{que hablara de política.} \end{cases}$ *They forbade her to talk politics.*

EJERCICIOS

PRÁCTICA

A. Una aficionada tímida. Complete esta narración con una preposición apropiada.

La tía de Celia Pereda trataba —(1)— conseguir una entrada para el concierto de Julio Iglesias en Miami. Ella insistía —(2)— escuchar a su cantante preferido y soñaba —(3)— conocerlo personalmente. Comenzó —(4)— llamar a todas las agencias, pero no tuvo suerte. Por fin llamó a una amiga que trabajaba en la taquilla del teatro donde Julio iba —(5)— cantar y le pidió que la ayudara —(6)— conseguir un boleto. La tía de Celia se alegró mucho —(7)— que su amiga tuviera una entrada extra y —(8)— que la invitara —(9)— asistir al concierto con ella. Durante el descanso, ella se preparó —(10)— acercarse a su ídolo, pero como era muy tímida, al final no se atrevió —(11)— hacerlo.

B. Querer es poder. Traduzca el siguiente párrafo al español. Trate de usar el infinitivo lo más que pueda.

1. Living in poverty is nothing new for many people in the world. 2. Knowing that there are children who go to bed every night without eating anything makes me feel very sad. 3. Yesterday I heard a woman talking on the radio about the Peace Corps. 4. Upon turning off the radio, I began to think about what to do with my life. 5. I have always believed in helping other people, so I decided that working with the Peace Corps would be a good idea. 6. At that very moment I began to write my letter to Washington.

¡A CONOCERNOS!

A. Conteste estas preguntas hablando de su niñez.

1. ¿A qué edad comenzó Ud. a andar? ¿Y a hablar?   **2.** ¿Tenía Ud. miedo de estar solo/a en su cuarto?   **3.** ¿Se olvidaba de hacerse la cama muy a menudo?   **4.** ¿Trataba Ud. de ser el/la primero/a de la clase en la escuela primaria?   **5.** ¿Le ayudaban a Ud. sus padres a hacer la tarea? ¿Siempre terminaba Ud. de hacer la tarea?   **6.** ¿Soñaba con ser una persona rica y conocida? ¿De qué pensaba Ud. trabajar?   **7.** ¿A qué edad aprendió Ud. a manejar un coche? ¿Cuánto tiempo tardó en aprender?   **8.** ¿Insistían sus padres en que llegara temprano a casa de la escuela?   **9.** ¿Tenía Ud. ganas de irse de casa y de ser independiente?   **10.** ¿Se alegró Ud. de irse de casa y de ser independiente? ¿Se acostumbró a vivir lejos de casa al venir a la universidad?

B. Ahora hágale unas preguntas similares a un compañero o a una compañera.

SITUACIÓN COMUNICATIVA

Imagínese la siguiente situación y represéntela con un compañero o una compañera.

VOLUNTEER 1	You have just joined the Peace Corps. Tell a colleague that you are finally learning to speak Spanish well and that you insist on practicing as much as possible.
VOLUNTEER 2	Respond that you are beginning to understand much more than before and that you are dreaming of spending a year in a Spanish-speaking country.
VOLUNTEER 1	Ask your colleague if he or she intends to go home before leaving the United States.
VOLUNTEER 2	Say that you don't plan to visit your family now, because in your opinion it's easier to get used to being in the Peace Corps without seeing family and friends.

ingresar en, entrar en *to join*   **hispanohablante** *Spanish-speaking*

Santiago de Chile. Vista panorámica de la ciudad con los Andes al fondo.

II. La voz pasiva; Construcciones con **estar** y el participio pasado

A. *La muerta es identificada*

El siguiente artículo apareció en *El Mercurio,* un periódico de Santiago de Chile.

> Carmen Pérez fue identificada como la única víctima del accidente del martes cuando un avión cayó en una colina. Los familiares de la víctima han sido notificados. Otros cinco pasajeros fueron tratados y dados de alta sin heridas graves. Un portavoz del Departmento de Salud dijo que un comunicado sobre el asunto ya está preparado y será distribuido dentro de unos días.

◆ **Santiago de Chile,** la capital de Chile, tiene una población de unos 4 millones de habitantes.

◆ *El Mercurio* es el periódico principal de la capital chilena.

colina *hill*   **dados de alta** *released*   **heridas** *injuries*   **portavoz** *spokesperson*

PARADOR NACIONAL LUIS VIVES

ENTRADA AL RECINTO
400 Pesetas

SERAN DESCONTADAS EN LA COMIDA
O EN LA ESTANCIA

B. Preguntas

1. ¿Cuántas personas murieron en el accidente del martes?   2. ¿Quién murió?   3. ¿Qué les pasó a los otros pasajeros?   4. ¿Qué está preparado para ser distribuido?   5. ¿Son más frecuentes los accidentes de avión o de automóvil?   6. ¿Ha sido Ud. víctima de un accidente? ¿Dónde? ¿Cuándo?

C. La voz pasiva: Concepto

Normally the focus of your sentence is the person who acts. When the subject of your verb acts, the verb is said to be in the active voice.

SUBJECT ACTS = ACTIVE VOICE

La compañía notifica a los familiares.   *The company notifies the family.*

But sometimes you are more interested in the person or thing that is the object of the action than in the person who acts. In such cases you can put the person acted upon in the spotlight as the subject of your verb. The resulting construction is said to be in the passive voice.

SUBJECT ACTED UPON = PASSIVE VOICE

La familia es notificada por la compañía.   *The family is notified by the company.*

D. La voz pasiva: Formas

Use the same pattern in Spanish as you do in English to form the passive voice.

> subject   +   ser *(to be)*   +   past participle   +   por *(by)*   +   agent[2]

ACTIVE SENTENCE:

subject (acts)   +   verb   +   direct object[3]
El médico   trató   a los heridos.
The doctor   *treated*   *the injured.*

PASSIVE SENTENCE:

subject (acted upon)   +   ser + p.p.   +   por *(by)*   +   agent
Los heridos   fueron tratados   por   el médico.
The injured   *were treated*   *by*   *the doctor.*

---

[2]If mentioned at all, the agent (the person who acts) in a passive sentence is normally introduced by **por**. However, when the past participle expresses a mental or emotional action, the preposition **de** may be used instead of **por**. El Rey Juan Carlos es querido y respetado de todos. *(King Juan Carlos is loved and respected by everybody.)*

[3]Only the direct object can become a subject of a passive sentence in Spanish. Therefore, to express *I was given a present,* you need to use either an active verb **(Me dieron un regalo.)** or, infrequently, an impersonal construction **(Se me dio un regalo.)**.

In the Spanish passive construction, the past participle agrees in gender and number with the subject. The subject may precede or follow the verb. As in English, the agent may be omitted.

Fue identificada la única víctima.   *The only casualty was identified.*

Adverbs may be inserted between the form of **ser** and the past participle.

La compañía ha sido enormemente   *The company has been greatly criticized.*
criticada.

E. Usos de la voz pasiva

1) Use only transitive verbs (those that can take a direct object) in the passive voice.

2) The passive voice is most commonly used in Spanish in the preterit, present perfect, and past perfect to describe events that have already taken place.

La noticia fue dada por el periódico.   *The news was reported by the newspaper.*
La muerta ha sido muy elogiada por sus   *The deceased has been highly praised by her*
compañeros.   *co-workers.*
Muchos pueblos habían sido destruidos por   *Many villages had been destroyed by the*
la inundación.   *flood.*

3) You may also use the passive voice in the future or future perfect to describe events that will take place.

El comunicado será distribuido mañana.   *The bulletin will be distributed tomorrow.*
La tierra habrá sido contaminada para el   *The earth will have been contaminated by*
año 2000.   *the year 2000.*

4) When the passive voice is used in the present or the imperfect, it always refers to a habitual or repeated action.

La prensa es leída por los santiaguinos   *Newspapers are read daily by the people of*
diariamente.   *Santiago.*
La Misa Mayor era celebrada todos los   *High Mass used to be celebrated every*
domingos a las doce.   *Sunday at 12:00.*

If your sentence does not refer to habitual actions, rephrase it to make it active, or use a reflexive construction.

Danny Valdez hace el papel de Jaime   *The role of Jaime Reina is played by Danny*
Reina.   *Valdez → Danny Valdez plays the role of*
                                               Jaime Reina.
La noticia se supo inmediatamente.   *The news was known immediately.*

5) Passive progressive constructions with **ser** are considered by some to be ungrammatical in Spanish. You can avoid them by using simple tenses or a passive construction with **se** (see Section III of this chapter).

Se construían muchas viviendas nuevas en   *Many new homes were being built in the*
el pueblo.   *town.*

However, the construction **estar siendo** + past participle appears very frequently in journalistic writing.

Numerosas centrales nucleares están siendo construidas en España.

A number of nuclear plants are being built in Spain.

F. Construcciones con estar y el participio pasado.

To focus on the state or condition resulting from an action rather than on the action itself, use the construction **estar** + past participle.

Emphasis on action	Emphasis on resultant condition
El avión fue destrozado por el choque.	El avión estaba destrozado después del choque.
The plane was shattered by the crash.	*The place was in pieces after the crash.*
El comunicado será preparado por el Departamento de Salud Pública.	El comunicado ya está preparado.
The bulletin will be prepared by the Department of Public Health.	*The bulletin has already been prepared.*

EJERCICIOS

PRÁCTICA

A. Rómulo Gallegos. Cambie el siguiente párrafo de la voz activa a la pasiva.

1. Rómulo Gallegos escribió la novela titulada *Doña Bárbara.*   2. El mundo hispánico conoce y admira esta gran obra.   3. Tradujeron la obra a muchas otras lenguas, y muchos la consideran una de las obras maestras de la época.   4. Estudiantes en muchas partes del mundo la leen y la estudian todavía.   5. Los críticos la consideran como uno de los importantes precursores de la novela moderna latinoamericana.

B. ¿Ser o estar? Complete cada conversación con **ser** o **estar**, según corresponda.

1. A. ¿Desean Uds. pasar al comedor?
   B. Ah, ¿ya _____ servida la cena?
2. A. ¿Quién preparó este postre tan delicioso?
   B. _____ preparado por el cocinero ayer.
3. A. No puedo leer esta novela de Carlos Fuentes porque _____ escrita en español.
   B. Pues, sí la puedes leer, porque ya _____ traducida al inglés.
4. A. ¿Fuiste anoche a la ópera?
   B. No, pero la vi de todos modos. _____ transmitida por televisión.
5. A. La llegada de los aviones siempre _____ anunciada por altoparlante.
   B. Tienes razón. Y además, _____ escrita en las pantallas *(screens)* de los televisores del aeropuerto.
6. A. Por favor, ¿puede Ud. abrirme la puerta del apartamento libre *(vacant)*?
   B. No es necesario; la puerta _____ abierta.

¡A CONOCERNOS!

A. Conteste estas preguntas.

1. ¿Recuerda Ud. por quién fue escrito su libro de español? ¿Está escrito en inglés o en español? ¿Dónde y por qué editorial fue publicado? 2. ¿Cree Ud. que está resuelto el problema de la inflación en los Estados Unidos? 3. ¿Sabe Ud. por quién fue construido el Canal de Panamá? 4. ¿Sabe Ud. por quiénes fueron fundadas las ciudades de San Agustín, Santa Fe y San Francisco? 5. ¿Tenía Ud. un problema? ¿Ya está resuelto? ¿Por quién fue resuelto?

B. Ahora hágale unas preguntas similares a un compañero o a una compañera.

III. La pasiva con *se;* La forma impersonal con *se;* La forma impersonal con la tercera persona

A. *Se inauguró una galería de vanguardia*

De *Mundo del Arte,* una revista de Panamá

> Ayer tarde se inauguró en nuestra capital la galería de arte Artconsult, donde se presentaron varios artistas latinoamericanos de vanguardia. Además de exposiciones artísticas, van a organizarse en dicha galería otras actividades tales como charlas, conciertos, concursos de pintura y escultura para artistas jóvenes, etcétera. ¡Ya era hora de que se hiciera algo por nuestras jóvenes promesas en este país!

◆ **Panamá** fue descubierto por Cristóbal Colón en 1502. Vasco Núñez de Balboa, su primer gobernador, fue el primer europeo que vio el océano Pacífico. La construcción del canal interoceánico en el siglo XIX realzó su posición estratégica e hizo florecer el comercio.

◆ Artconsult fue fundada por una mujer de negocios panameña que, por cierto, también regenta una de las pocas galerías privadas que se dedican a presentar artistas latinoamericanos en el este de los Estados Unidos.

vanguardia *avant-garde*   **concursos** *contests*   **jóvenes promesas** *promising young artists*   **realzó** *enhanced*   **regenta** *manages*

Se Solicitan
Representantes de Venta
(en el Interior)

Para la venta de carnets de afiliados, para una organización que prestará diversos servicios en todo el territorio nacional.

Para informacion y entrevista, favor comunicarse por el teléfono 987.1201, en horas de oficina, con la Sra. Olga

B. Preguntas

1. ¿Qué tipo de galería se inauguró en la ciudad de Panamá?   2. ¿Qué dicen sobre ella?   3. ¿Qué actividades se organizan allí?   4. ¿Cree Ud. que se debe hacer algo por las jóvenes promesas? ¿Qué?

C. La pasiva con se

1) Spanish speakers tend to avoid the passive voice unless they feel obliged to mention the agent. Instead, they use reflexive constructions, one of which is called the passive reflexive.

> **Se**   +   verb (third-person singular or plural)   +   passive subject
>
> or
>
> passive subject   +   **se**   +   verb (third-person singular or plural)

Se desea intérprete.	*Interpreter needed.*
Se venden apartamentos de lujo.	*Deluxe apartments for sale (are being sold).*
Varias exposiciones se presentaron en la galería.	*Several exhibitions were held at the art gallery.*
Se presentaron varias exposiciones en la galería.	

2) Use the impersonal **se** construction described in the following section, *not* the passive reflexive, if the subject of your sentence is plural and refers to beings capable of acting.[4]

D. La forma impersonal con se

In impersonal **se** constructions, if any persons or things are acted upon, they are the direct objects of the verb, not the subjects. "Somebody" performs the action—you don't say who. There are two patterns.

> **se**   +   third-person singular transitive verb   +   singular or plural direct object

Se mató a los prisioneros.	*The prisoners were killed.*
Se desea secretario bilingüe.	*Bilingual secretary wanted.*
Se vende apartamentos de lujo.	*Deluxe apartments for sale* (someone is selling deluxe apartments).
Se prohíbe fumar.	*Smoking is prohibited.*

[4]This is because your listener would interpret a true reflexive construction in these circumstances as a normal reflexive or reciprocal construction, not a passive reflexive.

Se mataron los prisioneros.   { *The prisoners killed themselves. (interpreted as a normal reflexive)*
{ *The prisoners killed each other. (interpreted as a reciprocal)*

```
se  +  third-person singular intransitive verb  +  modifier
```

Se vive bien allí.	*One lives well over there.*
Se lee poco estos días.	*People read little nowadays.*
Se llegará pronto a Marte.	*Someone will soon reach Mars.*

E. Uso impersonal de la tercera persona del plural de cualquier verbo

Another way to avoid passive constructions is simply to use the third-person plural form of any verb, in any tense. You just don't specify who "they" are who do the action.

Me dijeron la verdad.	{ *They told me the truth.* { *I was told the truth.*
Dicen que el clima está cambiando.	{ *They say the climate's changing.* { *It's said the climate is changing.*
Eligieron presidente del gobierno a Felipe González.	{ *They elected Felipe González president.* { *Felipe González was elected president.*

EJERCICIOS

PRÁCTICA

A. **¡Viva la acción!** Mi amigo Jim piensa ser traductor, pero a mí me parece que tendría que evitar la forma pasiva en sus traducciones. Corrija las oraciones siguientes (escritas por Jim) cambiándolas primero a la forma impersonal con tercera persona del plural y después a una construcción con **se**. Siga los modelos.

MODELO: La exposición será inaugurada en mayo.
Inaugurarán la exposición en mayo.
La exposición se inaugurará en mayo.

1. Ayer fue organizada una manifestación en el centro.
2. Los exámenes son preparados con gran cuidado.
3. Muchos coches japoneses son exportados a los Estados Unidos.
4. El proyecto fue terminado a tiempo.
5. Han sido tomadas muchas fotografías de Marte.
6. Todos los apartamentos serán vendidos este verano.

MODELO: Cristóbal fue invitado a la fiesta; entonces sus hermanos fueron invitados también.
Invitaron a Cristóbal a la fiesta; entonces invitaron a sus hermanos también.
Se invitó a Cristóbal a la fiesta; entonces se invitó a sus hermanos también.

7. Un sospechoso fue visto en el banco; entonces dos sospechosos más fueron vistos en la ferretería.
8. La cantante de ópera será entrevistada; después, las bailarinas serán entrevistadas.
9. El crítico de arte ha sido consultado; espero que los profesores de arte hayan sido consultados también.
10. El niño será recogido del colegio a las cinco. Sus hermanos menores fueron recogidos del colegio a las tres.

B. Hablemos impersonalmente. Ud. no quiere comprometerse. De acuerdo; a veces es mejor no hacerlo. Traduzca estas oraciones usando la forma impersonal con tercera persona de plural y con **se.**

MODELO: It's said that the Socialists will win the elections.
Dicen que los socialistas ganarán las elecciones.
Se dice que los socialistas ganarán las elecciones.

1. It's believed that other planets are inhabited. That will soon be known.
2. It was announced that King Juan Carlos would visit the United States.
3. It has been said that Cervantes wrote the first modern novel.
4. It was learned that the paintings were from the art gallery.
5. It was thought that the actress had been murdered.

C. Más traducción. Traduzca lo siguiente sin usar la pasiva.

1. My mother was born in Oaxaca.   2. She was given a ticket to travel to the United States; she came here and she met my father.   3. They were married, and my sister and I were born in Texas.   4. My sister and I were awarded scholarships to go to Mexico.   5. Last week we had our pictures taken for our passports.   6. Free ideas are prohibited in many countries.   7. Political prisoners are tortured every day.   8. They are not permitted to see their families.   9. And they are being watched all the time.

¡A CONOCERNOS!

A. Conteste estas preguntas usando una construcción diferente a la de la pregunta.

1. ¿Ya resolvieron todos los problemas de Centroamérica?   2. ¿Ya pagaron toda la deuda a los Estados Unidos?   3. ¿Se eligió a un buen candidato en las últimas elecciones?   4. ¿Vendieron muchas casas en la ciudad esta primavera?   5. ¿Se encontró un buen rector para la universidad?   6. ¿Construyeron la biblioteca de la universidad el año pasado? ¿Cuándo fue construida?   7. ¿Se leyeron muchos cuentos este año en la clase de español?   8. ¿Se aprendieron todos los puntos difíciles de gramática en un solo trimestre (semestre)?

B. Ahora hágale unas preguntas similares a un compañero o a una compañera.

SITUACIÓN COMUNICATIVA

Imagínese la siguiente situación y represéntela con un compañero o una compañera.

COMPANY EXECUTIVE	Your secretary has just quit, and you need to find a new one quickly to prepare for a large conference in two week's time. You phone the local newspaper and place an advertisement that lists the position, the necessary qualifications, and the benefits, such as salary, vacation, and insurance.
NEWSPAPER EMPLOYEE	You accept the advertisement, asking any necessary questions about salary or vacation time. Then ask the executive if a large or small advertisement is needed. You quote the charges for a small advertisement per word and for a large advertisement per column.
COMPANY EXECUTIVE	You explain that you would like a large advertisement because you need to find someone quickly and a large notice generally attracts people's attention more effectively.

ACTIVIDADES

EN PAREJAS

Recetas para el verano. Aquí tienen Uds. unas recetas de postre muy fáciles de preparar. Fíjense bien en las instrucciones y, en la misma forma, intercambien sus propias recetas con su compañero/a.

Arroz con leche

Poner el arroz a cocer en agua y sal; una parte de arroz por dos de agua. Dejar consumir el agua. Añadir leche, azúcar y corteza de limón o naranja a su gusto. Cocer hasta que el arroz esté cremoso pero no seco. Dejar enfriar antes de servir. Se puede adornar con canela en polvo.

Plátano verde asado

Se pelan los plátanos y se ponen a asar al horno o al carbón hasta que estén cocidos. Se parten por la mitad y se les unta mantequilla cuando se van a comer.

---

asar *to roast*   **al carbón** *on the barbecue*   **al horno** *in the oven*   **canela en polvo** *powdered cinnamon*
cocer *to boil, to cook*   **consumir** *to dry up, evaporate*   **corteza** *rind, peel*   **untar** *to spread*

EN GRUPITOS

A. Avisos y señales. Cada grupito decide, en secreto, en qué lugar está y prepara una serie de avisos y señales indicando lo que uno debe (o no debe) hacer en ese lugar. Cuando todos los grupos tengan sus avisos y señales, se los muestran a los compañeros y ellos deben adivinar el lugar en que están.

EJEMPLOS: Hablar en voz baja.
No sentarse en los confesionarios.
(en una iglesia)

Abrocharse el cinturón de seguridad.
No fumar entre las filas 1 y 18.
(en un avión)

Otros lugares podrían ser una biblioteca, una cafetería, un banco, un teatro, una carretera, un tren.

B. Cómo tener éxito profesional. Los grupitos pueden variar el juego escogiendo una ocupación y dando una serie de instrucciones para tener éxito en ella. Los demás deben adivinar la ocupación.

EJEMPLO: No decir tonterías.
Repetir como un loro.
No corregir al que sabe más.
No hablar sin que le hablen.
(cómo ser buen estudiante)

PARA TODOS

Mesa redonda: La energía nuclear. La clase discutirá la construcción de una central nuclear en un pueblo cercano a la universidad. Varios estudiantes se prepararán para defender distintos puntos de vista, tales como los de los siguientes:

- un(a) representante de la compañía de energía
- un(a) estudiante universitario
- una madre preocupada por la salud de sus hijos

- un albañil desocupado
- un(a) representante de la Cámara de Comercio
- un(a) profesor(a) de ingeniería nuclear
- un(a) representante del gobierno municipal
- un(a) ecologista

Al comienzo del debate los participantes explicarán su posición y presentarán sus argumentos. Después de hablar, todos los panelistas deberán contestar las preguntas del público (el resto de la clase).

Palabras y expresiones útiles:

el albañil	*bricklayer, mason*
la avería	*damage*
la contaminación	*contamination*
los desechos, desperdicios	*waste*
el desempleo, la desocupación	*unemployment*
estar a favor de	*to be in favor of*
estar en contra de	*to be against*
el fallo	*failure*
las medidas de seguridad	*security measures*
la mesa redonda	*roundtable discussion*
la prosperidad económica	*economic prosperity*
los puestos	*jobs, positions*
las sustancias radioactivas	*radioactive substances*

LECTURA VIII

«Pecado de omisión»
Ana María Matute

◆ READING HINTS ◆

Guessing the Meaning of Words by Understanding Connectors

Connector, or transition, words and phrases lend fluidity to prose by easing the transition from one sentence to another. By learning the meaning of the most commonly used connector words and phrases, you can more easily understand the relationship between sentences and the ideas they express. Some frequently used connector words are listed below and grouped to indicate the purpose they generally serve.

1. words that introduce

en primer lugar	*in the first place*
primero	*first of all*

2. words that add information

además	*besides*
no sólo... sino (que)	*not only . . . but also*
también	*also*
tampoco	*not . . . either*

3. words that express purpose

con el fin de que	*with the purpose of*
para/por	*in order to, for*
para que	*so that, in order that*

4. words that express cause

gracias a	*due to*
por	*for, because of*
por eso	*for that reason, therefore*
por esta razón	*for this reason*
porque	*because*

5. words that express consequence

así, así es que	*so that*
de manera que	*so that*
de modo que	*so that, with the result that*
entonces, pues	*then*

| por consiguiente | *consequently* |
| por lo tanto | *therefore* |

6. words that express contrast

a pesar de que	*in spite of the fact that, despite*
aunque	*although*
en cambio	*on the other hand*
no obstante	*however, nevertheless*
pero, mas	*but*
por lo contrario	*on the contrary*
sin embargo	*however, nevertheless*

7. words that express condition

| a menos que | *unless* |
| con tal de que | *on condition that* |

8. words that express time sequence

a medida que	*as*
antes de que	*before*
cuando	*when*
de vez en cuando	*from time to time*
después de que	*after*
en cuanto	*as soon as*
luego que	*as soon as*
siempre que	*whenever*
tan pronto como	*as soon as*

9. words that express coincidence

| a propósito | *by the way* |
| por coincidencia | *by coincidence* |

10. words that express narrative sequence

en primer lugar	*first, first of all*
en segundo, tercer lugar	*in second, third place*
en último lugar	*finally*
finalmente	*finally*
primero	*first*
segundo	*second*

11. words that conclude

a fin de cuentas	*finally*
en conclusión	*in conclusion*
en resumen	*to sum up, in summary*
en último lugar	*finally, lastly*
por último	*finally, lastly*

◆ PREPARACIÓN PARA LA LECTURA ◆

Vocabulario

SUSTANTIVOS

el alcalde   *mayor*
la cabra   *goat*
el castigo   *punishment*
el cayado   *shepherd's staff*
el duelo   *mourning*
el ganado   *livestock*
el granero   *granary*
el/la huérfano/a   *orphan*
el jornal   *day's work; day's wages*
la ladera   *hillside*
la loma   *slope, little hill*
el oficio   *trade, profession*
la oveja   *sheep*

el pariente   *relative*
el pastor   *shepherd*
el zagal   *lad, shepherd's helper*

ADJETIVOS

esposado/a   *handcuffed*
listo/a   *smart*
mozo/a   *young*
necio/a   *foolish*
retrasado/a   *mentally retarded*

VERBOS

pacer   *to graze*
recoger   *to give shelter to*

EJERCICIOS

A. ¿Qué es? Defina en español las siguientes palabras.

MODELO: Un **pastor** es un hombre que cuida ovejas.

1. alcalde   3. granero   5. oveja   7. oficio
2. cabra   4. cayado   6. zagal

B. Asociaciones. ¿Qué palabras de la columna A asocia Ud. con palabras de la columna B?

A	B
1. huérfano	a. duelo
2. castigo	b. pacer
3. ladera	c. pariente
4. ganado	d. loma
5. muerte	e. esposado

C. Busque en la lista de vocabulario un antónimo de cada una de las palabras que siguen:

1. inteligente   3. viejo   5. recompensa
2. abandonar   4. júbilo

◆ INTRODUCCIÓN AL TEMA ◆

Ana María Matute, nacida en Barcelona en 1926, es una de las principales novelistas españolas de su generación. Es autora asimismo de numerosos volúmenes de cuentos en los que describe el sufrimiento de niños y adolescentes que son víctimas de la guerra, la pobreza o, simplemente, la crueldad de los adultos.

Los cuentos de *Historias de la Artámila* (publicados en 1961), entre ellos «Pecado de Omisión», ocurren en una región montañosa de Castilla que Matute solía visitar cuando era niña.

Prepárese para la lectura discutiendo brevemente con sus compañeros los siguientes temas.

1. ¿Sabe Ud. qué es un pecado? ¿En qué consiste un pecado de omisión? ¿Puede pensar en algunos ejemplos?
2. El cuento narra la historia de un niño pobre que, al quedarse huérfano, es recogido por un pariente que lo manda a trabajar de pastor. Imagínese la vida de este niño y haga una lista de las palabras (sustantivos y adjetivos) que le vienen a la mente al pensar en este niño y sus circunstancias.

«Pecado de omisión»

A los trece años se le murió la madre, que era lo único que le quedaba. Al quedar huérfano ya hacía por lo menos tres años que no acudía a[1] la escuela, pues tenía que buscarse el jornal de un lado para otro. Su único pariente era un primo de su padre, llamado Emeterio Ruiz Heredia. Emeterio era el alcalde y tenía una casa de dos pisos asomada a la plaza del pueblo[1], redonda y rojiza bajo el sol de agosto. Emeterio tenía doscientas cabezas de ganado paciendo por las laderas de Sagrado, y una hija moza, bordeando los veinte, morena, robusta, riente y algo necia. Su mujer, flaca y dura como un chopo[1], no era de buena lengua[1] y sabía mandar. Emeterio Ruiz no se llevaba bien[1] con aquel primo lejano, y a su viuda, por cumplir, la ayudó buscándole jornales extraordinarios. Luego al chico, aunque lo recogió una vez huérfano, sin herencia ni oficio no le miró a derechas[1]. Y como él los de su casa.

La primera noche que Lope durmió en casa de Emeterio, lo hizo debajo del granero. Se le dio cena y un vaso de vino. Al otro día, mientras Emeterio se metía la camisa dentro del pantalón, apenas apuntando el sol[1] en el canto de los gallos[1], le llamó por el hueco de la escalera[1], espantando[1] a las gallinas que dormían entre los huecos.

—¡Lope!

Lope bajó descalzo[1], con los ojos pegados de legañas[1]. Estaba poco crecido para sus trece años y tenía la cabeza grande, rapada[1].

—Te vas de pastor a Sagrado.

Lope buscó las botas y se las calzó[1]. En la cocina, Francisca, la hija, había calentado[1] patatas con pimentón[1]. Lope las engulló[1] de prisa, con la cuchara de aluminio goteando a cada bocado[1].

—Tú ya conoces el oficio. Creo que anduviste una primavera por las lomas de Santa Aurea, con las cabras del Aurelio Bernal.

—Sí, señor.

—No irás solo. Por allí anda Roque el Mediano. Iréis juntos.

—Sí, señor.

Francisca le metió una hogaza[1] en el zurrón[1], un cuartillo[1] de aluminio, sebo[1] de cabra y cecina[1].

Glosses (right margin):
- *didn't attend*
- **asomada...** *overlooking the town square*
- *black poplar*
- **no...** *had a sharp tongue / didn't get along with*
- **no...** *he didn't like him*
- **apenas...** *just as the sun was rising* / *roosters / stairwell / chasing away*
- *barefoot / sleep (secretions of the eye) / shaven*
- *put on*
- *heated / paprika / gobbled up*
- **goteando...** *dripping with every mouthful*
- *loaf / shepherd's pouch / mug / suet / beef jerky*

—Andando —dijo Emeterio Ruiz Heredia.

Lope le miró. Lope tenía los ojos negros y redondos, brillantes.

—¿Qué miras? ¡Arreando[1]!

Get moving!

Lope salió, zurrón al hombro. Antes, recogió el cayado, grueso y brillante por el uso, que aguardaba[1], como un perro, apoyado[1] en la pared.

waited / leaning

Cuando iba ya trepando[1] por la loma de Sagrado, lo vio don Lorenzo, el maestro. A la tarde, en la taberna, don Lorenzo lio[1] un cigarrillo junto a Emeterio, que fue a echarse[1] una copa de anís.

climbing
rolled
to drink

—He visto al Lope —dijo—. Subía para Sagrado. Lástima de chico.

—Sí —dijo Emeterio, limpiándose los labios con el dorso[1] de la mano—Va de pastor. Ya sabe: hay que ganarse el currusco[1]. La vida está mala. El «esgraciao[1]» del Pericote no le dejó ni una tapia en que apoyarse y reventar[1].

back
dry piece of bread
desgraciado: *wretched /*
tapia... *wall to lean on and die*

—Lo malo —dijo don Lorenzo, rascándose[1] la oreja con una uña[1] larga y amarillenta— es que el chico vale. Si tuviera medios podría sacarse partido de él[1]. Es listo. Muy listo. En la escuela...

scratching / nail
sacarse... *amount to something*

Emeterio le cortó, con la mano frente a los ojos:

—¡Bueno, bueno! Yo no digo que no. Pero hay que ganarse el currusco. La vida está peor cada día que pasa.

Pidió otra de anís. El maestro dijo que sí, con la cabeza.

Lope llegó a Sagrado, y voceando[1] encontró a Roque el Mediano. Roque era algo retrasado y hacía quince años que pastoreaba para Emeterio. Tendría cerca de cincuenta años y no hablaba casi nunca. Durmieron en el mismo chozo[1] de barro, bajo los robles[1]. En el chozo sólo cabían echados[1] y tenían que entrar a gatas[1], medio arrastrándose[1]. Pero se estaba fresco en el verano y bastante abrigado[1] en el invierno.

shouting

hut / oaks / sólo... they could only fit lying down
on all fours / crawling
sheltered

El verano pasó. Luego el otoño y el invierno. Los pastores no bajaban al pueblo, excepto el día de la fiesta. Cada quince días un zagal les subía la «collera[1]»: pan, cecina, sebo, ajos[1]. A veces, una bota de vino[1]. Las cumbres[1] de Sagrado eran hermosas, de un azul profundo, terrible, ciego. El sol, alto, redondo, como una pupila impertérrita[1], reinaba allí. En la neblina del amanecer[1], cuando aún no se oía el zumbar[1] de las moscas ni crujido[1] alguno, Lope solía despertar, con la techumbre de barro[1] encima de los ojos. Se quedaba quieto un rato, sintiendo en el costado[1] el cuerpo de Roque el Mediano, como un bulto alentante[1]. Luego, arrastrándose, salía para el cerradero[1]. En el cielo, cruzados como estrellas fugitivas[1], los gritos se perdían, inútiles y grandes. Sabía Dios[1] hacia qué parte caerían. Como las piedras. Como los años. Un año, dos, cinco.

provisions / garlic / wineskin / summit
dauntless pupil / neblina... early morning mist
buzzing / creaking
techumbre... mud roofing
side
breathing hulk / sheep's pen
falling stars
God only knew

Cinco años más tarde, una vez, Emeterio le mandó llamar, por el zagal. Hizo reconocer a Lope por el médico[1], y vio que estaba sano y fuerte, crecido como un árbol.

Hizo... He had the doctor check Lope

—¡Vaya roble[1]! —dijo el médico, que era nuevo. Lope enrojeció y no supo qué contestar.

What a tree! (Strong as an oak!)

Francisca se había casado y tenía tres hijos pequeños, que jugaban en el portal de la plaza. Un perro se le acercó, con la lengua colgando[1]. Tal vez le recordaba. Entonces vio a Manuel Enríquez, el compañero de la escuela que

con... with his tongue hanging out

siempre le iba a la zaga[1]. Manuel vestía un traje gris y llevaba corbata. Pasó a su lado y les saludó con la mano.

Francisca comentó:

—Buena carrera, ése. Su padre lo mandó estudiar y ya va para abogado.

Al llegar a la fuente volvió a encontrarlo. De pronto, quiso llamarle. Pero se le quedó el grito detenido, como una bola[1], en la garganta.

—¡Eh! —dijo solamente. O algo parecido.

Manuel se volvió a mirarle, y le conoció. Parecía mentira: le conoció. Sonreía.

—¡Lope! ¡Hombre, Lope...!

¿Quién podía entender lo que decía? ¡Qué acento tan extraño tienen los hombres, qué raras palabras salen por los oscuros agujeros de sus bocas! Una sangre espesa iba llenándole las venas, mientras oía a Manuel Enríquez.

Manuel abrió una cajita plana, de color de plata, con los cigarrillos más blancos, más perfectos que vio en su vida. Manuel se la tendió[1] sonriendo.

Lope avanzó su mano. Entonces se dio cuenta de que era áspera, gruesa. Como un trozo de cecina. Los dedos no tenían flexibilidad, no hacían el juego. Qué rara mano la de aquel otro: una mano fina, con dedos como gusanos[1] grandes, ágiles, blancos, flexibles. Qué mano aquélla, de color de cera[1], con las uñas brillantes, pulidas[1]. Qué mano extraña: ni las mujeres la tenían igual. La mano de Lope rebuscó[1], torpe[1]. Al fin, cogió el cigarrillo, blanco y frágil, extraño, en sus dedos amazacotados[1]: inútil, absurdo, en sus dedos. La sangre de Lope se le detuvo entre las cejas[1]. Tenía un bola de sangre agolpada[1], quieta, fermentando entre las cejas. Aplastó[1] el cigarrillo con los dedos y se dio media vuelta[1]. No podía detenerse, ni ante la sorpresa de Manuelito, que seguía llamándole:

—¡Lope! ¡Lope!

Emeterio estaba sentado en el porche, en mangas de camisa[1], mirando a sus nietos. Sonreía viendo a su nieto mayor, y descansando de la labor, con la bota de vino al alcance[1] de la mano. Lope fue directo a Emeterio y vio sus ojos interrogantes y grises.

—Anda, muchacho, vuelva a Sagrado, que ya es hora...

En la plaza había una piedra cuadrada, rojiza. Una de esas piedras grandes como melones que los muchachos transportan desde alguna pared derruida[1]. Lentamente, Lope la cogió entre sus manos. Emeterio le miraba, reposado, con una leve curiosidad. Tenía la mano derecha metida entre la faja[1] y el estómago. Ni siquiera le dio tiempo de sacarla: el golpe sordo, el salpicar[1] de su propia sangre en el pecho, la muerte y la sorpresa, como dos hermanas, subieron hasta él, así, sin más.

Cuando se lo llevaron esposado[1], Lope lloraba. Y cuando las mujeres, aullando[1] como lobas[1], le querían pegar e iban tras él, con los mantos[1] alzados sobre las cabezas, en señal de duelo[1], de indignación: «Dios mío, él, que le había recogido. Dios mío, él, que le hizo hombre. Dios mío, se habría muerto de hambre si él no le recoge...» Lope sólo lloraba y decía:

Sí, sí, sí...

---

le... *who was always just one step behind him (academically)*

lump

se... *handed it to him*

worms
wax
polished
fumbled / clumsy
heavy, clumsy
eyebrows / massed
crushed
se... *turned away*

mangas... *shirtsleeves*

within reach

pared... *torn-down wall*

wide belt, sash
splattering

handcuffed / howling
she-wolves / shawls
mourning

COMPRENSIÓN DE LA LECTURA

Conteste las siguientes preguntas.

1. ¿A qué edad se quedó huérfano Lope? ¿Cuánto tiempo hacía que no acudía a la escuela? ¿Por qué razón?
2. ¿Quién era el único pariente que le quedaba? ¿Cuál era la posición social y económica de Emeterio?
3. ¿Cómo eran la mujer y la hija del alcalde?
4. ¿Cómo recibieron los parientes al huérfano? ¿Dónde durmió la primera noche que estuvo allí?
5. A la mañana siguiente, ¿qué le anunció Emeterio a Lope?
6. Al encontrarse con Emeterio en la taberna, ¿qué comentario hizo el maestro? ¿Qué respondió el alcalde?
7. ¿Quién era Roque el Mediano? ¿En qué condiciones vivían los pastores en la sierra?
8. ¿Cuánto tiempo pasó Lope en la montaña sin más compañía que la de Roque?
9. ¿Por qué volvió Lope a la aldea?
10. ¿Con quién se encontró Lope en la plaza del pueblo? ¿Cómo iba vestido?
11. ¿Qué le contó Francisca acerca de su viejo compañero de escuela?
12. ¿Qué le ofreció Manuel a Lope? ¿Cómo reaccionó el joven pastor?
13. ¿Qué hacía Emeterio cuando Lope regresó a la casa? ¿Qué hizo Lope entonces?
14. ¿Por qué querían pegarle las mujeres a Lope? ¿Qué decían ellas? ¿Qué respondía él?

INTERPRETACIÓN DE LA LECTURA

Conteste las siguientes preguntas.

1. ¿Por qué se titula el cuento «Pecado de Omisión»? ¿A qué pecado se refiere? ¿Quién es el pecador? ¿Quién es la víctima?
2. En el primer párrafo el narrador presenta a los dos personajes principales. ¿Qué comparación puede hacerse entre la situación de Lope y la de Emeterio?
3. ¿Cómo justifica Emeterio su decisión de enviar a Lope de pastor a Sagrado? En su opinión, ¿qué obligación tiene Emeterio con su sobrino?
4. ¿Qué importancia tiene el encuentro de Lope con el maestro?
5. ¿Qué cambios se producen en el joven mientras vive como pastor? ¿Cree Ud. que es una transformación realista o exagerada? ¿Qué haría Ud. si estuviera en las circunstancias de Lope?
6. ¿De qué se da cuenta Lope al encontrarse con Manuel? ¿Qué importancia tiene el hecho de que Manuel «siempre le iba a la zaga» cuando eran compañeros de escuela?
7. ¿Por qué mata Lope a su «benefactor»? ¿Es un acto de venganza o de desesperación? ¿Es Lope un criminal?
8. ¿Tienen razón las mujeres que lo acusan? ¿Por qué repite «Sí, sí, sí... »? ¿Por quién llora Lope? ¿Por qué?

REPASO GRAMATICAL

Escriba un párrafo describiendo a una persona real o imaginaria. En su descripción combine nombres y adjetivos sacados de las siguientes listas. Haga todos los cambios necesarios.

NOMBRES		ADJETIVOS				
boca	ojos	ágil	elegante	largo/a	rojizo/a	triste
cara	pelo	azul	fino/a	negro/a	roto/a	viejo/a
cuerpo	ropa	bajo/a	flaco/a	pálido/a	rubio/a	
dientes	uñas	brillante	fuerte	redondo/a	sucio/a	
manos	zapatos	duro/a	grande	robusto/a	torpe	

TEMAS DE DISCUSIÓN O DE COMPOSICIÓN

Aldeanos y pastores

◆ El cuento refleja la estructura social de una aldea española durante la primera mitad del siglo XX. Examine la importancia que tiene la familia en esta sociedad y compárela con otra (tal como la suya). ¿Cuáles son los límites de la responsabilidad social, familiar e individual en las dos culturas?

◆ Busque en la biblioteca información sobre la vida y costumbres de pastores españoles (especialmente vascos) que trabajan en los Estados Unidos, en las regiones montañosas de California y Nevada. Prepare un informe oral o escrito.

Crimen y castigo

◆ «No matar»: ¿Es posible justificar el homicidio? ¿En qué circunstancias?

◆ «El que a hierro mata, a hierro muere»: En su opinión, ¿es justa la pena de muerte? ¿Es cruel? ¿En qué casos la recomendaría Ud.?

ACTIVIDADES

Un juicio

◆ La clase va a juzgar a Lope, el protagonista del cuento «Pecado de omisión». Los estudiantes se reunirán y decidirán qué papel van a representar en el juicio. Algunas posibilidades son las siguientes:

juez *(judge)*
miembros del jurado *(members of the jury)*
fiscal *(prosecuting attorney)*
abogado defensor
testigos *(witnesses)*
Lope, el reo *(the accused)*
viuda de Emeterio
hija de Emeterio
Manuel Enríquez
Don Lorenzo, el maestro
médico
vecinas
periodista

Los estudiantes — individualmente o en grupos (el reo con su defensor, el fiscal con sus testigos) — prepararán sus testimonios.

El juicio

◆ Cada abogado presentará sus argumentos e interrogará a los testigos.

El veredicto

◆ El jurado deliberará y luego informará al juez que sentenciará al reo.

El comentario público

◆ Después del juicio, los periodistas entrevistarán al reo, a los parientes de la víctima, a los abogados y al público en general, pidiéndoles su opinión acerca del resultado del juicio.

I. Los pronombres relativos

A. Gabriel García Márquez

Elizabeth leyó lo siguiente en el libro que estaba estudiando en su escuela de idiomas en Bogotá.

El cuarto escritor hispanoamericano a quien se concedió un premio Nobel de literatura fue Gabriel García Márquez, lo cual no fue solamente un triunfo personal para el escritor sino también para las letras hispanoamericanas. Su obra más conocida en el mundo es *Cien años de soledad,* que se ha traducido a más de treinta lenguas. García Márquez, quien nació en Aracataca, Colombia, usa la técnica llamada «realismo mágico» a través de la cual presenta a los Buendía, quienes son protagonistas de una trama que cubre varias generaciones.

◆ **Gabriel García Márquez** nació en 1928. Estudió Derecho en Bogotá y en 1948 comenzó su carrera de periodista. En sus primeras obras creó el escenario mítico del pueblo de Macondo, y comenzó a desarrollar los personajes que después aparecieron en su obra maestra *Cien años de soledad.* García Márquez recibió el premio Nobel en 1982.

idiomas *languages*   se concedió *was awarded*   trama *plot*   cubre *covers*

Gabriel García Márquez, escritor colombiano que recibió el Premio Nobel de Literatura en 1982.

B. Preguntas

1. ¿A quién se concedió el premio Nobel de literatura en 1982?   2. ¿Dónde nació este escritor?   3. ¿Cuál es su obra más conocida?   4. ¿Cuál es la técnica que él usa para presentar a los protagonistas?   5. ¿Sabe Ud. a quién se concedió el premio Nobel este año?   6. ¿Conoce Ud. a un escritor norteamericano al cual le dieron un premio Nobel de literatura?

C. Los pronombres relativos: Concepto

A relative pronoun connects two clauses and refers to a person or thing mentioned in the first clause, the antecedent.

Thus, two sentences (independent clauses)

Veo a un estudiante colombiano. Está hablando con su profesora.

I see a Colombian student. He's talking with his teacher.

become one sentence (main clause + dependent clause linked by relative pronoun).

Veo a un **estudiante** colombiano **que** está hablando con su profesora.

         ↑   ↑

    ANTECEDENT   RELATIVE PRONOUN

I see a Colombian student who is talking with his teacher.

D. Los pronombres relativos: Formas

que	*that, which, who, whom*
quien, quienes	*the one(s) who, whom*
el/la cual, los/las cuales	*which, who, whom*
el/la/los/las que	*which, who, whom*
cuyo/a/os/as	*whose*
cuanto/a/os/as	*whatever, whoever, all (those) that*
lo cual, lo que	*which, what, whatever*

E. Los pronombres relativos: Usos

1) The "default" relative pronoun in Spanish is **que** *(that, which, who, whom)*. Use it unless you feel a need to achieve greater clarity or emphasis with one of the more specialized forms. **Que** as a form is invariable—that is, you don't change its ending to show agreement with the antecedent. Use **que** to refer to persons or things of either gender, singular or plural.

La novela que compraste está de moda.	*The novel (that) you bought is very popular.*
Las cosas que García Márquez narra son increíbles.	*The things (that) García Márquez narrates are unbelievable.*
La persona que lee *Cien años de soledad* queda fascinada.	*The person who reads* Cien años de soledad *is fascinated.*
El escritor que preferimos es colombiano.	*The writer (whom) we prefer is Colombian.*

Note: Relative pronouns in English *(that, which, who, whom)* are frequently left unexpressed, but you should never omit them in Spanish.

2) The relative pronoun **quien(es)** *(who, whom)* refers only to people.

Mi prima, quien sabe ruso, tradujo el libro.	*My cousin, who knows Russian, translated the book.*

Note: **Quien(es)** can be used as the subject in a dependent noun clause with the meaning *who, the one(s) who, those who*. Used this way, it contains its own antecedent.

Quien calla otorga.	*He who keeps silent consents.*
Quienes lo conocen lo admiran.	*Those who know him admire him.*

3) Consider the following when choosing between **que** and **quien(es)**.

a. Use **que** in a clause to supply the basic information your audience must have to tell just what antecedent you are talking about.

[—Los jóvenes son colombianos.]	*["The young people are Colombians."]*
[—¿Cuáles jóvenes?]	*["Which young people?]*
Los jóvenes que han llegado esta noche son colombianos.	*The young people who arrived this evening are Colombians.*

b. To introduce less essential information about the antecedent, you may use either **que** or **quien(es)** to begin your clause. Such clauses are generally set off by commas in writing and by pauses in speaking. **Que** is more colloquial; **quien** is more literary and gives the clause more prominence.

Eduardo, que es colombiano, conoce bien a García Márquez.	*Eduardo, who is from Colombia, knows García Márquez well.*
Los Buendía, quienes son protagonistas de la obra, son una familia extraña.	*The Buendías, who are the main characters of the work, are a strange family.*

    c. **Que** is also preferred to **quien(es)** when the relative pronoun is the direct object of a verb. Even when **que**, used as a direct object, refers to people, it does not require the personal **a**. **Quien(es)** does require the **a**.

La persona que saludé es el traductor. La persona a quien saludé es el traductor. }	*The person (whom) I greeted is the translator.*
Los amigos que esperábamos llegaron ya. Los amigos a quienes esperábamos llegaron ya. }	*The friends we were waiting for (for whom we were waiting) have arrived.*

    d. Whenever the relative pronoun referring to a person is preceded by a preposition, **quien** must be used.

El autor **de quien** hablamos es mi primo.	*The author we are talking about is my cousin.*
La persona **con quien** soñaba era su novia.	*The person he dreamed about was his girlfriend.*

4) Consider the following when choosing between **que** and **el cual** or **el que**.

    When the relative pronoun **que** has two possible antecedents in your main clause, your listener may be confused. If one of the antecedents is singular and the other plural, no confusion arises.

Los hijos de Carmen, que están leyendo obras literarias, están disfrutando mucho.	*Carmen's kids, who are reading literary works, are enjoying themselves very much.* (The plural **están** shows that **los hijos** are the antecedent of **que**.)

But if both antecedents are singular, or both plural, confusion is likely. If the antecedents are of different genders, replace **que** with the appropriate form of **el cual** or **el que**: gender agreement between the pronoun and the antecedent shows which antecedent you mean.

El padre de mi prima, que está de viaje... (Who's away? Confusing!)	*The father of my cousin, who is on a trip . . .*
El padre de mi prima, el cual está de viaje... (The father is on a trip.)	*The father of my cousin, who is on a trip . . .*
El padre de mi prima, la cual está de viaje... (The cousin is on a trip.)	*The father of my cousin, who is on a trip . . .*

    If the two antecedents are of the same gender and number, use separate sentences to avoid confusion.

Los padres de mis primos gastan mucho dinero. Ahora están de viaje.	*The parents of my cousins spend lots of money. Now they're on a trip.*[1]

5) There are also adjectival relative pronouns: **cuyo/a/os/as** and **cuanto/a/os/as**.

    a. **Cuyo** is an adjectival form; it is never used alone, but rather next to the noun it modifies. It is used in formal speech to indicate possession. Like a possessive adjective, it agrees in number and gender with the noun it modifies, not with the possessor.

Son jóvenes escritores cuyo talento creativo es bien conocido.	*They are young writers whose creative talent is widely recognized.*
La novelista de cuyos cuentos me hablaste es excelente.	*The novelist whose short stories you told me about is excellent.*

    b. The pronoun **cuanto/a/os/as** is equivalent to **todo el que, toda la que, todos los que, todas las que,** or the neuter **todo lo que.** The neuter form **cuanto** (or **cuánto** in exclamations and questions) is the most widely used. (**Cuanto** is also used as an adjective and — with a written accent — a question word. Its uses as a relative pronoun in the following dialogue are in boldface type.)

—¿Cómo fue la exposición?	*"How did the show go?"*
—¡Según el periódico, bien! **Cuantos** vieron los cuadros los elogiaron.	*"According to the paper, great! Everyone who (however many) saw the paintings praised them."*
—¿Cuántos los vieron?	*"How many (people) saw them?"*
—Trescientas personas. Contaron a **cuantas** estaban en la galería.	*"Three hundred. They counted everyone who was in the gallery."*
—¡Cuánto me alegro! Vendieron muchos cuadros?	*"I'm glad (How happy I am)! Did they sell a lot of paintings?"*
—No sé. Ya te dije (todo) **cuanto** leí en el periódico.	*"I don't know. I've told you everything that I read in the paper."*

6) **Lo que** and **lo cual** are very useful relative pronouns.

    a. You can use **lo que** *(which, what, whatever)* without stating an antecedent.

◆ You can use it to refer to something specific — something you know about — in which case it is equivalent to English *what.*

Lo que pasó fue verdaderamente horrible.	*What happened was really awful.*
Lo que me cuentas me entristece mucho.	*What you're telling me makes me very sad.*

◆ You can also use **lo que** to refer to something indefinite, with the meaning *whatever.*

Lo que pase no será culpa mía.	*Whatever happens won't be my fault.*

    b. **Lo que** and **lo cual** are the only relative pronouns you can use when your antecedent is an entire clause rather than particular persons or things.

García Márquez ganó el premio Nobel, lo cual (lo que) no me sorprende.	*García Márquez won the Nobel Prize, which doesn't surprise me.*

---

[1]The parents are on a trip: with no subject expressed, for **están,** your listener assumes that the subject of the second sentence is the same as the subject of the first sentence. You would have to specify **mis primos** if you meant the cousins were on a trip.

EJERCICIOS

PRÁCTICA

A. Todo es relativo. Combine cada par de oraciones para formar una sola oración con dos cláusulas unidas por **que, quien** o **quienes**. Siga los modelos.

MODELO: Anoche salí con un muchacho colombiano. El muchacho lleva sólo dos meses aquí.
Anoche salí con un muchacho colombiano que lleva sólo dos meses aquí.

1. Lo conocí en una fiesta. Dora hizo la fiesta hace tres semanas.
2. Luego asistimos a una conferencia. La conferencia fue interesantísima.
3. Una señora pronunció el discurso. Ella es catedrática *(full professor)* de economía.
4. Había unas muchachas colombianas en la sala. Tienen ideas socialistas.
5. Se organizó una protesta contra las ideas de la conferenciante. Sus ideas eran muy conservadoras.
6. Hoy leí varios artículos suyos en la biblioteca. Los artículos tratan de la economía latinoamericana.

MODELO: Hernán Cortés nació en Medellín, España. Cortés dirigió la conquista de México.
Hernán Cortés, quien dirigió la conquista de México, nació en Medellín, España.

7. Al llegar a México, Cortés conoció a Jerónimo de Aguilar. Aguilar era español y hablaba la lengua maya.
8. Los indios de Tabasco decidieron ayudar a los españoles a combatir a los aztecas. Los tabasqueños eran grandes enemigos de los aztecas.
9. La Malinche era una mujer inteligente. Desempeñó *(played)* un papel importante en la conquista.
10. Cortés venció a varios grupos de indios. Después de vencidos, esos indios se unieron a los españoles.
11. Los aztecas eran hermanos de sangre de estos indios. ¿Por qué habrían luchado los indios contra los aztecas?
12. Las armas de los españoles eran superiores a las del pueblo azteca. El pueblo azteca combatía con piedras y flechas.

B. Problemas y complicaciones. Complete la siguiente narración usando **el/la/las/los/las que** o **el/la cual, los/las cuales**.

La razón por —(1)— busco otro empleo es que la compañía para —(2)— trabajo ahora se muda para otra ciudad, una ciudad en —(3)— no tengo ningún interés. Me ofrecieron un puesto allí pero no lo acepté. Aunque las causas por —(4)— no quise mudarme son muchas, quiero quedarme aquí debido a los problemas familiares de —(5)— te hablé en otra oportunidad. Cuando solicité un puesto para —(6)— me había recomendado mi jefe, me dijeron que yo tenía demasiada experiencia. Mientras tanto, la agencia de empleos a —(7)— escribí la semana pasada todavía no me ha contestado. Como ves, ando de mala suerte.

C. Un poeta de cuyo nombre no puedo acordarme. Complete el siguiente párrafo con **cuyo/a/os/as**.

Primero saludamos al poeta —(1)— poemas yo tanto admiraba. Después nos dirigimos a la universidad en —(2)— sala de conferencias se realizó la lectura de poemas. El poeta visitó a continuación la biblioteca —(3)— volúmenes antiguos le impresionaron mucho. Más tarde recorrió la ciudad, —(4)— calles estaban muy animadas. Finalmente nos despedimos del distinguido huésped, —(5)— avión salía a las ocho.

D. **Cuanto antes.** Cambie esta historia sustituyendo la expresión **todo/a/os/as... que** por **cuanto/a/os/as.**

MODELO: Leímos todos los detalles que publicaron sobre el robo.
    Leímos cuanto publicaron sobre el robo.

1. El ladrón se comió todos los panes que había en la cocina. 2. Se bebió todas las cervezas que quedaban en el refrigerador. 3. Se llevó todo el dinero que encontró en las billeteras. 4. Agarró todo lo que quiso. 5. Rompió todos los objetos artísticos que halló en la sala.

E. **Por lo que veo...** Complete esta narración con **lo que** o **lo cual.**

Elisa y yo deseamos casarnos, a —(1)— se oponen mis padres y los de Elisa. Les contamos nuestros planes, después de —(2)— se sienten aún más nerviosos. Mi novia es poco práctica, —(3)— siempre les ha molestado a sus padres. Prefiere seguir una carrera de cantante, por —(4)— no piensa asistir a la universidad. —(5)— les preocupa a mis padres es que Elisa y yo somos muy jóvenes. —(6)— ocurra en el futuro es difícil de predecir.

F. **Historia de Medellín.** Traduzca al español el siguiente texto.

1. Of all the cities that I have visited, Medellín, the capital of Antioquia in Colombia, is the one I like best.   2. Let me tell you a little about its history, which is very interesting.   3. It was founded in 1675. Its settlers, most of whom were Jewish refugees, were opposed to slavery.   4. The land was divided into small farms that belonged to individual families who did their own work.   5. These people, who were called **antioqueños,** laid the foundation for this beautiful city, which is now the orchid center of the world.

fundar *to found* **fundador** *settler* **refugiado** *refugee* **finca** *farm* **establecer las bases** *to lay the foundation*
orquídea *orchid*

¡A CONOCERNOS!

A. Conteste estas preguntas.

1. ¿Hay alguna razón por la que a Ud. no le gusta ir al laboratorio de lenguas? Explíquese.   2. ¿Hay algo a lo que Ud. no puede acostumbrarse en esta universidad? ¿Qué es?   3. ¿Conocía Ud. al escritor de quien hablamos en el diálogo?   4. ¿Cuál es el tema del último ensayo que Ud. escribió? ¿Y de la última conferencia a la que Ud. asistió?   5. ¿Cuánto le costaron los zapatos de correr más caros que Ud. compró?   6. ¿Lo/La quiere a Ud. la persona a quien Ud. quiere?   7. ¿Tienen solución los problemas de los que Ud. se queja?   8. ¿Va Ud. a hacerse novio/a de alguien cuya familia ya conoce?   9. ¿Invitará Ud. a su boda a cuantos sus padres quieran?   10. ¿En quiénes confía Ud. más, en los políticos o en los médicos?   11. ¿Puede Ud. nombrar al artista cuyos cuadros le gustan más? ¿Y el novelista cuyas novelas prefiere?   12. ¿Sabe Ud. lo que pasó en el Congreso ayer?   13. ¿Conoce Ud. algún refrán que comience con **quien?** ¿Cuál es?   14. Está Ud. de acuerdo con el refrán que dice «Quien bien te quiere te hará llorar»? ¿Y con el que dice «El que se fue a la villa perdió su silla»? ¿Entiende Ud. lo que quiere decir?

B. Ahora hágale unas preguntas similares a un compañero o a una compañera.

SITUACIÓN COMUNICATIVA

Imagínese la siguiente situación y represéntela con un compañero o una compañera.

You are talking with a friend about your latest vacations in Hispanic countries. Tell each other about the cities you visited, the hotels you stayed in, the people you met, the things you did, the sights you saw, and the things you bought. Make recommendations to each other for future trips: where to go, what to do, what not to do.

II. Palabras interrogativas; Orden de las palabras en una pregunta; Preguntas indirectas; Afirmaciones interrogativas

A. *¿Qué obra van a representar hoy?*

En la lonchería Los Taquitos de El Paso, Texas, Beto platica con un cuate.

BETO ¿Quíhubole, bato? Oí por radio KAMA que hoy actúa el Teatro Campesino en el Teatro de la Comunidad. ¿Vienes?

JESÚS Pero, ¿qué es eso del Teatro Campesino, mano?

BETO ¡Ah, es que tú eres muy joven! Ese teatro comenzó allá por los sesenta, cuando César Chávez... ¿recuerdas?

JESÚS Y ¿cuál es su propósito? ¿Político, no?

BETO Al principio sí; mostraba la explotación del campesino y la necesidad de la huelga. Ahora es más cultural...

JESÚS Y ¿qué obra van a representar hoy?

BETO *Zoot Suit.* ¡A todo dar! El filme sí lo viste, ¿verdad?

◆ El 64 por ciento de la población de **El Paso**, Texas, es de origen hispánico. Por esto no solamente se ha conservado la lengua española sino también muchas de las tradiciones mexicano-americanas. La emisora local KAMA transmite en español. El Teatro de la Comunidad se halla en el centro.

◆ El **Teatro Campesino** fue fundado por Luis Valdéz en San Juan Bautista, California, en 1965, con el propósito de ayudar a César Chávez en la organización del movimiento de trabajadores del campo, Asociación Nacional de Trabajadores Agrícolas. Luis Valdéz es autor de una obra de teatro acerca de los «pachucos» en Los Ángeles en los años 30. Esta obra, titulada *Zoot Suit,* más tarde sirvió de base para una película. Valdéz también ganó fama con su película *La Bamba,* en la cual narra el éxito fugaz del joven roquero mexicano-americano Richie Valens y su trágico fin.

huelga *strike* **fugaz** *brief, fleeting* **roquero** *rock-and-roll singer* Mexicanismos oídos en Texas: **¿Quíhubole, bato?** *What's up, buddy?* **mano** *friend* **a todo dar** *fantastic, great*

B. *Preguntas*

1. ¿Con quién y dónde platica Beto? 2. ¿Cómo supo Beto que actuaba el Teatro Campesino en El Paso? 3. ¿Cuándo comenzó a hacer teatro Luis Valdéz? 4. ¿Cuál fue el propósito de su teatro? 5. ¿Vio Ud. *La Bamba?* ¿Sabe Ud. de qué se trata?

Escena callejera
en El Paso, Texas.

C. Palabras interrogativas: Concepto

1) Spanish and English both recognize two types of questions. A yes/no question **requests your listener** to answer — or to begin an answer — with *yes, no,* or an equivalent like **claro, eso, ni modo,** or **precisamente.**

—¿Vas a Acapulco?	*"Going to Acapulco?"*
—¡Claro que sí! (Sí, mañana.)	*"Of course! (Yes, tomorrow.)"*

Information questions, in contrast, request specific information.

—¿Adónde vas?	*"Where are you going?"*
—A Acapulco.	*"Acapulco."*

2) The second type, information questions, should start with a question word in Spanish. The list of question words available includes adverbs, pronouns, and adjectives. **All take written accents.**

César Chávez, organizador del Movimiento de los
Trabajadores del Campo.

D. *Palabras interrogativas: Formas y usos*

ADVERBIAL QUESTION WORDS

¿cómo?	*how?*
¿cuándo?	*when?*
¿dónde?	*where?*
¿adónde?, ¿a dónde?	*(to) where*
¿de dónde?	*(from) where*
¿por dónde?	*where(abouts)?*
¿por qué?	*why?*

¿Cómo te llamas?	*What's your name?*
¿Cuándo podrías comenzar?	*When could you start?*
¿Dónde vives?	*Where do you live?*
¿Adónde vas ahora?	*Where are you going now?*
¿Por qué quieres trabajar aquí?	*Why do you want to work here?*

PRONOMINAL QUESTION WORDS

¿qué?	*what?*
¿cuál(es)?	*what?, which?, which one(s)?*
¿quién(es)?	*who?*
¿cuánto?	*what?, how much?*

¿Qué quiere decir todo eso?	*What does it all mean?*
¿Qué desea Ud., señora?	*May I help you, ma'am?*
¿Cuál es su nombre, por favor?	*What's your name, please?*
¿Cuáles son los días feriados?	*Which are the holidays?*
¿Zoot Suit o *La Bamba?* ¿Cuál le gusta más?	Zoot Suit *or* La Bamba? *Which do you like better?*
¿Cuáles prefiere, éstos o aquéllos?	*Which ones do you prefer, these or those?*
¿Quién la recomienda?	*Who is recommending you?*
¿A quiénes representa César Chávez?	*Whom does César Chávez represent?*
¿Cuánto cuesta el cine?	*What (How much) does the movie cost?*

1) Use prepositions with these pronominal question words when your meaning and your verb require it.

¿De qué hablas?	*What are you talking about?*
¿Con cuáles sueñas?	*Which ones are you dreaming about?*
¿En quiénes piensas?	*Whom are you thinking about?*
¿A cuánto están los boletos?	*How much are the tickets?*

2) ¿Qué? as a pronoun means *what?*

¿Qué quieres hacer hoy?	*What do you want to do today?*
Un empleado le preguntó qué deseaba.	*An employee asked her what she wanted.*

¿Qué? followed by a form of **ser** calls for a definition, identification, or categorization.

¿Qué es literatura?	*What is literature?*
¿Qué es aquello?	*What's that?*
— ¿Qué es ese hombre?	*"What is that man?"*
— Es campesino.	*"He's a farmer."*

Note: You can use **¿qué es lo que... ?** before any verb except **ser** as an alternative to **¿qué?**

¿Qué te dijo? }
¿Qué es lo que te dijo? }   *What did she tell you?*

3) Use **¿cuál(es)?** *what?, which (one[s])?* when your question requires a choice from a list.

¿Cuál de las lenguas hablas mejor?	*Which language do you speak better?*
¿Cuáles te parecen más interesantes, las novelas realistas o las de ciencia-ficción?	*Which do you find more interesting, realistic novels or science fiction ones?*
¿Cuál es la fecha de hoy?	*What's today's date?*
¿Cuál es su propósito? ¿Político, no?	*What's its purpose? It's political, isn't it?*

4) Use **¿quién(es)?** *(who)* only to ask about persons.

¿Quién te dijo eso?	*Who told you that?*
¿Quiénes actuaron en *Zoot Suit*?	*Who acted in* Zoot Suit?

To indicate a choice of persons (persons only!), you can use **¿quién(es)?** as well as **¿cuál(es)?** It then means *which (one[s])?*

¿Quién (Cuál) es tu hermano, el rubio o el moreno?	*Which (one) is your brother, the blond or the dark-haired one?*

¿De quién(es)? *(whose)* is the only possessive interrogative pronoun in Spanish. Use it before a form of **ser** to refer to persons (only!).[2]

¿De quién era aquel filme?	*Whose was that film?*
¿De quiénes son estos apuntes de economía?	*Whose are these notes on economics?*

ADJECTIVAL QUESTION WORDS

¿qué?	*what?*
¿cuál(es)?	*what?, which?*
¿cuánto/a/os/as?	*how much?, how many?*

¿Qué colores te gustan más?	*What colors do you like best?*
¿Cuáles vestidos llevas contigo?	*What dresses are you taking along?*
¿Cuánta agua te pongo?	*How much water shall I pour you?*
¿Cuántas tortillas hay?	*How many tortillas are there?*

---

[2]When the possessor is not a person, use another question word to start your question and express the idea of possession elsewhere in your sentence. **¿Cuál es el mejor equipo de béisbol, el de Minnesota o el de San Luis?** *Whose baseball team is better, Minnesota's or St. Louis's?*

5) To these question words, add whichever prepositions your meaning requires.

¿A qué artículo te refieres?	*What article are you referring to?*
¿Para qué quieres eso?	*What do you want that for?*
¿Con cuántos obstáculos acabaste?	*How many obstacles did you clear up?*

6) The main adjective to use for *what?* or *which?* is **¿qué?**

¿Qué número de teléfono tienes?	*What is your telephone number?*
¿Qué hora es?	*What time is it?*
¿Qué día es hoy?	*What day is today?*
¿Qué plantas crecen en el desierto?	*What plants grow in the desert?*

7) In many areas of Spanish America, **¿cuál(es)?** is still used as an adjective. In Spain its use as an adjective has all but disappeared; use **¿qué?** there instead.

¿Cuáles países hispánicos has visitado? *(Spanish America)*	*What Spanish American countries have you*
¿Qué países hispánicos has visitado? *(Spain)*	*visited?*

E. Orden de las palabras en una pregunta

1) Begin information questions with a question word (**cuándo, dónde, cuánto, qué,** and so on) letting the pitch of your voice fall at the end of the question. Because in Spanish the pitch also falls at the end of a statement, you may want to invert the order of your subject and verb to make sure your question is understood as a question.

¿Dónde vive Mateo?	*Where does Mateo live?*

2) Most yes/no questions do not start with a question word. The main way you signal that you are asking a question is by raising your voice on the last word. You may also invert your subject and verb, but other word order patterns are just as common.

¿Vive aquí Mateo?	
¿Vive Mateo aquí?	*Does Mateo live here?*
¿Aquí vive Mateo?	
¿Mateo vive aquí?	

Learn to listen for and use proper intonation, the main identifier of spoken questions.

F. Preguntas indirectas

Indirect questions are included in a statement. When written, these embedded questions are not surrounded with question marks, but question words do carry their written accent.

Imponentes ruinas de Machu Picchu, la «ciudad pérdida de los incas» en el Perú.

Le preguntó cómo se llamaba.	*He asked her what her name was.*
Dime con quién andas y te diré quién eres.	*Tell me who your friends are and I'll tell you who you are.*

G. Afirmaciones interrogativas

You can turn a statement into a yes/no question by adding a "confirmation tag" at the end, asking your listener to confirm or deny the information given. **¿Verdad?, ¿no?, ¿de acuerdo?, ¿entiendes?, ¿no crees?, ¿vale?** (in Spain), and **¿eh?** are some common tags. Never use **¿no?** to turn a negative statement into a question; use some other tag instead.

Vamos al cine esta noche, ¿de acuerdo?	*Let's go to the movies tonight, OK?*
Me prestáis vuestro diccionario, ¿vale?	*You'll lend me your dictionary, won't you?*
No dejarás de llamarme, ¿eh?	*You won't forget to call me, will you?*
Ese filme sí lo viste, ¿verdad?	*You saw that film, didn't you?*

EJERCICIOS

PRÁCTICA

A. Haciendo preguntas. Complete las siguientes conversaciones con la palabra interrogativa apropiada.

A. ¿—(1)— es ese señor?

B. ¿—(2)— señor? ¿El que está hablando con Fabio? Es mi primo. Es doctor.

A. ¿Sí? ¿—(3)— clase de doctor es?

B. Es psiquiatra. ¿—(4)— me haces tantas preguntas? ¿—(5)— es tu fascinación con mi primo?

A. Pura curiosidad, nada más. ¿Sabes —(6)— es su número de teléfono?

B. ¿—(7)— quieres, el de la oficina o el de la casa? A propósito, ¿para —(8)— quieres su teléfono? Espérame, Luisa, ¿—(9)— vas?

A. ¿Viste estas fotos de la fortaleza inca Machu Picchu?

B. A ver. Ah, son fabulosas. ¿—(10)— las sacó?

A. Las sacó la profesora Jiménez. ¿Sabes —(11)— es?

B. Sí, la conozco. ¿—(12)— se halla Machu Picchu?

A. Pues, en la cordillera Andina, en el Perú.
B. ¿Y —(13)— fue construida esta fortaleza?
A. Hace muchos siglos. ¿De —(14)— serán los edificios?
B. Parecen de piedra. ¿Sabes —(15)— años les costó a los incas construirlos?
A. No, no sé.

B. **En parejas.** Elija a un compañero o a una compañera. Complete las afirmaciones y después hágale preguntas según el modelo.

MODELO: Vivo en...
           A. Vivo en una residencia. ¿Dónde vives tú?
           B. Vivo en casa.

1. Nací en...
2. Mi casa es...
3. Tengo... hermanos/as...
4. Mis mejores amigos/as son...
5. Me gustan... y...
6. Estudio para...
7. Me falta(n)... para terminar mis estudios.
8. Elegí esta carrera porque...
9. Me encantaría viajar a...
10. Tengo dos... y voy a regalarte uno/a.

C. **¿Verdad?** Roberto se siente muy inseguro cuando habla con su amiga Elena. Complete sus afirmaciones con una afirmación interrogativa.

1. Tú y yo somos buenos amigos, ¿____?
2. Cuando te vayas a tu país, me escribirás, ¿____?
3. No te irás sin despedirte de mí, ¿____?
4. Vamos juntos al cine el sábado, ¿____?
5. Me pasas a buscar a las siete, ¿____?
6. No se te va a olvidar, ¿____?

D. **La fiesta de Estrella.** Traduzca el siguiente párrafo al español.

1. I asked Julio if he was coming to Estrella's party. 2. He asked me where the party was and why Estrella was having a party. 3. Both of us wondered what she was celebrating. 4. Estrella's parents want to know who will buy the food for the party. 5. They also want to know what Estrella is going to cook and how much it will cost. 6. For that reason, Estrella needs to find out how many people are coming.

E. **Preguntas, preguntas...** Éstas son las respuestas; ¿cuáles son las preguntas?

MODELO: Me llamo Isabel. **¿Cómo se llama Ud.?**

1. La boda fue el miércoles, cuatro de mayo.
2. La informática es una ciencia moderna.
3. Me refería a los pronombres interrogativos.
4. Aquella señora es la decana.
5. El número de mi casa es el 127.
6. Un café con leche, por favor.
7. Se puede viajar cómodamente en avión.
8. El candidato habla tres idiomas: español, portugués y quechua.

SITUACIÓN COMUNICATIVA

Imagínese la siguiente situación y represéntela con un compañero o una compañera.

You are a very shy person who finds it difficult to meet people. You want to find a husband (wife). Thus you go to a marriage agency, where the counselor will ask you all kinds of questions that you may answer any way you like. At the end, the counselor tells you that he or she has someone in mind who would be perfect for you. Ask the counselor some questions about this person and why he or she thinks you'd be a good match.

agencia matrimonial *marriage agency*   **hacer buena pareja** *to be a good match*

III. Interjecciones y otras expresiones exclamativas

A. ¡Qué mala pata!

La señora de Prats recoge a su marido de su despacho en la Vía Augusta, en Barcelona. Es la hora punta.

SR. PRATS: ¡Ay! No sabes lo cansado que estoy. Conduce tú, Montse.

SRA. PRATS: Yo también estoy muy cansada, no creas. ¡Uf! El tráfico era horrible desde el Barrio Gótico hasta aquí.

(Pasan unos momentos.)

SR. PRATS: ¡Cuidado! Ese camión nos quiere adelantar.

SRA. PRATS: ¡Por Dios, Jordi! ¿Vas a dejarme conducir tranquila? ¿Es que estás nervioso?

SR. PRATS: No, no. ¡Qué va! Pero, mira, ahí chocaron dos coches...

SRA. PRATS: ¡Qué mala pata! Ahora, más despacio todavía.

◆ Barcelona, segunda ciudad de España, es la capital de **Cataluña,** la región más próspera del país.

◆ Los catalanes hablan **catalán,** una lengua romance con una rica literatura, y usan nombres catalanes, tales como Montserrat y Jordi.

◆ Aunque es una pujante ciudad moderna, **Barcelona** está orgullosa de su larga y fascinante historia. Así, muchas calles conservan sus nombres antiguos, tales como la Vía Augusta, que sirve de testimonio de la presencia romana. El Barrio Gótico, cuyas angostas calles y bella catedral han sido preservados por la Generalitat, data de la Edad Media, cuando Barcelona era un importante centro comercial.

¡Qué mala pata! *What bad luck!* **despacho** *office* **hora punta** *rush hour* **adelantar** *to pass* **pujante** *thriving* **Generalitat** *autonomous government of Catalonia*

Jóvenes catalanes paseando por una calle típica del Barrio Gótico de Barcelona.

B. Preguntas

1. ¿A qué hora recoge la Sra. de Prats a su marido?   2. ¿Por qué está cansada la Sra. de Prats?   3. ¿Qué le dice su marido cuando un camión quiere adelantarlos?   4. ¿Cree Ud. que el Sr. Prats está tranquilo?   5. ¿Qué ocurre en su ciudad durante la hora punta?

C. Interjecciones

Spanish has a long list of interjections you can use to express emotions such as surprise, delight, or dismay.[3]

¡Ah! Oh!	*Ah! Oh!*	¡Bah!	*Sure! Right (sarcastic)*
¡Ay!	*Oh!*	¡Bárbaro! ¡Fantástico!	*Wow!*
¡Eh!	*Hey!*	¡Caramba!	*Good grief!*
¡Olé!	*Bravo!*	¡Caray!	*Shoot! Darn it!*
¡Uf!	*Boy!, Phew!, Ugh!*		

[3]Few apparently harmless errors make a speaker seem so ridiculous as the use of inappropriate exclamations. Keep your emotions bottled up until you have heard which exclamations the native speakers around you favor!

¡Ay! No sabes lo cansado que estoy.	*Oh, you don't know how tired I am!*
¡Uf! El tráfico era horrible.	*Boy, was the traffic terrible.*
¡Caray! Se me hizo una carrera en la media.	*Shoot, I got a run in my stocking.*

D. *Expresiones exclamativas*

1) Many other expressions that are not true interjections are used in the same manner.

¡Cuidado!	*Look out!*	¡Anda!	*Go on!, Wow!*
¡Fuego!	*Fire!*	¡Ándale!	*Come on!, OK., All right.*
¡Ni modo!	*Oh, well!*	¡Vamos!	*Come on!, Well!*
¡Qué va!	*Nonsense!*	¡Vaya!	*Well!, Really!*

¡Cuidado, querida! ¿No ves ese camión?	*Look out, dear! Don't you see that truck?*
¡Ándale! Si no te apuras, llegamos tarde.	*Come on! If you don't hurry we'll be late.*
¡Vaya, vaya! No sabía que estabas tan nervioso.	*Well, well! I didn't know you were so nervous.*
No te preocupes. ¡Ni modo!	*Oh, well! Don't worry about it.*

2) Some exclamative expressions not considered improper or profane in Spanish need to be translated with euphemisms in English.

¡Demonio!	*Damn it!*	¡Jesús!	*Oh, heavens!*
¡Dios mío!	*Dear me!*	¡Válgame Dios!	*Heaven help me!*
¡Por Dios!	*For goodness' sake! For God's sake!*		

¡Por Dios, Jordi! ¿Vas a dejarme conducir?	*For God's sake, Jordi! Are you going to let me drive?*
¡Demonio! Otra vez perdí el autobús.	*Damn it! I missed the bus again.*

3) Question words are often used to introduce exclamations. In writing, the written accent is kept.

a. **¡Qué!** before an adjective or adverb means *how!*

¡Qué paciente es ella!	*How patient she is!*
¡Qué tarde llegaremos!	*How late we will arrive!*

b. **¡Qué!** before a noun, meaning *what! what a . . . !*

¡Qué lío!	*What a mess!*
¡Qué tráfico!	*What traffic!*

When the noun is modified by an adjective, the word **tan** or **más** precedes the adjective. (Note that the indefinite article **un(a)** is not used in this case in Spanish.)

¡Qué día tan largo!	*What a long day!*
¡Qué paisaje más pintoresco!	*What a picturesque landscape!*

c. Many exclamations with **¡qué!** have become common idioms.

¡Qué bien!	*How great!*	¡Qué horrible!	*How awful!*
¡Qué casualidad!	*What a coincidence!*	¡Qué lástima!	*What a pity!*
¡Qué fantástico!	*How wonderful!*	¡Qué lío!	*What a mess!*
¡Qué interesante!	*How interesting!*	¡Qué pena!	*What a pity!*
¡Qué suerte!	*What good luck!*	¡Qué susto!	*What a scare!*

¡Qué fantástico! Mañana comienzan las vacaciones.

How wonderful! Vacation begins tomorrow.

No puedo resolver este problema. ¡Qué lío!

I can't solve this problem. What a mess!

¡Qué suerte! Les tocó la lotería.

What luck! They won the lottery.

d. **¡Vaya!** is sometimes used instead of **¡qué!** with nouns.

¡Vaya lío! Chocaron tres coches en la Plaza de Cataluña.

What a mess! There was a three-car collision in the Plaza de Cataluña.

Vista de la catedral gótica de Barcelona, España.

e. Exclamations may also be formed with other question words.

◆ **¡Cómo!** *(How!)*

¡Cómo me gustaría un helado!   *How I'd like to have an ice cream!*

◆ **¡Cómo no!** *(Of course!)*

—¿Quieres manejar tú?   *"Do you want to drive?"*
—Sí, ¡cómo no!   *"Yes, of course!"*

◆ **¡Cuánto/a/os/as!** *(How much/many!)*

¡Cuánta pena le dio eso!   *How sad that made him!*
¡Cuántas veces te he dicho eso!   *How many times have I told you that!*

Note: **¡Cuánto!** and **Cómo!** are interchangeable in may instances.

¡Cuánto ⎫
          ⎬ nos gusta bailar!   *How we love to dance!*
¡Cómo   ⎭

EJERCICIOS

PRÁCTICA

A. **¡Caramba!** Combine cada exclamación de la columna izquierda con la más apropiada de la columna derecha.

1. ¡Qué calor hace!   a. ¡Dios mío!
2. ¡No lo toques! Está muy caliente.   b. ¡Bah!
3. ¡Es una tontería, hombre!   c. ¡Cuidado!
4. ¡Llame a los bomberos!   d. ¡Fuego!
5. ¡Qué tragedia!   e. ¡Ándale!
6. ¡Vamos a llegar tarde!   f. ¡Uf!

B. **¡Ándale!** Las afirmaciones siguientes se oyeron en la Plaza de Cataluña en Barcelona. Pero después de cada afirmación, el que hablaba añadía una exclamación. Decida Ud. cuál de estas exclamaciones acompañó cada afirmación: **¡Qué lástima!**, **¡Qué mala pata!**, **¡Qué interesante!**, **¡Qué lío!**, **¡Qué horrible!**, **¡Qué bueno!**

1. Vimos un programa sobre el arte bizantino aquí en la ciudad.
2. Se murió toda la familia de Costa en el incendio.
3. No entiendo cómo funciona mi nuevo computador.
4. Doña Mercedes se enfermó y se puso bien en poco tiempo.
5. No pude ir a la playa con mis amigos.
6. Se nos estropeó el coche justo antes del viaje.

C. **Díganos lo que pasó.** Dé Ud. una explicación apropiada para cada exclamación.

MODELO: ¡Caramba! **¡Caramba!**   **¡Qué cola tan larga!**

1. ¡Qué fantástico!   3. ¡Qué pena!   5. ¡Vaya!   7. ¡Cuánto...!
2. ¡Qué casualidad!   4. ¡Qué susto!   6. ¡Anda!   8. ¡Cómo...!

D. **¡Cómo no!** Formule Ud. una oración usando las exclamaciones indicadas en inglés.

MODELO: *Shoot!*   **¡Caray!** Se me olvidó comprar leche en el supermercado.

1. *Wow!*   3. *Watch out!*   5. *Damn it!*
2. *Good grief!*   4. *Come on!*   6. *Oh, heavens!*

¡A CONOCERNOS!

A. En parejas alternen las preguntas y las respuestas. Contesten usando las expresiones **¡cómo no!** o **¡qué va!** según sea apropiado.

1. ¿Quieres prestarme cien dólares?   2. ¿Te dan miedo los mosquitos?   3. ¿Sigues los consejos de tus padres? ¿Y de tus amigos?   4. ¿Piensas ir al próximo partido de baloncesto?   5. ¿Podrías llevarme a casa en tu auto, por favor?   6. ¿Puedes ayudarme a llevar estos libros a la biblioteca?   7. ¿Te aburres en tus clases?   8. ¿Les gusta examinarse a los estudiantes?   9. ¿Es verdad que no estudias nunca?   10. ¿Vas a continuar tus estudios de español?

B. Ahora hágale unas preguntas similares a un compañero o a una compañera.

SITUACIÓN COMUNICATIVA

Imagínese la siguiente situación y represéntela con un compañero o una compañera.

You and a dear old friend are having lunch together. You are an extremely lucky person. Everything has gone well for you: in your personal life, your family, your job. Your friend listens to you and reacts with enthusiasm to all your ventures.

In contrast, your friend is a very unlucky individual. Everything has gone wrong for him or her: awful things have happened to his or her family, and incredible conditions exist in his or her workplace. Now you listen and react with great sympathy to his or her story. Remember, you both must show real empathy for what you hear.

ACTIVIDADES

EN PAREJAS

Solicitando empleo. Imagínense que están en una oficina de empleos. Uno de Uds. va a solicitar empleo y el otro va a entrevistarlo para ver si es buen candidato o buena candidata para el puesto. Decidan quién es el/la solicitante, qué tipo de empleo busca, qué preguntas son pertinentes, etcétera. Y ahora, representen la escena para sus otros compañeros.

EN GRUPITOS

Rueda de prensa. La clase se divide en grupitos de cinco o seis estudiantes. Un miembro de cada grupo va a ser la persona entrevistada, y el resto los periodistas, que van a hacerle preguntas. La persona entrevistada puede asumir cualquier identidad que quiera, sea real o ficticia. Los periodistas deben esforzarse por hacerle preguntas interesantes y sobre temas polémicos *(controversial)* Posibles entrevistados son los siguientes:

◆ el presidente de la universidad
◆ una persona que cumple 100 años
◆ Miss Universo
◆ un campeón de fútbol
◆ Don Quijote
◆ un candidato a presidente/gobernador/senador
◆ Superhombre
◆ un poeta premiado
◆ la víctima de un accidente
◆ un criminal
◆ Hernán Cortés

DE TODO UN POCO

Acertijos visuales

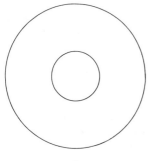

¿Cuál de las dos líneas es más larga?

¿Cuál de los círculos interiores de estos dos dibujos es más grande?

CAPÍTULO 18

Gramática

Los artículos; El artículo definido

Omisión del artículo definido;

   El **lo** neutro; Otros usos del **lo**

El artículo indefinido: Formas, usos y omisión

Funciones lingüísticas

Brindar

Enumerar

Explicar, especificar y definir

Expresión de opiniones

Expresión de preferencias

Actividades

I. Los artículos; El artículo definido

A. *Yo no sabía que los paraguayos eran bilingües...*

Rita y Mark, que son estudiantes estadounidenses, se encuentran en Asunción y se van a tomar mate juntos.

RITA   Pues yo vine acá para estudiar el Paraguay de las misiones jesuitas.

MARK   Y yo, la época del Doctor Francia, «el Supremo».

RITA   Es curioso, ¿no? Allá, en nuestras clases de español nos hablaban siempre de los aztecas, los mayas y los incas. Nadie mencionaba a los indígenas de esta región.

MARK   Sí, después yo aprendí que los paraguayos eran bilingües, que aún hablan guaraní además de castellano.

RITA   Y, por cierto, ¿no crees que el guaraní es una lengua muy suave y melodiosa?

MARK   Sí, me encanta sobre todo cuando cantan acompañándose del arpa. ¡Son tan románticas las canciones!

◆ **Asunción**, capital de Paraguay, es una ciudad pintoresca y tranquila, de aproximadamente medio millón de habitantes.

◆ **El mate**, conocido a veces en los Estados Unidos como «té paraguayo», es una bebida muy popular no sólo en Paraguay sino también en la Argentina, Uruguay y Brasil.

◆ Los **jesuitas** gobernaron Paraguay desde 1609 hasta 1767, cuando el rey Carlos III de España los expulsó de toda Hispanoamérica.

Escena callejera en Asunción, capital de Paraguay.

Unas doscientas mil personas vivían en las misiones que ellos fundaron.

◆ El **Doctor Francia** fue dictador de Paraguay desde 1811 hasta su muerte en 1840. Todavía pueden sentirse hoy los efectos del aislamiento total en que quedó Paraguay, pues hoy continúa siendo un país remoto y atrasado.

◆ El **arpa suramericana**, que mide aproximadamente un metro y medio, es una versión más pequeña del arpa clásica. Es muy popular en ciertas regiones del continente, especialmente en los llanos de Colombia y en Paraguay.

atrasado *underdeveloped* **mide** *measures* **llanos** *plains*

B. Preguntas

1. ¿Qué estudian Rita y Mark? 2. ¿De quiénes le hablaban a Rita en sus clases de español? 3. ¿De quiénes no le hablaban? 4. ¿Qué es lo que no sabía Mark? ¿Lo sabía Ud.? 5. ¿Ha oído Ud. alguna vez hablar o cantar en guaraní? ¿En otra lengua indígena del Nuevo Mundo?

C. Los artículos: Concepto

1) Spanish has definite articles (**el, la, lo, los, las,** corresponding to English *the*) and indefinite articles (**un, una, unos, unas,** corresponding to *a, an, some*). Both types indicate the gender and number of the nouns they accompany.

2) Definite articles in Spanish usually introduce nouns that refer to particular individuals or things you already know about and that have been mentioned in the conversation.

Sí, conozco a Silvia. Vi a la muchacha ayer.   *Yes, I know Silvia. I saw the girl yesterday.*

If you use a definite article before a noun that refers to someone new, your listeners may be irritated and ask for more information.

—Vi a la muchacha.   *"I saw the girl."*
—¿A qué muchacha?   *"What girl?"*

3) In general, indefinite articles in Spanish introduce nouns that have not previously been mentioned in the conversation or that refer to one or more random individuals from the class named. Your listeners may prompt you for more information about the nouns, but they won't be surprised or irritated if you can't supply it—the indefinite article invites them to gather and fill in missing information on their own.

—Vi una muchacha.   *"I saw a girl."*
—¿Una muchacha?   *"A girl?"*

4) Many special uses of the articles in Spanish are discussed later in this chapter.

D. El artículo definido: Formas

	SINGULAR		PLURAL	
masculine	**el** hombre	*the man*	**los** hombres	*the men*
feminine	**la** mujer	*the woman*	**las** mujeres	*the women*
neuter	**lo** bueno	*the good*		

Note: When **el** follows the preposition **a** or **de,** the two words combine to form **al** or **del.**

El señor Martín llega al teatro.   *Mr. Martín arrives at the theater.*
La señorita Garcés viene del parque.   *Miss Garcés is coming from the park.*

E. El artículo definido: Usos

In some contexts you can use definite articles in Spanish just as you do in English. In other contexts, usage differs. Use Spanish definite articles in the following ways.

1) Before the names of certain countries. This is a rather conservative, literary usage. (The article is generally omitted in journalistic and colloquial speech.)

(la) Argentina	(los) Estados Unidos	(el) Perú
(el) Brasil	(la) Florida	(la) República Dominicana
(el) Canadá	(el) Japón	(el) Uruguay
(la) China	(el) Paraguay	

Note: It is always **El Salvador;** the article is part of the name and capitalized.

2) before any geographical name that is modified

la América precolombina   *pre-Columbian America*
la España de la posguerra   *postwar Spain*
el México colonial   *colonial Mexico*

Disfrutando de un mate, la bebida nacional, en Asunción.

3) with names of parks, streets, and squares

el parque Chapultepec	*Chapultepec Park*
la avenida Miraflores	*Miraflores Avenue*
la plaza Mayor	*Main Square*

4) with titles (except for **don, doña**) when talking *about,* (not *to,* a person)

La profesora Galdós es brillante.	*Professor Galdós is brilliant.*
El Doctor Francia fue dictador por treinta años.	*Doctor Francia was dictator for 30 years.*
But: Don Carlos y doña María cenaron con nosotras.	*Don Carlos and Doña María had dinner with us.*
¡Es usted brillante, profesora Galdós!	*You are brilliant, Professor Galdós!*

Note: With plural nouns referring to both genders, use the masculine plural form of the article.

Los señores Macías regresan hoy del Brasil.	*Mr. and Mrs. Macías are returning from Brasil today.*

5) with the names of languages

Me gusta el guaraní. Es una lengua melodiosa.	*I like Guaraní. It's a melodious language.*
El italiano es fácil.	*Italian is easy.*

However, don't use the article when the language follows **de** or **en** or the verbs **aprender,**

enseñar, entender, estudiar, hablar, leer, or **saber,** unless an adverb comes between the verb and the language name.

Hans y Henry hablan en húngaro.	*Hans and Henry talk in Hungarian.*
Ya no hablan ni una palabra de ruso.	*They don't speak a word of Russian anymore.*
Rita y Mark ya hablan español.	*Rita and Mark already speak Spanish.*
But: Chris ya habla casi perfectamente el español.	*Chris already speaks Spanish almost perfectly.*

6) before a noun or nominalized adjective used in a general sense, standing for an entire class or species

El hombre es mortal.	*Man is mortal.*
Los hombres son mortales.	*Men are mortal.*
Los paraguayos son bilingües.	*Paraguayans are bilingual.*
El mate es el té paraguayo.	*Mate is Paraguayan tea.*

7) before nouns representing abstractions

El silencio es oro.	*Silence is golden.*
El amor es ciego.	*Love is blind.*
La vida es sueño.	*Life is a dream.*

8) with points of the compass

Salieron hacia el sur.	*They headed south.*

9) in place of a possessive adjective with parts of the body and articles of clothing

Maruja se lava el pelo todas las semanas.	*Maruja washes her hair every week.*
¿No se ponen Uds. el abrigo?	*Don't you put on your coats?*

10) with weights, measures, and to indicate the going rate

La carne cuesta mil pesetas el kilo.	*Meat costs 1,000 pesetas a kilo.*
Los intérpretes cobran cuarenta dólares la hora.	*Interpreters charge $40 an hour.*

11) with days of the week, seasons of the year (except with the verb **ser**), hours of the day, meals, and dates

Los lunes se levantan a las siete de la mañana.	*(On) Mondays they get up at 7:00 A.M.*
Se encuentran el sábado para tomar el aperitivo.	*They're getting together (on) Saturday to have a drink before dinner.*
Se conocieron la semana pasada.	*They met last week.*

Se van a casar
- en la primavera.
- el martes.
- el cinco de junio.
- el martes, cinco.

They're getting married
- in the spring.
- (on) Tuesday.
- (on) June 5th.
- (on) Tuesday the 5th.

But: Mañana es martes.   *Tomorrow is Tuesday.*
Cuando en Chile es invierno, aquí es   *When it's winter in Chile, it's summer here.*
verano.

EJERCICIOS

PRÁCTICA

A. **¿Lo sabía Ud.?** Complete esta información con los artículos definidos apropiados.

1. ____ España actual es bastante diferente de la de ____ años setenta.
2. ____ hispanoamericanos pasan ____ domingos con ____ familia.
3. En ____ pequeñas ciudades de ____ América hispánica ____ iglesia está generalmente en ____ plaza.
4. Por lo general, toda ____ familia se reúne a almorzar en ____ mundo hispánico.
5. ¿Sabía Ud. que ____ papas y ____ tomates son originarios de ____ Nuevo Mundo?
6. ____ niños hispanos tienen ____ costumbre de ir de ____ escuela a casa.
7. En México ____ leche cuesta aproximadamente veinte pesos ____ litro.
8. ____ gente tiene ____ idea de que ____ deporte ayuda a conservarse fuerte y joven.
9. ¿Cuándo se acabará ____ guerra en ____ Salvador?
10. ¿Conoce Ud. ____ refrán que dice así: «Cuando ____ pobreza entra por ____ puerta, ____ amor sale por ____ ventana»?

B. **¡Viva la diferencia!** Recordando las diferencias de uso del artículo definido en inglés y en español, traduzca las siguientes oraciones.

1. Classes in school begin at 8:00 A.M.
2. Life is hard for many people.
3. Cubans love coffee and Uruguayans love **mate.**
4. Brave men and good wine don't last long.
5. King Juan Carlos and Queen Sofía visited Central America.
6. Many Hispanics have blue eyes and blond hair.
7. Is nuclear energy necessary to Argentina's future?
8. Art, religion, and philosophy are great creations of humanity.

¡A CONOCERNOS!

A. Conteste estas preguntas.

1. ¿Qué hará Ud. durante las vacaciones? 2. ¿Qué lenguas habla Ud.? 3. ¿Qué se pone Ud. cuando va a la playa? ¿Y cuando tiene frío? 4. ¿Cuánto cuesta la carne de res en este país? ¿Y el pollo? 5. ¿Sabe Ud. cuál es la capital de El Salvador? 6. ¿Recuerda Ud. qué países tienen frontera con Paraguay? 7. ¿Quiénes son mestizos en Hispanoamérica? 8. ¿Ha estudiado Ud. el México precolonial? ¿Y la América prehistórica? 9. ¿Sabe Ud. el nombre de un parque mexicano famoso? ¿De una calle o plaza importante en la capital mexicana? 10. ¿Qué día de la semana es hoy? ¿Cuándo es el examen final?

B. Ahora hágale unas preguntas similares a un compañero o a una compañera.

SITUACIÓN COMUNICATIVA

Imagínese la siguiente situación y represéntela con un compañero o una compañera.

You are discussing with your history professor (your classmate) different possibilities for writing a paper. Talk briefly about the different periods of American history (colonial, pre-Revolutionary, pre-World War I, post-Vietnam, and so on) and decide on which period you want to concentrate. Let your professor give you his or her opinion and advice on the matter.

trabajo, informe *paper*   anterior a *pre*   posterior a *post*

II. Omisión del artículo definido; El *lo* neutro; Otros usos del *lo*

A. Salud, amor, dinero...

En San José de Costa Rica, Sergio y Fernando miran por televisión el partido de eliminatoria del campeonato mundial de fútbol.

SERGIO   Este partido está de lo más emocionante. Hay que ver lo bien que están jugando los dos equipos.

FERNANDO   Pues, a lo mejor gana Argentina. Los argentinos son fantásticos hasta sin su Maradona...

SERGIO   Es verdad, pero lo malo es que tendrán que enfrentarse al Brasil y los brasileños son invencibles.

FERNANDO   No, hombre, no. Esos «ches» sólo necesitan entrenamiento, esfuerzo y suerte.

SERGIO   *(Brindando)* Salud, amor, dinero...

FERNANDO   Y goles. ¡Por Argentina!

◆ Los hispanos brindan diciendo ¡Salud!, añadiéndole a veces otras frases tales como, **¡Salud, amor, dinero y tiempo para disfrutarlos!**

◆ **Diego Maradona**, de nacionalidad Argentina, es una estrella del fútbol internacional. Actualmente juega con el equipo de Nápoles. El público italiano lo venera como si fuera un santo, nombrando calles, pizzerías y niños en su honor. Los aficionados hablan ahora de «maragoles» en vez de goles.

◆ Debido a su uso frecuente de la palabra **che** como exclamación, los otros latinoamericanos llaman a los argentinos «ches».

En La Romareda

GRAN TARDE DE FUTBOL

CAMPEONATO DE ESPAÑA DE AFICIONADOS
A LAS 18,45

DEPORTIVO ARAGON
IMPERIAL DE MURCIA

COPA DE LA LIGA (1.ª DIVISION)
A LAS 20,45

REAL ZARAGOZA
RACING DE SANTANDER

(Partido de vuelta de octavos de final)

ENTRADAS A 500, 700, 800 Y 1.000 PESETAS

SEÑORAS Y NIÑOS TENDRAN LIBRE ACCESO A GENERAL Y GOL DE PIE

AFICIONADO: No te pierdas esta gran tarde futbolística del miércoles

eliminatoria *preliminary round*   emocionante *exiciting*   enfrentarse *to meet*   entrenamiento *training*   brindando *making a toast*

B. Preguntas

1. ¿Qué miran Sergio y Fernando?   2. ¿Por qué está de lo más emocionante?   3. ¿Cree Fernando que puede ganar el equipo argentino?   4. ¿Qué necesitan para ganar?   5. ¿Sabe Ud. alguna manera de brindar en español?

C. Omisión del artículo definido

Omit the definite article in Spanish in the following instances:

1) in enumerations

Salud, amor, dinero y tiempo para disfrutarlos.	*Health, love, money, and time to enjoy them.*
Los argentinos sólo necesitan entrenamiento, esfuerzo y suerte.	*All the Argentines need is training, effort, and luck.*

2) with a small number of frequently used nouns accompanied by the prepositions a, de, or en

Voy a casa (clase, misa).	*I'm going home (to class, to mass).*
Vengo de casa (clase, misa).	*I'm coming from home (class, mass).*
Estoy en casa (cama, clase, misa).	*I'm (at) home (in bed, in class, at mass).*
But: Está en la escuela (la universidad, la iglesia).	*She's in school (at the university, in church).*

3) in impersonal expressions with ser plus a noun

Es invierno.	*It's winter.*
Es costumbre.	*It's the custom.*
Es verdad.	*It's true (the truth).*
Es culpa mía.	*It's my fault.*

4) in most proverbs

Mala hierba nunca muere.	*Weeds never die.*
Agua que no has de beber, déjala correr.	*Let sleeping dogs lie.*

D. El lo neutro

Spanish nouns have only two genders, masculine and feminine. Besides **el, la, los,** and **las,** the Spanish definite article has a neuter form, **lo,** that doesn't refer to any specific gender or number. Use neuter **lo** for the following:

1) with the masculine singular form of an adjective used as a noun to express an abstract or qualitative idea

No puedo comprender lo absurdo de esa veneración por Maradona.	*I can't understand the absurdity of that veneration of Maradona.*
Lo peor de ser futbolista son los espectadores agresivos.	*The worst thing about being a soccer player is the aggressive spectators.*

Maradona, estrella del fútbol argentino.

2) with an adjective or an adverb, or both, to express the equivalent of English *how* + adjective or *how* + adverb

No sabes lo bien que jugaron los dos equipos.	*You don't know how well the two teams played.*
Puedes imaginarte lo contentos que estaban los jugadores.	*You can imagine how happy the players were.*

Notice that the adjective does not agree with **lo** but with the noun it modifies.

3) with an ordinal number to express the idea of *the first, the second, the third thing and so on.*

Lo primero es entrenarse; lo segundo divertirse.	*The first thing is to be in training; the second, to have fun.*

E. Otros usos del lo

1) **Lo de** means **el asunto de** *(the matter of, the problem of, the case of).*

Siento lo de su derrota.	*I'm sorry about his defeat.*
Lo de la pelea en el campo de fútbol nos preocupó mucho.	*The soccer field fight business worried us a lot.*

2) **Lo** preceded by a preposition is used in a number of idiomatic expressions.

a lo ancho	*from side to side; wide*
a lo largo	*lengthwise; long; along; in the long run*
a lo lejos	*in the distance*

a lo mejor	*perhaps, at best*
de lo más + *masculine adjective*	*the most* + adjective
de lo menos + *masculine adjective*	*the least* + adjective
por lo demás	*as for the rest*
por lo general	*generally*
por lo menos	*at least*
por lo tanto	*thus, therefore*
por lo visto	*apparently*

A lo mejor Argentina gana el campeonato.   *Perhaps Argentina will win the cup.*
Por lo general se reúnen a ver televisión.   *Generally they get together to watch TV.*
El partido está de lo más emocionante.   *The game is most exciting.*

EJERCICIOS

PRÁCTICA

A. A veces sí, a veces no. Complete la siguiente narración con un artículo definido donde sea necesario.

Es —(1)— domingo. Estamos en —(2)— primavera. Estudio —(3)— matemáticas, —(4)— geología y —(5)— arte. —(6)— gramática me parece aburrida. No hablo —(7)— portugués, pero me gustaría visitar —(8)— Brasil. Hoy estaré en —(9)— casa toda —(10)— tarde leyendo un libro sobre —(11)— Presidente Kennedy. Para triunfar en —(12)— vida, hay que ser como era —(13)— Presidente Kennedy: se necesitan —(14)— carisma, —(15)— ambición y —(16)— dinero.

B. Lo de lo... Complete las siguientes oraciones con **lo, lo de** o **de lo**, según sea apropiado.

Todo —(1)— la América Latina me interesa mucho. —(2)— Centroamérica me preocupa. Ayer leí en el periódico que —(3)— la Contra va a tener solución. —(4)— bueno es que los gobiernos están dialogando; —(5)— malo es que ya han muerto muchas víctimas inocentes.

Me parece que —(6)— difícil para muchos países será pagar su deuda a los Estados Unidos. Y —(7)— la subida de precios tan enorme en Venezuela me parece absurdo. En fin, la situación económica actual es, en general, —(8)— más problemática.

Por otra parte, me imagino —(9)— contentos que estarán los chilenos con las próximas elecciones. —(10)— increíble es que pudieron votar por la democracia durante la dictadura.

C. Lo del señor Buendía. Añada Ud. las expresiones más apropiadas de entre las siguientes, sin repetir ninguna: **a lo mejor, por lo general, a lo ancho, a lo lejos, por lo menos, por lo visto, a lo largo.**

El señor Buendía necesita coche. —(1)— a él no le gusta comprar coches usados, pero —(2)— lo hace esta vez porque un coche nuevo cuesta —(3)— 10 mil dólares. Entra en un negocio de coches usados y ve uno que le gusta bastante. El señor Buendía lo mide —(4)— y —(5)— para estar seguro de que hay sitio para su esposa, sus cuatro hijos y la abuelita. Le pregunta el precio al vendedor. Es un coche carísimo. ¡Qué lástima! —(6)—, el coche le gusta mucho al señor Buendía. Pero —(7)— él ve otro negocio de coches usados. El señor Buendía piensa que quizás allá encuentre uno más barato.

¡A CONOCERNOS!

A. Conteste estas preguntas.

1. ¿Qué es lo primero que hace Ud. por la mañana? ¿Qué es lo último que hace cada noche?   2. ¿Qué es lo bueno de esta universidad? ¿Qué es lo malo?   3. ¿Qué es lo bueno de su residencia? ¿Y lo malo?   4. ¿Qué fue lo más interesante del último libro que leyó Ud.?   5. ¿Qué es lo más emocionante de los partidos de fútbol?   6. ¿Le entusiasma lo bien que juega algún equipo o jugador deportivo de su universidad?   7. ¿Por qué cree Ud. que lo hecho a mano cuesta tanto dinero?   8. ¿Le preocupa a Ud. mucho lo que fuma un amigo o un pariente? ¿Quién es y cuánto fuma?   9. Para Ud., ¿qué fue lo más fácil de este curso? ¿Y qué fue lo más difícil?

B. Ahora hágale unas preguntas similares a un compañero o a una compañera.

SITUACIÓN COMUNICATIVA

Imagínese la siguiente situación y represéntela con un compañero o una compañera.

You are an American football player or boxer. Describe to a journalist the excitement or frustration of your last game (fight), what it takes to be a great football player (boxer), and, in general, the best and the worst things about your profession. Let the journalist ask you specific questions.

boxeador *boxer*   **pelea** *fight*   **lo que se necesita** *what it takes*

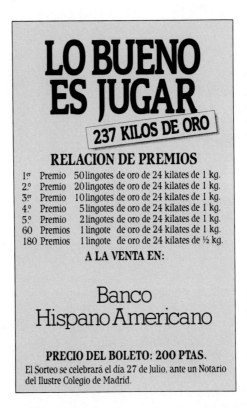

Supervivientes de la erupción del volcán del Nevado del Ruiz en Mariquita, Colombia. Para estos afortunados, la vida sigue.

III. El artículo indefinido: Formas, usos y omisión

A. *Soy cristiano y confío en Dios*

Una señora bogotana consuela a un superviviente de Armero después de la erupción del Nevado del Ruiz.

SEÑORA Nunca oí tal cosa. Les decían por radio que no se preocuparan y unos minutos más tarde el volcán hizo erupción.

JOSÉ Así fue, señora. Una avalancha de barro y piedras nos sepultó. Todos mis hijos murieron sin poder ser rescatados...

SEÑORA Es que esos soldados son unos lentos...

JOSÉ No, no es eso. Es que no tenían ni una motobomba que funcionara. ¡Ay, señora! No tengo familia, no tengo casa, no me queda ni un peso...

SEÑORA Pues, tenga fe, buen hombre, que Dios lo ayudará.

JOSÉ Sí, señora. Soy cristiano y confío en Dios.

◆ El 13 de noviembre de 1985, el volcán Nevado del Ruiz se puso en erupción en el oeste de Colombia, ocasionando la muerte de unas 25 mil personas. Armero, un próspero pueblo cafetero situado a unas cien millas al oeste de Bogotá, fue borrado del mapa. El ejército, la policía, la Cruz Roja y muchas otras personas participaron en las operaciones de rescate en aquellos trágicos días.

◆ Colombia es quizás el país más religioso de Hispanoamérica. Y es posiblemente esa fe profunda la que ayuda a muchos hispanoamericanos, principalmente a los campesinos, a afrontar la devastación que producen las fuerzas de la naturaleza.

---

consuela *comforts* superviviente *survivor* hizo erupción *erupted* barro *mud* nos sepultó *buried us* lentos *slowpokes* motobomba *water pump*

B. *Preguntas*

1. ¿A quién consuela la señora?   2. ¿Qué le ocurrió a José?   3. ¿Por qué no pudieron rescatar a sus hijos?   4. Según la señora, ¿qué ayudará a José?   5. ¿Qué opina Ud. de esa filosofía?

C. *El artículo indefinido: Formas*

	SINGULAR		PLURAL	
masculine	**un** padre	*a father*	**unos** hijos	*sons*
feminine	**una** madre	*a mother*	**unas** hijas	*daughters*

Note: **un,** not **una,** is used before singular feminine nouns that begin with a stressed a-sound (a, ha, au, ay...).

un arma	*a weapon*	un aya	*a governess*
un aula	*a classroom*	un arpa	*a harp*

But when the a-sound is not stressed, the feminine form is used.

una alfombra	*a rug*
una hamaca	*a hammock*

D. *El artículo indefinido: Usos*

1) Use indefinite articles in the following instances:
   a. before previously unidentified nouns

Había un hombre que lloraba.	*There was a man who was crying.*
Una avalancha de barro y piedras nos sepultó.	*An avalanche of mud and stones buried us.*
Llegaron unas señoras de la Cruz Roja.	*Some ladies from the Red Cross arrived.*

   b. with modified nouns

El superviviente era un católico devoto.	*The survivor was a devout Catholic.*
Armero era un pueblo agrícola de Colombia.	*Armero was a farming town in Colombia.*

Note: Some nouns and adjectives occur so often together that they are now commonly used without the indefinite article, especially in the plural.

Era buen amigo de mi familia.	*He was a good friend of my family.*
No son buenos enfermeros, pero son buenas personas.	*They aren't good nurses, but they are good people.*

   c. to give special emphasis to a noun

Se necesita una paciencia...	*One needs quite a bit of patience . . .*
Esos soldados son unos lentos...	*Those soldiers are such slowpokes . . .*

2) The singular indefinite article has the same form as the number *one* when used before a noun.

Tengo un hermano.   { *I have a brother.*
                                                   { *I have one brother.*

Tengo una hermana.   { *I have a sister.*
                                                   { *I have one sister.*

You can make clear that you mean the number by using an adverb before it.

Me quedaba solamente un dólar en el   *I had just one dollar left in my pocket.*
bolsillo.

3) The plural forms of the indefinite article (**unos/as**) have a variety of English equivalents, depending on the context: *some, about, several, various, certain, a few.*

Fueron a enviar unas tarjetas postales.   *They went to mail some (a few, several)*
                                                       postcards.

Murieron unos 25.000 colombianos.   *Some (About) 25,000 Colombians died.*
Lo oí hablar mal de unas personas.   *I heard him bad-mouthing certain people.*

E. *Omisión del artículo indefinido*

The indefinite article is omitted in Spanish in these instances:

1) before an unmodified noun that identifies profession, occupation, religion, nationality, or political affiliation

El señor Piña es ingeniero.   *Mr. Piña is an engineer.*
¿Es Ud. cristiano?   *Are you a Christian?*
Martina es nicaragüense.   *Martina is (a) Nicaraguan.*
Carmen es demócrata y Luis republicano.   *Carmen is a Democrat and Luis is a*
                                                       Republican.

But: Soy una española rubia. *(modified*   *I'm a blonde Spaniard.*
   noun)

2) with items when the numerical concept is not emphasized

¿Buscas casa o apartamento?   *Are you looking for a house or an*
                                                       apartment?

But: Si vas a las montañas, llévate por lo   *If you go to the mountains, take at least a*
   menos un suéter. *(numerical concept*   *(one) sweater with you.*
   emphasized)

3) in negative sentences, unless the numerical value of *one* (a single one) is emphasized

No encontramos casa con jardín.   *We can't find a house with a garden.*
No tengo familia.   *I don't have a family.*

But: No me queda ni un peso. *(numerical value emphasized)*   *I don't have a peso left.*

4) before cien (ciento), mil, medio, cierto, tal *(such a),* **otro,** and **qué** *(what a)*

Nunca oí tal cosa.	*I never heard of such a thing.*
¡Qué trágico fin!	*What a tragic ending!*
Otro día te contaré más cosas.	*I'll tell you more another day.*
Cierto empleado me dio mucha información.	*A certain employee gave me a lot of information.*

5) after como and de when they mean *as*

Como resultado de la tragedia, José no tiene familia.   *As a result of the tragedy, José has no family.*

6) in many proverbs

Perro que ladra no muerde.	*Barking dogs don't bite.*
Más vale pájaro en mano que cien(to) volando.	*A bird in the hand is worth two in the bush.*

EJERCICIOS

PRÁCTICA

A. **¡Ay, qué ruido!** Ayer mientras estaba en la playa escuché esta conversación, pero el ruido no me dejó oír algunas palabras, entre ellas varios artículos indefinidos. Añádalos Ud. si son necesarios.

UN CHICO   Ayer estuve aquí con —(1)— amigo que pasó —(2)— días conmigo.

OTRO   Yo también, pero no te vi. Encontré a —(3)— hermanito tuyo que debe tener —(4)— catorce años, ¿no?

UN CHICO   Sí. Oye, me dijiste que buscabas —(5)— coche. ¿Ya lo encontraste?

OTRO   Pues no; realmente no tengo —(6)— dinero ni para —(7)— coche usado. Cuestan —(8)— 400.000 pesos, más o menos.

UN CHICO   Pero, ¿tu padre no te puede dar —(9)— ayudita?

OTRO   No. Mi padre es —(10)— maestro. Es —(11)— buen maestro, pero no gana mucho.

UN CHICO   ¿Y tu madre?

OTRO   No tengo —(12)— madre. Murió como —(13)— resultado de —(14)— enfermedad extraña. Esos médicos son —(15)— incompetentes.

UN CHICO   Lo siento. Pero, ¿entonces... ?

OTRO   Tengo que encontrar —(16)— trabajo enseguida. Claro que no aquí en la playa...

B. **Lo que me dijo Peggy Sue.** Tradúzcalo Ud. al español, por favor.

1. Bogotá has some 4 million people.   2. I have one brother and one sister there.   3. My brother John works as an interpreter.   4. My sister's husband is a Venezuelan engineer.   5. I have only one brother at home. 6. His name is Charley. 7. At this moment Charley is writing a letter in a hammock.   8. He has some weird habits, but still he has a few good friends.   9. My parents think he is a model child.   10. I wouldn't say such a thing.   11. But what good luck he has.

¡A CONOCERNOS!

A. Conteste estas preguntas.

1. ¿Tiene Ud. compañeros de cuarto o apartamento? ¿De qué origen?   **2.** ¿Es Ud. buen(a) amigo/a suyo/a? ¿Son Uds. buenos/as compañeros/as?   **3.** ¿Es astronauta su padre? ¿Qué es?   **4.** ¿Tiene Ud. hermanos? ¿Tiene Ud. un(a) hermano/a gemelo/a?   **5.** ¿Busca Ud. empleo ahora?   **6.** ¿Pasa Ud. unas horas diarias mirando la televisión?   **7.** ¿Va Ud. al cine solo/a generalmente?   **8.** Como resultado de esta clase, ¿seguirá Ud. estudiando español?   **9.** ¿Qué estará haciendo Ud. en media hora?

B. Ahora hágale unas preguntas similares a un compañero o a una compañera.

SITUACIÓN COMUNICATIVA

Imagínese la siguiente situación y represéntela con un compañero o una compañera.

You are a teacher in a Spanish class, and your task today is to explain the meaning of a few Spanish proverbs, such as "Silence is golden" and "Love is blind." After you have explained those two, let one of your students (your classmate) explain two more to you: "Barking dogs don't bite" and "A bird in the hand is worth two in the bush." Continue with any other proverbs you can think of in Spanish.

ACTIVIDADES

EN GRUPITOS

Pros y contras de todo. En pequeños grupos de tres o cuatro estudiantes discutan lo siguiente. Uno de Uds. reportará las opiniones de su grupo a la clase.

¿Qué es lo bueno y lo malo de...

◆ ser mujer?
◆ ser hombre?
◆ ser alto/a?
◆ ser bajo/a?
◆ estudiar lenguas?
◆ viajar por otros países?
◆ viajar en avión, en tren, en barco, etcétera?
◆ ser norteamericano/a?
◆ otros temas que se presenten?

PARA TODOS

A. Días feriados. Deben preparar este ejercicio antes de clase, porque su profesor(a) puede preguntarle a cualquiera de Uds.

1. Haga una lista de los días feriados en los Estados Unidos e indique por qué son días feriados y cómo se celebran.

EJEMPLO: El primero de enero se celebra el Año Nuevo. Es un día de descanso después de las fiestas de la noche anterior.

2. Pregunte a sus amigos o compañeros hispánicos qué fechas celebran ellos y cómo las celebran. Haga una lista de las mismas y explíqueselas a la clase.

EJEMPLO: En España, el día de Año Viejo, la gente come doce uvas mientras tocan las doce, porque...

B. Haciendo ejercicio. Mirar bien los dibujos y luego emparejar las instrucciones con el dibujo apropiado. ¡A ver quién los emparejó todos!

Vocabulario útil

en fondos   *on palms and toes*
las caderas   *hips*
en cuclillas   *crouching*
las plantas   *soles of the feet*
el rebote (rebotar)   *bounce (to bend over; to bounce)*
el suelo   *the ground*
el talón   *heel*

Instrucciones

a. En cuclillas y con las palmas en el suelo, extender las piernas sin levantar las manos.
b. En cuclillas sobre las plantas, rebotar.
c. Con las palmas en la pared, mover gradualmente los pies hacia atrás lo máximo posible, sin levantar los talones del suelo.
d. En fondos, traer las piernas hacia las manos con pequeños saltos. Variante: alternando los pies.
e. Con las piernas abiertas, flexionar el tronco rebotando tres veces: delante, al centro y atrás, entre las piernas.
f. En fondos, con las piernas extendidas, subir y bajar las caderas con rebote. Los brazos permanecen extendidos.

DE TODO UN POCO

Adivinanzas

Oro parece,
plata no es.
Adivina lo que es.

(el plátano)

Blanca por dentro,
verde por fuera.
Si quieres saber mi nombre,
espera.

(la pera)

Una cajita redonda y chiquita,
blanquita como la sal;
todos la saben abrir,
nadie la sabe cerrar.

(el huevo)

Fui a la plaza y la compré;
volví a casa y con ella lloré.

(la cebolla)

¿Cuál es el pez que siempre va el último?

(el delfín)

LECTURA IX

«La muñeca menor»
Rosario Ferré

◆ READING HINTS ◆

Guessing the Meaning of Words by Recognizing Prefixes

Knowing the meaning of a prefix can help you understand the whole word. If you recognize the root word and understand the prefix, you can usually guess the meaning of the combination. Here are some very commonly used prefixes in Spanish:

1. **in-** or **im-**, indicating the opposite of the root word's meaning (usually equivalent to *im-* or *un-* in English)

    EXAMPLE: posible = *possible;* **im**posible = *impossible.*

    If **necesario** means *necessary,* what does **in**necesario mean? What might the following words mean: **impermeable, improbable, incomprensible, incesante, invisible?**

2. **ir-**, also indicating the opposite of the root word's meaning

    EXAMPLE: responsable = *responsible;* **ir**responsable = *irresponsible*

    What do you think the following words mean: **irregular, irreconciliable, irremediable?**

3. **trans-**, meaning *through* or *across*

    EXAMPLE: portar = *to carry;* **trans**portar = *to carry across, to transport*

    What might the following mean: **transcribir, transoceánico?**

4. **ex-**, meaning *out of, from*

    EXAMPLE: traer = *to bring;* **ex**traer = *to bring out*

    What do you think the following words mean: **exponer, exportar?**

5. **re-**, indicating a repetition of the root verb's action verb

    EXAMPLE: **re**mover = *to move again, to "re-move"*

    What might the following mean: **reviviendo, retorciéndose, recrecido?**

    Re- can also mean *very* or *completely.*

    EXAMPLE: fino = *fine;* **re**finado = *refined, (very fine)*

    What about the following: **relleno, reluciente?**

6. **des-** (like *de-* in English), which undoes the root verb's action

    EXAMPLE: cansar = *to tire;* **des**cansar = *to rest, to "un-tire"*

If **cubrir** means *to cover,* what does **des**cubrir mean?

What about the following: **desintegrar, deshacer, destrabar, despegar, desposeer, despo-blar?**

See if you can find the meaning of the following prefixes in a dictionary: **en-, por-, pro-,** and **trans-.**

◆ PREPARACIÓN PARA LA LECTURA ◆

Vocabulario

SUSTANTIVOS

la aguja   *needle*
el barro   *clay*
la blancura   *whiteness*
la bola   *ball*
el cañaveral   *sugar cane plantation*
la cera   *wax*
la crianza   *rearing, bringing up*
el encaje   *lace*
la estatura   *height*
la hilera   *straight line*
el hilo   *thread*
la llaga   *wound*
la medida   *measurement*
la miel   *honey*
la mordida   *bite*
la muñeca   *doll*
el muslo   *thigh*

la pantorrilla   *calf*
el sopor   *lethargy*
el tamaño   *size*
el tobillo   *heel*
el yeso   *plaster*

ADJETIVOS

almidonado/a   *starched*
reluciente   *shining, glossy*
tibio/a   *tepid*

VERBOS

arrastrar   *to drag*
dar a   *to look onto, to be opposite*
empeñar   *to pawn*
mecer   *to rock*

EJERCICIOS

A. Empareje cada palabra con la definición apropiada.

1. encaje	a. lo que une el pie a la pierna
2. bola	b. letargo, estado de inacción
3. muñeca	c. juguete en forma de persona
4. miel	d. una sustancia dulce producida por las abejas
5. cañaveral	e. que brilla mucho
6. sopor	f. pelota; cuerpo esférico
7. estatura	g. una herida
8. cera	h. tejido delicado para adorno
9. aguja	i. plantación de azúcar

10. reluciente
11. blancura
12. tobillo
13. almidonado
14. llaga
15. tibio
16. empeñar

j. algo tratado con almidón para que no tenga arrugas
k. indica si uno es alto o bajo
l. ni caliente ni frío
m. dejar algo de valor a cambio de dinero
n. sustancia casi blanca usada en las velas
o. de color blanco
p. se usa para coser con hilo

B. Busque en la lista de vocabulario un sustantivo o un verbo relacionado con cada palabra que sigue. Luego, defina en español cada una de ellas.

MODELO: caña **cañaveral, lugar donde crece la caña**

1. medir
2. morder
3. mecedor
4. arrastrado
5. criar
6. hilar

C. Decida qué palabra de cada pareja completa mejor la oración. Haga todos los cambios necesarios.

barro/yeso

1. Los alfareros *(potters)* de Oaxaca usan ___ negro para crear utensilios muy distintos de los de otras regiones.
2. Los niños crearon unas figuritas de ___ blanco que luego pintaron de colores muy alegres.

tamaño/medida

3. Hay que tomar ___ de la ventana para saber de qué ___ deben ser las cortinas nuevas.

pantorrilla/muslo

4. La parte superior de la pierna es ___; debajo de la rodilla y por detrás se encuentra ___.

◆ INTRODUCCIÓN AL TEMA ◆

Nacida en 1942 en Ponce, Puerto Rico, Rosario Ferré va ganando mucho renombre como ensayista, poeta y sobre todo como cuentista. Su primer libro, publicado en 1976, fue *Papeles de Pandora,* colección de cuentos y poemas narrativos con la que obtuvo un premio del Ateneo puertorriqueño aquel mismo año. Ganadora de varios concursos de cuentos, sus publicaciones incluyen otros libros de cuentos, una novela reciente y varios ensayos críticos.

«La muñeca menor» es el primer cuento que aparece en *Papeles de Pandora.* Recordando una anécdota que le habían contado acerca de un pariente lejano, Rosario Ferré elaboró una narración que combina lo real y lo fantástico y logra asombrar al lector por su fin inesperado. Entramos en un mundo casi de otro siglo y nos enfocamos en la vida de la mujer y en lo que ésta significa en términos humanos. La sorpresa al final convierte el cuento en uno de una venganza lenta y cuidadosamente planeada que invita una variedad de interpretaciones.

Prepárese para la lectura discutiendo brevemente con sus compañeros los siguientes temas.

1. Antes de la invención de la fotografía, ¿qué métodos se podían usar para preservar la imagen de una persona en distintos momentos de su vida?
2. ¿Cuál es el papel de una mujer vieja que vive con sus hijos o hermanos casados? Es decir, ¿cuál puede ser su papel dentro de la familia extensa?

«La muñeca menor»

La tía vieja había sacado desde muy temprano el sillón al balcón que daba al cañaveral como hacía siempre que se despertaba con ganas de hacer una muñeca. De joven se bañaba a menudo en el río, pero un día en que la lluvia había recrecido la corriente en cola de dragón había sentido en el tuétano[1] de *(marrow)* los huesos una mullida[1] sensación de nieve. La cabeza metida en el reverbero[1] *(fluffy / reflection)* negro de las rocas, había creído escuchar, revolcados[1] con el sonido del agua, *(mixed up)* los estallidos del salitre[1] sobre la playa y pensó que sus cabellos habían lle- *(pounding of salty foam)* gado por fin a desembocar[1] en el mar. En ese preciso momento sintió una *(flow into)* mordida terrible en la pantorrilla. La sacaron del agua gritando y se la lleva- ron a la casa en parihuelas[1] retorciéndose de dolor. *(on a stretcher)*

El médico que la examinó aseguró que no era nada, probablemente había sido mordida por una chágara[1] viciosa. Sin embargo pasaron los días y la llaga no cerraba. Al cabo de un mes el médico había llegado a la conclusión de que la chágara se había introducido dentro de la carne blanda de la panto- rrilla, donde había evidentemente comenzado a engordar. Indicó que le apli- caran un sinapismo[1] para que el calor la obligara a salir. La tía estuvo una *(mustard plaster)* semana con la pierna rígida, cubierta de mostaza[1] desde el tobillo hasta el *(mustard)* muslo, pero al finalizar el tratamiento se descubrió que la llaga se había abultado[1] aún más, recubriéndose de una substancia pétrea y limosa[1] que era *(swollen / pétrea… hard and slimy)* imposible tratar de remover sin que peligrara[1] toda la pierna. Entonces se *(endangering)* resignó a vivir para siempre con la chágara enroscada[1] dentro de la gruta[1] de *(curled up / cavity)* su pantorrilla.

Había sido muy hermosa, pero la chágara que escondía bajo los largos plie- gues de gasa[1] de sus faldas la había despojado[1] de toda vanidad. Se había *(gauze / stripped)* encerrado en la casa rehusando[1] a todos sus pretendientes. Al principio se *(refusing)* había dedicado a la crianza de las hijas de su hermana, arrastrando por toda la casa la pierna monstruosa con bastante agilidad. Por aquella época la fami- lia vivía rodeada de un pasado que dejaba desintegrar a su alrededor con la misma impasible musicalidad con que la lámpara de cristal se desgranaba a pedazos[1] sobre el mantel raído[1] de la mesa del comedor. Las niñas adoraban a *(se… crumbled into pieces / threadbare)* la tía. Ella las peinaba, las bañaba y les daba de comer. Cuando les leía cuentos se sentaban a su alrededor y levantaban con disimulo el volante almi- donado de su falda para oler el perfume de guanábana[2] madura que supuraba la pierna en estado de quietud.

Cuando las niñas fueron creciendo la tía se dedicó a hacerles muñecas para jugar. Al principio eran sólo muñecas comunes, con carne de guata de higüera[1] y ojos de botones perdidos. Pero con el pasar del tiempo fue refi- *(carne… a body made from the cottony flesh of a calabash gourd)* nando su arte hasta ganarse el respeto y la reverencia de toda la familia. El nacimiento de una muñeca era siempre motivo de regocijo[1] sagrado, lo cual *(rejoicing)* explicaba el que jamás se les hubiese ocurrido vender una de ellas, ni siquiera cuando las niñas eran ya grandes y la familia comenzaba a pasar necesidad. La tía había ido agrandando[1] el tamaño de las muñecas de manera que co- *(enlarging)* rrespondieran a la estatura y a las medidas de cada una de las niñas. Como eran nueve y la tía hacía una muñeca de cada niña por año, hubo que separar una pieza de la casa para que la habitasen exclusivamente las muñecas. Cuando la mayor cumplió diez y ocho años había ciento veintiséis muñecas de todas las edades en la habitación. Al abrir la puerta, daba la sensación de entrar en un palomar[1], o en el cuarto de muñecas del palacio de las tzarinas, o en un almacén[1] donde alguien había puesto a madurar una larga hilera[1] de hojas de tabaco. Sin embargo, la tía no entraba en la habitación por ninguno de estos placeres, sino que echaba el pestillo a la puerta[1] e iba levantando amorosamente cada una de las muñecas canturreándoles[1] mientras las mecía: Así eras cuando tenías un año, así cuando tenías dos, así cuando tenías tres, reviviendo la vida de cada una de ellas por la dimensión del hueco que le dejaban entre los brazos[1].

El día que la mayor de las niñas cumplió diez años, la tía se sentó en el sillón frente al cañaveral y no se volvió a levantar jamás. Se balconeaba[1] días enteros observando los cambios de agua de las cañas[1] y sólo salía de su sopor cuando la venía a visitar el doctor o cuando se despertaba con ganas de hacer una muñeca. Comenzaba entonces a clamar[1] para que todos los habitantes de la casa viniesen a ayudarla. Podía verse ese día a los peones de la hacienda haciendo constantes relevos[1] al pueblo como alegres mensajeros incas, a comprar cera, a comprar barro de porcelana[1], encajes, agujas, carretes de hilo[1] de todos los colores. Mientras se llevaban a cabo estas diligencias[1], la tía llamaba a su habitación a la niña con la que había soñado esa noche y le tomaba las medidas. Luego le hacía una mascarilla[1] de cera que cubría de yeso por ambos lados como una cara viva dentro de dos caras muertas; luego hacía salir un hilillo rubio interminable por un hoyito en la barbilla[1]. La porcelana de las manos era siempre translúcida; tenía un ligero tinte marfileño[1] que contrastaba con la blancura granulada de las caras de biscuit[1]. Para hacer el cuerpo, la tía enviaba al jardín por veinte higüeras relucientes. Las cogía con una mano y con un movimiento experto de la cuchilla las iba rebanando una a una en cráneos relucientes de cuero verde[1]. Luego las inclinaba en hilera contra la pared del balcón, para que el sol y el aire secaran los cerebros algodonosos[1] de guano gris. Al cabo de algunos días raspaba[1] el contenido con una cuchara y los iba introduciendo[1] con infinita paciencia por la boca de la muñeca.

Lo único que la tía transigía[1] en utilizar en la creación de las muñecas sin que estuviese hecho por ella, eran las bolas de los ojos. Se los enviaban por correo desde Europa en todos los colores, pero la tía los consideraba inservibles[1] hasta no haberlos dejado sumergidos durante un número de días en el fondo de la quebrada[1] para que aprendiesen a reconocer el más leve[1] movimiento de las antenas de las chágaras. Sólo entonces los lavaba con agua de amoniaco y los guardaba, relucientes como gemas, colocados sobre camas de algodón, en el fondo de una lata de galletas holandesas. El vestido de las muñecas no variaba nunca, a pesar de que las niñas iban creciendo. Vestía siempre a las más pequeñas de tira bordada[1] y a las mayores de broderí[1], colocando en la cabeza de cada una el mismo lazo abullonado y trémulo de pecho de paloma[1].

Las niñas empezaron a casarse y a abandonar la casa. El día de la boda la tía les regalaba a cada una la última muñeca dándoles un beso en la frente y

---

Marginal glosses (right column):

dovecot

warehouse / row

echaba... she bolted the door
humming to them

por... by the size of the hollow they had formed in her arms

She stayed on the balcony
sugar canes

shout

trips
porcelain clay / spools of thread
While these errands were being run

small mask
luego... then she would draw out an endless flaxen thread [of melted wax] through a pinpoint in the chin
ivory
unglazed pottery

rebanando... slicing them one by one into shiny green leathery skulls
cottony / she scraped
iba... she gradually stuffed

The only thing she compromised on

useless

stream / el... the slightest

embroidered panels / eyelet

lazo... full bow, trembling like the breast of a dove

diciéndoles con una sonrisa: «Aquí tienes tu Pascua de Resurrección»[1]. A los novios los tranquilizaba asegurándoles que la muñeca era sólo una decoración sentimental que solía colocarse[1] sentada, en las casas de antes, sobre la cola[1] del piano. Desde lo alto del balcón la tía observaba a las niñas bajar por última vez las escaleras de la casa sosteniendo en una mano la modesta maleta a cuadros de cartón[1] y pasando el otro brazo alrededor de la cintura de aquella exhuberante muñeca hecha a su imagen y semejanza, calzada con zapatillas de ante[1], faldas de bordados nevados y pantaletas de Valenciennes[1]. Las manos y la cara de estas muñecas, sin embargo, se notaban menos transparentes, tenían la consistencia de la leche cortada[1]. Esta diferencia encubría otra más sutil: la muñeca de boda no estaba jamás rellena de guata, sino de miel.

Ya se habían casado todas las niñas y en la casa quedaba sólo la más joven cuando el doctor hizo a la tía la visita mensual acompañado de su hijo que acababa de regresar de sus estudios de medicina en el norte. El joven levantó el volante de la falda almidonada y se quedó mirando aquella inmensa vejiga abotagada que manaba[1] una esperma perfumada por la punta de sus escamas verdes. Sacó su estetoscopio y la auscultó[1] cuidadosamente. La tía pensó que auscultaba la respiración de la chágara para verificar si todavía estaba viva, y cogiéndole la mano con cariño se la puso sobre un lugar determinado para que palpara el movimiento constante de las antenas. El joven dejó caer la falda y miró fijamente al padre. «Usted hubiese podido haber curado esto en sus comienzos», le dijo. «Es cierto», contestó el padre, «pero yo sólo quería que vinieras a ver la chágara que te había pagado los estudios durante veinte años».

En adelante fue el joven médico quien visitó mensualmente a la tía vieja. Era evidente su interés por la menor y la tía pudo comenzar su última muñeca con amplia anticipación. Se presentaba siempre con el cuello[1] almidonado, los zapatos brillantes y el ostentoso alfiler de corbata oriental del que no tiene donde caerse muerto[1]. Luego de examinar a la tía se sentaba en la sala recostando[1] su silueta de papel dentro de un marco ovalado[1], a la vez que le entregaba a la menor el mismo ramo de siemprevivas[1] moradas. Ella le ofrecía galletitas de jengibre[1] y cogía el ramo quisquillosamente[1] con la punta de los dedos como quien coge el estómago de un erizo[1] vuelto al revés. Decidió casarse con él porque le intrigaba su perfil dormido, y porque ya tenía ganas de saber cómo era por dentro la carne de delfín[1].

El día de la boda la menor se sorprendió al coger la muñeca por la cintura y encontrarla tibia, pero lo olvidó en seguida, asombrada ante su excelencia artística. Las manos y la cara estaban confeccionadas con delicadísima porcelana de Mikado. Reconoció en la sonrisa entreabierta[1] y un poco triste la colección completa de sus dientes de leche. Había, además, otro detalle particular: la tía había incrustado en el fondo de las pupilas de los ojos sus dormilonas de brillantes[1].

El joven médico se la llevó a vivir al pueblo, a una casa encuadrada[1] dentro de un bloque de cemento. La obligaba todos los días a sentarse en el balcón, para que los que pasaban por la calle supiesen que él se había casado en

"Here's your Easter gift."

was usually placed
top

maleta... checkered cardboard suitcase
kidskin slippers / ruffled bloomers
curdled

vejiga... swollen blister that oozed
listened

collar
del... of someone who is penniless
resting / oval frame
forget-me-nots
ginger cookies / fastidiously
sea urchin

dolphin

half-open

diamond earrings
square

sociedad. Inmóvil dentro de su cubo de calor, la menor comenzó a sospechar que su marido no sólo tenía el perfil de silueta de papel sino también el alma. Confirmó sus sospechas al poco tiempo. Un día él le sacó los ojos a la muñeca[1] con la punta del bisturí[1] y los empeñó por un lujoso reloj de cebolla[1] con una larga leontina[1]. Desde entonces la muñeca siguió sentada sobre la cola del piano, pero con los ojos bajos. *le... pried out the doll's eyes* / *scalpel / pocket watch* / *chain*

A los pocos meses el joven médico notó la ausencia de la muñeca y le preguntó a la menor qué había hecho con ella. Una cofradía[1] de señoras piadosas le había ofrecido una buena suma por la cara y las manos de porcelana para hacerle un retablo a la Verónica[1] en la próxima procesión de Cuaresma. La menor le contestó que las hormigas habían descubierto por fin que la muñeca estaba rellena de miel y en una sola noche se la habían devorado. «Como las manos y la cara eran de porcelana de Mikado», dijo, «seguramente las hormigas las creyeron hechas de azúcar, y en este preciso momento deben de estar quebrándose[1] los dientes, royendo[1] con furia dedos y párpados[1] en alguna cueva subterránea». Esa noche el médico cavó[1] toda la tierra alrededor de la casa sin encontrar nada. *association* / *un retablo... altarpiece for St. Veronica* / *breaking / gnawing* / *eyelids / dug up*

Pasaron los años y el médico se hizo millonario. Se había quedado con toda la clientela del pueblo, a quienes no les importaba pagar honorarios[1] exorbitantes para poder ver de cerca a un miembro legítimo de la extinta aristocracia cañera[1]. La menor seguía sentada en el balcón, inmóvil dentro de sus gasas y encajes, siempre con los ojos bajos. Cuando los pacientes de su marido, colgados de collares, plumachos y bastones[1], se acomodaban cerca de ella removiendo los rollos de sus carnes satisfechas con un alboroto[1] de monedas, percibían a su alrededor un perfume particular que les hacía recordar involuntariamente la lenta supuración[1] de una guanábana. Entonces les entraban a todos unas ganas irresistibles de restregarse[1] las manos como si fueran patas[1]. *fees* / *sugar cane (plantation)* / *great feathers and canes* / *jangle* / *oozing* / *scrub* / *paws*

Una sola cosa perturbaba la felicidad del médico. Notaba que mientras él se iba poniendo viejo, la menor guardaba la misma piel aporcelanada[1] y dura que tenía cuando la iba a visitar a la casa del cañaveral. Una noche decidió entrar en su habitación para observarla durmiendo. Notó que su pecho no se movía. Colocó delicadamente el estetoscopio sobre su corazón y oyó un lejano rumor[1] de agua. Entonces la muñeca levantó los párpados y por las cuencas vacías[1] de los ojos comenzaron a salir las antenas furibundas[1] de las chágaras. *of porcelain* / *sound / empty cavities* / *furious*

Notas

1. Según la autora, **chágara** es una palabra de los indios taínos de Puerto Rico que significa «camarón de río»; sin embargo, ella reitera que en «La muñeca menor» es un animal fantástico que el lector puede imaginar en la forma que quiera. Son muy comunes en el clima tropical muchos bichos parasíticos que se acomodan debajo de la piel humana.

2. También frecuente en el ambiente tropical de las islas caribeñas es la fruta llamada **guanábana,** que tiene un perfume característicamente dulce y fuerte.

COMPRENSIÓN DE LA LECTURA

Conteste las siguientes preguntas.

1. ¿Qué le pasó a la joven un día que se bañaba en el río?
2. ¿Qué recomendó el médico? ¿Cuál fue el resultado de su tratamiento?
3. ¿Cómo cambió la vida de la joven después de la mordida? ¿A qué se dedicó?
4. ¿Con qué frecuencia hacía la tía muñecas? ¿Cómo iban cambiando con los años? ¿Qué materiales usaba para las distintas partes de las muñecas?
5. ¿Cuándo recibía cada hija su última muñeca? ¿Cómo era diferente de las anteriores? ¿Dónde se la solía colocar?
6. ¿Cómo reaccionó el joven médico al examinar la llaga de la vieja tía? ¿Cómo respondió el padre?
7. ¿Quién le interesaba al joven médico? ¿Cómo se vestía él para sus visitas a la casa? ¿Qué llevaba siempre de regalo?
8. ¿Cómo era diferente la última muñeca que le preparó la tía a la hija menor?
9. ¿Cómo y dónde pasó los días después de casarse la hija menor?
10. ¿Por qué se interesó de repente el esposo en la muñeca?
11. ¿Por qué les interesaba a los pacientes ver a la esposa del médico?
12. ¿Qué encontró el médico al entrar una noche en la habitación de su esposa?

INTERPRETACIÓN DE LA LECTURA

Conteste las siguientes preguntas.

1. En el cuarto párrafo de la narración, la fabricación de las muñecas de repente se personifica con la frase «el nacimiento de una muñeca». ¿Hay otros ejemplos de personificación de las muñecas? ¿Qué efecto tiene esto en nuestra interpretación de las muñecas?
2. Hay mucho énfasis sobre el color blanco y sus variaciones al describir la creación de las muñecas. ¿Qué efecto tiene esto en cuanto a nuestros pensamientos acerca de las muñecas? ¿Qué adjetivos se sugieren para describirlas? ¿Hay algún paralelo entre el vocabulario que describe las muñecas y el que se usa tradicionalmente para describir a las mujeres?
3. ¿Cómo son los hombres de la narración? ¿Cómo nos pinta la autora el retrato del joven pretendiente, luego esposo? ¿Qué nos sugieren las imágenes de él? ¿Cuál parece ser su mayor preocupación?
4. ¿De qué manera se pueden entender las palabras de la tía al regalarles la última muñeca con las palabras «Aquí tienes tu Pascua de Resurrección»?
5. ¿Cuáles son los paralelos entre la vida de la sobrina, la de las muñecas y la de la tía? ¿Qué nos indica el título del cuento?
6. ¿Qué podría significar el hecho de que la última muñeca de cada hija se llene de miel?
7. ¿Qué hacía la tía con las bolas de los ojos? ¿Por qué?
8. ¿Qué impacto tiene sobre el lector la última oración? ¿Cómo nos prepara la autora para la transformación? ¿Cómo se puede interpretar?

REPASO GRAMATICAL

A. Los libros de gramática enseñan el uso del progresivo principalmente con el verbo **estar**. Este cuento tiene muchos ejemplos del progresivo con otros verbos. ¿Puede Ud. traducir los siguientes ejemplos tomados de la narración?

1. Cuando las niñas fueron creciendo la tía se dedicó a hacerles muñecas para jugar.
2. La tía había ido agrandando el tamaño de las muñecas.
3. Iba levantando amorosamente cada una de las muñecas.

Busque ahora otros ejemplos y tradúzcalos.

B. En este cuento hay varios ejemplos del pasado o imperfecto de subjuntivo. En el segundo párrafo, ¿qué significa la oración siguiente?

Indicó que le aplicaran un sinapismo para que el calor la obligara a salir.

¿Por qué aparece dos veces el verbo en el subjuntivo en esta oración? Busque en el cuento otros ejemplos del subjuntivo y tradúzcalos; luego indique por qué se usa en cada ejemplo.

TEMAS DE DISCUSIÓN O DE COMPOSICIÓN

Las mujeres en el cuento

◆ ¿Hasta qué punto es posible decir que la tía y la hija menor son víctimas de su posición social? ¿Qué evidencia hay de esto en el cuento? ¿Cuáles son las actitudes de las mujeres hacia el papel que les ha sido asignado por los hombres?

◆ ¿Cuáles serían los pensamientos de la joven al casarse con el hijo del médico? ¿Puede Ud. recrearlos en forma de un monólogo interior?

La mujer en la sociedad actual

◆ ¿Existe hoy día la imagen de la mujer muñeca? ¿Puede Ud. dar ejemplos del comercio, de la televisión, de la ropa, de los juguetes, etcétera?

APÉNDICE

Division of Words into Syllables

In Spanish a syllable always contains a single vowel or a vowel group called a diphthong or triphthong. A consonant or consonant cluster may (but need not) precede the vowel or vowel group. A consonant sometimes follows it.

ho-la   a-diós   es-tu-diáis

A. Vowels

Spanish has five vowels. The vowels **a**, **e**, and **o** are strong vowels. The vowels **i** and **u** are weak.

1. When two strong vowels occur together, they are in separate syllables.

   a-e-ro-puer-to   ve-o   re-al   bo-a   o-es-te

2. When a strong and a weak vowel, or two weak vowels, occur together, they usually combine to form a diphthong that canot be divided.

   bue-no   cua-der-no   es-cri-to-rio   gra-cias

3. However, if the weak vowel is stressed, the two vowels do not form a diphthong, and each appears in a separate syllable.

   ba-úl   dí-as   tí-o

B. Consonants

1. A consonant (including **ch**, **ll**, and **rr**) may begin a syllable.

   Me lla-mo Cha-ro   a-rri-ba

2. When two consonants occur between vowels, they are usually divided.

   Ca-li-for-nia   ex-ce-len-te   u-ni-ver-si-dad

3. The letters **r** and **l**, however, form a cluster with most other consonants and are not usually divided.

   ha-blo   gra-cias   pro-fe-sor   plu-ral

Exception: the letter **t** usually divides from **l**: At-lán-ti-co; except in words of Aztec origin: Tla-que-pa-que, A-ti-tlán.

Word Stress and Use of Written Accents

1. Most words ending in a **vowel, -n,** or **-s,** are stressed on the next-to-last syllable.

ha<u>s</u>ta ma<u>ñ</u>ana   buenas <u>t</u>ardes

2. Most words ending in any consonant **except -n** or **-s** are stressed on the last syllable.

us<u>t</u>ed   fa<u>v</u>or   espa<u>ñ</u>ol

3. Words that do not follow the above patterns carry a written accent on the vowel of the syllable that is stressed.

a<u>d</u>iós   ca<u>f</u>é   lá<u>p</u>iz   lec<u>c</u>ión

4. Written accent marks are also used on all question words, and to distinguish between certain pairs of words spelled alike but with different meaning.

el	él	si	sí	que	¿qué?
the	*he*	*if*	*yes*	*that*	*what?*

Punctuation

Spanish punctuation is similar to English punctuation. The main differences are:

1. In Spanish an inverted question or exclamation mark is used at the beginning of a question or exclamation, in addition to the end mark.

¡Hola! ¿Qué tal?   Hi! How are you?

2. A comma is not used between the last two words of a series.

Estudiamos inglés, francés y español.
We are studying English, French, and Spanish.

3. A dash is used instead of quotation marks to separate the speakers' parts in a dialog.

—¿Cómo está usted?   "How are you?"
—Muy bien, gracias.   "Fine, thanks."

4. Three consecutive periods (...) are used to indicate a phrase that is left up in the air or has no definite ending.

Me gusta la música, la danza, el arte, soñar...
I love music, dance, art, daydreaming . . .

Capitalization

Only proper names, the first word of a sentence, or a title begin with a capital letter in Spanish. Spanish does not capitalize:

1. the subject pronoun *I*

    > tú y yo somos amigos
    > *you and I are friends*

2. nouns and adjectives of nationality

    > los mexicanos   una ciudad argentina
    > *Mexicans*   *an Argentinian city*

3. names of languages

    > libro de español   hablan inglés
    > *Spanish book*   *they speak English*

4. days of the week and names of the months

    > jueves, doce de octubre   sábado, cinco de mayo
    > *Thursday, October 12*   *Saturday, May 5*

VERBOS

◆ REGULAR VERBS: SIMPLE TENSES ◆

INFINITIVE
TRANSLATION
PRESENT PARTICIPLE
PAST PARTICIPLE

IMPERATIVE SINGULAR IMPERATIVE PLURAL	PRESENT INDICATIVE	PRESENT SUBJUNCTIVE	PRETERIT	IMPERFECT INDICATIVE
hablar	hablo	hable	hablé	hablaba
to speak	hablas	hables	hablaste	hablabas
hablando	habla	hable	habló	hablaba
hablado	hablamos	hablemos	hablamos	hablábamos
habla	habláis	habléis	hablasteis	hablabais
hablad	hablan	hablen	hablaron	hablaban
comer	como	coma	comí	comía
to eat	comes	comas	comiste	comías
comiendo	come	coma	comió	comía
comido	comemos	comamos	comimos	comíamos
come	coméis	comáis	comisteis	comíais
comed	comen	coman	comieron	comían
vivir	vivo	viva	viví	vivía
to live	vives	vivas	viviste	vivías
viviendo	vive	viva	vivió	vivía
vivido	vivimos	vivamos	vivimos	vivíamos
vive	vivís	viváis	vivisteis	vivíais
vivid	viven	vivan	vivieron	vivían

IMPERFECT SUBJUNCTIVE -RA	IMPERFECT SUBJUNCTIVE -SE	FUTURE	CONDITIONAL
hablara	hablase	hablaré	hablaría
hablaras	hablases	hablarás	hablarías
hablara	hablase	hablará	hablaría
habláramos	hablásemos	hablaremos	hablaríamos
hablarais	hablaseis	hablaréis	hablaríais
hablaran	hablasen	hablarán	hablarían
comiera	comiese	comeré	comería
comieras	comieses	comerás	comerías
comiera	comiese	comerá	comería
comiéramos	comiésemos	comeremos	comeríamos
comierais	comieseis	comeréis	comeríais
comieran	comiesen	comerán	comerían
viviera	viviese	viviré	viviría
vivieras	vivieses	vivirás	vivirías
viviera	viviese	vivirá	viviría
viviéramos	viviésemos	viviremos	viviríamos
vivierais	vivieseis	viviréis	viviríais
vivieran	viviesen	vivirán	vivirían

◆ REGULAR VERBS: PERFECT TENSES ◆

INFINITIVE	PERFECT INFINITIVE *to have spoken (eaten, lived)*	PERFECT PARTICIPLE *having spoken (eaten, lived)*
hablar	haber hablado	habiendo hablado
comer	haber comido	habiendo comido
vivir	haber vivido	habiendo vivido

PRESENT PERFECT INDICATIVE
I have spoken (eaten, lived), etc.

he hablado (comido, vivido), etc.
has hablado
ha hablado
hemos hablado
habéis hablado
han hablado

PRESENT PERFECT SUBJUNCTIVE
(that) I may have spoken (eaten, lived)

haya hablado (comido, vivido)
hayas hablado
haya hablado
hayamos hablado
hayáis hablado
hayan hablado

PRETERIT PERFECT INDICATIVE
I had spoken (eaten, lived)

hube hablado (comido, vivido)
hubiste hablado
hubo hablado
hubimos hablado
hubisteis hablado
hubieron hablado

PLUPERFECT SUBJUNCTIVE, -RA FORMS
(that) I should have spoken (eaten, lived)

hubiera hablado (comido, vivido)
hubieras hablado
hubiera hablado
hubiéramos hablado
hubierais hablado
hubieran hablado

FUTURE PERFECT
I shall have spoken (eaten, lived)

habré hablado (comido, vivido)
habrás hablado
habrá hablado
habremos hablado
habréis hablado
habrán hablado

PLUPERFECT (PAST PERFECT) INDICATIVE
I had spoken (eaten, lived)

había hablado (comido, vivido)
habías hablado
había hablado
habíamos hablado
habíais hablado
habían hablado

PLUPERFECT SUBJUNCTIVE, -SE FORMS
(that) I should have spoken (eaten, lived)

hubiese hablado (comido, vivido)
hubieses hablado
hubiese hablado
hubiésemos hablado
hubieseis hablado
hubiesen hablado

CONDITIONAL PERFECT
I would have spoken (eaten, lived)

habría hablado (comido, vivido)
habrías hablado
habría hablado
habríamos hablado
habríais hablado
habrían hablado

◆ STEM-CHANGING VERBS, ORTHOGRAPHIC-CHANGING VERBS, AND IRREGULAR VERBS ◆

The following charts show model verbs with standard patterns of stem and spelling changes, plus the main irregular verbs appearing in the text. The verbs are numbered for ease of reference to the patterns from the Spanish–English vocabulary. In the vocabulary, verb changes have been indicated with parenthetical markers. The implications of the markers are shown in full by the following verbs in the charts.

STEM CHANGING

o → ue	contar	1
e → ie	pensar	2
o → ue	volver	3
e → ie	perder	4
o → ue, o → u	dormir	5
e → ie, e → i	sentir	6
e → i	pedir	7

ORTHOGRAPHIC CHANGING

g → gu	averiguar	8	g → gu	pagar	14
z → zc	conocer	9	z → c	rezar	15
g → j	corregir	10	c → qu	sacar	16
g → j	dirigir	11	gu → g	seguir	17
gu → g	distinguir	12	c → z	vencer	18
g → j	escoger	13			

IRREGULAR

andar	19	haber	26	saber	33	ver	40
caber	20	hacer	27	salir	34		
caer	21	ir	28	ser	35	concluir	41
conducir	22	oír	29	tener	36	confiar	42
dar	23	poder	30	traer	37	continuar	43
decir	24	poner	31	valer	38	enviar	44
estar	25	querer	32	venir	39	leer	45

INFINITIVE TRANSLATION PRESENT PARTICIPLE PAST PARTICIPLE IMPERATIVE SINGULAR IMPERATIVE PLURAL	PRESENT INDICATIVE	PRESENT SUBJUNCTIVE	PRETERIT	IMPERFECT SUBJUNCTIVE	FUTURE CONDITIONAL IMPERFECT

◆ STEM-CHANGING VERBS ◆

1 contar	**cuento**	**cuente**	conté	contara(-se)	contaré
to count	**cuentas**	**cuentes**	contaste	contaras	
contando	**cuenta**	**cuente**	contó	contara	contaría
contado	contamos	contemos	contamos	contáramos	
cuenta	contáis	contéis	contasteis	contarais	contaba
contad	**cuentan**	**cuenten**	contaron	contaran	
2 pensar	**pienso**	**piense**	pensé	pensara(-se)	pensaré
to think	**piensas**	**pienses**	pensaste	pensaras	
pensando	**piensa**	**piense**	pensó	pensara	pensaría
pensado	pensamos	pensemos	pensamos	pensáramos	
piensa	pensáis	penséis	pensasteis	pensarais	pensaba
pensad	**piensan**	**piensen**	pensaron	pensaran	
3 volver	**vuelvo**	**vuelva**	volví	volviera(-se)	volveré
to return	**vuelves**	**vuelvas**	volviste	volvieras	
volviendo	**vuelve**	**vuelva**	volvió	volviera	volvería
vuelto	volvemos	volvamos	volvimos	volviéramos	
vuelve	volvéis	volváis	volvisteis	volvierais	volvía
volved	**vuelven**	**vuelvan**	volvieron	volvieran	
4 perder	**pierdo**	**pierda**	perdí	perdiera(-se)	perderé
to lose	**pierdes**	**pierdas**	perdiste	perdieras	
perdiendo	**pierde**	**pierda**	perdió	perdiera	perdería
perdido	perdemos	perdamos	perdimos	perdiéramos	
pierde	perdéis	perdáis	perdisteis	perdierais	perdía
perded	**pierden**	**pierdan**	perdieron	perdieran	
5 dormir	**duermo**	**duerma**	dormí	**durmiera(-se)**	dormiré
to sleep	**duermes**	**duermas**	dormiste	**durmieras**	
durmiendo	**duerme**	**duerma**	**durmió**	**durmiera**	dormiría
dormido	dormimos	**durmamos**	dormimos	**durmiéramos**	
duerme	dormís	**durmáis**	dormisteis	**durmierais**	dormía
dormid	**duermen**	**duerman**	**durmieron**	**durmieran**	
6 sentir	**siento**	**sienta**	sentí	**sintiera(-se)**	sentiré
to feel	**sientes**	**sientas**	sentiste	**sintieras**	
sintiendo	**siente**	**sienta**	**sintió**	**sintiera**	sentiría
sentido	sentimos	**sintamos**	sentimos	**sintiéramos**	
siente	sentís	**sintáis**	sentisteis	**sintierais**	sentía
sentid	**sienten**	**sientan**	**sintieron**	**sintieran**	

INFINITIVE TRANSLATION PRESENT PARTICIPLE PAST PARTICIPLE IMPERATIVE SINGULAR IMPERATIVE PLURAL	PRESENT INDICATIVE	PRESENT SUBJUNCTIVE	PRETERIT	IMPERFECT SUBJUNCTIVE	FUTURE CONDITIONAL IMPERFECT
7 pedir *to ask* **pidiendo** pedido **pide** pedid	pido pides **pide** pedimos pedís piden	pida pidas pida pidamos **pidáis** pidan	pedí pediste **pidió** pedimos pedisteis **pidieron**	**pidiera(-se)** **pidieras** **pidiera** **pidiéramos** **pidieais** **pidieran**	pediré pediría pedía

◆ ORTHOGRAPHIC-CHANGING VERBS ◆

8 averiguar *to investigate* averiguando averiguado averigua averiguad	averiguo averiguas averigua averiguamos averiguáis averiguan	**averigüe** **averigües** **averigüe** **averigüemos** **averigüéis** **averigüen**	**averigüé** averiguaste averiguó averiguamos averiguasteis averiguaron	averiguara(-se) averiguaras averiguara averiguáramos averiguarais averiguaran	averiguaré averiguaría averiguaba
9 conocer *to know* conociendo conocido conoce conoced	**conozco** conoces conoce conocemos conocéis conocen	**conozca** **conozcas** **conozca** **conozcamos** **conozcáis** **conozcan**	conocí conociste conoció conocimos conocisteis conocieron	conociera(-se) conocieras conociera conociéramos conocierais conocieran	conoceré conocería conocía
10 corregir *to correct* **corrigiendo** corregido **corrige** corregid	**corrijo** corriges corrige corregimos corregís **corrigen**	**corrija** **corrijas** **corrija** **corrijamos** **corrijáis** **corrijan**	corregí corregiste **corrigió** corregimos corregisteis **corrigieron**	**corrigiera(-se)** **corrigieras** **corrigiera** **corrigiéramos** **corrigierais** **corrigieran**	corregiré corregiría corregía
11 dirigir *to direct* dirigiendo dirigido dirige dirigid	**dirijo** diriges dirige dirigimos dirigís dirigen	**dirija** **dirijas** **dirija** **dirijamos** **dirijáis** **dirijan**	dirigí dirigiste dirigió dirigimos dirigisteis dirigieron	dirigiera(-se) dirigieras dirigiera dirigiéramos dirigierais dirigieran	dirigiré dirigiría dirigía
12 distinguir *to distinguish* distinguiendo distinguido distingue distinguid	**distingo** distingues distingue distinguimos distinguís distinguen	**distinga** **distinga** **distinga** **distingamos** **distingáis** **distingan**	distinguí distinguiste distinguió distinguimos distinguisteis distinguieron	distinguiera(-se) distinguieras distinguiera distinguiéramos distinguierais distinguieran	distinguiré distinguiría distinguía

INFINITIVE TRANSLATION PRESENT PARTICIPLE PAST PARTICIPLE IMPERATIVE SINGULAR IMPERATIVE PLURAL	PRESENT INDICATIVE	PRESENT SUBJUNCTIVE	PRETERIT	IMPERFECT SUBJUNCTIVE	FUTURE CONDITIONAL IMPERFECT
13 escoger *to choose* escogiendo escogido escoge escoged	escojo escoges escoge escogemos escogéis escogen	escoja escojas escoja escojamos escojáis escojan	escogí escogiste escogió escogimos escogisteis escogieron	escogiera(-se) escogieras escogiera escogiéramos escogierais escogieran	escogeré escogería escogía
14 pagar *to pay* pagando pagado paga pagad	pago pagas paga pagamos pagáis pagan	pague pagues pague paguemos paguéis paguen	pagué pagaste pagó pagamos pagasteis pagaron	pagara(-se) pagaras pagara pagáramos pagarais pagaran	pagaré pagaría pagaba
15 rezar *to pray* rezando rezado reza rezad	rezo rezas reza rezamos rezáis rezan	rece reces rece recemos recéis recen	recé rezaste rezó rezamos rezasteis rezaron	rezara(-se) rezaras rezara rezáramos rezarais rezaran	rezaré rezaría rezaba
16 sacar *to take out* sacando sacado saca sacad	saco sacas saca sacamos sacáis sacan	saque saques saque saquemos saquéis saquen	saqué sacaste sacó sacamos sacasteis sacaron	sacara(-se) sacaras sacara sacáramos sacarais sacaran	sacaré sacaría sacaba
17 seguir *to follow* siguiendo seguido sigue seguid	sigo sigues sigue seguimos seguís siguen	siga sigas siga sigamos sigáis sigan	seguí seguiste siguió seguimos seguisteis siguieron	siguiera(-se) siguieras siguiera siguiéramos siguierais siguieran	seguiré seguiría seguía
18 vencer *to overcome* venciendo vencido vence venced	venzo vences vence vencemos vencéis vencen	venza venzas venza venzamos venzáis venzan	vencí venciste venció vencimos vencisteis vencieron	venciera(-se) vencieras venciera venciéramos vencierais vencieran	venceré vencería vencía

INFINITIVE TRANSLATION PRESENT PARTICIPLE PAST PARTICIPLE IMPERATIVE SINGULAR IMPERATIVE PLURAL	PRESENT INDICATIVE	PRESENT SUBJUNCTIVE	PRETERIT	IMPERFECT SUBJUNCTIVE	FUTURE CONDITIONAL IMPERFECT

◆ IRREGULAR VERBS ◆

19 andar	ando	ande	**anduve**	**anduviera(-se)**	andaré
to go, walk	andas	andes	**anduviste**	**anduvieras**	
andando	anda	ande	**anduvo**	**anduviera**	andaría
andado	andamos	andemos	**anduvimos**	**anduviéramos**	
anda	andáis	andéis	**anduvisteis**	**anduvierais**	andaba
andad	andan	anden	**anduvieron**	**anduvieran**	
20 caber	**quepo**	**quepa**	**cupe**	**cupiera(-se)**	**cabré**
to fit	cabes	**quepas**	**cupiste**	**cupieras**	
cabiendo	cabe	**quepa**	**cupo**	**cupiera**	**cabría**
cabido	cabemos	**quepamos**	**cupimos**	**cupiéramos**	
cabe	cabéis	**quepáis**	**cupisteis**	**cupierais**	cabía
cabed	caben	**quepan**	**cupieron**	**cupieran**	
21 caer	**caigo**	**caiga**	caí	**cayera(-se)**	caeré
to fall	caes	**caigas**	caíste	**cayeras**	
cayendo	cae	**caiga**	**cayó**	**cayera**	caería
caído	caemos	**caigamos**	caímos	**cayéramos**	
cae	caéis	**caigáis**	caísteis	**cayerais**	caía
caed	caen	**caigan**	**cayeron**	**cayeran**	
22 conducir	**conduzco**	**conduzca**	**conduje**	**condujera(-se)**	conduciré
to conduct	conduces	**conduzcas**	**condujiste**	**condujeras**	
conduciendo	conduce	**conduzca**	**condujo**	**condujera**	conduciría
conducido	conducimos	**conduzcamos**	**condujimos**	**condujéramos**	
conduce	conducís	**conduzcáis**	**condujisteis**	**condujerais**	conducía
conducid	conducen	**conduzcan**	**condujeron**	**condujeran**	
23 dar	**doy**	**dé**	**di**	**diera(-se)**	daré
to give	das	des	**diste**	**dieras**	
dando	da	**dé**	**dio**	**diera**	daría
dado	damos	demos	**dimos**	**diéramos**	
da	dais	deis	**disteis**	**dierais**	daba
dad	dan	den	**dieron**	**dieran**	
24 decir	**digo**	**diga**	**dije**	**dijera(-se)**	**diré**
to say, tell	dices	**digas**	**dijiste**	**dijeras**	
diciendo	dice	**diga**	**dijo**	**dijera**	**diría**
dicho	decimos	**digamos**	**dijimos**	**dijéramos**	
di	decís	**digáis**	**dijisteis**	**dijerais**	decía
decid	dicen	**digan**	**dijeron**	**dijeran**	

INFINITIVE
TRANSLATION
PRESENT PARTICIPLE
PAST PARTICIPLE
IMPERATIVE SINGULAR
IMPERATIVE PLURAL

		PRESENT INDICATIVE	PRESENT SUBJUNCTIVE	PRETERIT	IMPERFECT SUBJUNCTIVE	FUTURE CONDITIONAL IMPERFECT
25	estar	estoy	esté	estuve	estuviera(-se)	estaré
	to be	estás	estés	estuviste	estuvieras	
	estando	está	esté	estuvo	estuviera	estaría
	estado	estamos	estemos	estuvimos	estuviéramos	
	está	estáis	estéis	estuvisteis	estuvierais	estaba
	estad	están	estén	estuvieron	estuvieran	
26	haber	he	haya	hube	hubiera(-se)	habré
	to have (aux.)	has	hayas	hubiste	hubieras	
	habiendo	ha	haya	hubo	hubiera	habría
	habido	hemos	hayamos	hubimos	hubiéramos	
	he	habéis	hayáis	hubisteis	hubierais	había
	habed	han	hayan	hubieron	hubieran	
27	hacer	hago	haga	hice	hiciera(-se)	haré
	to do, make	haces	hagas	hiciste	hicieras	
	haciendo	hace	haga	hizo	hiciera	haría
	hecho	hacemos	hagamos	hicimos	hiciéramos	
	haz	hacéis	hagáis	hicisteis	hicierais	hacía
	haced	hacen	hagan	hicieron	hicieran	
28	ir	voy	vaya	fui	fuera(-se)	iré
	to go	vas	vayas	fuiste	fueras	
	yendo	va	vaya	fue	fuera	iría
	ido	vamos	vayamos	fuimos	fuéramos	
	ve	vais	vayáis	fuisteis	fuerais	iba
	id	van	vayan	fueron	fueran	
29	oír	oigo	oiga	oí	oyera(-se)	oiré
	to hear	oyes	oigas	oíste	oyeras	
	oyendo	oye	oiga	oyó	oyera	oiría
	oído	oímos	oigamos	oímos	oyéramos	
	oye	oís	oigáis	oísteis	oyerais	oía
	oíd	oyen	oigan	oyeron	oyeran	
30	poder	puedo	pueda	pude	pudiera(-se)	podré
	to be able	puedes	puedas	pudiste	pudieras	
	pudiendo	puede	pueda	pudo	pudiera	podría
	podido	podemos	podamos	pudimos	pudiéramos	
	——	podéis	podáis	pudisteis	pudierais	podía
	——	pueden	puedan	pudieron	pudieran	

INFINITIVE TRANSLATION PRESENT PARTICIPLE PAST PARTICIPLE IMPERATIVE SINGULAR IMPERATIVE PLURAL	PRESENT INDICATIVE	PRESENT SUBJUNCTIVE	PRETERIT	IMPERFECT SUBJUNCTIVE	FUTURE CONDITIONAL IMPERFECT
31 poner	**pongo**	**ponga**	puse	pusiera(-se)	**pondré**
to place	pones	**pongas**	pusiste	pusieras	
poniendo	pone	**ponga**	puso	pusiera	**pondría**
puesto	ponemos	**pongamos**	pusimos	pusiéramos	
pon	ponéis	**pongáis**	pusisteis	pusierais	ponía
poned	ponen	**pongan**	pusieron	pusieran	
32 querer	**quiero**	**quiera**	quise	quisiera(-se)	**querré**
to wish, want	**quieres**	**quieras**	quisiste	quisieras	
queriendo	**quiere**	**quiera**	quiso	quisiera	**querría**
querido	queremos	queramos	quisimos	quisiéramos	
quiere	queréis	queráis	quisisteis	quisierais	quería
quered	**quieren**	**quieran**	quisieron	quisieran	
33 saber	**sé**	sepa	supe	supiera(-se)	**sabré**
to know	sabes	sepas	supiste	supieras	
sabiendo	sabe	sepa	supo	supiera	**sabría**
sabido	sabemos	sepamos	supimos	supiéramos	
sabe	sabéis	sepáis	supisteis	supierais	sabía
sabed	saben	sepan	supieron	supieran	
34 salir	**salgo**	**salga**	salí	saliera(-se)	**saldré**
to leave	sales	**salgas**	saliste	salieras	
saliendo	sale	**salga**	salió	saliera	**saldría**
salido	salimos	**salgamos**	salimos	saliéramos	
sal	salís	**salgáis**	salisteis	salierais	salía
salid	salen	**salgan**	salieron	salieran	
35 ser	**soy**	sea	fui	fuera(-se)	seré
to be	eres	seas	fuiste	fueras	
siendo	es	sea	fue	fuera	sería
sido	**somos**	seamos	fuimos	fuéramos	
sé	sois	seáis	fuisteis	fuerais	era
sed	**son**	sean	fueron	fueran	
36 tener	**tengo**	**tenga**	tuve	tuviera(-se)	**tendré**
to have	**tienes**	**tengas**	tuviste	tuvieras	
teniendo	**tiene**	**tenga**	tuvo	tuviera	**tendría**
tenido	tenemos	**tengamos**	tuvimos	tuviéramos	
ten	tenéis	**tengáis**	tuvisteis	tuvierais	tenía
tened	**tienen**	**tengan**	tuvieron	tuvieran	

INFINITIVE TRANSLATION PRESENT PARTICIPLE PAST PARTICIPLE IMPERATIVE SINGULAR IMPERATIVE PLURAL	PRESENT INDICATIVE	PRESENT SUBJUNCTIVE	PRETERIT	IMPERFECT SUBJUNCTIVE	FUTURE CONDITIONAL IMPERFECT
37 traer *to bring* **trayendo** **traído** trae traed	**traigo** traes trae traemos traéis traen	**traiga** **traigas** **traiga** **traigamos** **traigáis** **traigan**	traje trajiste trajo trajimos trajisteis trajeron	trajera(-se) trajeras trajera trajéramos trajerais trajeran	traeré traería traía
38 valer *to be worth* valiendo valido **val (vale)** valed	**valgo** vales vale valemos valéis valen	**valga** **valgas** **valga** **valgamos** **valgáis** **valgan**	valí valiste valió valimos valisteis valieron	valiera(-se) valieras valiera valiéramos valierais valieran	**valdré** **valdría** valía
39 venir *to come* **viniendo** venido **ven** venid	**vengo** vienes viene venimos venís vienen	**venga** **vengas** **venga** **vengamos** **vengáis** **vengan**	vine viniste vino vinimos vinisteis vinieron	viniera(-se) vinieras viniera viniéramos vinierais vinieran	**vendré** **vendría** venía
40 ver *to see* viendo **visto** ve ved	veo ves ve vemos veis ven	vea veas vea veamos veáis vean	vi viste vio vimos visteis vieron	viera(-se) vieras viera viéramos vierais vieran	veré vería **veía**

◆ VERBS WITH SPECIAL CHANGES IN SPELLING ◆

41 concluir *to conclude* **concluyendo** concluido **concluye** concluid	concluyo concluyes concluye concluimos concluís concluyen	concluya concluyas concluya concluyamos concluyáis concluyan	concluí concluiste **concluyó** concluimos concluisteis **concluyeron**	**concluyera(-se)** concluyeras concluyera concluyéramos concluyerais concluyeran	concluiré concluiría concluía
42 confiar *to confide* confiando confiado **confía** confiad	confío confías confía confiamos confiáis confían	confíe confíes confíe confiemos confiéis confíen	confié confiaste confió confiamos confiasteis confiaron	confiara(-se) confiaras confiara confiáramos confiarais confiaran	confiaré confiaría confiaba

INFINITIVE TRANSLATION PRESENT PARTICIPLE PAST PARTICIPLE IMPERATIVE SINGULAR IMPERATIVE PLURAL	PRESENT PRESENT INDICATIVE	PRESENT PRESENT SUBJUNCTIVE	PRETERIT	IMPERFECT IMPERFECT SUBJUNCTIVE	FUTURE CONDITIONAL IMPERFECT
43 **continuar**	**continúo**	**continúe**	continué	continuara(-se)	continuaré
to continue	**continúas**	**continúes**	continuaste	continuaras	
continuando	**continúa**	**continúe**	continuó	continuara	continuaría
continuado	continuamos	continuemos	continuamos	continuáramos	
continúa	continuáis	continuéis	continuasteis	continuarais	continuaba
continuad	**continúan**	**continúen**	continuaron	continuaran	
44 **enviar**	**envío**	**envíe**	envié	enviara(-se)	enviaré
to send	**envías**	**envíes**	enviaste	enviaras	
enviando	**envía**	**envíe**	envió	enviara	enviaría
enviado	enviamos	enviemos	enviamos	enviáramos	
envía	enviáis	enviéis	enviasteis	enviarais	enviaba
enviad	**envían**	**envíen**	enviaron	enviaran	
45 **leer**	leo	lea	leí	leyera(-se)	leeré
to read	lees	leas	leíste	**leyeras**	
leyendo	lee	lea	**leyó**	**leyera**	leería
leído	leemos	leamos	leímos	**leyéramos**	
lee	leéis	leáis	leísteis	**leyerais**	leía
leed	leen	lean	**leyeron**	**leyeran**	

VOCABULARIO

Guide for use of vocabulary

This glossary includes all words that appear in the text, except for elementary vocabulary, obvious cognates, and words that are directly translated in the given examples or glossed in the readings.

Gender of **nouns** is indicated for all nouns by the use of **el** or **la**. Feminine words taking the masculine article are indicated by (*f*).

A parenthetical number in a **verb** entry refers to one of the model verbs in the verb charts on pages 431–439.

Verbs used in the text both as nonreflexive and reflexive are included with the corresponding translation for each form.

Irregular **past participles** are shown after the infinitive. **Adverbs** formed by adding **-mente** are omitted.

◆ A ◆

a to, at; **a causa de** because of, on account of; **a excepción de** except for, with the exception of; **a pesar de** in spite of; **a través de** through

abarcar (c → qu, 16) to cover, include

la abeja bee

el abogado / la abogada lawyer

la abolladura dent

el abrazo hug

el abrelatas can opener

abrigar (g → gu, 14) to shelter

abrir to open; *past part* **abierto**

abrochar to button

el abuelo grandfather / **la abuela** grandmother

abultado swollen

aburrir to bore; **aburrirse** to get bored

abusar to abuse

acabar to finish

acariciar to caress

acarrear to carry

acaso perhaps, maybe; **por si acaso** just in case

acá here

acalorado heated

el aceite oil

acerca de about

acercar (c → qu, 16) to bring near

el acertijo riddle

aclarar to clear

acomodar to accommodate; to put

acompañar to accompany

aconsejable advisable

acordar (o → ue, 1) to make an agreement; **acordarse** to remember

acostarse (o → ue, 1) to lie down; to go to bed

la actitud attitude

el actor actor / **la actriz** actress

actual of the present

acudir to resort, to assist

el acuerdo accord, agreement; **de acuerdo a** according to; **estar de acuerdo (con)** to agree (with)

acusar to accuse

adecuado adequate

adelantar to overtake

adelante ahead, forward

adelgazar (z → c, 15) to lose weight

además besides

adentro inside

adivinar to guess, to predict

adjunto enclosed

la adolescencia adolescence

adonde where

¿adónde? where (to)?

el adoratorio temple

la aduana customs

advertir (e → ie, 6) to give warning of, to advise

el aeropuerto airport

afeitar to shave; **afeitarse** to shave oneself

aficionar to cause to like; **aficionarse** to become fond of

afiliar to affiliate

aflojar to loosen

afuera outdoors, outside

las afueras outskirts

agachar to bend, to lean over

el/la **agente** agent; **agente de viajes** travel agent
agarrar to grab
agarrotado tightly clenched
ágil agile
agotar to exhaust
agradable pleasant
agradar to please
agradecer (c → zc, 9) to thank, to be grateful
el **agua** f water
aguantar to endure, to bear
aguardar to wait
el **águila** f eagle
la **aguja** needle
el **agujero** hole
ahí there
ahora now; **ahora mismo** right now; **por ahora** for now
ahorita right now
ahorrar to save
airoso graceful, lively
el **ajo** garlic
alabar to praise
el **albaricoque** apricot
la **alcachofa** artichoke
el **alcalde** / la **alcaldesa** mayor
alcanzar (z → c, 15) to catch up
la **alcoba** bedroom
la **aldea** village
alegre happy
alejarse to leave
el **alfarero** / la **alfarera** potter
el **alfiler** pin
la **alfombra** rug
algo something
el **algodón** cotton
alguien someone
algún / **alguno** some, any
alimentar to feed, to nourish
el **alimento** food
aliviar to relieve
el **almacén** warehouse
almidonado starched
almorzar (o → ue, 1; z → c, 15) to eat lunch
el **alquiler** rent

la **alquimia** alchemy
alrededor de about, around
los **alrededores** environs
la **altura** height; **a estas alturas** at this point in time
el **alumno** / la **alumna** student
alzar (z → c, 15) to raise
allá way over there
allí way over there
el **ama** f mistress of the house
amable kind
amanecer (c → zc, 9) to dawn
amar to love
amargar (g → gu, 14) to make bitter; to make someone miserable
amarillo yellow
amarrar to tie
amazacotado heavy, crammed
el **ambiente** environment, atmosphere
el **amigo** / la **amiga** friend
la **amistad** friendship
el **amoníaco** ammonia
ampliar to enlarge
amplio wide
el **analfabetismo** illiteracy
el **anciano** / la **anciana** old, aged person
andar (*irr*, 19) to walk
angosto narrow
anhelante yearning
el **anillo** ring
animar to motivate
anoche last night
la **anomalía** anomaly
ansioso anxious
el **antepasado** / la **antepasada** ancestor
antes before; **antes de** before (time)
antier (contraction of **anteayer**) day before yesterday
antiguo old; former, ex-
antipático unfriendly
el **anuncio** announcement, commercial
añadir to add

añejo matured
el **año** year
apagar (g → gu, 14) to turn off
el **aparato** apparatus; appliance
aparecer (c → zc, 9) to appear
aparentar to pretend; to show off
apartar to separate
apasionar to impassion
apenas barely
apetecer (c → zc, 9) to crave, to feel like eating
el **apio** celery
aplastar to crush
aplaudir to applaude
el **aplauso** applause
aplicar (c → qu, 16) to apply something to
apoyar to support
el **aporte** contribution
el/la **apóstol** apostle
apreciar to appreciate
aprender to learn
apresurar(se) to hurry up, to hasten
aprobar (o → ue, 1) to approve
apropriado appropriate
aprovechar(se) to take advantage of
aproximar to bring near; **aproximarse** to approach
apuntar to jot down; to point at
los **apuntes** notes
apurar to press, to hasten
el **apuro** trouble
aquel / **aquella** *adj* that
aquél / **aquélla** *pron* that, that one
aquello *pron* that
aquellos / **aquellas** *adj* those
aquéllos / **aquéllas** *pron* those
aquí here
el **árbol** tree

arder to burn
la ardilla squirrel
el arete earring
el arma f weapon
el armario closet, locker
la arquería arcade, series of arches
arrancar (c → qu, 16) to pull up by the roots
arrastrar to drag
arreglar to fix
arrepentir (e → ie, 6) to repent
el arroyo stream; brook
la arruga wrinkle
articular to articulate
el/la artista entertainer; artist
el artículo article
el asa f handle
asar to roast
ascender (e → ie, 4) to ascend
asegurar to secure
el asesinato assassination
el asiento seat
la asignatura subject
asistir to attend
así thus, so; así como, así que, as soon as
asolearse to sunbathe
asombrar to amaze; asombrarse to be astonished
el asunto (de) the matter of, the problem of
asustar to frighten; asustarse to be frightened
atentar to attempt
aterrar to terrorize
atraer (irr, 37) to attract
el atraco holdup, attack
atrasado underdeveloped
atreverse to dare
el aula f classroom
aullar to howl
aumentar to augment
aun even
aún still, yet; aún no not yet
aunque although, even though
la ausencia absence

avanzar (z → c, 15) to advance
el avemaría Hail Mary (prayer)
la avenida avenue
la aventura adventure
la avería failure, defect
averiguar (g → gü, 8) to inquire; to find out
el avión airplane
el aviso advertisement
el aya f governess
ayer yesterday
ayudar to help
la azada hoe
el azúcar sugar

◆ B ◆

el bachillerato high school
bailar to dance
el bailarín ballet dancer / la bailarina ballerina
bajo below
la bala bullet
el balcón balcony
la ballena whale
la banca bench; banking
la bancarrota bankruptcy
el banco bank
bañar(se) to bathe
barato inexpensive
la barba beard
barrer to sweep
el barrio neighborhood, district
el barro clay
basar(se) to base
básico basic
bastar to be enough
la basura garbage
la bata robe
el baúl chest
bautizar to baptize
el bebé baby
beber to drink
la belleza beauty
benéfico beneficent, kind
besar to kiss
la biblioteca library
el bicho bug
bien fine, well

el bienestar welfare; well-being
el billete bill
el biscuit unglazed pottery
el bizco / la bizca cross-eyed person
blanco white
la blancura whiteness
blando soft
la boca mouth
bochornoso stifling
la boda wedding
la bola ball
el bolero / la bolera truant, fibber
el boletín bulletin
el bolso purse
el bolsillo pocket
la bomba bomb; pump
el bombero fireman / la bombera firewoman
borrar to erase
el bosque forest
la bota boot
la botella bottle
el botón button
el bracero field worker
el brazalete bracelet
el brazo arm
breve brief
la brigada brigade
brillar to shine
el brillo luster
brincar (c → qu, 16) to jump
brindar to offer; to drink a toast to
brusco brusque, gruff
bueno good
la bufanda scarf
el buque ship
la burla mockery
burlarse to mock
buscar (c → qu, 16) to search for

◆ C ◆

el caballo horse

caber (*irr,* 20) to fit, have room
la **cabida** room, space
la **cabina** booth
cabizbajo head down; crestfallen
la **cabra** goat
cada each
la **cadena** chain; **cadena perpetua** life in prison
la **cadera** hip
caer (*irr,* 21) to fall
la **caja** box
el **cajero** / la **cajera** cashier
el **cajón** box, crate
la **calefacción** heating
caliente hot
la **calidad** quality
calificar (c → qu, 16) to assess; qualify
el **calor** heat
caluroso hot
calzar (z → c, 15) to wear (shoes)
callado quiet
la **calle** street
la **cama** bed
la **cámara** chamber
el **camarero** waiter; steward / la **camarera** waitress; chambermaid
cambiar to change
caminar to walk
el **camino** road
la **camioneta** station wagon
el **camión** bus (Mex.), truck
la **camisa** shirt
la **campana** bell
la **campaña** campaign
el **campeonato** championship
el **campo** country, field; camp
el **canal** channel
la **canción** song
cansar to tire; **cansarse** to get tired
cantar to sing
la **cantera** stone pit
la **cantina** bar
el **cañaveral** sugar cane plantation

capaz capable
el **capicúa** palindrome
el **capital** capital (money)
la **capital** capital city
el **capítulo** chapter
el **capullo** cocoon; flower bud
la **cara** face
el **caracol** snail
caracterizar to characterize; **caracterizarse** to be characterized
carecer (c → cz, 9) to lack
la **carga** load, burden
cargar (g → gu, 14) to load; to charge
el **cariño** affection
cariñoso loving, affectionate
caro expensive
la **carne** meat
la **carnicería** meat store
carnoso fleshy
la **carrera** career
el **carrete** fishing reel; spool
la **carretera** highway, road
el **carro** car
la **carta** letter
el **cartel** poster
la **cartera** wallet; mailwoman
el **cartero** mailman
el **cartón** cardboard
la **casa** house
casar to marry; **casarse** to get married
el **casco** helmet
casi almost, nearly
castellano Castillian
castigar (g → gu, 14) to punish
el **castigo** punishment
el **catedrático** / la **catedrática** tenured professor
el **cayado** shepherd's crook
cazar (z → c, 15) to hunt
la **cebolla** onion
la **cecina** jerked beef
la **ceja** eyebrow
el **celo** zeal; los **celos** jealousy
cenar to eat dinner, supper
la **ceniza** ash
una **centena (de)** a hundred

un **centenar (de)** a hundred
el **centro** center, downtown
la **cera** wax
la **cerámica** ceramic
cerca near
el **cerco** rim, border
el **cerdo** hog, pig
la **cereza** cherry
la **cerradura** lock
el **cerrajero** / la **cerrajera** locksmith
el **cerro** hill
la **cerveza** beer
la **cesta** basket
ciego blind
el **cielo** sky
el **científico** / la **científica** scientist
cierto certain, some; true
el **cigarrillo** cigarette
el **cine** cinema, movies
la **cinta** ribbon, tape
la **cintura** waist
el **circo** circus
la **ciruela** plum, prune
el **cirujano** / la **cirujana** surgeon
el **cisne** swan
la **cita** appointment
la **ciudad** city
el **ciudadano** / la **ciudadana** citizen
claro clear, light; of course
la **clave** key
el **clima** climate
cobarde coward
cobrar to collect; cash (a check)
cocido cooked
la **cocina** kitchen
cocinar to cook
el **cocinero** / la **cocinera** cook, chef
el **coche** car
el **codo** elbow
el **código** code
el **cofre** trunk, chest
la **cogida** goring
la **cola** tail
el **colchón** mattress

el/la **colega** colleague

colocar (c → qu, 16) to place; to locate

combatir to fight

la **comedia** comedy

el **comedor** dining room

el **comején** termite

el **comentario** comment

comenzar (e → ie, 2; z → c, 15) to begin

comer (se) to eat

el **comedor** dining room

el **cometa** comet

la **cometa** kite

cometer to commit

la **comida** food

como like, such as, how; since, as long as; ¡**cómo no!** of course!; **como si** as if; **como siempre** same as usual; **tan... como** as . . . as; ¿**cómo?** (¡**cómo!**) how? (how!); what! what did you say? what is it?; ¿**Cómo es (son)...?** What is (are) . . . like?

cómodo comfortable

compadecerse (c → zc, 9) to sympathize; feel sorry for

el **compadre** godfather, friend (man) / la **comadre** godmother, friend (woman)

el **compañero** / la **compañera** companion, classmate

compartir to share

competir (e → i, 7) to compete

complacer (c → zc, 9) to please

componer (irr, 31) to compose; to put together, repair

comportarse to behave

comprar to buy

comprender to comprehend, understand

comprobar (o → ue, 1) to verify

comunicar (c → qu, 16) to communicate, notify

con with; **con tal que** provided that

conceder to award

la **conciencia** conscience

el **concierto** concert

concluir (u → uy, 41) to conclude

concurrido crowded

el **concurso** contest

conducir (c → zc, 22) to conduct, lead; to drive (a car)

conectar to connect

el **conejo** rabbit

confeccionar to make

la **conferencia** lecture, conference

confesar (e → ie, 2) to confess

confiar (irr, 22) to trust, confide in

confundir to confuse

conmover (o → ue, 3) to move, to touch (emotionally)

conocer (c → zc, 9) to know

el **conocimiento** knowledge

la **consecuencia** consequence

conseguir (e → i, 7; gu → g, 17) to get, to obtain

el **consejero** / la **consejera** advisor

el **consejo** advice

consolar (o → ue, 1) to comfort

constar de to consist of

construir (u → uy, 41) to construct, to build

el **consultorio** clinic, medical office

el **consumidor** / la **consumidora** consumer

contaminar to contaminate, to pollute

contar (o → ue, 1) to count; to tell, to relate; **contar con** to count on

contemporáneo contemporary

contento happy, satisfied

contestar to answer

continuar (irr, 43) to continue

contraer (irr, 37) to contract

el/la **contratista** contractor

contribuir to contribute

convencer (c → z, 18) to convince

convertir (e → ie, 6) to convert; **convertirse** to change, to become

convincente convincing

la **copa** goblet

el **corazón** heart

la **corbata** tie

la **cordillera** mountain range

el **coro** chorus

la **corona** crown

la **correa** leash

corregir (irr, 10) to correct

el **correo** mail

correr to run

correspondiente corresponding

la **corrida** bullfight

el **corrido** ballad

corriente current; ordinary, common

cortar to cut

corto short

la **cortina** curtain

el **cortometraje** short film

la **corva** back of the knee

la **cosa** thing

la **cosecha** harvest, crop

coser to sew

el/la **cosmonauta** astronaut

cosmopolita cosmopolitan

la **costa** coast

el **costado** side

costar (o → ue, 1) to cost

la **costumbre** custom

la **cotización** exchange rate

crecer (c → zc, 9) to grow

creer (irr, 45) to believe

la **criada** maid

la **crianza** rearing, upbringing

criar to rear, to bring up

crispado on edge, irritated

la **crítica** criticism
la **crueldad** cruelty
el **crujido** creaking
cruzar (z → c, 15) to cross
cuadrado square
cual, cuales: el (la) cual, los (las) cuales which, whom; **lo cual** which
¿cuál? ¿cuáles? which? which one(s)? what?
cualquiera whichever
cuando when
¿cuándo? when?
cuanto as much as; **en cuanto** as soon as; **en cuanto a** as far; **unos cuantos** a few
¿cuánto? how much; **¿(por) cuánto tiempo?** how long?
¿cuántos? how many
la **cuaresma** Lent
el **cuartel** barracks
el **cuarteto** quartet
el **cuartillo** mug
el **cuarto** room; one-fourth
cubrir to cover; *past part* **cubierto**
la **cucaracha** cockroach
cuclillas crouching
la **cuchara** spoon
la **cuchilla** blade, penknife
el **cuello** neck
el/la **cuentista** storyteller
el **cuento** story
la **cuenta** bill
el **cuero** leather
la **cueva** cave
el **cuidador** / la **cuidadora** caretaker
culpable guilty
culto cultured
la **cumbre** peak, summit
el **cumpleaños** birthday
cumplir to fulfill, reach; **cumplir años** to have a birthday
el **cúmulo** accumulation
el **cura** priest
la **cura** healing, cure

el **currusco** dry piece of bread
cuyo / cuya whose; of which
cuyos / cuyas whose

◆ CH ◆

la **chágara** water prawn
la **chaqueta** jacket
charlar to chat
charlatán talkative
chirriar to creak
chismoso gossipy
el **chiste** joke
chocar (c → qu, 16) to crush, to collide
la **choza** hut, shack
chusco funny

◆ D ◆

la **danza** dance
dañar to damage
dar (*irr,* 23) to give; **dar a** to look onto; to be opposite to; **dar a luz** to give birth
de of, from; **de antemano** beforehand; **de memoria** by heart; **de primera** first class; **de repente** suddenly
debajo (de) below, underneath
deber to owe; have to; **deber de** must (probability)
debido a due to
el **decano** / la **decana** dean
una **decena (de)** a group of ten
el **décimo** tenth part
decir (*irr,* 24) to say; *past part* **dicho**
el **dedo** finger
deducir (c → zc, 22) to deduce
defender (e → ie, 4) to defend
dejar to leave
del contraction of **de** + **el**; of, from the
delante (de) before, in front of

deleitar to delight
delgado thin
demarcar (c → qu, 16) to mark out limits
lo **demás** the rest of; **los/las demás** the others
demasiado too much
demócrata democratic
el **demonio** demon; devil
demonstrar (o → ue, 1) to demonstrate
dentro (de) inside (of); within
denunciar to denounce
el **deporte** sport
deprimir to depress
la **derecha** right side
el **derecho** right; law (body or field of)
derramar to spill
derretir (e → i, 7) to melt
derrotar to defeat
derrumbar to destroy
el **desacuerdo** disagreement
desagradar to displease
desarrollar to develop
desayunar to eat breakfast
descalzo barefoot
descansar to rest
desconocido unknown; stranger
descoyuntar to dislocate
descubrir to discover; *past part* **descubierto**
desde from; **desde que** since
la **desdicha** misfortune, misery
desear to desire
desembocar (c → qu, 16) flow into
desempeñar to perform any duty or promise
el **desempleo** unemployment
el **desfile** parade
desgranar to thresh; **desgranarse** to come loose, to scatter (pearls, beads, etc.)
deshacer (*irr,* 27) to take apart, to destroy; *past part*

deshecho

el **desierto** desert, deserted

desmayar to faint

desnudo nude

desocupar to vacate, to empty

el **desorden** disorder

el **despacho** office

desparramar to spread, to scatter

despedir (e → i, 7) to dismiss; **despedirse de** to take leave of, to say goodbye to

despertar(se) (e → ie, 2) to wake up

el **despertador** alarm clock

despojar to strip

despreocupado laid back; unworried

después de after (time)

destacar(se) (c → qu, 16) to distinguish

destrabar to unfasten, to loosen

destruir (u → uy, 41) to destroy

el **detalle** detail

detectar to detect

detener (*irr,* 36) to detain

detrás (de) behind

la **deuda** debt

la **devolución** refund; return; giving back

devolver (o → ue, 3) to give back, to return

devorar to devour

el **día** day; **de día** during the day

dialogar (g → gu, 14) to take part in a dialogue; to converse

diario daily; el **diario** daily newspaper

dibujar to draw

la **dicha** good fortune, happiness

el **dicho** saying

diferente various; different

diferir (e → ie, 6) to defer

difícil difficult

difundir to spread; to broadcast

el **difunto** / la **difunta** deceased

el **dinero** money

dirigir (g → j, 11) to direct

el **discípulo** /la **discípula** disciple

el **disco** record

el **discurso** speech

discreto discreet

discutir to discuss

diseñar to design

disfrutar to enjoy

disgustar to displease

disimular to conceal one's real intentions

disminuir (u → uy, 41) to diminish

dispuesto ready

distinto different

distraer (*irr,* 37) to distract

el **distrito** district

el **diván** couch

divertir (e → ie, 6) to amuse; **divertirse** to have a good time

doblar to bend over

una **docena (de)** a dozen

docente teaching

el **documental** documentary

doler (o → ue, 3) to hurt

el **dolor** pain

el **domingo** Sunday

donar to donate

donde where, wherever

¿dónde? where?

dormilón drowsy, sleepy

dormir (o → ue; o → u, 5) to sleep; **dormirse** to fall asleep

el **dorso** back

la **dote** *f* talent, skill

el **dramaturgo** / la **dramaturga** dramatist

la **droga** drug

ducharse to shower

el **duelo** mourning

el **dueño** / la **dueña** owner

dulce sweet

durante during

durar to last

el **durazno** peach

duro hard

◆ E ◆

echar to throw

la **edad** age

el **edificio** building

el **ejército** army

elegir (e → i, 7; g → j, 11) to elect

elogiar to praise

el **embajador** / la **embajadora** ambassador

eminente eminent

la **emisora** radio station

empacar (c → qu, 16) to pack

empapar to soak

empedernir to harden

empeñar to pawn

empezar (e → ie, 2; z → c, 15) to begin

emplear to employ

la **empresa** company, enterprise

empujar to push

en in, at; **en absoluto** not at all; **en contra de** against; **en cuanto** as soon as; **en cuanto a** as for; **en frente de** in front of; **en lugar de** (**en vez de**) instead of; **en seguida** right away

enamorarse (de) to fall in love (with)

el **encaje** lace

encantar to delight

el **encargado** / la **encargada** attendant

encargar to entrust; to order (goods)

encender (e → ie, 4) to turn on, to light up

encima de above, on top of

encimar to put on top

la **encina** oak
encoger (g → j, 13) to shrink
encomendar(se) (e → ie, 2) to entrust (oneself)
encontrar (o → ue, 1) to find; **encontrarse** to meet
encorvado bent
el **encuentro** encounter
la **encuesta** opinion poll
enderezar (z → c, 15) to straighten up
endiablado devilish
la **enemistad** enmity
enfadar to trouble, to bother; to get mad; **enfadarse** to get mad
enfermar to make ill; **enfermarse** to become ill
la **enfermedad** sickness
el **enfermero** / la **enfermera** nurse
enfocar (c → qu, 16) to focus
enfrentar to confront
engañar to deceive
engordar to fatten; gain weight
enlazar (z → c, 15) to embrace; to link
enloquecer (c → zc, 9) to cause to go mad; **enloquecerse** to go mad
enmarcar (c → qu, 16) to frame
enojar to anger; **enojarse** to get angry
enorme huge
enrollar(se) to curl up
enroscado curled up
la **ensalada** salad
el **ensayo** rehearsal; essay; experiment
el/la **ensayista** essayist
enseñar to teach
entender (e → ie, 4) to understand
enterarse (de) to find out, to become aware
entonces then, so

la **entrada** entrance; admission ticket
entre between, among; **entre si** among themselves
entrenar to train
entretanto in the meantime
entrevistar to interview
entristecer (c → zc, 9) to sadden; **entristecerse** to become sad
enviar to send
envidiar to envy
equivocarse (c → qu, 16) to make a mistake
erguir (gu → g, 17; irr, e → ye) to erect, to raise
el **erizo** hedgehog; sea urchin
esbozar (z → c, 15) to sketch, to outline
la **escala** stop (during a flight), port of call
la **escalera** stairs; ladder
la **escama** scale (fish)
la **escena** scene
el **escenario** scenery; stage
esclarecer (c → zc, 9) to illuminate
la **escoba** broom
escoger (g → j, 13) to choose
el/la **escolar** schoolchild
esconder to hide
el **escondite** hiding place
escribir to write
el **escritor** / la **escritora** writer
el **escritorio** desk
escuchar to listen
la **escuela** school
la **escultura** sculpture
ese, esa adj that
ése, ésa pron that one
esforzarse (o → ue, 1; z → c, 15) to try hard, make an effort
la **esmeralda** emerald
eso that; **a eso de** about; **por eso** therefore, for that reason
esos, esas adj those
ésos, ésas pron those (ones)

la **espalda** back, shoulder
espantar to scare, drive away
el **español** Spanish
espectáculo show
la **esperanza** hope
esperar to wait
esposado handcuffed
el **esposo** / la **esposa** spouse
la **esquina** corner
el **establo** stable
estacionar to park
la **estación** station; season
el **estadio** stadium
el **estado** state
estar (irr, 25) to be
la **estatura** height
este, esta adj this
éste, ésta pron this one
estirar to stretch
esto this
estos, estas adj these
éstos, éstas pron these (ones)
estocástico random
el **estrado** raised platform
estrecho narrow
la **estrella** star
estremecerse (c → zc, 9) to tremble
el **estribillo** refrain
la **estrofa** stanza (of poetry)
estropear to maim, to cripple
el/la **estudiante** student
la **estufa** stove
evitar to avoid
exagerar to exaggerate
excepto (si) except (if)
exigir (g → j, 10) to demand
explicar (c → qu, 16) to explain
exponer (irr, 31) to expose, to expound
exprimir to squeeze
expulsar to expel
el **extranjero** foreigner; abroad / la **extranjera** foreigner
extrañar to alienate, to find strange; to miss

extraño strange
el éxito success

◆ F ◆

la **fábrica** factory
fácil easy
la **factura** invoice
la **falda** skirt
la **falta** lack
fallar to fail
fastidiar to bother, annoy
la **fe** faith
la **felicidad** happiness
feliz happy
feo ugly
feroz fierce
la **ferretería** hardware store
el **ferrocarril** railroad
fiarse to trust
el **fideo** noodle
la **fiebre** fever
fiel faithful
la **fiesta** party
fijar(se) to take note of, notice
fijo static
la **fila** row
el **fin** end; **fin de semana** weekend; **a fines de** at the end of
el **final** end
financiero financial
la **finca** property, estate
fino fine; courteous
la **fisiología** physiology
flaco thin
flaquear to weaken
la **flecha** arrow
flojo loose, slack
la **flor** flower
florecer (c → zc, 9) to bloom; to flourish
fomentar to foster
el **formulario** form
fornido robust
la **fortaleza** military outpost, fortress; strength
el **fósforo** match
fracasar to fail

la **frambuesa** raspberry
la **frecuencia** frequency
freír (e → i, 7) to fry
el **frente** front
la **frente** forehead
frente a facing
la **fresa** strawberry
la **frialdad** coldness
el **frijol** bean
frío cold
la **frontera** border
frotar to rub
la **fruta** fruit
el **fuego** fire
la **fuente** fountain
fuera (de) outside (of)
fuerte strong
la **fuerza** strength
fugaz brief; **la estrella fugaz** shooting star
fumar to smoke
funcionar to work, to function
fundar to found, to base
la **furia** fury
el **fútbol** soccer

◆ G ◆

las **gafas** spectacles; **gafas de sol** sunglasses
el **galardón** prize, reward
la **galleta** cookie, cracker
la **gallina** hen
el **gallo** rooster
la **gana** desire, wish; **de buena (mala) gana** willingly (unwillingly)
el **ganado** livestock
el **ganador** / la **ganadora** winner
ganar to win
garantizar (z → c, 15) to guarantee
la **garganta** throat
la **garrapata** tick
gastado worn out
el **gasto** expense; expenditure
el **gato** / la **gata** cat

el **gazpacho** cold vegetable soup
la **gema** gem
el **gemelo** / la **gemela** twin
la **gente** people
el/la **gerente** manager
el **gesto** gesture
la **gira** tour package
el **gitano** / la **gitana** gypsy
el **gobernador** / la **gobernadora** governor
el **gobierno** government
la **goma** rubber
golpear to beat
gordo fat
la **gota** drop
gozar (z → c, 15) to enjoy
grabar to record
la **grabadora** tape recorder
gracias thanks
el **grado** grade; degree
gran (grande) great, famous; large, big
el **granero** granary
la **granja** farm
la **grasa** grease
gris grey
gritar to shout, to yell
grueso thick; big
la **gruta** cavity; grotto
la **guajira** a country song set to a famous poem; Cuban peasant
la **guanábana** soursop or custard apple
el **guante** glove
guapo good-looking
la **guata** padding; cotton wool
guardar to keep, to store
la **guerra** war
el **guerrero** / la **guerrera** warrior
el **guerrillero** / la **guerrillera** guerrilla fighter
el/la **guía** guide (person)
la **guía** guidebook
el **guiño** wink, grimace
el **guión** script
el **guisante** green pea
el **guitarrón** big guitar

el **gusano** worm
gustar to like

◆ **H** ◆

habitar to inhabit
haber (*irr,* 26) to have
la **habilidad** ability
la **habitación** room
hablar to talk
hacer (*irr,* 27) to do; *past part* **hecho**; **hacer el papel de** to play the role of; **hacer ejercicio** to exercise; **hacer calor** to be hot; **hacer frío** to be cold
el **hacha** *f* ax
la **hamaca** hammock
el **hambre** *f* hunger
la **harina** flour
hartar to sicken, to get tired of
hasta as far as, up to; **hasta que** until
el **hecho** deed
el **helado** ice cream
la **hembra** female
la **herida** wound
el **hermanastro** half brother; stepbrother / la **hermanastra** half sister; stepsister
la **hermandad** sorority
el **hermano** brother / la **hermana** sister
el **herrero** / la **herrera** blacksmith
hervir (e → ie, 6) to boil
el **hielo** ice
el **hierro** iron
el **hígado** liver
la **higuera** fig tree
el **hijo** son / la **hija** daughter
la **hilera** straight line
el **hilo** thread
hipócrita hypocrite
el/la **hispanohablante** Spanish speaker
la **historia** story; history
la **hoguera** bonfire
el **hogar** home

la **hogaza** loaf
la **hoja** leaf
el **hombre** man
el **hombro** shoulder
hondo deep
honrar to honor
la **hora** hour; **a estas horas** at this (unusual, late) hour
el **horario** schedule
la **hormiga** ant
el **hostal** inn, tavern
hoy today
el **hueco** hole
la **huelga** strike
la **huella** track
huérfano orphan
la **huerta** vegetable garden
el **huerto** orchard
el **hueso** bone
el **huésped** / la **huéspeda** guest, lodger
el **huevo** egg
huir (u → uy, 41) to flee
humedecer (c → zc, 9) to moisten
humillar to humble, to humiliate
el **humo** smoke
el **humor** humor; **de buen (mal) humor** in a good (bad) mood
el **huracán** hurricane
hurtar to steal, make away with

◆ **I** ◆

identificar to identify
la **idoneidad** aptitude
la **iglesia** church
igual same
ilustre illustrious
imbécil stupid
imponer (*irr,* 31) to impose; *past part* **impuesto**
importar to import; to matter
imprescindible indispensable; essential
imprimir to print; *past part*

impreso
la **imprudencia** imprudence, indiscretion
el **incendio** fire
incluir (u → uy, 41) to include
incluso including
indefenso defenseless
el **indicio** sign, mark
el/la **indígena** native
indiscutiblemente unquestionably; indisputably
inesperado unexpected
el **influjo** influence; rising tide
el **inglés** English
ingrato unpleasant; ungrateful; disagreeable
ingresar to enroll
el **ingreso** income, admission
inmóvil immobile; motionless
inolvidable unforgettable
inquieto worried, uneasy
el **inquilino** / la **inquilina** tenant
intentar to try
insigne renowned
insoportable unbearable
interrumpir to interrupt
inusitado unusual
inútil useless
el **invierno** winter
inviolado unviolated
ir (*irr,* 28) to go
la **isla** island
la **izquierda** left hand; **a la izquierda** to the left
izquierdo left

◆ **J** ◆

jamás never, ever
japonés Japanese
el **jardín** garden
la **jarra** pitcher
el **jefe** / la **jefa** boss
el **jinete** horseman, rider / la **jineta** horsewoman, rider
el **jornal** day's wages
el/la **joven** young person

la **joya** jewel
las **joyas** jewelry
el **júbilo** jubilation
la **judía verde** green bean
el **juez** / la **jueza** judge
    jugar (u → ue; g → gu, 14) to play
el **jugo** juice
    jugoso juicy
el **juguete** toy
    juguetón playful
    junto a next to
    juntos together
el **jurado** jury
    jurar to swear
    juzgar (g → gu, 14) to judge

◆ L ◆

el **labio** lip
la **ladera** hillside
el **lado** side
    ladrar to bark
el **ladrón** / la **ladrona** thief
el **lago** lake
la **lágrima** tear
la **lámpara** lamp
la **lana** wool
    lanzar (z → c, 15) to throw, to thrust
el **lápiz** pencil
    largo long
la **lástima** pity; ¡qué **lástima!** what a shame!
la **lata** tin can
el **lavabo** washbasin
el **lavaplatos** dishwasher
    leal loyal
la **lección** lesson
el **lector** / la **lectora** reader
la **leche** milk
la **lechuga** lettuce
    leer (*irr,* 45) to read
    lejano far away
    lejos far away
la **lengua** tongue
    lento slow
la **leña** firewood
    levantar to lift; **levantarse** to get up

    leve light, slight
la **ley** law
    liberar to liberate
la **libertad** liberty
    libre free
el **libro** book
el **liceo** high school
el/la **líder** leader
    ligar (g → gu, 14) to link
    ligero quick, fast, slight
la **limosna** alms
el **limpiaparabrisas** windshield wiper
    limpiar to clean
la **limpieza** cleanliness; **hacer la limpieza** to do the cleaning
    listo smart; ready
    litoral coastal
el **litro** liter
el **lobo** wolf
    loco crazy
el **lodo** mud
    lograr to achieve, to accomplish
la **loma** slope, little hill
el **loro** parrot
la **lotería** lottery
    luchar to fight, to struggle
el **lugar** place
el **lujo** luxury
la **luna** moon; **luna de miel** honeymoon
el **lunes** Monday
la **luz** light

◆ LL ◆

la **llaga** wound
la **llama** flame
    llamar to call
el **llano** plain
    llegar (g → gu, 14) to arrive
    llenar to fill
    lleno full
    llevar to take; to wear (clothes)
    llorar to cry
    llover (o → ue, 3) to rain

◆ M ◆

la **maceta** pot
    machacar (c → qu, 16) to crush, to pound
el **macho** male
la **madre** mother
la **madrina** godmother
la **madrugada** dawn
    maduro mature
el **maestro** / la **maestra** teacher
    magullar to bruise
el **mal** evil
    maldecir (*irr,* 24) to curse
    maleducado person with bad manners
la **maleta** suitcase
    malo ill; wicked
    manchar to stain
    mandar to send, to order
    manejar to drive
la **manera** manner
la **manga** sleeve
la **manguera** hose
el **maní** peanut
la **manifestación** demonstration
la **mano** hand
la **manteca** lard
el **mantel** tablecloth
el **manto** shawl
la **manzana** apple
la **mañana** morning; **por la mañana** in the morning; tomorrow
el **mapa** map
    maquillar (se) to put on makeup
la **máquina** machine; **máquina de escribir** typewriter
el **mar** ocean, sea
la **maravilla** wonder
    maravilloso wonderful
    marcar (c → qu, 16) to mark
    marchitar to wilt
    mareado dizzy
    marfileño ivorylike
el **marqués** marquis / la **marquesa** marchioness

el **martes** Tuesday
el/la **mártir** martyr
   mas but
   más more; **más allá de** beyond
el **masaje** massage
   masticar (c → qu, 16) to chew
   matricular (se) to matriculate, to register
   mayor major; older
   mecer (c → z, 18) to rock
la **mecida** swing, rocking
la **media** stocking
la **medianoche** midnight
la **medida** measurement
   medio half; average
el **mediodía** noon
   medir (e → i, 7) to measure
la **mejilla** cheek
   mejor better
   mejorar to improve
la **mella** nick, notch
la **memoria** memory; **de memoria** by heart
   menos less
el **mensajero** / la **mensajera** messenger
   mensual monthly
   mentir (e → ie, 6) to lie
   menudo small; **a menudo** often
el **mercado** market
el **mes** month
la **mesa** table
   meter to put, insert
el **meteorólogo** / la **meteoróloga** weather forecaster
   mezclar to mix
el **miedo** fear
la **miel** honey
el **miembro** / la **miembra** member
   mientras while, during; **mientras que** as long as
la **miga** crumb
el **milagro** miracle
   militar military
un **millar (de)** a thousand
   mimar to pamper

mirar to look at
la **misa** mass
   mismo same; very (emphatic); (one)self, itself
   mocho broken
la **moda** fashion; **de moda** in fashion
el **modo** way, manner
   modificar (c → qu, 16) to modify
el **moho** moss, rust
   mojar to wet; **mojarse** to get wet
   molestar to bother
la **monja** nun
el **monje** monk
   mono good-looking; cute
el **monstruo** monster
la **montaña** mountain
   montañoso mountainous
el **monte** mountain, hill
   morder (o → ue, 3) to bite
la **mordida** bite; bribe (Mex.)
   moreno brown; dark haired
   morir (o → ue, o → u, 5) to die
   mortificar (c → qu, 16) to mortify
la **mosca** fly
   mostrar (o → ue, 1) to show
   mover (o → ue, 3) to move
el **mozo** lad / la **moza** lass
el **muchacho** boy / la **muchacha** girl
la **muchedumbre** crowd
   mucho much, many
   mudar to move; **mudarse** to change clothes; to move
el **mueble** piece of furniture
la **muela** molar
la **muerte** death
la **mujer** woman, female
   multar to fine
   mullido fluffy
el **mundo** world
la **muñeca** doll
la **muralla** wall
el **muro** wall
el **músculo** muscle
el **muslo** thigh

◆ N ◆

   nacer (c → zc, 9) to be born
el **nacimiento** birth
   nada nothing
   nadie no one, nobody
la **naranja** orange
la **nariz** nose
   narrar to narrate
   natal native
el **nativo** / la **nativa** native
la **nave** ship
la **nebulosa** nebula
   necesitar to need
   necio foolish
   negociar to negotiate
el **negocio** business
   negro black
   nervioso nervous
   nevar (e → ie, 2) to snow
   ni (siquiera) not even
   ni... ni neither . . . nor
el **nieto** grandson / la **nieta** granddaughter
   ningún no, no one
   ninguno none, no one
la **niñera** babysitter
la **niñez** childhood
el **niño** boy, child / la **niña** girl, child
el **nivel** level
la **noche** night; **de noche** at night
el **nombre** name
el **nordeste** northeast
el **norte** north
la **nota** note, grade
la **novedad** novelty, latest thing
el/la **novelista** novelist
el **novio** boyfriend; fiancé / la **novia** girlfriend; fiancée
la **nube** cloud
el **nudillo** knuckle
   nuevo new (different, another); (brand-) new
la **nuez** walnut
el **número** number
   nunca never

◆ O ◆

obedecer (c → zc, 9) to obey
el **objeto** object; **objeto de valor** valuable item
la **obra** work
el **obrero** / la **obrera** worker
obtener (*irr*, 36) to obtain
la **oda** ode
odiar to hate
la **oferta** offer
el **oficio** trade, profession
ofrecer (c → zc, 9) to offer
oír (*irr*, 29) to hear
¡**ojalá**! (que) I hope
el **ojo** eye
oler (o → hue, 3) to smell
el **oligofrénico** / la **oligofrénica** dimwit, idiot
el **olor** smell
olvidarse de to forget
la **olla** cooking pot
oponerse (*irr*, 31) to oppose; *past part* opuesto
oprimir to oppress
la **oración** prayer
ordenar to order
la **oreja** ear
orgulloso proud
la **orilla** border, edge
el **oro** gold
oscuro dark, obscure
el **oeste** west
el **oso** bear
el **otoño** autumn
otro another
la **oveja** sheep, ewe
el **ovni** UFO
el/la **oyente** student who audits a class

◆ P ◆

pacer (c → zc, 9) to graze
la **paciencia** patience
el **padre** father
el **padrenuestro** Our Father (prayer)
el **padrino** godfather
paella saffron-flavored rice dish

pagar (g → gu, 14) to pay
la **página** page; **página de consultas** advice column
el **país** country
el **paisaje** landscape
el **pájaro** bird
la **palabra** word
el **palacio** palace
palidecer (c → zc, 9) to turn pale
pálido pale
el **palo** stick
la **paloma** pigeon
palpar to feel
el **pan** bread
la **panadería** bread store
la **pancarta** banner
el **pantalón** trousers; los **pantalones** trousers
la **pantalla** screen; lampshade
la **pantorrilla** calf
el **paño** felt
el **pañuelo** handkerchief
el **papel** paper; role
el **paquete** package
un **par (de)** a pair (of), a couple (of)
para to, for, towards, in order to, by; **para que** in order that; ¿**para qué**? what for?
la **parada** (bus) stop
el **paradero** location
el **parador** inn
el **paraguas** umbrella
paralelo parallel
el **parapsicólogo** / la **parapsicóloga** parapsychologist
parar to stop
parecer (c → zc, 9) to seem like; **parecerse** to resemble
la **pared** wall
la **pareja** couple
el **pariente** / la **parienta** relative
parlante talking
el **parque** park
la **parra** grapevine
el **párrafo** paragraph

el **partido** match
partir to part; to leave
el **pasajero** / la **pasajera** passenger
el **pasaporte** passport
pasar to pass, to happen, to spend
el **paseo** walk, stroll, drive
el **pasatiempo** pastime
el **pasillo** corridor
el **paso** step, walk
el **pastel** pie
el **pastor** / la **pastora** shepherd
patinar to skate
la **patria** country
patrocinar to patronize, to sponsor
patrullar to patrol
el **payaso** / la **payasa** clown
la **paz** peace
el **pecado** sin
la **pecera** goldfish bowl
el **pedazo** piece
pedir (e → i, 7) to ask for
peinar to comb
pelar to peel
pelear to fight
el **peligro** danger
peligroso dangerous
la **película** movie
pelirrojo redhead
el **pelo** hair
la **pelota** ball
la **pena** sorrow; **pena de muerte** death penalty
pendiente pending
el **pensamiento** thought
pensar (e → ie, 2) to think
pequeño small
la **pera** pear
percibir to perceive
perder (e → ie, 4) to lose
perdonar to pardon
la **pereza** laziness
perezoso lazy
el **perfil** profile
el **perico** parakeet
el/la **periodista** reporter, journalist
el **periódico** newspaper

el **perro** / la **perra** dog
pero but
perplejo perplexed
la **persona** person
el **personaje** character
persuasivo persuasive
pertenecer (c → zc, 9) to belong to
perturbar to disturb
el **pésame** condolences
pesar to weigh; **a pesar de** despite
el **pescuezo** neck
el **peso** weight; Mexican monetary unit
la **pesera** taxi (Mex.)
pétreo hard
el **petróleo** petroleum
el **pez** fish
el/la **pianista** pianist
el **pie** foot
la **piedad** pity
la **piedra** rock
la **piel** skin
la **pierna** leg
la **pila** battery
el **pintor** / la **pintora** painter
la **pintura** paint; painting
la **piña** pineapple
el **pirata** pirate
la **piscina** pool
el **piso** floor
la **pista** track, runway
el **pitillo** cigarette (Spain)
la **pizarra** chalkboard
el **pizcador** / la **pizcadora** picker
pícaro mischievous
el **placer** pleasure
plagar (g → gu, 14) to plague
planchar to iron
las **plantas** soles of the feet
la **plata** silver
el **plátano** banana
plateado silvered, silvery
platicar (c → qu, 16) to talk, to converse
el **platillo** saucer
platitudinesco trite, given to platitudes

el **plato** plate
la **playa** beach
la **plaza** square
el **pliegue** fold, crease
el **plomero** / la **plomera** plumber
la **población** population
el **poblado** village
pobre poor; unfortunate
la **pobreza** poverty
poco little, few; **poco a poco** little by little
poder (irr, 30) to be able, can; el **poder** power
poderoso powerful
el **poema** poem
la **poesía** poetry
el/la **poeta** poet
el **policía** policeman
la **policía** police; policewoman
la **política** politics
el **polvo** dust
el **pollo** chicken
poner (irr, 31) to put, place; *past part* **puesto**
populoso populous
por by; for; through; because of; **por ciento** percent; **por consiguiente** consequently; **por Dios** for heaven's sake; **por ejemplo** for example; **por eso** for that reason; **por falta de** for lack of; **por favor** please; **por fin** finally; **por lo menos** at least; **por parte de** on the part of; **por supuesto** of course; **¿por qué?** why?
el **pordiosero** / la **pordiosera** beggar
porque because
la **porquería** dirt, rubbish
el **portal** porch
portarse to behave
el/la **portavoz** speaker
portátil portable
portentoso wonderful
el **portero** doorman
el **poste** pole

el **postre** dessert
practicar (c → qu, 16) to practice
el **precio** price
preciso precise
predecir (irr, 24) to predict
la **predicción** prediction
predominar to predominate
preferir (e → ie, 6) to prefer
preguntar to ask
el **premio** prize
la **preocupación** preoccupation
preocupar to worry
preparar to prepare
la **presencia** presence
presenciar to witness
presentar to present; **presentarse candidato a** to run for (office)
presentir (e → ie, 6) to anticipate
el **presente** present
preservar to preserve
el **préstamo** loan
prestar to lend
el **presupuesto** estimate
el **pretérito** preterit
la **prisa** hurry, haste
la **primavera** spring
primero first
la **princesa** princess
el **príncipe** prince
el **principiante** / la **principianta** beginner
el **principio** beginning; **a principios de** at the beginning of
probar (o → ue, 1) to probe; to taste, to try
el **problema** problem
procedente (de) coming, originating (from)
el **procedimiento** proceeding
producir (c → zc, 22) to produce
profundo profound; deep
el **programa** program
prohibir to prohibit
prometer to promise
el **pronombre** pronoun

el **pronóstico** prognosis, forecast

pronto soon

propicio propitious

la **propina** tip

propio one's own

la **propuesta** proposition

proseguir (e → i, 7; gu → g, 17) to continue, to carry on

próximo next

la **prueba** test

publicitario advertising

el **pueblo** town

la **puerta** door

el **puerto** harbor, port

pues then, well; for, since, because

el **puesto** shop, stall; employment

pujante driving; vigorous

pulir to polish

la **pulsera** bracelet

el **punto** point

el **puñetazo** blow with the fist

el **pupitre** desk

◆ Q ◆

que that, which; who, whom; than; **el (la, los, las) que** which, who(m), the one(s) that, those who; **lo que** what, that which; **tener que** to have to, must

¿qué? what? which?; **¿de qué?** from what?; **¿para qué?** why? for what purpose?; **¿por qué?** why?

¡qué...! What (a) . . . ! How . . . !; **¡Qué va!** Oh, come now!

quedar to be left; to fit; **quedarse** to stay, to remain

quejarse to complain, to whine

quemar to burn

querer (*irr*, 32) to want; to love

querido beloved, dear

quien(es) who, whom; the one who, those who

¿quién(es)? who?, whom?; **¿de quién(es)?** whose?

quieto still

la **quimera** quarrel

las **quinielas** soccer pool

quinto fifth

quitar to take away; **quitarse** to take off

quizás perhaps

◆ R ◆

el **rábano** radish

el **racimo** bunch of grapes

la **raigambre** tradition

la **raíz** root

rapado shaven

rápido fast

rascar (c → qu, 16) to scratch

el **rastro** trace, sign

el **rato** short while; **hace un rato** a while ago

el **ratón** mouse

la **raza** race

la **razón** reason

reaccionar to react

realizar (z → c, 15) to carry out

realzar (z → c, 15) to enhance

rebajar to reduce

rebelde rebellious

el **rebote** bounce

rebuscar (c → qu, 16) to fumble

el **recado** message

recargar (g → gu, 14) to recharge, to reload

recaudar to collect

recibir to receive

reciente recent

reclamar to reclaim; to claim

recoger (g → j, 13) to pick up; to give shelter to

la **recompensa** reward

reconocer (c → zc, 9) to recognize

reconvenir (*irr*, 39) to reprimand, to reproach

recordar (o → ue, 1) to recall, to remind

el **recorrido** journey, run

recorrer to tour, to run over, to peruse

recostar (**se**) (o → ue, 1) to recline

el **recreo** recreation, break

recto upright

rechazar (z → c, 15) to reject

la **red** net

la **redoma** flask

redondo round

reducir (c → zc, 9) to reduce

el **reembolso** return (of money), reimbursement

referir (e → ue, 6) to refer

reflejar to reflect

reformar to reform

reforzar (o → ue, 1; z → c, 15) to reinforce

el **refrán** proverb, saying

el **refresco** refreshment

refugiar to shelter; **refugiarse** to take shelter

refulgente radiant

el **regalo** gift

la **regla** rule

regocijar to rejoice

regresar to return

el/la **rehén** hostage

rehusar to refuse

reinar to reign

reinventar to invent again

reírse (de) (e → i, 7) to laugh (at)

relajar to slacken, loosen, relax

el **relámpago** lightning

el **relieve** relief

el **reloj** watch, clock; **reloj de pulsera** wristwatch

reluciente shining, glossy

relucir (c → zc, 9) to shine

el **relleno** stuffing

remunerar to reward
renombre renown
el reo / la rea the accused
repartir to distribute
repetir (e → i, 7) to repeat
replicar (c → qu, 16) to answer
reponerse (*irr,* 31) to recover
reposar to rest
representar to present, to perform
rescatar to rescue
el rescate ransom
la residencia dorm, residence
residir to reside
resolver (o → ue, 3) to resolve
respetar to respect
respirar to breathe
responsabilizar (z → c, 15) to make responsible
la respuesta answer
restaurar to restore
resultar to turn out
retorcer(se) (o → ue, 3; c → z, 18) to twist, to wring
retrasar to delay
el retrato portrait
reunir to reunite
revelar to reveal; to develop (photos)
el reverbero reflection
la revista magazine
revolcar (o → ue, 1; c → qu, 16) to trample, wallow
rezar (z → c, 15) to pray
rico rich
riente laughing
la rima rhyme
el rincón inside corner
el riñón kidney
el río river
la risa laughter
la rivalidad rivalry
robar to steal
rociar to sprinkle
rodeado surrounded
roer to gnaw
la rodilla knee

rogar (o → ue, 1; g → gu, 14) to beg, to plead
rojizo reddish
el rompecabezas puzzle
romper to tear, to break
la ropa clothes
el rosal rosebush
el rostro face
rotundo round
rubio blond
la rueda wheel
el ruido noise
la ruina ruin
rumbo a on the way to
la ruta route

◆ S ◆

el sábado Saturday
la sábana sheet, blanket
el sabañón chilblain
saber (*irr,* 33) to know
la sabiduría wisdom
sabroso savory, tasty
el sacacorchos corkscrew
el sacapuntas pencil sharpener
sacar (*irr,* 16) to take out
sacudir to shake
sagrado sacred
la sala living room; sala de clase classroom
la salchicha sausage
salir (*irr,* 34) to leave, to go out; to escape
el salón room, living room, hall
saltar to jump
saltarín jumpy
la salud health
saludar to greet
salvo si except if
la sandía watermelon
la sangre blood
el santo / la santa saint
el santuario sanctuary
santucho saintly
satirizar (z → c, 15) to satirize
el sebo tallow
secar (c → qu, 16) to dry

seco dry
secuestrar to kidnap
la sed thirst
la seda silk
la sede see, seat; headquarters
seguir (e → i, 7; gu → g, 17) to follow
según according to
seguramente certainly, surely
seguro certain, safe
la selva jungle
la semana week
semanal weekly
semejar to resemble
la semilla seed
sencillo simple
el seno breast, bosom
sentarse (e → ie, 2) to sit down
sentirse (e → ie, 6) to feel
la señal sign
el señor gentleman / la señora lady
sepultar to bury
la sequía drought
ser (*irr,* 35) to be; *past part* sido
el ser being
serio serious
la servilleta napkin
servir (e → i, 7) to serve
si if
sí yes
la sidra cider
siempre always; siempre que whenever
la sierra mountain chain
sigilosamente silently, secretly
el siglo century
significar (c → qu, 16) to mean, to signify
siguiente following
silbar to whistle
el silencio silence
la silueta silhouette
el sillón armchair
el/la simpatizante sympathizer
el sino fate, destiny

sino but, rather, on the contrary

el **sistema** system

el **sitio** place

situar to situate, to place

sobrar to have extra

sobre on; over

sobrecoger (g → j, 13) to overtake

el **sobrino** nephew / la **sobrina** niece

el **socio** / la **socia** business partner

sofocar (c → qu, 16) to suffocate

el **sol** sun

soler (o → ue, 3) to be accustomed to

solicitar to solicit

solo alone

sólo only

soltar (o → ue, 1) to loosen, to free

soltero unmarried

sollozar (z → c, 15) to sob

la **sombra** shade; shadow

la **sonaja** rattle

sonámbulo sleepwalker

sonar (o → ue, 1) to ring; to blow (nose)

el **sonido** sound

sonreír (e → i, 7) to smile

la **sonrisa** smile

soñar (o → ue, 1) to dream

el **sopor** lethargy

sordo deaf

sordomudo deaf-mute

sorprender to surprise

el **sorteo** drawing (lots), raffle

la **sospecha** suspicion

el **sostén** support

subir to go up; **subirse** to climb (with effort)

suceder to follow (ensue); to happen

sucio dirty

sudar to sweat, to perspire

el **sudor** sweat, perspiration

el **sueldo** salary

el **suelo** floor

suelto loose, hanging free

la **suerte** luck

el **suéter** sweater

sufrir to suffer

sugerir (e → ie, 6) to suggest

sujetar to hold

sumido sunken

la **superficie** surface

el/la **superviviente** survivor

suponer (*irr*, 31) to suppose

supuesto supposed, so-called

el **sur** south

el **surco** furrow

sustituir (u → uy, 41) to substitute

susurrar to whisper

◆ T ◆

la **taberna** tavern

el **tabú** taboo

tal such; **tal como** such as; **tal vez** perhaps

el **talón** heel

la **talla** (clothes) size

el **taller** workshop

el **tamaño** size

tambalear to stagger, to totter

también also

tampoco neither, not either

tan so; **tan... como** as (so) . . . as; **tan en serio** so seriously; **tan pronto como** as soon as

tanto so much, as much; **tanto mejor** all the better; **por lo tanto** therefore

tapizar (z → c, 15) to upholster

el **tapón** stopper, cork

la **taquigrafía** shorthand

la **taquilla** ticket office or booth

tarde late

la **tarde** afternoon, evening

la **tarea** homework

la **tarifa** fare

la **tarima** movable platform

la **tarjeta** card

la **taza** cup

el **té** tea

el **teatro** theater

el **techo** roof, ceiling

el **tejado** roof

la **telenovela** soap opera

el **tema** theme, subject

el **temblor** trembling, tremor

la **temporada** season

temprano early

tender (e → ie, 4) to stretch out

el **tenedor** fork

tener (*irr*, 36) to have, to hold, to get; **tener que** to have to; **tener mucho que hacer** to have a lot to do; **tener razón** to be right

terminar to finish

el **terremoto** earthquake

el **tesoro** treasure

tibio tepid

el **tiempo** time; weather

la **tienda** store

tierno tender

la **tierra** land

las **tijeras** scissors

el **timbal** kettledrum

el **timbre** doorbell

el **tinte** dye, tint

el **tipo** type; fellow / la **tipa** woman

tirar to throw

el **título** title

la **tiza** chalk

el **tobillo** ankle

el **tocadiscos** record player

tocar (c → qu, 16) to touch; to play

el **tocayo** / la **tocaya** namesake

todavía still; **todavía no** not yet

todo all; every

tolerar to tolerate

tomar to take

el **tomo** volume

la **tontería** foolery, stupidity

la **tormenta** storm

el **torneo** tournament
la **toronja** grapefruit
el **toro** bull
torpe clumsy
toser to cough
trabajar to work
el **trabajo** job; **trabajo de media jornada** part-time job
el **trabalenguas** tongue twister
trabar to join, to fasten
traducir (c → zc, 22) to translate
traer (*irr*, 37) to bring
tragar (g → gu, 14) to swallow
traicionar to betray
el **traje** suit; **traje de baño** swimming suit
trajinar to go back and forth
la **trama** plot
la **trampa** trick
transcurrir to pass, to elapse
trasladar to transport, to move
el **traste** dish (Mex.)
tratar (de) to try, to deal with
trazar (z → c, 15) to trace
trepar to climb
la **tribu** tribe
el **trigal** wheat field
el **trigo** wheat
triste sad
el **tronco** tree trunk
la **tropa** troop
tropezar (e → ie, 2; z → c, 15) to stumble
el **truco** trick
el **trueno** thunder
el **tuétano** marrow
la **tumba** grave
el/la **turista** tourist

◆ U ◆

último last
el **umbral** threshold
único only; unique
unificar unify

la **uña** fingernail
útil useful, practical
la **uva** grape

◆ V ◆

la **vaca** cow
las **vacaciones** vacation; **de vacaciones** on vacation
vaciar to empty
vacío empty
el **vacío** void; emptiness
vacunar to vaccinate
valer (*irr*, 38) to be worth, to cost
valioso costly
valorar to value, to evaluate
el **valle** valley
la **vanguardia** avant-garde
el **vaquero** cowboy / la **vaquera** cowgirl
varios various
vasco Basque
la **vasija** vessel
el **vaso** glass
el **vaticinio** divination, prophecy
el **vecindario** neighborhood
el **vecino** / la **vecina** neighbor
vegetariano vegetarian
el **vehículo** vehicle
la **vela** candle
el **velero** sailing boat
veloz fast
la **vena** vein
el **venado** deer
vencer to conquer, to overcome
vendar to bandage
vender to sell
la **venganza** vengeance
venir (*irr*, 39) to come
la **venta** sale
la **ventaja** advantage
la **ventana** window
ver (*irr*, 40) to see; *past part* **visto**
el **verano** summer
la **verdad** truth
verde green

la **vergüenza** embarrassment; shame
la **verja** iron fence
verosímil credible, probable, verisimilar
vestir (e → i, 7) to dress; **vestirse** to get dressed
el **vestuario** locker room; dressing room
vez time, turn; **a la vez** at once, at the same time; **de vez en cuando** once in a while; **en vez de** instead of; **a veces** sometimes
viajar to travel
la **vida** life
la **vía** route, way; track
el **viaje** trip; **viaje de grupo** charter flight
el **viajero** / la **viajera** traveller
la **víctima** victim
viejo old
vincular to link
el **vino** wine
la **viña** vineyard
la **víscera** innards, guts
visitar to visit
viudo widowed
vivir to live; **vivir de** to live on or upon
el **vocablo** word
la **vocación** vocation
el **volante** steering wheel
volar (o → ue, 1) to fly
volver (o → ue, 3) to return
la **voz** voice
el **vuelo** flight

◆ Y ◆

ya already, now; **ya no** no longer; **ya que** since
la **yegua** mare
el **yeso** plaster
el **yunque** anvil

◆ Z ◆

el **zagal** lad, shepherd's helper / la **zagala** maiden

la **zanahoria** carrot
la **zapatilla** slipper
el **zapato** shoe
el **zócalo** central square (Mex.),
    plaza
la **zona** zone
el **zumbido** buzzing
el **zurrón** shepherd's pouch

Índice de materias

D. Usos del verbo ser

Use **ser** for the following:

1) To link the subject to a noun for the purpose of defining it or identifying its occupation, nationality, or political or religious affiliation.

La Casona es un bar.	*La Casona is a bar.*
Héctor y Marta son españoles.	*Héctor and Marta are Spaniards.*
Su abuela era republicana.	*Their grandmother was a Republican.*

2) To indicate where an event takes place.

La película es en el Rialto.	*The film is at the Rialto.*

3) To express clock time, day, or date.

Hoy es domingo.	*Today is Sunday.*
Son las cinco de la tarde.	*It's 5:00 P.M.*

4) With adjectives to express qualities or characteristics that distinguish the subject from others of the same class.

Yo soy impaciente.	*I'm impatient* (compared to other people).
Las copas son baratas allí.	*Drinks are cheap there* (compared to drinks elsewhere).

5) In impersonal expressions.

Es preferible ir a otro sitio.	*It's better to go somewhere else.*

6) With the past participle to form the passive.

La película fue dirigida por Carlos Saura.	*The film was directed by Carlos Saura.*

E. Las expresiones ser de y ser para

1) Use **ser de** to indicate the origin of a person or thing, what something is made of, or possession *(belongs to)*.

Este vino es de la Rioja.	*This wine is from the Rioja* (region of Spain).
Esta copa es de plata.	*This cup is silver.*
Ese bar es de mi amigo Pepe.	*That bar belongs to my friend Pepe.*

2) Use **ser para** to indicate destination, purpose, or goal.

Los domingos no son para estudiar.	*Sundays aren't for studying.*
La primera sesión será para los reyes.	*The first performance will be for the king and queen.*

F. Verbos usados en lugar de ser

1) You can use **resultar** *(to turn out, to be)* instead of **ser** to emphasize the idea of result or outcome.

Resulta que no hay entradas para esa   *It turns out there are no tickets for that*
  película.   *movie.*

2) You can use **pasar, suceder, ocurrir,** or **tener lugar** (all meaning *to occur, to happen, to take place*) instead of **ser** to state that an event takes place.

El accidente $\left\{\begin{array}{l}\text{tuvo lugar}\\\text{ocurrió}\\\text{sucedió}\end{array}\right\}$ en la madrugada.   *The accident happened at dawn.*

═══════════════════════ *EJERCICIOS* ═══════════════════════

PRÁCTICA

A. Complete el siguiente diálogo con las formas apropiadas del verbo **ser**.

PILAR   ¿Quién —(1)— esa señora?
TOÑO   —(2)— la profesora Peña-Lara. —(3)— especialista en lingüística.
PILAR   ¿Tú —(4)— estudiante en su clase?
TOÑO   Sí, —(5)— muy interesante. Las próximas sesiones —(6)— el miércoles y el viernes.

B. Traduzca las siguientes oraciones, usando el verbo **ser**.

1. Pedro Almodóvar and Carlos Saura are film directors.   2. They're from Spain.   3. The line for Saura's film is long.   4. A film of Almodóvar's is at the Rex.   5. It's very interesting.   6. The first performance is at 4:30 P.M.

C. Forme oraciones con estas palabras y frases.

El eclipse		difícil para mí.
La boda	resultar	en la Facultad de Letras.
Los conciertos en la plaza	pasar	durante los carnavales.
La clase de cálculo	suceder	aburrido.
Muchos accidentes	ocurrir	en la catedral.
Algunas fiestas	tener lugar	muy divertido.
Las conferencias		en verano.

¡A CONOCERNOS!

A. Conteste estas preguntas. ¡Es permitido mentir!

1. ¿De dónde es Ud.?   ¿Y su familia?   2. ¿Es Ud. soltero/a o casado/a?   3. ¿Cómo es Ud. físicamente?   4. ¿Cuándo es su cumpleaños?   5. ¿A qué hora son el almuerzo y la cena en su residencia?   6. ¿De qué son su camisa (blusa) y sus pantalones (falda)?   7. ¿De quién es la casa donde vive su familia?   8. ¿Es difícil dialogar con sus padres?   9. ¿Era divertida su vida en la escuela secundaria?   10. ¿Qué hora será al terminar la clase?   11. ¿Fue miércoles el primer día de clase?   12. ¿Fueron difíciles estas preguntas?

B. Ahora hágale unas preguntas similares a un compañero o a una compañera.

El director de cine español Carlos Saura (a la izquierda), acompañado por su esposa Marisa, se encuentra aquí con el actor Ricardo Montalbán en el Teatro Samuel Goldwyn de Hollywood. La ocasión es un tributo especial a Saura por su brillante carrera como director cinematográfico.

SITUACIÓN COMUNICATIVA

Introduce yourself to the class. Say who you are, where you're from, and what your major (**especialidad**) is. Embroider the facts as much as you wish!

II. El verbo **estar**

A. *Esperando a la cigüeña*

Antonio Fernández está buscando unas medicinas en la farmacia que queda en la avenida Bolívar en Caracas, Venezuela. Allí encuentra a su amigo Celso Mateu.

CELSO   Pero, Toni, estás tan pálido. ¿Qué te pasa?

ANTONIO   Pues, la verdad es que estoy nervioso. Elvira está embarazada y me siento algo preocupado por el futuro...

CELSO   ¿Qué dices, chico? ¡Felicitaciones! Pero, ¿por qué andas preocupado?

ANTONIO   Bueno, es que la vida está muy cara.

CELSO   Todo irá bien, Toni, todo irá bien.

◆ **Simón Bolívar** nació en Caracas en 1783. Al mando de las fuerzas que luchaban por la independencia de España, Bolívar logró liberar gran parte de Suramérica en 1824. Fundó **la Gran Colombia**, una nueva nación, pero ésta quedó dividida en Ecuador, Colombia y Venezuela tres meses antes de su muerte en 1830.

◆ **Caracas**, capital de Venezuela, es una metrópolis moderna y próspera. Su prosperidad se deriva en gran parte de la producción de petróleo. El Centro Simón Bolívar es un famoso ejemplo de su modernismo arquitectónico.

cigüeña *stork*   **queda** *is located*   **¡felicitaciones!** *congratulations!*   **todo irá bien** *everything will be fine*   **al mando de** *leading*   **luchaban** *were fighting*   **logró liberar** *succeeded in liberating*   **quedó dividida** *was divided*

Muchas medicinas que en los Estados Unidos no se pueden comprar sin receta médica, se compran fácilmente en las farmacias hispánicas, como en ésta de Caracas, Venezuela.

B. Preguntas

1. ¿Dónde queda la farmacia? 2. ¿Por qué está pálido Toni? 3. ¿Por qué anda preocupado? 4. ¿Quién está esperando a la cigüeña? 5. Todo el mundo debe tener hijos. ¿Está Ud. de acuerdo?

C. Formas del verbo estar

	PRESENTE	PRETÉRITO	IMPERFECTO	FUTURO
yo	estoy	estuve	estaba	estaré
tú	estás	estuviste	estabas	estarás
Ud., él, ella	está	estuvo	estaba	estará
nosotros/as	estamos	estuvimos	estábamos	estaremos
vosotros/as	estáis	estuvisteis	estabais	estaréis
Uds., ellos/as	están	estuvieron	estaban	estarán